中国近现代针灸文献研究集成

教材卷

王富春　杨克卫／主编

针灸基础分卷

两广篇（上）

北京科学技术出版社

U0215841

图书在版编目（CIP）数据

中国近现代针灸文献研究集成. 教材卷. 针灸基础分卷. 两广篇 / 王富春, 杨克卫主编. —北京：北京科学技术出版社, 2021.11
ISBN 978-7-5714-1902-8

Ⅰ. ①中… Ⅱ. ①王… ②杨… Ⅲ. ①针灸疗法—文献—汇编—中国—近现代 Ⅳ. ①R245

中国版本图书馆CIP数据核字(2021)第204681号

策划编辑：侍　伟
责任编辑：吴　丹
文字编辑：吕　艳　董桂红　杨朝晖　严　丹　陶　清
责任校对：贾　荣
图文制作：北京艺海正印广告有限公司
责任印制：李　茗
出 版 人：曾庆宇
出版发行：北京科学技术出版社
社　　址：北京西直门南大街16号
邮政编码：100035
电　　话：0086-10-66135495（总编室）　0086-10-66113227（发行部）
网　　址：www.bkydw.cn
印　　刷：北京捷迅佳彩印刷有限公司
开　　本：787 mm × 1092 mm　1/16
字　　数：662千字
印　　张：72
版　　次：2021年11月第1版
印　　次：2021年11月第1次印刷
ISBN 978-7-5714-1902-8

定　　价：980.00元（全二册）

京科版图书，版权所有，侵权必究。
京科版图书，印装差错，负责退换。

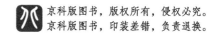

“中国近现代针灸文献研究集成”丛书

编　委　会

主　编　王富春　杨克卫

副主编（按姓氏笔画排序）

王洪峰　王喜臣　王朝辉　刘成禹　刘晓娜　李　铁
张　敏　陈新华　周　丹　赵晋莹　胡英华　柳正植
徐晓红　董国娟　蒋海琳

编　委（按姓氏笔画排序）

于　硕　马　鋆　马天姝　马诗琪　马俊峰　王　玥
王　贺　王文慧　王英利　王洪峰　王艳雯　王笑莹
王雪迪　王喜臣　王朝辉　王富春　王鹤燃　王璐瑶
王巍巍　牛　野　亢泽峥　甘晓磊　卢　琦　田　玉
史文豪　白　伟　宁明月　朱　斌　伍春燕　刘　彤
刘　武　刘　超　刘成禹　刘春禹　刘柏岩　刘艳丽
刘晓娜　刘雁泽　刘路迪　闫　冰　江露露　孙玮辰
孙佳琪　孙树楠　李　冰　李　丽　李　铁　李一鸣
李乃奇　李芃柳　李亚红　李建彦　李孟媛　李梦琪
杨　鑫　杨克卫　杨春辉　余召民　狄金涛　张　敏

张　琪　张　楚　张子扬　张丹枫　张珊珊　张晓旭

张晓梅　张瀚文　陆孟静　陈丽丽　陈春海　陈维伟

陈新华　邵　阳　范芷君　范嘉毅　岳永月　周　丹

冶丁铭　赵晋莹　赵雪玮　胡英华　柳正植　哈丽娟

钟　祯　洪嘉靖　姚　琳　贺怀林　柴佳鹏　党梓铭

徐　铭　徐万婷　徐立光　徐晓红　高　姗　郭丽君

郭晓乐　曹　洋　曹家桢　康前前　董国娟　蒋海琳

韩香莲　路方平　詹旭晖　谭蕊蕊

《中国近现代针灸文献研究集成·教材卷》

编 委 会

主　编　王富春　杨克卫

副主编（按姓氏笔画排序）

王朝辉　刘成禹　刘晓娜　李　铁　张　敏　陈新华

周　丹　赵晋莹　胡英华　徐晓红　董国娟　蒋海琳

编　委（按姓氏笔画排序）

马天姝　王义安　王艳雯　王笑莹　王朝辉　王富春

白　伟　朱　斌　刘成禹　刘春禹　刘晓娜　孙佳琪

李　铁　李乃奇　李芃柳　杨　鑫　杨克卫　杨春辉

张　敏　张　楚　陈春海　陈新华　周　丹　治丁铭

赵晋莹　胡英华　柳正植　哈丽娟　洪嘉靖　徐立光

徐晓红　郭晓乐　曹　洋　董国娟　蒋海琳　韩香莲

路方平

总前言

1840年，鸦片战争爆发，西方列强入侵中国，自此中国由独立的封建社会逐步沦为半殖民地半封建社会。20世纪初，受“五四运动”时期各种新思潮的影响，许多有识之士开始积极地向西方学习，由此，大量的自然科学和社会科学知识传入中国，这对中国的政治和社会经济等都产生了重大影响。近代西医学的影响力逐渐增大，解剖学、生理学等知识开始被当时的人们所了解和接纳，西医医院、西医学校等机构也在中国相继出现。随着西医医护队伍的不断壮大，许多人以转译日本人所著的西医学书籍的方式来学习西医学，并成立了相应的学术团体和职业团体。这一时期的针灸界亦是如此，宁波东方针灸学社、中国针灸学研究社等学术团体相继成立，针灸医家访问日本，带回大量日本的针灸著作并将之翻译出版。这些翻译著作较传统针灸医籍更容易学习，颇受民众喜爱。中国近代中医学家、教育家对针灸学术的研究极大地推动了针灸学的现代发展。中华人民共和国成立后，中医针灸学研究越来越受到重视，著书者众、办学者多，由此，针灸成为中医学研究与发展不可或缺的一环，并逐渐在世界范围大放异彩。2010年，中医针灸被列入《人类非物质文化遗产代表作名录》。中国近现代是中西方思想碰撞的时期，是中医学术多流派发展、百家争鸣的时代，其中又以民国时期最具代表性。研究民国时期这一特殊历史时期的针灸文献，可以为今后的针灸学术发展提供良好的借鉴。“中国近现代针灸文献研究集成”丛书对中国近现代针灸文献进行收集、整理和研究，其中以民国时期的针灸文献为主。

一、民国时期针灸的发展概况

民国时期的针灸学术研究一直未被学界所重视，但作为传统针灸与现代针灸的衔接，这一时期的针灸学术研究影响深远。民国时期是中医针灸学院化教育的萌芽时期，是现代针灸教育模式的源头时期，是针灸学术发展的历史转折期。近年来，对于民国时期针灸文献的研究逐渐被学界重视，大量民国时期的针灸医籍得以整理出版，如承淡安编撰的《中国针灸治疗学》《中国针灸学讲义》，杨医亚在民国时期办学的讲义等。然而，随着对民国时期针灸学术、针灸医籍的研究日渐增多与深入，研究者们面临着一个共同的难题——民国时期针灸文献的收集十分困难。这一难题产生的主要原因是民国时期的针灸文献存量不多，有些甚至已经失传。

经历了明清时期的积淀，民国时期的针灸学术得到进一步发展，针灸学术团体、学术体系逐渐形成，这一时期是传统针灸向现代针灸过渡的时期。以承淡安为代表的澄江针灸学派的先辈们创办中国针灸学研究社，开办针灸讲习所，招收学员，传播针灸技术，实践“针灸科学化”，对民国时期的针灸学术发展具有举足轻重的作用。民国时期针灸名医曾天治提倡的“科学针灸”的理念在这一时期备受关注，这对现代的针灸教育及针灸体系产生了巨大影响。中华人民共和国成立初期，全国各地兴办针灸学校，以承淡安为代表的针灸医家在继承古法、融汇新知的基础上，总结民国时期针灸学术研究成果及针灸教育的经验，开办针灸学习班，创办针灸高等教育学校，为现代针灸教育的发展打下了坚实的基础。

二、民国时期针灸文献的保存现状

有学者据《中国中医古籍总目》考查，发现民国时期的针灸医籍共有193种，较之明代的24种、清代的86种多出数倍。另有学者认为，民国时期的针灸医籍共有254种，其中中国本土针灸医籍有229种。民国时期是针灸医籍大量出现的时期。随着印刷技术的发展，出版书籍的成本逐渐降低，许多书籍得以大量出版。另外，民国时期各种中医学校、学术团体大量涌现，由于教学及学术交流的需要，针灸医籍的出版数量激增。

然而，对这些文献的保护并未得到足够的重视。首先，受当时的历史条件所限，大量图书并未经过正规出版，只是简单印刷，数量较少，且战乱频仍，导致不少文献难以留存全本。其次，由于不是正规出版物，相当一批文献没有进入馆藏系统，而是散落于民间，这使得这些文献留存状况不明，有些文献已经成为孤本，甚至已经散佚。同时，由于当时书籍纸张的质量普遍较差，且装订十分粗糙，部分文献在辗转流传过程中被损坏，已成残本，这种情况尤以油印材料及手抄本为突出。民国时期是我国出版业由手工造纸、印刷向机械造纸、印刷的过渡时期，相关技艺还不够成熟，用于印刷的纸张酸性强、保存期限短，加上长期以来各馆藏机构对民国时期文献的保护观念滞后、认识不足、保管不善，以致部分医籍呈现出不同程度的老化或损毁现象，情况岌岌可危。当前，亟须对这批文献进行重新整理及抢救性保护，使之进入国家各级馆藏体系，为我国针灸学术的传承及中医药事业的发展提供宝贵的文献资料。

三、本丛书所收录的针灸文献情况分析

（一）本丛书所收录的针灸文献书目

作者团队通过查阅《中国中医古籍总目》《中国针灸文献提要》《中国针灸荟萃·现存针灸医籍》《民国时期总书目·医药卫生》等工具书，参考各省（自治区、直辖市）及院校图书馆、档案馆和民间个人收藏书籍，共收集针灸文献1000余种，以来源可靠、记录严谨、实用性强、学术价值及文献价值高为原则筛选出210余种针灸书籍作为本丛书的书目。本丛书所收录的针灸文献以私人藏书为主，除了涵盖约90%的《中国中医古籍总目》所收录的民国时期的针灸文献，还增补了《中国中医古籍总目》所未收录的民国时期的针灸书籍近50种，其中不乏珍稀文献，如讲述“广西派针法”的《针灸菁华》、四川程兴阳的《针灸灵法》（石印本）等。对于抄本针灸文献，部分图书馆公藏的难以查阅，故本丛书未予收录，而民间发现的则择而收之。

本丛书按收录文献的内容题材进行分类分卷，并参考编者或学术团体所在地域进行分册，使体例清晰，便于使用。本丛书所收录文献按内容题材具体分为：①教材类；②专著类；③医案类；④杂志类；⑤图谱类；⑥其他（主要包括清末民国时期的佚名抄本等）。本丛书所收录针灸文献的情况如表1、表2所示。

表1　本丛书所收录针灸文献情况（按内容题材分类）

	教材类	专著类	医案类	杂志类	图谱类	其他
数量	54种	127种	5种	13种	6种	10种

表2 本丛书所收录《中国中医古籍总目》中针灸文献书目数量与《中国中医古籍总目》书目数量对比

	针灸通论类	经络孔穴类	针灸方法类	针灸临床类
“中国近现代针灸文献研究集成”收录书目数量	50种	23种	18种	16种
“中国近现代针灸文献研究集成”未录书目数量	15种	15种	8种	6种
《中国中医古籍总目》收录书目数量	65种	38种	26种	22种

注：《中国中医古籍总目》书目包括本丛书所收录书目与本丛书未录书目。其中抄本书目不在统计范围内，且《中国中医古籍总目》中的重复书目算作1种。①针灸通论类：收录50种，未录15种；另存抄本44种。②经络孔穴类：收录23种，未录15种（其中民国时期11种）；另存抄本64种，其中挂图7种，经查未见3种。③针灸方法类：收录18种，未录8种（多为太乙神针别本）；另存抄本15种（收录1种）。④针灸临床类：收录16种，未录6种（含针灸医案别本）；另存抄本17种。

（二）本丛书未收录的针灸文献书目

在对《中国中医古籍总目》进行查阅及对馆藏图书进行实地考察的基础上，现列举部分本丛书未收录的书目，以便后续收集。

针灸通论类：《针灸便览》、《中医刺灸术讲义》、《针灸秘法》、《简明针科学·论针篇》、《针灸纂要》、《针灸说明书》、《实用针灸医学》、《针灸学薪传》、《针灸学》（富锦文新书局）、《针灸学讲义》、《针灸精华》，以及《针灸学》（《中国中医古籍总目》载四川铅印本，经实地考察，实为《针灸医案》油印本）、《针灸学讲义》（重庆石印本，经查未见）、《针灸讲义》（石印本，经查与《针灸医案》同一函，蓝印）。

经络孔穴类：《脉度运行考》、《经络图说》、《俞穴指髓》、《铜人经穴骨度图》（张山雷）、《明堂孔穴针灸治要》（孙鼎宜）、《经络要穴歌诀》（经实地考察，该书与《经穴摘要歌诀·百症赋笺注》系同一馆藏代码，系重复编目）、《经穴辑要》（勘桥散人）、《十四经穴分布图》（姚若琴，经查未见，经考证为中华人民共和国成立后出版的，《中国中医古籍总目》有误）、《铜人新图》（范更生）、《正统铜人插针照片》、《实用铜人经穴图》（董德懋）、《针灸经穴挂图》（杨医亚）、《人体十四经穴图像》（赵尔康）、《人体经穴图》（承淡安）。以上多系人形挂图，未收录。

针灸方法类：《砭经》、《神灸经论》、《传悟灵济录》、《灸法秘传》、《灸法心传》、《延寿针治症穴道》等部分晚清针灸古籍。以上近年多有出版，未予收录。

针灸临床类：《济世神针》、《针灸治验百零八种》、《针灸医案》（系收录《针灸医案》别本）。

如上所述，本丛书基本涵盖了《中国中医古籍总目》所列大部分馆藏图书，亦收录了馆藏未见的民国时期的针灸书目近50种（其中新发现的民间私立学校所用针灸材料有数十种），缓解了目前民国时期针灸文献研究材料难得一见的窘迫局面，既能及时抢救该时期的中医针灸文献，又可使之化身千百，服务于学界，促进文化的传承。

四、民国时期针灸文献的价值及其对近现代针灸学术的意义

（一）民国时期针灸文献的价值

1. 文献保存

民国时期是一个战乱不断的特殊历史时期，战乱对书籍的保存流传的影响是灾难性的，如《针灸杂志》有35期，其中一部分印有千余册，时隔近百年，存世者已非常稀少，可见民国时期的针灸文献散佚了不少。部分老中医所藏医籍在1966—1976年亦有损毁，如著有《实用科学针灸》的谈镇尧（《中国中医古籍总目》为淡镇垚，系误）多年来整理的资料在这一时期几乎被销毁殆尽。《实用科学针灸》一书在河南中医药大学有藏，惜其只藏有中、下两册。在收集文献的过程中，作者团队收集到了谈镇尧的《实用科学针灸》《实用针灸讲义》。其中《实用针灸讲义》为1955年内部铅印本，其内容包含了谈镇尧已散佚的著述与资料，因此，该书的发现将谈镇尧的主要针灸医籍很好地保存了下来。民国时期的针灸文献凝结了一代中医针灸工作者的宝贵经验，是一代人无私奉献的结果，是我国中医针灸工作者宝贵经验和学术成果的集中体现。收集整理民国时期的针灸文献，可有力推动中医针灸学的发展。

2. 历史研究

1929年震惊中医界的“废止中医案”事件，使民国时期的中医学发展遭遇了前所未有的政策压制。民国时期的针灸史研究是整个近现代医学史研究的重要组成部分。目前我国对针灸史的研究多集中在民国时期以前的文献，对民国时期针灸文献

的研究基本处于空白状态。

民国时期是以澄江针灸学派为主导的多流派共发展、百家争鸣的时期。澄江针灸学派兴起于20世纪30年代。该学派以近代针灸名家承淡安先生为代表，以中国针灸学研究社核心成员及其传人为主体，是中国针灸学术发展史上具有科学学派特质的学术流派。民国时期该学派的代表人物还有罗兆琚、曾天治、赵尔康、杨甲三、程莘农等。该学派创办了民国时期影响最大、发行时间最长的针灸专业期刊《针灸杂志》，开创了具有现代化教育模式的中国针灸讲习所，推进了针灸学院化教育方式的发展。该学派的代表人物撰写了高质量的著作，如承淡安的《中国针灸治疗学》《中国针灸学讲义》，曾天治的《科学针灸治疗学》《针灸医学大纲》，罗兆琚的《中国针灸经穴学讲义》《实用针灸指要》，赵尔康的《针灸秘笈纲要》。这些书籍对民国时期及后世针灸医生影响甚深。除此之外，《（香港）广东中医药学校针灸学》（周仲房）、湖南国医专科学校《针灸学讲义》、《莆田国医专科学校针灸讲义》、《广西省立医药研究所针灸学讲义》、《广西省立南宁区医药研究所针灸学讲义》、《华北国医学院针灸讲义》、江苏省立医政学院《经络俞穴歌诀》等馆藏未见讲义陆续被发现，这为研究民国时期全国各地的院校教育提供了宝贵的一手材料。

作者团队在关注学院教育的同时，也收集到数目可观的民间私立学校的教学讲义，如《天津私立益三针灸传习所讲义》、《私立叔平针灸学社讲义》、《温灸术函授讲义》（广东温灸术研究社讲义）、《针灸菁华》（胡耀贞传习广西派针法使用的讲义）等。这些讲义使得民国时期的一些针法及治疗经验得以保存下来。

3. 临床应用

（1）“穴性”对初学针灸者的指导价值。“穴性”一词起源于民国时期。中华人民共和国成立后，“穴性”一词经李文宪、孙振寰等针灸医家的推广而广为流传。陈景文《实用针灸学》记载：“穴之有性质，亦犹药之有性质，知其性质，而后方明其功用。”该书将86穴分为气、血、虚、实、寒、热、风、湿8门。罗兆琚《实用针灸指要》记载：“夫所谓穴义者，即各穴具有之主要特性也，知其性之所在，而后明其功用之特长。故研究针灸术者，不知穴之性质，亦犹讲求方剂，而不识其药性。”该书记载了122穴，依旧将其分为8门。曾天治《针灸医学大纲》第五编“证治”中有“分门取穴”一节，此节除了介绍气、血、虚、实、寒、热、风、湿8门，又介绍了汗、肿、积、痛4门，然而后增的4门实为治疗处方，并非“穴性”。李文宪的《针灸精粹》亦记载了8门“穴性”的相关内容。20世纪80年代，孙振寰的《针灸心悟》记载了

“经穴性赋”的内容，使“穴性”广为流传。

“穴性”分气、血、虚、实、寒、热、风、湿8门。将药性与“穴性”进行对比，对腧穴进行分类，可使腧穴的临床应用更加系统化。“穴性”理论对于初学针灸者有较大帮助，初学针灸者可以依据症状选取穴位进行治疗，这种按“穴性”进行针灸治疗的方式在当时得到了众多医家的认可，并影响至今。

（2）“针灸科学化”为临床建立了相对容易理解的针灸理论体系。民国时期，在“五四运动”时期各种新思潮的影响下，西方科学技术和西医学在中国迅速传播，对针灸学术的发展产生了巨大而深远的影响。中医存废之争及中医科学化思潮使中医针灸面临着巨大的生存危机，以致民国时期的针灸医家被迫对当时的针灸进行反思和变革，试图用“西学”阐释和研究针灸，力求用“科学”改善针灸的生存环境；同时，日本针灸著作和研究成果的引进和翻译，将日本明治维新时期通过引进西方科学技术、西医学方法来阐释和研究针灸机制的方式带入中国。这使民国时期的针灸医家看到了曙光和希望，他们力图效仿日本而革新针灸，试图将中医针灸科学化，这也成为民国时期针灸学术的一大特色。

民国时期的针灸医家将解剖学引入对经络实质的研究中，进而阐释针灸治病的机制。如张山雷在《经脉俞穴新考正》中言：“中医之所谓经脉，质而言之，即是血管。”但在民国时期，以血管阐释经络的理论并未占据主流。这一时期以承淡安为代表的针灸医家，将用“西学”阐释针灸原理的方式从日本带回中国并广泛传播。如承淡安在《中国针灸治疗学》中用神经、血管、淋巴来解释经络系统；在《增订中国针灸治疗学》中明确指出经脉由血管、淋巴、神经等构成，用刺激神经的理论阐释针灸治病的机制，通过“强刺激、中刺激、弱刺激”来阐释传统针法的泻法、平补平泻、补法，并将手法量化为具体的操作范式，以便于临床应用。

（3）“广西派针法”的传承与实践。“广西派针法”肇兴于清代末期，起源于广西，创始人为光绪年间著名针灸医家左盛德先生。民国时期，“广西派针法”传播于安徽、天津以及江南等地，成为国内闻名、成绩斐然、颇具影响的针灸流派。

罗哲初（1878—1944），字树仁，号克诚子，“广西派针法”的代表性针灸学家、针灸教育家。罗哲初弟子张治平受该学派思想影响，编著《针灸菁华》。该书现仍存世，是目前研究“广西派针法”的重要资料。以《针灸菁华》为主线展开研究，作者团队发现了以罗哲初、张治平为主传承的2支“广西派针法”传承脉络，一是张治平→吕应韶→胡耀贞的传承脉络，二是张治平→王文锦→于冈樵→白荫昇的传承脉络。通过对《针灸菁华》所载内容的初步梳理发现，该书应为“广西派针法”传习过程中的针灸讲义，经张治平、胡耀贞等弟子整理得以保存下来。参考“广西派针法”相关研究文章，可以窥见“广西派针法”的针灸特色，其特点为遵循子午流注学说，以奇经八法、井荥输经合、主客原络为取穴原则，运用生成数施行补泻手法，独擅针下辨气，将针下气感分为紧、绵、虚、顶、吸、滑、涩、软、微、无力、纯紧、纯虚12种，并在辨气的基础上，采用针刺手法以治疗疾病。《针灸菁华》记载了《六十六穴歌》，将六十六穴每穴编为七言歌诀以便记诵，并记载了《治验效穴歌》《行针秘要歌》等针灸治验歌诀，以便读者学习或研究。

罗哲初及其弟子张治平对“广西派针法”的传承做出了突出贡献。近代分布在天津、安徽、山西及浙江宁波等地的数名针灸医家（如天津的郑静侯、曹一鸣、张治平、华佩文，安徽的刘泽涛和田理全，山西的胡耀贞，以及浙江宁波的裘如耕等）与“广西派针法”皆有渊源。这些针灸医家对“广西派针法”进行了传承与发扬，如郑静侯对“奇经八脉推算开穴法”进行了研究，曹一鸣对“养子时刻注穴法”进行了研究，华佩文对“不留针法”的催气、调气、行气进行了研究，胡耀贞对“无极针法”进行了研究等。这些针灸医家在继承“广西派针法”精髓的基础上，崇尚古法，融汇古今，形成了独具一格的针刺方法及手法，对“广西派针法”的传播做出了卓越的贡献。

（二）民国时期的针灸文献对近现代针灸学术的意义

1.是对近现代中医针灸学术成果的系统总结和突出展示

民国时期的针灸文献记载了当时的针灸医家传承针灸学术的宝贵经验。民国时期是中医针灸学院化教育的萌芽时期，是针灸学术发展的历史转折期，是现代针灸区别于古代传统针灸的开端，是现代针灸教育模式的源头时期。对该时期的针灸文献进行系统、全面的挖掘和总结，是我国中医针灸发展史上具有里程碑式意义的大事。保护好、传承好这些中医针灸文献，并对其进行深入、系统的研究，发掘针灸医家的宝贵经验，不但可以为当今的中医针灸学术研究提供资料和良好的借鉴，还对我国中医药事业的发展具有重要的现实意义和历史意义。

2. 使针灸学术经验得到完整的传承

民国时期的针灸文献凝结了一代中医针灸工作者的宝贵经验，是一代人无私奉献的结果，是该时期我国中医针灸宝贵经验和学术成果的集中体现。我们应珍惜该时期的文献资料，珍惜一代人的无私奉献。通过收集整理、出版该时期的文献，可以有力地推动我国针灸学术的传承发展。

3. 有助于我国中医针灸产业的发展

作者团队对民国时期中医针灸文献进行细致的筛选，并对本丛书所收录的每一种文献进行了深入的研究，撰写了内容提要，对每一种文献的主要学术价值、临床实用性等做出了客观的评价。这使得本丛书整体的学术质量得到了明显提高，也为中医针灸文献后续的学术研究、临床实践、学术流派研究、新疗法创新等工作，奠定了良好的学术基础。长期沉寂在近现代针灸文献中的技术、疗法的不断涌现，必然会对我国针灸相关产业的发展起到积极的推动作用。

4. 填补学界空白，有助于促进我国优秀传统文化的发展

对民国时期针灸文献的研究填补了这一时期针灸文献学术研究的空白。此次整理是中华人民共和国成立以来对这一时期针灸文献最集中、最全面的收集整理。此次整理以《中国中医古籍总目》为主要线索，对该时期的材料进行地毯式搜集。此次整理、出版使近现代针灸文献（本丛书目前所收录的文献以民国时期针灸文献为主）得到了抢救性保护，缓解了当前部分文献传承断裂的严峻局面，使民国时期针灸文献整体进入国家各级馆藏体系，有力填补了民国时期针灸文献学术研究的空白，为我国中医针灸的传承和中医药事业的发展提供了宝贵的文献资料，从而大大促进了我国优秀传统文化的发展。

前　言

《中国近现代针灸文献研究集成·教材卷》所收录的近现代针灸教材文献多出版于民国时期，少数出版于中华人民共和国成立后。

民国时期针灸教育的发展可谓曲折，1914年北洋政府主张废止中医，1929年国民政府通过了“废止中医”的提案，这些举动大大地影响了我国针灸学术的继承和发展。此时期的针灸学家们也清楚地意识到了中医针灸濒于湮灭的危机，他们团结一心，通过开班办学、创办杂志、翻译国外针灸著作等实际行动振兴中医针灸学，为我国针灸学的继承及发展做出了重大贡献。中华人民共和国成立初期，在民国时期中医院校、针灸学术团体的基础上，全国各地大力兴办中医学校，开办针灸学习班，中医针灸学术和教育得以进一步发展。

民国时期是传统针灸与现代针灸的衔接时期，是中医针灸学院化教育的萌芽时期，是针灸学术发展的历史转折期，是现代针灸治疗及理论区别于古代传统针灸的肇始。总结民国时期针灸学术的研究成果及针灸教育的经验，对现代的针灸教育影响深远。

民国时期的针灸教育主要有以下几方面的特点：一是针灸教育团体、学术体系逐渐形成，针灸学校主要由社会团体或个人创办；二是形成了具有地域特征的针灸学术流派，传承有序、传播广泛；三是教学内容以传统中医针灸理论为基础，注重吸纳西学，提倡“针灸科学化”，如以《西法针灸》、《高等针灸学讲义》等为代表的国外针灸著作被译成中文广为流传。

如1931年承淡安等学派先辈们创办了中国医学教育史上最早的针灸函授教育机构——中国针灸学研究社，开办针灸讲习所，开创了我国近代针灸教育的先河。该研究社传授并实践“西式”针灸学术，所用教材《中国针灸治疗学》与传统的针灸学著作不同，采用解剖学来讲解腧穴的定位。为了深入研究新法针灸，1934年10月，承淡安东渡日本学习和考察日本的针灸学，并带回针灸教学图具和在中国已经失传的

《十四经发挥》等医学专著。中国针灸学研究社培养出了邱茂良、罗兆琚、曾天治、赵尔康、杨甲三、程莘农等众多针灸名家，他们遍布全国各地，传道授业，对澄江针灸学派的传承与发展、对中医针灸学的传承与发展做出了重要贡献。

又如广西派针法的代表罗哲初游学办学，继承古法，以师传身授的教学方式在上海、南京、宁波、安庆等地先后举办了8期“针灸讲习班”，培养了一大批造诣颇深的针灸医家。这些人遍布大江南北，为传承和发扬广西派针法发挥了重要作用。罗氏弟子中如郑静侯、张治平、曹一鸣等积极研究学习针灸学术，对民国时期民间针灸学术的发展起到了重要的推动作用。

为适应时代变化和针灸学术的发展，民国时期的针灸教材在重视传统针灸理论的基础上，大都积极借鉴西方医学理论知识体系，重新诠释传统针灸理论。当时以西医学解剖部位及神经、肌肉等知识讲述腧穴的定位，以西医学神经、生理等知识阐释针灸现象已被广泛认可。针灸教材的内容渐趋规范化、科学化、实用化。

从民国时期针灸教材的内容中可以看到这一时期针灸学术研究的状况以及现代针灸教材的雏形。

但是需要注意的是，民国时期的针灸教材文献存量不多，大多已经失传。作者团队以《中国中医古籍总目》为主要线索，对以该时期为主的针灸文献进行地毯式搜集，经过10余年的努力，收集了1000余种针灸文献。此次，作者团队遴选了民国时期的针灸教材文献54种作为研究对象，以期保存和传承这些文献，为中医针灸的发展尽一份绵薄之力。以馆藏未见讲义为例，作者团队搜集到数种难得一见的针灸教材，如《（香港）广东中医药学校针灸学》（周仲房）、《针灸学讲义》（湖南国医专科学校）、《广西省立医药研究所针灸学讲义》、《广西省立南宁区医药研究所针灸学讲义》、《莆田国医专科学校针灸讲义》等，为民国时期全国各地的院校教育的研究提供了珍贵的一手材料。

另外，作者团队在关注学院教育的同时，也收集到数目可观的民间个人创办的私立学校的教学讲义，如《天津私立益三针灸传习所讲义》、《私立叔平针灸学社讲义》、《针灸菁华》（胡耀贞传习广西派针法使用的讲义）等。这些讲义在继承明清时期文献的基础上，以传承古法居多，使得一些家传针法及治疗经验得以较好地保存下来。私立办学在民国时期对针灸学术的发展也产生了举足轻重的影响。

此次对54种针灸教材文献的整理，以文献的内容题材进行分类，并参考编者或学术团体所在地域进行分册，体例清晰，便于使用。《中国近现代针灸文献研究集成·教材卷》按内容题材分为：①针灸基础分卷；②针灸技法分卷；③针灸临床分卷；④针灸综合分卷。其中，针灸基础分卷又按地域分为江浙闽篇、北方篇、两广篇；针灸综合分卷按地域分为江浙闽篇、北方篇、广东篇、广西篇、湖南篇。通过上述的分卷、分篇，可以方便读者学习与研究该地区的针灸学术特色。

以民国时期为主的近现代针灸教材文献承载了该时期针灸医家传承针灸学术及教学的宝贵经验，对整个近现代的针灸发展具有深远影响。本次对这一时期的针灸教材文献进行系统整理、深度挖掘和总结，对我国中医针灸的发展具有重要的历史意义和现实意义：不仅可以保护珍贵的文献资料、呈现针灸教育发展史，还将填补民国时期针灸教材文献研究的空白，为现代针灸教育的改革与发展提供参考和借鉴。

目　录

中国针灸经穴治疗学
（伍天民）

提 要

一、作者小传

伍天民（1890—1969），广东高要人。伍天民原为经商之人，民国二十三年（1934），亲证妻子久患不愈的胃病用针灸治愈，遂拜师在曾天治门下学习针灸，学成后在广州开设门诊，并举办学习班，培育针灸人才。1962年，伍天民被广东省人民政府授予“广东省名老中医”（第一批）荣誉称号。

伍天民诊治重视经络学说，认为膀胱经乃脏腑腧穴之所隶，故尤重视膀胱经。其临证30余年，善治疑难杂症。

二、版本说明

《中国针灸经穴治疗学》（伍天民）一书现存竖排版油印本和横排版油印本两种。横排版较竖排版内容更详尽，故笔者以1957年6月1日横排版油印本为底本进行研究。

三、内容与特色

该书内容从前至后依次为本书学习之序语、经穴图谱、十四经穴起止歌、经外奇穴表、禁针禁灸穴一览表、十四经络补泻手法表、配穴精义、治疗歌诀、分门取穴、治疗各论。其中，本书学习之序语部分介绍了学习本书之方法——“六要四不要”，颇为中肯。治疗各论部分介绍了脑神经系疾患（10种）、消化器疾患（20种）、呼吸器疾患（10种）、血行器病（4种）、泌尿器疾患（8种）、生殖器疾患（6种）、荣养病（4种）、运动器疾患（4种）、传染病（5种）及妇科（15种）、儿科（5种）、牙科（2种）、眼科（4种）、耳科（3种）、外科疾患（5种）。

现将该书特色介绍如下。

（一）重视经络，强调腧穴配伍

该书附有头面颈部、胸腹部、侧胸腹部、肩背腰臀部、上肢部、下肢部经穴图谱，直观展示人体穴位分布。该书按十二经脉气血流注、任脉、督脉的顺序介绍各经络，先示以经络穴位图谱，后从经穴歌、分寸歌及各穴位的位置、解剖、疗法、主治等方面阐述经络和腧穴。“经外奇穴表”以表格形式介绍穴名、穴数、部位、主治、附（疗法操作）等。该书还详述了31组配穴精义，读者可从中体会腧穴配伍之妙。在取穴方面，该书阐述了按气、血、虚、实、寒、热、风、湿、汗、肿、积、痛十二类分门取穴。

（二）内容丰富，切合临床实用

该书治疗各论部分内容详尽，借鉴现代医学分类将疾病分为15类共105种疾病，分别从病因、症候、治疗等方面对每种疾病进行论述，紧密结合临床，独具特色。

中國鍼灸經穴治療學
伍天民編
1957.6.1.

目次

十五、外科疾患

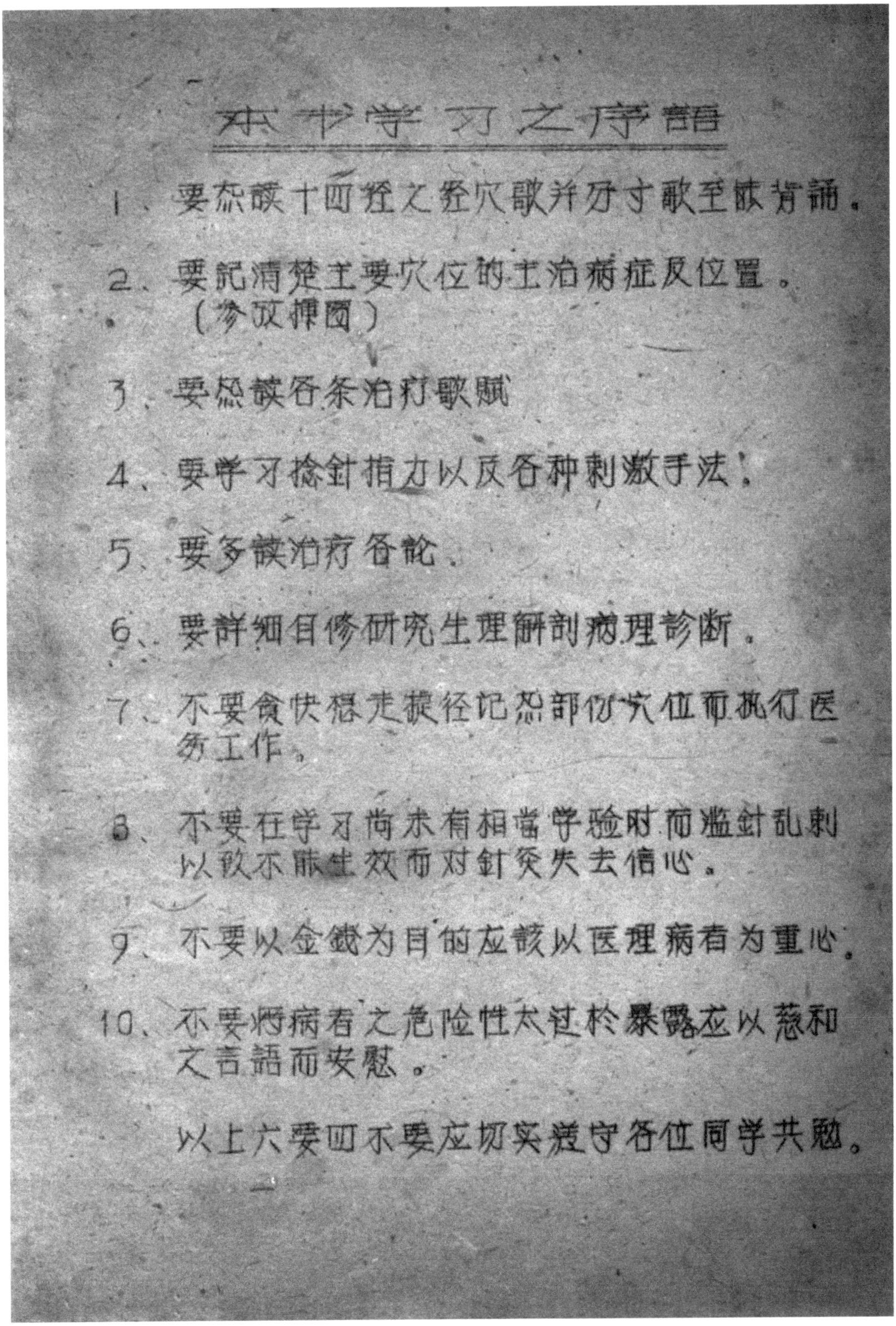

本书学习之序語

1、要熟读十四经之经穴歌并分寸歌至能背诵。

2、要記清楚主要穴位的主治病症及位置。
（参攷插图）

3、要熟读各条治疗歌赋

4、要学习捻針指力以及各种刺激手法。

5、要多读治疗各論。

6、要詳细自修研究生理解剖病理診断。

7、不要贪快想走捷径记熟部份穴位而执行医务工作。

8、不要在学习尚未有相当学验时而滥針乱刺以致不能生效而对針灸失去信心。

9、不要以金錢为目的应该以医理病者为重心。

10、不要将病者之危险性太过於暴露应以慈和之言語而安慰。

以上六要四不要应切实遵守各位同学共勉。

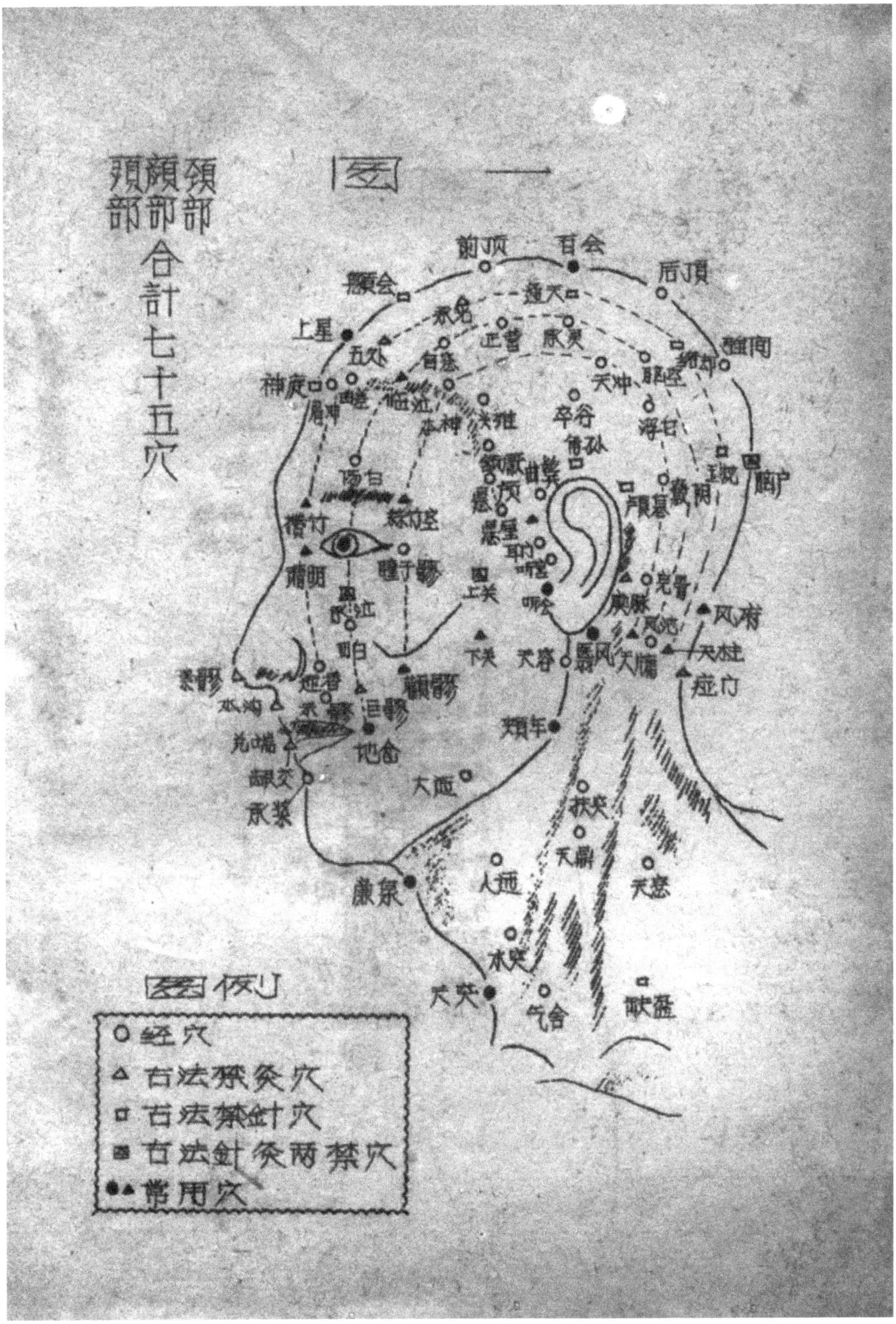
图一
頸部
顔部
頭部
合計七十五穴
前顶
百会
后顶
上星
神庭
阳白
攒竹
睛明
瞳子髎
四白
巨髎
地仓
承浆
颊车
大迎
廉泉
人迎
水突
天突
气舍
缺盆
天窗
天鼎
扶突
风府
天柱
翳风
天容
下关
上关
率谷
天冲
浮白
角孙
图例
○经穴
△古法禁灸穴
□古法禁针穴
▣古法针灸两禁穴
●▲常用穴

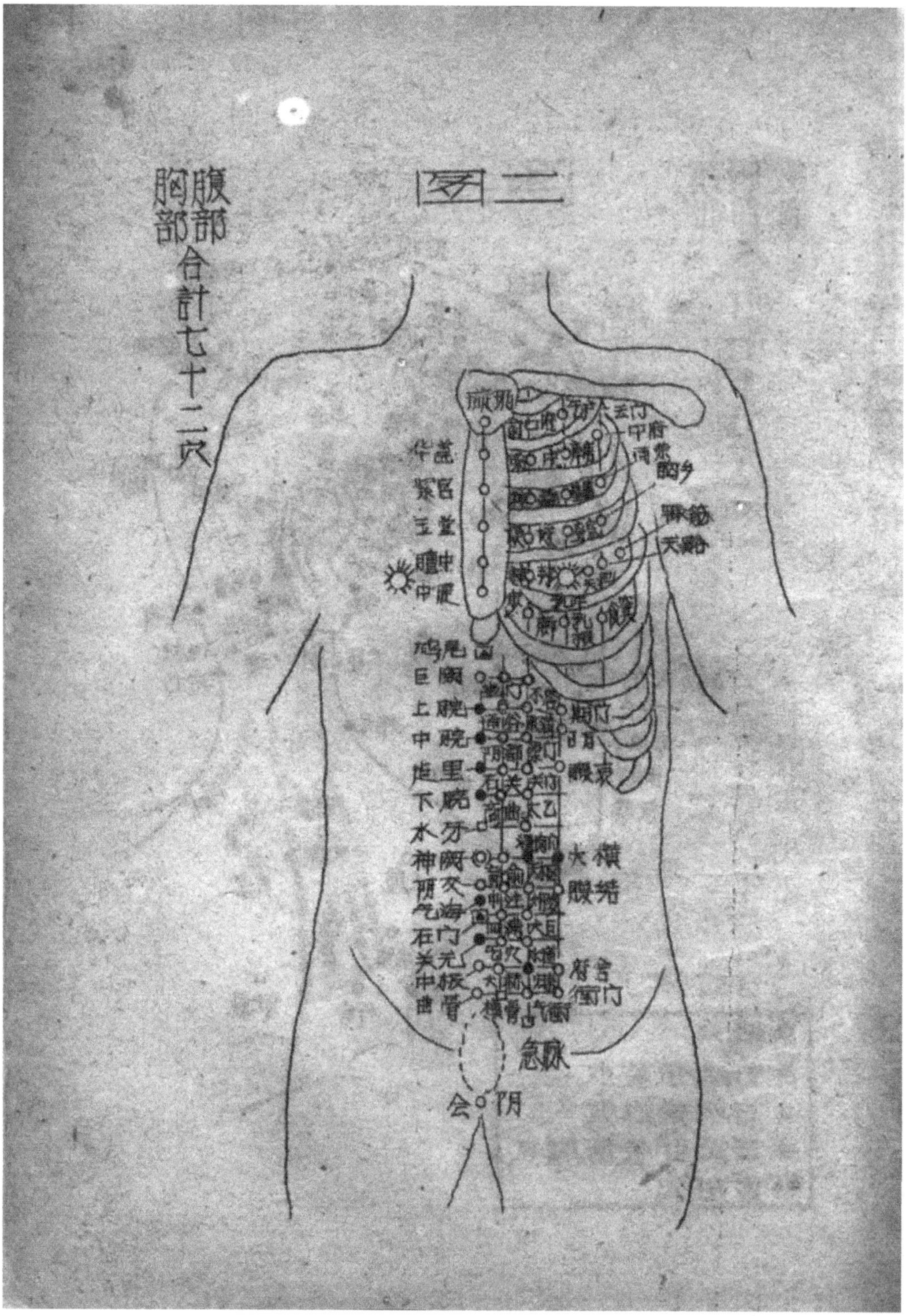
图二
腹部
胸部合計七十二穴
华盖
紫宫
玉堂
膻中
中庭
鸠尾
巨阙
上脘
中脘
建里
下脘
水分
神阙
阴交
气海
石门
关元
中极
曲骨
会阴
云门
中府
周荣
胸乡
天溪
期门
日月
腹哀
大横
腹结
府舍
冲门
急脉

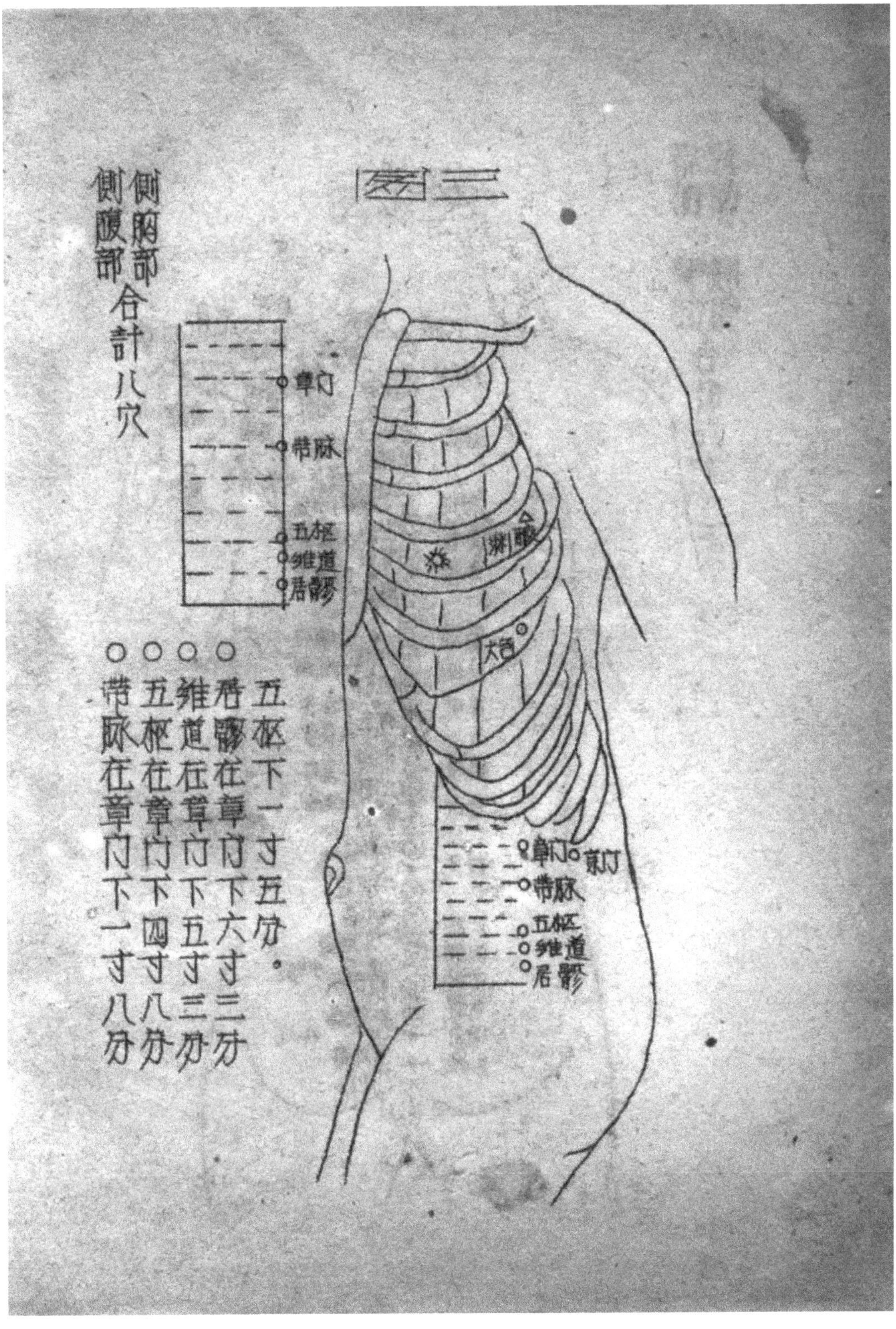
圖三
側胸部
側腹部
合計八穴
章門
帶脈
五樞
維道
居髎
淵腋
大包
京門
五樞下一寸五分。
居髎在章門下六寸三分
維道在章門下五寸三分
五樞在章門下四寸八分
帶脈在章門下一寸八分

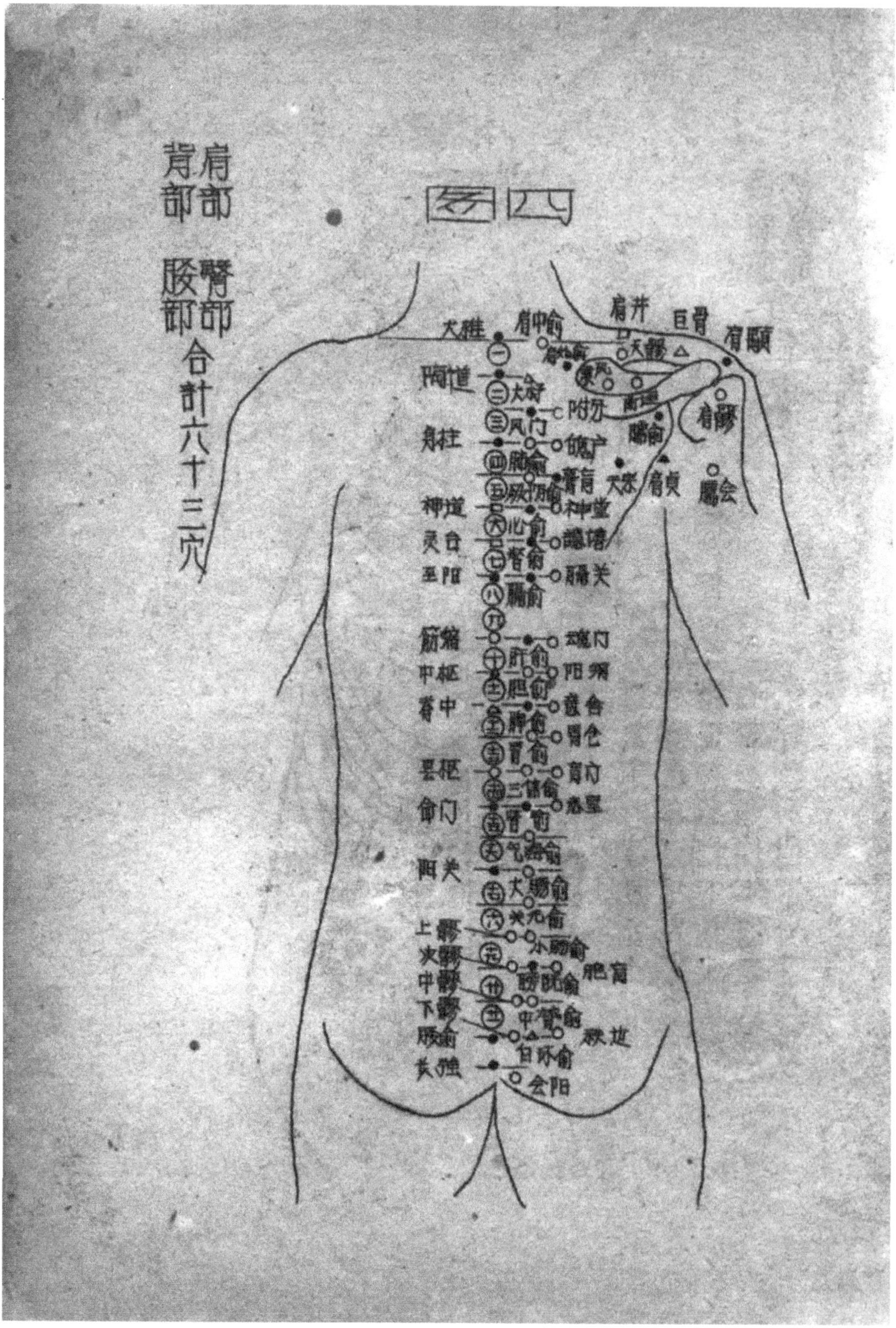
图四
肩背部
臀腰部
合計六十三穴
大椎
肩中俞
肩井
巨骨
肩髃
天髎
陶道
大杼
附分
身柱
风门
魄户
臑俞
肩髎
肺俞
膏肓
天宗
肩贞
臑会
神道
心俞
神堂
灵台
督俞
譩譆
至阳
膈俞
膈关
筋缩
魂门
中枢
肝俞
阳纲
脊中
胆俞
意舍
脾俞
胃仓
悬枢
胃俞
肓门
命门
三焦俞
志室
肾俞
气海俞
阳关
大肠俞
关元俞
上髎
小肠俞
次髎
膀胱俞
胞肓
中髎
中膂俞
下髎
秩边
腰俞
白环俞
长强
会阳

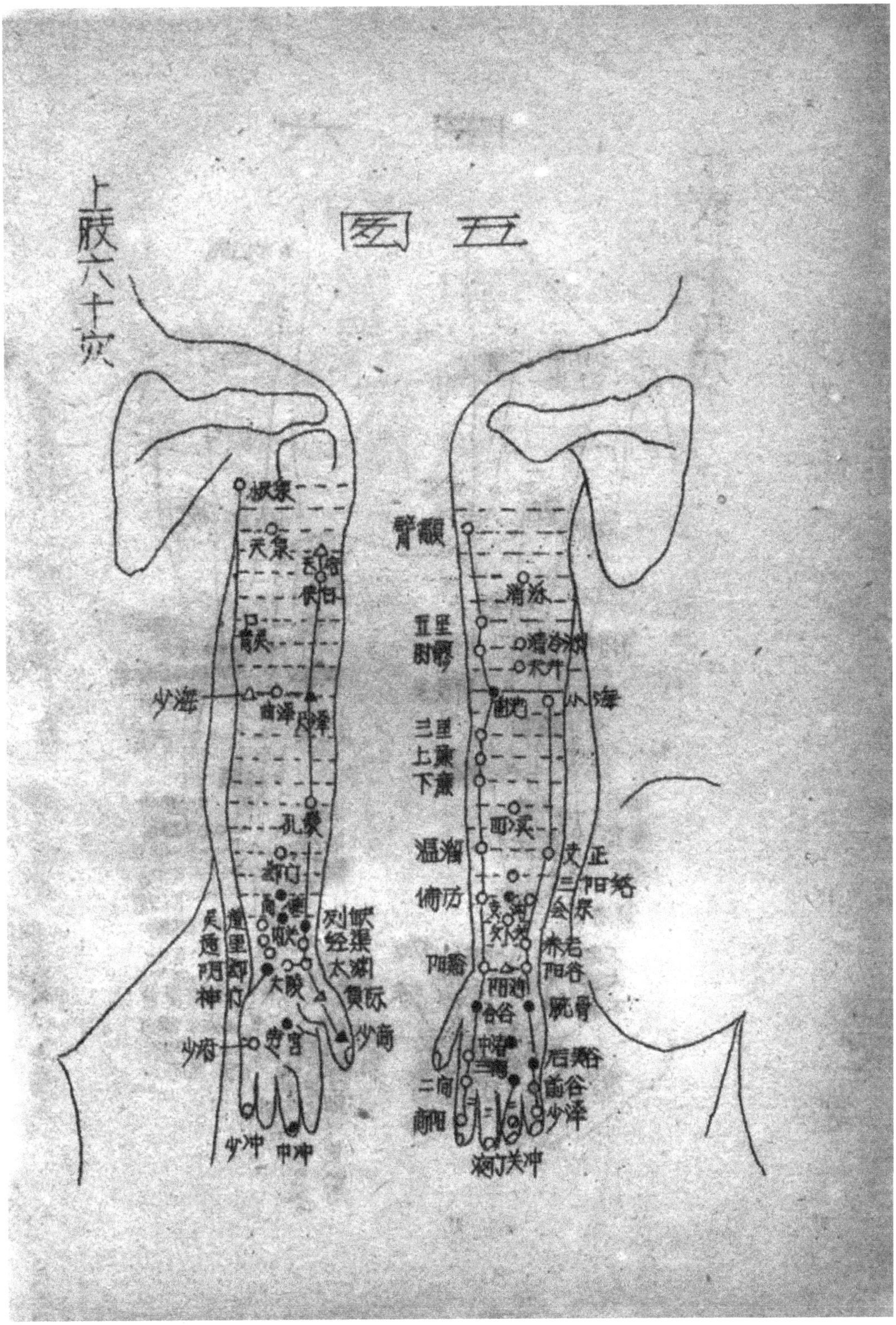
上肢六十穴
图五
天泉
尺泽
孔最
列缺
经渠
太渊
鱼际
少商
少海
大陵
神门
劳宫
少府
少冲
中冲
臂臑
消泺
小海
曲池
三里
上廉
下廉
温溜
偏历
支正
三阳络
会宗
阳谷
腕骨
后溪
前谷
少泽
阳池
合谷
中渚
二间
商阳
关冲

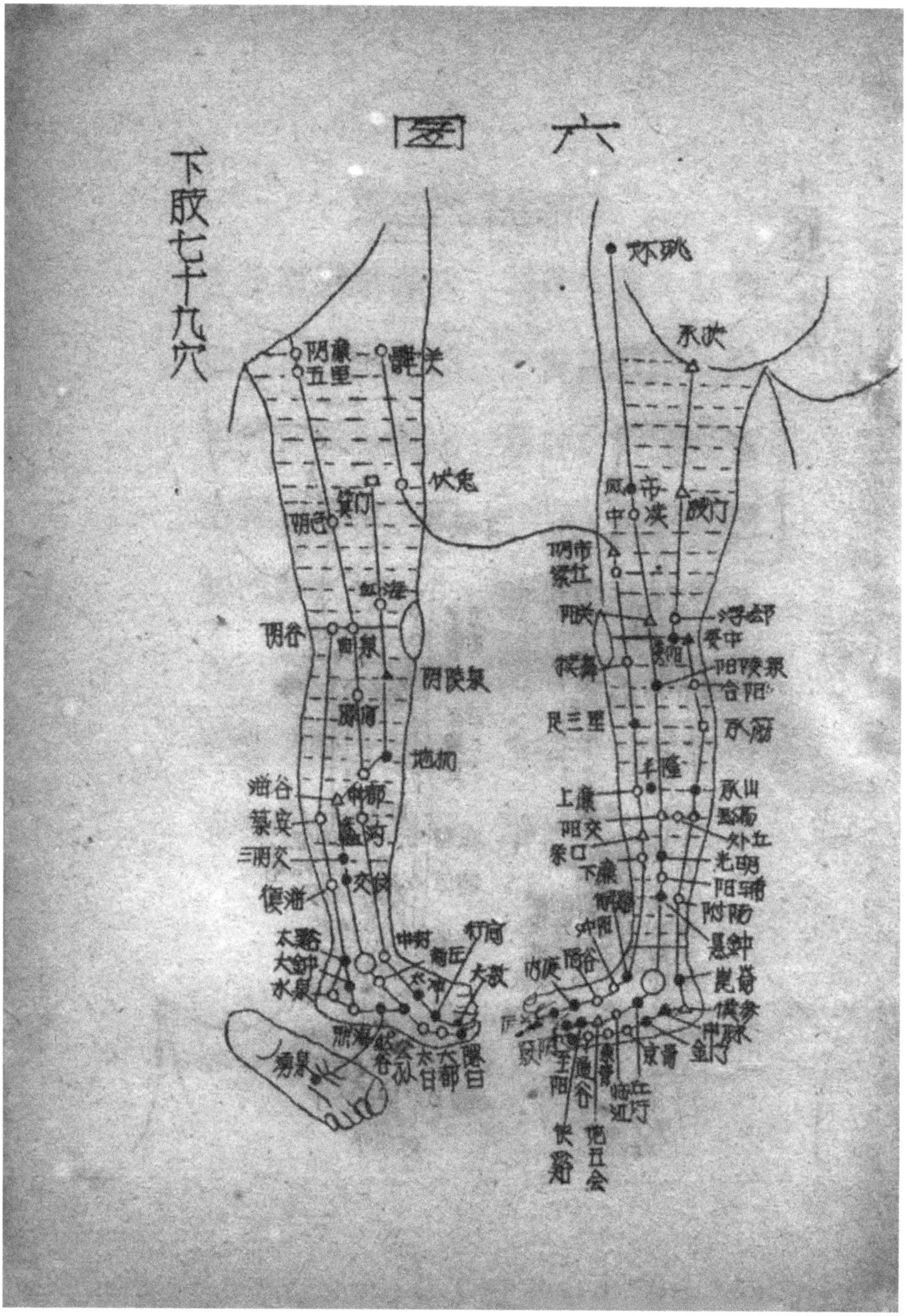
図 六
下肢七十九穴
环跳
承扶
伏兔
殷门
阴谷
阴陵泉
地机
足三里
上廉
阳交
条口
下廉
光明
阳辅
悬钟
昆仑
仆参
申脉
金门
京骨
涌泉
三阴交
水泉
复溜
委中
阳陵泉
合阳
承筋
丰隆
外丘

十四经穴起止歌

手肺少商中府起、大腸商阳迎香二
胃足頭維厉兑三，脾部隱白大包四
手心极泉少冲来，小腸少泽听宫去
膀胱睛明至阴开，肾经涌泉俞府位
心包天池中冲随，三焦关冲耳门継
胆穴童子髎竅阴，厥肝大敦期门至
任脉会阴承浆止，督脉长强至龈交
十四经穴始終歌，学者銘於肺腑記

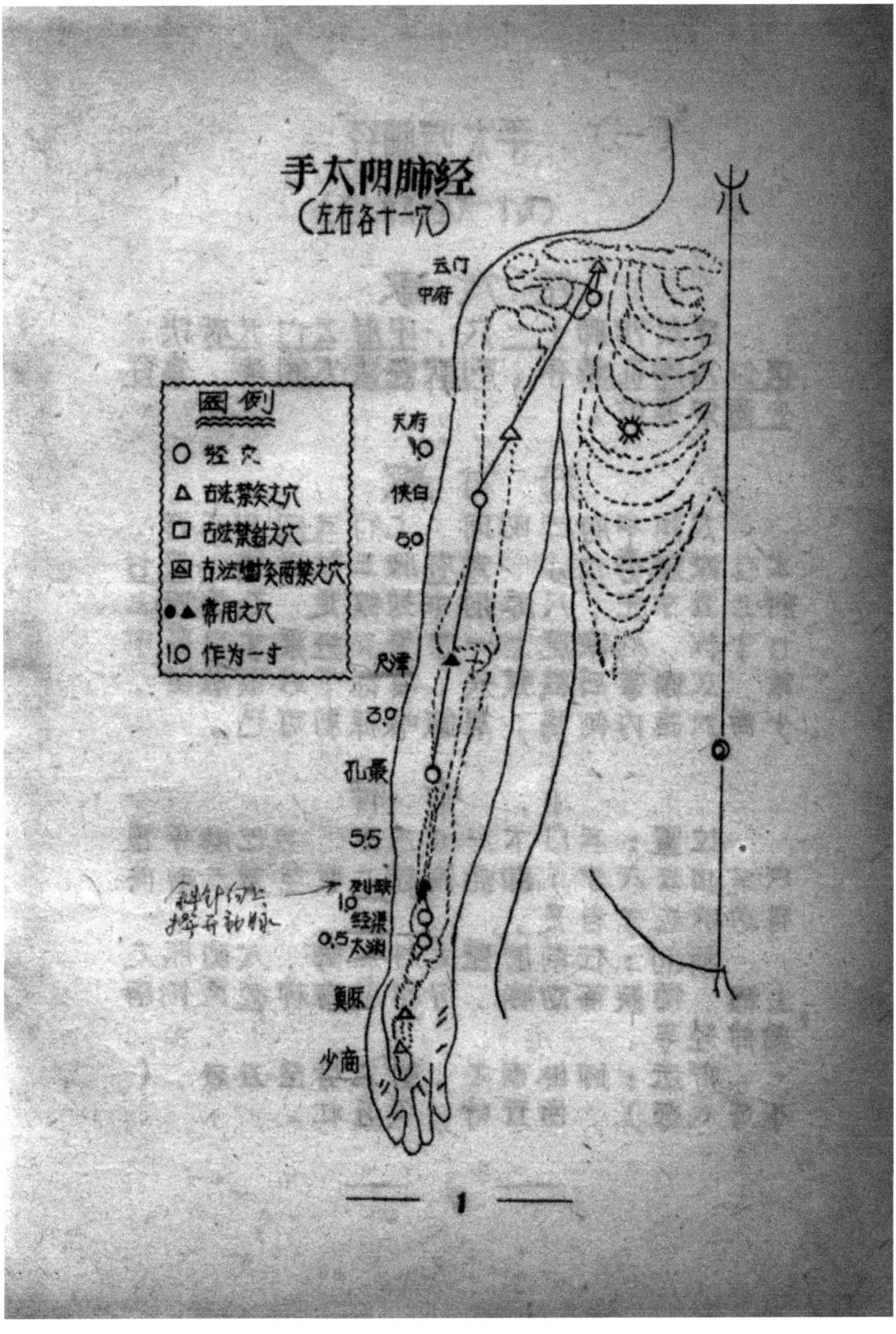
手太阴肺经
（左右各十一穴）
图例
经穴
古法禁灸之穴
古法禁针之穴
古法针灸两禁之穴
常用之穴
1.0 作为一寸
云门
中府
天府
1.0
侠白
5.0
尺泽
3.0
孔最
5.5
列缺
1.0
经渠
0.5
太渊
鱼际
少商
1

（一） 手太阴肺经

（九十一穴左右共廿二穴）

经穴歌

手太阴肺十一穴，中府云门天府诀，侠白尺泽孔最存，列缺经渠太渊涉，鱼际少商如韭叶。

分寸歌

太阴中府三肋间，上行云门寸六许，云在璇玑旁六寸、天府腋三动脉求，侠白肘上五寸主，尺泽肘中约纹是，孔最腕上七寸拟，列缺腕上一寸半，经渠寸口陷中取，太渊掌后横纹头，鱼际节后散脉里，少商大指内侧端，鼻衄喉痺刺可已。

1. 中府

位置：云门下一寸六分，与任脉华盖穴平相去六寸；即乳头往上数至第三肋间有动脉应手者是。

解剖：在前胸壁之外上端，大胸肌之上部，循腋窝动脉，分布胸前神经及侧胸廓神经等。

疗法：仰卧取之，针三分至五分，（不可太深），留五呼，灸五壮。

主治：主泻胸中之热，及身体烦热，伤寒。肺急胸满，喘逆、善噎，食不下，肺胆寒热、咳嗽上气不得卧，肺风面肿，肩背痛，流清涕、喉痹，少气、四肢浮肿。

备考：中府又名膺俞，在胸部第三侧线。

2. 云门

位置：巨骨（锁骨）下，中府微斜上一寸六分余，即离璇玑六寸，气户二寸，动脉应手处。

解剖：在锁骨外端下面，大胸肌上部通过头静脉，胸肩峰动脉；分布侧胸廓神经，肋间神经及锁骨下神经等。

疗法：手举平，坐取之，针三分（太深令人气短促。）灸五壮。

主治：伤寒、喉痹、咳逆，喘不得息，四肢热不已。胸胁烦满，肩痛不举。胸胁彻背痛。

备考：本穴在胸部第三侧线。

3. 天府

位置：腋下三寸动脉中，直对尺泽穴相距七寸。

解剖：在上膊骨前外侧上部（即二头膊肌外侧部），循头静脉及上膊动脉分枝，分布桡骨神经，正中神经，外膊皮下神经。

疗法：令病人手上举，於鼻尖碰到处是穴，針三分、留七呼。禁灸。

主法：中风中恶，口鼻衄血、寒热疾痉，目眩，善忘、喘息不得卧，风湿关节痛。

备考：本穴在上肢前外侧線。

4. 侠白

位置：天府穴下二寸动脉中，即尺泽穴上五寸。

解剖：在上膊骨前外侧中央部（即二头膊肌与内膊肌间；循上膊动脉及头静脉；分布内外膊皮下神经。

疗法：針三分至五分，留三呼，灸五壮。

主治：心气痛、胸部神经痛、呕吐，烦满。

备考：本穴在上肢前外侧線。

5. 尺泽 骶肌肩背痛

位置：肘窝横纹上两肌中央之筋骨，罅陷中。

解剖：在桡骨与上膊关节部，当二头膊肌外缘，膊桡骨肌起始部之内缘，循返迴桡骨动脉，分布桡骨神经，外膊皮下神经。

疗法：手平举取之，针三分，留三呼，不宜灸。

主治：汗出中风，寒热痎疟，喉痹鼓颔，呕吐上气，心烦身痛，口乾喘满，咳嗽唾浊，心痛气短，肺胀膨痛，风痹肘挛，四肢肿痛不举，溺数遗失。面白善嚏，悲愁不乐小儿慢惊。

备攷：本穴在上肢前外侧线。

6．孔最

位置：尺泽下三寸，腕侧横纹上七寸，即尺泽与列缺二穴相距之中央。

解剖：在桡前圆肌停止部，上层是上膊骨肌内缘，下层为长屈拇肌的外缘，循桡骨动脉通头静脉，分布外膊皮下神经。桡骨神经。

疗法：侧手取之，针三分，灸五壮。

主治：伤寒发热汗不出，欬逆。肘臂痛，屈伸难，手不及头，指不能握。吐血失音，头痛，咽痛。

备攷：本穴在上肢前外侧线。

7．列缺

位置：去腕侧一寸五分，从两手交叉食指尽处，两筋骨罅中。

解剖：在内桡骨肌腱外侧，长屈拇肌外缘，旋前方肌中，循桡骨动脉分枝通头静脉，分布外膊皮下神经及桡骨神经。

疗法：针二分、留三呼、灸三壮。

主治：偏风口眼㖞斜，手肘痛无力，半身不遂，口噤不开，痎疟寒热、烦躁，欬嗽、喉痹、呕沫、纵唇健忘，惊痫善笑，忘言忘冗，面目四肢痿肿，小便热痛，实则肩背暴肿汗出，虚则肩背寒慄少气不足以息，阴中痛，尿出精血。

备改：本穴在上肢前外侧线又此穴乃手太阴肺经之络穴，负责与阳明经联系。

8．经渠

位置：腕后五分、寸口脉上，陷中。

解剖：在内桡骨肌腱外部旋前方肌中，循桡骨动脉之通皮和头骨动脉，分布外膊皮下神经及桡骨神经。

疗法：针二分至三分、留三呼、禁灸，灸则伤血。

主治：伤寒热病汗不出，心痛呕吐，痎疟寒热、胸背拘急，胸胀满，喉痹，欬逆上气，掌中热。

备改：本穴在上肢、前外侧线。

9．太渊

位置：寸口横纹上，紧接经渠下

解剖：在桡侧屈腕肌腱外侧，回前方肌下缘、舟状骨结节外上部、循桡骨动脉分布外膊皮下神经、及桡骨神经。

疗法：在腕骨上陷中極之甚酸楚之处。針二分、留二呼、灸三壮。

主治：乍寒乍热、烦躁狂言、胸痹气逆，肺胀喘息、呕哕、噫气。欬嗽咳血。咽乾心痛、目生翳赤筋、肩背痛引臂、溺色变，烦闷不得眠。

备攷：本穴又名太泉、鬼心、在上掌内侧缘。

10．鱼际

位置：在大指本节后内侧白肉际散纹中。

解剖：在第一掌骨的前侧与舟状骨的关节部，即短外转拇肌的停止部，桡骨动脉、分布正中神经。

疗法：針二分、留三呼、禁灸。

主治：酒病身热恶风、寒热、舌上黄头痛、欬唛，伤寒汗不出、痹走胸背痛。不得息、目眩烦心，少气寒慄，咽喉乾燥欬引尻痛。吐血、心痹悲恐、腹痛食不下乳癰。

备攷：东垣曰；胃气下流，五臓气

乱、皆在于肺者取之、手太阴臬际，足少阴俞，又本穴在掌内侧線。

11．少商

位置：在拇指内侧之第一节去爪甲角如韭叶。（约二三分）

解剖：在拇指第二节之前外侧，爪甲的发生根部、有拇指内转肌、循桡骨动脉的终枝，分布桡骨神经的前枝。

疗法：針一分、留三呼、泻热宜从三稜針刺出血不可灸。

主治：頷腫喉痺，乳鹅、咽腫喉闭、咳逆，痎瘧，烦心呕吐、腹胀肠鸣。寒慄鼓頷、手指挛痛、掌中热、口乾引飲，食不下，微刺出血能泄诸臓之热，凡初中风卒暴昏沉、痰涎壅盛，不省人事，牙关紧闭、茶水不下，急从三稜針刺此穴与诸井穴，使气血流行，乃起死回生救急之妙。

备考：1、此穴宜用三稜針刺出血。能退内臓热，2、唐刺史成君绰，忽頷腫，大如升、喉中闭塞水粒不下者三日、甄权以三稜針刺之。微出血立愈、又急喉闭、針令出血即效，若大危急，两手少商都針，其功甚妙。又本穴一名鬼信，在掌内侧線。

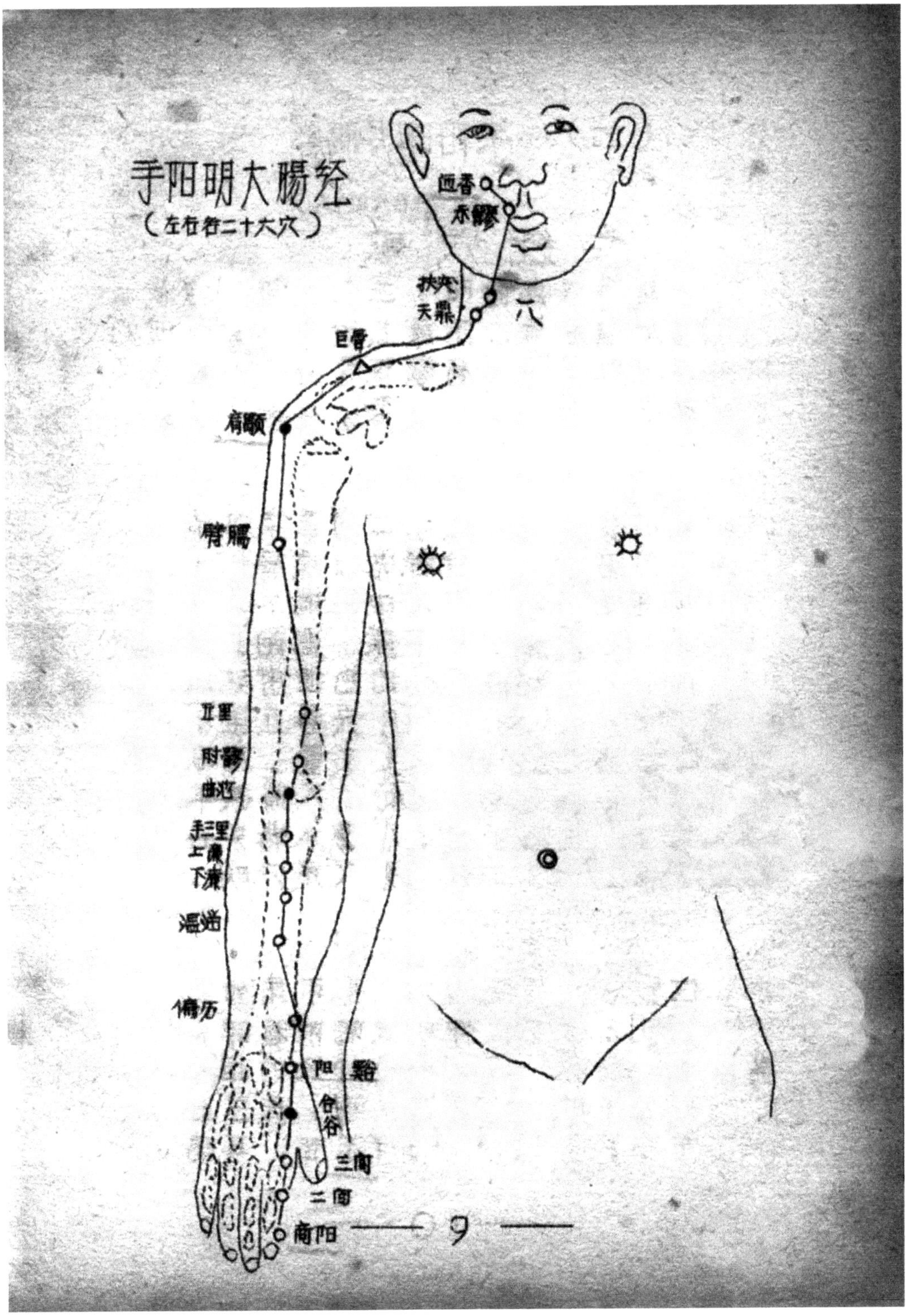
手阳明大腸经
（左右各二十大穴）
迎香
禾髎
扶突
天鼎
六
巨骨
肩髃
臂臑
五里
肘髎
曲池
手三里
上廉
下廉
温溜
偏历
阳谿
合谷
三间
二间
商阳
9

（二） 手阳明大腸経

（凡廿穴左右共四十穴）

经穴歌

手阳明穴起商阳，二间三间合谷藏，阳谿偏历温溜长，下廉上廉手三里，曲池肘髎五里近，臂臑肩髃巨骨当，天鼎扶突禾髎接，鼻旁五分号迎香。

分寸歌

商阳食指内侧边，二间寻来本节前，三间节后陷中取，合谷虎口歧骨间，阳谿腕上筋间是，偏历交叉中指端，温溜腕后去五寸，池前四寸是下廉，池前三寸上廉中，池前二寸三里逢，曲池曲肘纹头尽，肘髎大骨外廉近，大筋中央寻五里、肘上三寸行向里，臂臑肘上七寸量。肩髃肩端举臂取，巨骨肩尖端上行，天鼎扶下一寸真、扶突人迎后寸五、禾髎水沟旁五分、迎香禾髎上一寸，大肠经穴是分明。

1．商阳

位置：食指端内侧去爪甲角如韭叶。

解剖：在总指伸肌末端附着部，循指背动脉及静脉、分布桡骨神经的指背枝。

疗法：针一分、留三呼、灸三壮。

主治：伤寒、热病汗不出，耳鸣、耳

聋、痎疟、胸中气满，喘欬、口乾、颐肿齿痛、目盲、恶寒、肩背肢臂痛肿，急引缺盆中痛、中风跌倒，卒暴昏沉、痰盛，不省人事、牙关紧闭、药水不下，急以三棱针出血。

备考：此穴最宜用三棱针微刺出血，头面诸般发炎，皆能有效。又本穴一名绝阳，在上肢掌后外侧缘。

2. 二间

位置：在食指第三节之关节前内侧，当食指之旁而近关节处。

解剖：在总指伸肌腱的附着部，循指背动脉及静脉，分布桡骨神经。

疗法：针三分，留六呼，灸三壮。

主治：颔肿、喉痹、肩背臑痛、鼽衄齿痛、舌黄口乾、口眼歪斜、饮食不思、振寒、伤寒。

备考：本穴一名间谷，在上肢掌后外侧缘。

3. 三间

位置：在第二掌骨端之凹陷处（食指本节后陷中去二间约一寸）。

解剖：在固有食指伸肌的外缘，循指掌动脉及静脉，分布桡骨神经。

疗法：针三分，留三呼，灸二壮。

主治：鼽衄、热病、喉痹、咽塞、气喘多吐、唇焦口乾、下齿龋痛、目皆急痛、吐舌挟颈、嗜卧、腹满、肠鸣洞泄、寒热疟、伤寒气热、身寒善惊。

备考：东垣曰：气在於臂、先取血、脉后深取，二间、三间、又本穴一名少谷注上腋掌后外侧缘。

4．合谷

位置：手的大指与次指歧骨间，即拇指与食指相合的纹尖尽处。

解剖：在第一掌骨部第二掌骨的骨间中央部，长伸拇指与总指伸肌的腱膜间，循桡骨动脉分布桡骨神经。

疗法：針三分、留六呼、灸三壮，孕妇禁針。

主治：伤寒大渴、脉浮在表，发热恶寒、头痛脊强，风疹寒热、痎疟，热病汗不出、偏正头痛、面肿、目翳，唇吻不收瘖不能言、口噤不开，腰脊引痛，痿躄、小儿乳鹅、一切齿痛、产后脉绝不还，針三分、急补之。

备考：1、此穴总治头面各部门的病症用之得法，莫不針到病愈，若看以此穴为齿科，眼科、喉科之专穴，以此穴治三科病、收效特速。2、妇人妊娠、只可施用镇静的針术，勿用兴奋的方法，若看以合谷喻之"黄芩"三阴交喻之"为身"颇为恰当．又本穴一名凫口．在上肢掌后外侧线。

5．阳谿

位置：在手腕横纹上侧两筋间陷中，与合谷直。

解剖：在舟状骨与桡骨之间，挠腕骨关节外面的陷中．当短拇肌与长伸拇肌之间．循桡骨动脉及静脉、分布桡骨神经及外膊皮下神经。

疗法：针二分、留七呼、灸三壮。

主治：热病狂言，喜笑见鬼、烦心，掌中热、目赤翳烂，厥逆头痛、胸满不得息。寒热痎疟，呕沫，喉痹、耳鸣、齿痛惊掣、肘臂不举、痂疥。

备考：本穴在上肢后外侧线。

6．偏历

位置：在腕后三寸．

解剖：在总指伸肌腱与拇指伸肌腱之间．循桡骨动脉，分布桡骨神经之后枝及外膊皮下神经。

疗法：针三分、留七呼、灸三壮。

主治：痎疟寒热、癫疾多言，目视䀮䀮、耳鸣、喉痹、口喎咽乾．鼻衄、齿痛汗不出、大人水蛊。

备考：本穴在上肢后外侧线。

7. 温溜

位置：在偏历上二寸余，即去腕五寸余。

解剖：有臂桡骨肌与长外桡骨肌之间循桡骨动脉的分枝，分布桡骨神经及外臂皮下神经。

疗法：针三分、留三呼、灸三壮。

主治：伤寒、寒热头痛，喜笑狂言见鬼、咳逆、吐沫、噎膈气闭、口舌肿痛、喉痹、四肢肿、肠鸣腹痛。肩不能举，肘腕酸痛

备考：本穴一名逆注、蛇头，在上臂后外侧线。

8. 下廉

位置：腕后六寸余，微向外斜去曲池四寸余。

解剖：在桡骨小头前下部，臂桡骨肌与长外桡骨肌之间，循桡骨动脉的分枝，分布桡骨神经及外臂皮下神经。

疗法：针三分至五分、灸五壮。

主治：痨瘵、狂言、头风痹痛、飧泄小腹满、小便血、小肠气，面无颜色、痃癖、腹痛不可忍、食不化、气喘涎出、乳痈、主泻胃中之热。

备考：本穴在上肢后外侧线。

9. 上廉

位置：下廉上一寸微向外，斜曲池下三寸余。

解剖：在桡骨上头前下部，膊桡骨肌与长外桡肌之间，循尺骨动脉的分枝，分布尺骨神经及外膊皮下神经。

疗法：针五分至七分，灸五壮。

主治：脑风头痛、咽痛，喘息、半身不遂、肠鸣、小便遗、大肠气滞、手足不仁、主泻胃中之热。

备考：本穴在上肢后外侧线。

10．三里

位置：曲池穴下二寸，按之肉起而感痠痛处，两锐肉之端。

解剖：在桡骨上缘之外部，膊桡骨肌与长外桡骨肌之间，下层有廻后肌，循桡骨动脉之分枝及头静脉，分布桡骨神经的后枝及外膊皮下神经。

疗法：以手拱至胸前取之。针五分至七分，灸三壮至数十壮。

主治：中风口癖、手足不遂、五劳虚乏、瘰疬、霍乱、齿痛颊肿、瘰疬、手痹不仁，肘挛不伸。

备考：本穴一名手三里，在上肢后外侧线。

11. 曲池

位置：在肘外辅骨之陷中，屈肘横纹头。

解剖：在上膊骨的外上髁与桡骨的关节部、深部有膊桡骨肌、循返回桡骨动脉分布桡骨神经的分歧部及外膊皮下神经。

疗法：从手拱胸取之，针七分灸七壮

主治：伤寒余热、余热不尽、胸中烦满、热渴、目眩耳痛、瘰疬、喉痹不能言瘈疭、癫疾、绕踝风，手臂红肿、肘中痛偏风、半身不遂、臂膊痛、筋缓无力、屈伸不便、皮肤乾燥、痂疥、妇人经水不行

备考：本穴一名鬼臣、阳泽、在上肢后外侧缘。

12. 肘髎

位置：在曲池上稍外斜一寸大骨外廉陷中。

解剖：在膊桡骨肌的起始部，三头膊肌外缘，循返回桡骨动脉及头静脉、分布膊皮下神经。

疗法：针三分至五分、灸三壮；

主治：肘节风痹、臂痛不举、麻木不仁、嗜卧、手臂痛麻木。

备考：本穴一名肘尖、在上肢后外侧缘。

13. 五里

位置：在肘上三寸，行向里大脉中央（即臂臑穴量下三寸）。

解剖：在上膊骨的外侧、三头肌的外缘，深部为螺旋状沟的下部、循桡骨侧动脉、分布后膊皮下神经及桡骨神经。

疗法：此穴禁针，灸三壮至十壮。

主治：风劳惊恐、吐血咳嗽、嗜卧，肘臂疼痛难动、胀满气逆、寒热、瘰疬、目视䀮䀮、痃癖、身黄时有微热。

备考：本穴在上肢后外侧线。

14. 臂臑

位置：肘上七寸，肩髃穴下三寸，臂外侧两筋两骨罅之中。

解剖：在上膊骨的外侧、三角肌的停止部、循后回旋上膊动脉及头静脉，分布腋窝神经及后膊皮下神经。

疗法：手举平取之，针四分、灸五壮。

主治：臂痛无力、寒热、瘰疬、颈项拘急。

备考：本穴一名头冲、颈冲、在上肢后外侧线。

15. 肩髃

位置：在肩尖下寸许之罅隙中、举臂有坚隙处两骨罅间。

解剖：在肩峰突起处与上膊骨大结节

间、三角肌的中央、循后回旋上膊动脉及腋窝动脉、分布腋窝神经，锁骨上神经及肩胛上神经。

疗法：针六分、留三呼、灸偏风不遂自七壮至七七壮。不好过多，多则使臂细。

主治：中风偏风、半身不遂、肩臂筋骨疼痛、不能上头伤寒作热不已、劳气泄精、憔悴、四肢热、诸瘿气、瘰疬、主泻四肢之热。

备考：1、唐鲁州刺史库狄嵚，患风痹，手不能举动，甄权独针肩髃、云针即能举弓射箭，一时称为美观。2、此穴宜针深者针此穴达一寸二分以外，方能收效，最低限度亦要达五六七分，且此穴最宜施行重刺激的手术。3.此穴不得超过十四壮灸，多则使臂细、又本穴一名中肩井、偏肩、扁骨、肩尖、偏骨、在肩胛区。

16. 巨骨

位置：在肩髃上肩胛关节前下陷中。

解剖：在肩胛棘与锁骨外端之间，上层是三角肌、下层是棘上肌之集合部，循肩胛动脉分枝及腋窝静脉、分布腋窝神经肩胛上神经及前胸廓神经。

疗法：针四分、灸五壮。

主治：惊痫、吐血、胸中有瘀血、臂痛不能屈伸。

备考：本穴亦有肩髃穴的功效，详肩髃穴备考二、在肩胛区。

17．天鼎

位置：颈缺盆上，扶突穴之下，天突外上方约二寸，与气舍穴相隔一肌。（即颈筋下肩井内喝甲状软骨（结喉）三寸五分再下一寸。

解剖：在胸锁乳肌之后缘，阔颈肌中央。循横颈动脉及外颈静脉，分布下颈皮下神经、并锁骨上神经、肌下有迷走神经干、下行胸腔内。

疗法：仰而取之、針三分、灸三壮。

主治：喉痹，咽肿、不得食、暴瘖气哽。

备考：本穴一名天顶，在颈后区。

18．扶突

位置：在天鼎穴上约一横指，喉头隆起两旁约三寸的凹中，即人迎后一寸五分，

解剖：在甲状软骨之外后部，胸锁乳嘴肌之中，循横颈动脉，分布下颈皮下神经、大耳神经及迷走神经之经路。

疗法：仰而取之，針三分、灸三壮。

主治：欬嗽多唾，上气喘息，喉中如水鸡声、暴瘖气哽。

备考：本穴一名水穴，在颈后区。

19．禾髎

位置：人中旁五分，直对鼻孔下，鼻翼与上唇之间。

解剖：上颚骨犬齿窝部，鼻翼下掣肌起始部，方形上唇肌中，循下眼窝动脉及颜面静脉，分布三叉神经的第二枝及下眼窝神经等。

疗法：针三分，禁灸。

主治：尸厥，口不能开，鼻疮瘜肉，鼻塞衄衄。

备考：本穴一名长頻，在口鼻区。

20．迎香

位置：眼下一寸五分，禾髎斜上一寸，鼻旁外五分。

解剖：在上颚骨犬齿窝之上方，鼻翼掣肌中，循眼窝下动脉，分布颜面神经，三叉神经的别枝及下眼窝的神经。

疗法：针二分至三分禁灸。

主治：鼻塞不闻香臭，瘜肉多涕，有疮，衄衄，喘息不行，偏风㖞斜，浮肿，风动面痒，状如虫行。

备考：本穴在口鼻区。

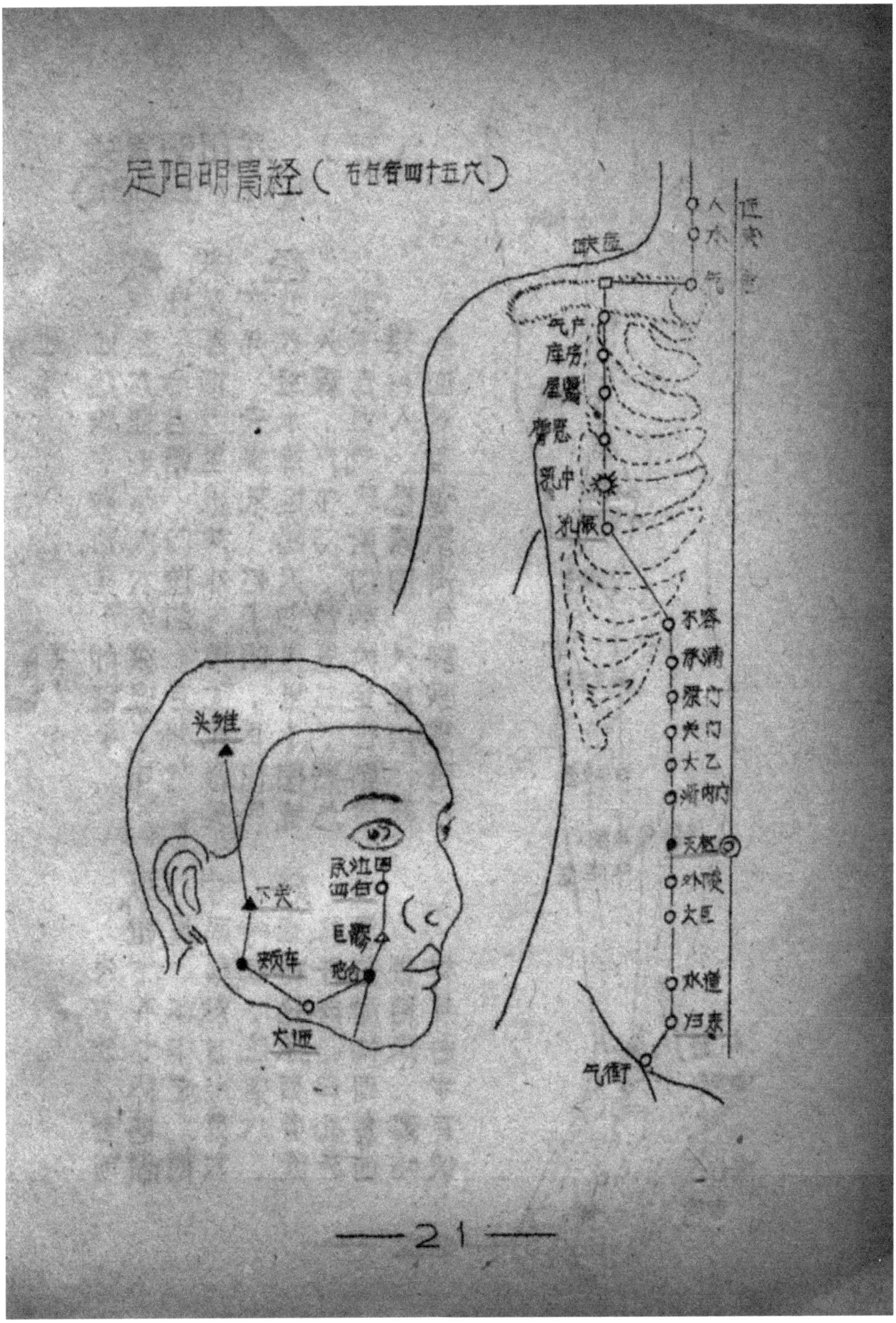
足阳明胃经（左右各四十五穴）
人迎
水突
气舍
缺盆
气户
库房
屋翳
膺窗
乳中
乳根
不容
承满
梁门
关门
太乙
滑肉门
天枢
外陵
大巨
水道
归来
气衝
头维
下关
颊车
大迎
承泣
四白
巨髎
地仓
—21—

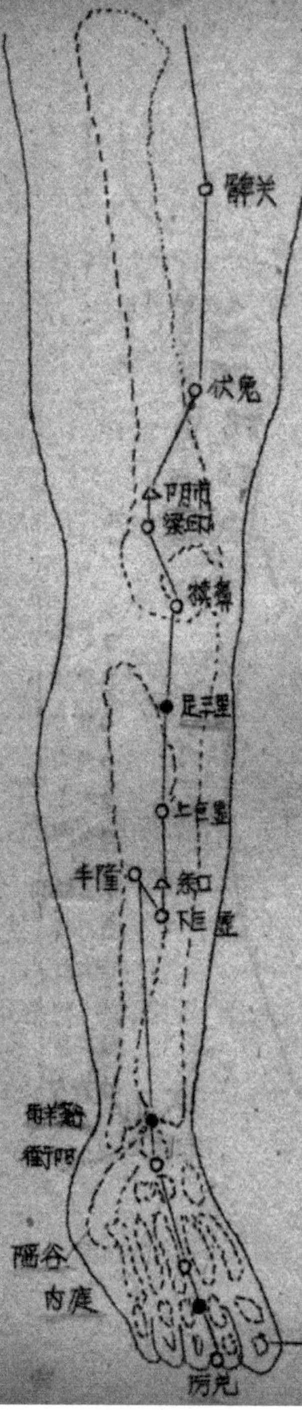

（三） 足阳明胃经

（凡四十五穴左右共九十穴）

经穴歌

四十五穴足阳明、头维下关颊车停，承泣四白巨髎经，地仓大迎对人迎，水突气舍连缺盆、气户库房屋翳屯，膺窗乳中延乳根，不容承满梁门起、关门太乙滑肉门、天枢外陵大巨存、水道归来气冲次，髀关伏兔走阴市，梁丘犊鼻足三里、上巨虚连条口位，下巨虚跳上丰隆，解溪冲阳陷谷中、内庭厉兑经穴终。

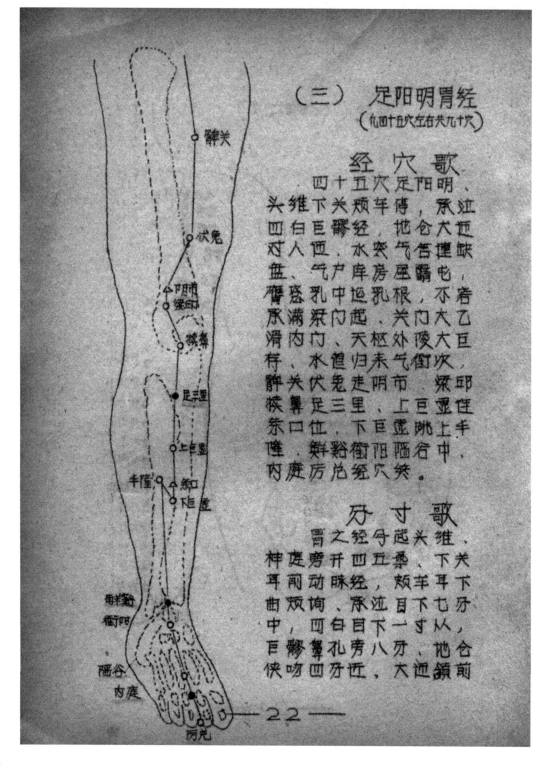

分寸歌

胃之经兮起头维、神庭旁开四五寻、下关耳前动脉经，颊车耳下曲颊陷、承泣目下七分中，四白目下一寸从，巨髎鼻孔旁八分、地仓侠吻四分近，大迎颔前寸三分，人迎喉旁寸半真，水突筋前迎在下，气舍突下穴相乘，缺盆舍外横骨内，相去中行四寸明，气户璇玑旁四寸，至乳六寸又四分，库房屋翳膺窗近，乳中正在乳头心，次有乳根出乳下，各一寸六不相侵，却去中行须四寸，以前穴道与君陈，不容巨阙旁二寸，却近幽门寸五新，其下承满与梁门，关门太乙滑肉门，上下一寸无多少，共去中行二寸寻，天枢脐旁二寸间，枢下一寸外陵安，枢下二寸大巨穴，枢下五寸水道全，水下二寸归来好，气冲归来下一下，共去中行二寸边，髀关膝上有尺二，伏兔膝上六寸是，阴市膝上方三寸，梁丘膝上二寸记，膝膑陷中犊鼻存，膝下三寸是三里主，膝下六寸上廉穴，膝下七寸条口位，膝下八寸下廉看，下廉之旁丰隆系，却是膝上八寸逢，解溪附上系鞋处，冲阳附上五寸唤，陷谷庭后二寸间，内庭次指外间陷，厉兑大次趾外端，

1、头维

位置：额角入发际去神庭旁四寸五分骨维陷中，即本神旁寸半。

解剖：在前额骨与颞顶骨缝合处，有前头肌，循颞颥动脉的前枝，分布颜面神经的颞颥枝。

疗法：沿皮下针三分，禁灸。

主治：头风疼痛如破，目痛如脱、泪出不明。

备攷：本穴在颞颥区

2. 下关

位置：耳前颧骨下陷中（即客主人之下，耳前动脉），合口有空、张口则闭。

解剖：在下头骨髁上突起的前方。颧骨弓下端，有颞颥肌、咀嚼肌，循颜面动脉，分布颜面神经的颧骨枝及三叉神经。

疗法：针三分、不可久留针、亦不可灸。

主治：偏风、口眼喎斜、耳鸣、耳聋痛痒出脓、失欠、牙关脱臼。

备攷：此穴本禁灸，但小儿惊风，或大人脑贫血可灸。2、牙龈肿而臭，在本穴以三棱针刺出脓血，多含盐水，即愈。本穴在颊区。

3. 颊车

位置：耳下八分、下颚颧骨曲颊端，近前陷中，侧卧开口有空取之。

解剖：在下颚骨的前上方，咬肌所在，循外颚动脉和咬肌动脉，分布颜面神经的分枝及下颚皮下神经、咬肌神经。

疗法：针四分、灸七壮。

主治：中风、牙关不开，失音不语，

口眼歪斜、颊腫牙痛、不能嚼物。颈強不得回顾。

备攷：本穴一名机关、曲牙、鬼床、在頬区。

4. 承泣

位置：由眼的瞳子直線量下八分。

解剖：在下眼瞼的下缘、眼轮肌中，循下眼动脉、分布顔面神经及三叉神经的第二枝、即下眼瞼神经。

疗法：針灸两忌。

主治：冷泪出、瞳子痒、昏夜无見、口眼喎斜。

备攷：此穴是危险穴，不宜針灸，又本穴在眼区。

5、四白

位置：由眼的瞳子直線量下一寸，即承泣下二分。

解剖：在下眼瞼孔部，当上顎的上缘方形上唇肌中，循下眼瞼动脉、分布顔面神经、三叉神经、即下眼瞼神经。

疗法：針二分、若深令人目乌色、禁灸。（一说可灸三壮）

主治：头痛目眩、目赤生翳、眼睑痒口眼喎斜、不能言。

备攷：此穴針刺、若非老练，切勿冒

睑下针，本穴在眼区。

6．巨髎

位置：直视时瞳孔正下方颧骨下，距鼻孔旁七八分，即由人中横量，在瞳孔直下線是穴。

解剖：在上颚与颧骨的中央，方形上唇肌中，当第一臼齿齿龈部，循下眼窩动脉，分布颜面神经，三义神经的枝别。

疗法：針三分，禁灸。（一说可灸五壮）

主治：瘈疭，唇颊肿痛，口喎，青盲无见，面风痒肿。

备考：本穴在口鼻区。

7、地仓

位置：口角外方四分。

解剖：在口轮匝部，循外颚动脉的枝别及上下唇动脉，分布颜面神经。

疗法：針三分，灸七壮，病左治右，病右治左，艾炷宜小，过大则口反喎，灸承浆即愈。

主治：偏风，口眼喎斜，牙关不开，齿痛颊肿，目不得闭，失音不语，饮食不收，水浆漏落，眉夜无见。

备考：本穴一名维会，在口鼻区。

8．大迎

—26—

位置：曲颊前一寸三分，舌颊下。

解剖：在第二大臼齿的下部，三角顾肌与咬肌存在处，当外颈动脉的通路，分布颜面神经的下行枝及下颚神经。

疗法：针三分、灸五壮。

主治：风痉口瘖、口噤不开、唇吻动颊肿牙痛、舌強不能言，目痛不能闭，口喎數欠，风壅风肿，寒热，瘰疬。

备攷：本穴一名髓孔，在颊区。

9．人迎

位置：颈大动脉，結喉两旁各离一寸五分。

解剖：在胸鎖乳肌的前缘，深部有咽头及喉头，循外颈动脉，深部通内颈动脉，分布舌下神经下行枝及上颈皮下神经，接近迷走神经的径路。

疗法：仰面取之，针二、三分，过深则刺人，禁灸。

主治：吐逆霍乱，胸中满，喘呼不得息，咽喉癰肿。

备攷：本穴一名五会，穴位危险，针灸俱而小心，又此穴在颈区。

10．水突

位置：颈大筋前，人迎穴下，气舍穴上。

解剖：在甲状軟骨下缘的外方、胸鎖乳咀肌的前缘，循外颈动脉深部，通内颈动脉，分布舌下神经下行枝及上颈皮下神经、接近迷走神经的径路。

疗法：仰而取之，針三分，灸三壮。

主治：欬逆上气、咽喉癰腫、短气喘息不得卧。

备攷：本穴一名水门，在频区。

11．气舍

位置：人迎穴直下，扶突穴横开，各一寸五分，陷中。

解剖：喉头横状软骨正中的两旁，胸鎖乳咀肌的两头间即自鎖骨与胸骨突起的两头间，循深部总颈动脉，分布下颈皮下神经及副神经。

疗法：針三分，灸三壮。

主治：喉痺哽咽，食不下，手腫项间不能回顾。

备攷：本穴在颈后区。

12．缺盆

位置：肩下横骨陷中。

解剖：大胸肌及阔头肌，循鎖骨下动脉，分布下颈皮下神经及鎖骨上神经。

疗法：針三分，过深则令人逆息，孕妇禁針，灸三壮。

主治：伤寒胸中热不已、喘急息奔、咳嗽胸满水肿、瘰疬、缺盆中肿外溃、喉痹汗不出、主泻胸中之热。

备考：本穴一名天盖、又此穴在颈后区、正在肺尖部、不宜深刺、并注意避开动脉。

13.气户

位置：锁骨下俞府二旁各二寸陷中，即横离中行之璇玑穴各四寸。

解剖：第一肋软骨附着部，有大胸肌内外肋间肌、循锁骨下动脉及第一肋间动脉、分布前胸廓神经、锁骨下神经、内部肺脏。

疗法：仰而取之，针三分、灸三壮。

主治：欬逆上气、胸背痛、支满、喘急不得息、不知味。

备考：本穴在胸部第二侧线。

14.库房

位置：气户下一寸六分陷中，离中行各四寸。

解剖：在第一、二肋骨之间、有大胸肌，小胸肌、内外肋间肌、循肋间动脉、分布前胸廓神经、肋间神经、内部肺脏。

疗法：仰而取之、针三分、灸五壮，

主治：胸胁满、欬逆上气、呼吸不利

唾脓白濁沫。

备攷：本穴一名仑芳、在胸部第二侧线。

15.屋翳

位置：气户穴之下第二肋间、离中行四寸。

解剖：第二、三肋骨之间、有大胸肌小胸肌、内外肋间肌。循前肋间动脉、分布前胸廓神经、肋间神经、内當肺臟。

疗法：仰而取之、针三分、灸三壮。

主治：唾脓血濁痰、身肿皮肤痛，不可近衣。

备攷：本穴在胸部第二侧线。

16.膺窗

位置：屋翳下一寸六分、横离中行四寸。

解剖：在第三、四肋间，有大胸肌、小胸肌、内外肋间肌、循前肋前动脉、分布前胸廓神经、内當肺臟。

疗法：仰而取之，针三分、灸五壮。

主治：胸短满不得卧，肠鸣泄泻、乳癰寒热。

备攷：本穴在胸部第二侧线。

17.乳中

位置：乳之正中。
解剖：在第四肋间有大胸肌、内外肋间肌、循前肋间动脉、分布前胸廓神经，肋间神经。
主治：不刺、禁针灸。
备考：本穴在胸部第二侧线。

18.乳根

位置：乳下一寸六分陷中，（即乳中直下一肋骨间。）
解剖：在第五、六肋骨之间，循前肋间动脉分布前胸廓神经及肋间神经。
疗法：仰而取之，针三分、灸五壮。
主治：膈气食不下，噎病、胸痛。胸下满、乳痛、乳痈、霍乱。
备考：本穴在胸部第二侧线。

19.不容

位置：巨阙穴旁开二寸。
解剖：当第八肋软骨的下缘，有外斜腹肌，直腹肌、循上腹壁动脉、分布肋间神经前穿行枝。
疗法：针五分、灸五壮。
主治：胸背肩胁引痛，心痛唾血，喘咳呕吐。
备考：本穴在胸部第二侧线。

20. 承满

位置：不容穴下一寸（即上脘穴旁开二寸）

解剖：当第八肋软骨附着部的下部，有内外斜腹肌，循上腹壁动脉，分布肋间神经前穿行枝。

疗法：针三分、灸五壮。

主治：腹胀肠鸣，胁下坚痛、上气喘息、食饮不下，膈气、唾血。

备考：本穴在胸部第二侧线。

21. 梁门

位置：承满穴下一寸（即中脘穴旁开二寸）

解剖：在第八肋软骨下部，有外斜腹肌与直腹肌，循上腹壁动脉、分布肋间神经侧穿行枝，内容胃脏。

疗法：针三分、灸五壮。孕妇禁灸。

主治：饮食不思、滑泄、气块疼痛。

22. 关门

位置：梁门下一寸（即建里旁开二寸）

解剖：在第八肋软骨下部、有外斜腹肌、循上腹壁动脉，分布肋间神经穿行枝内容横结肠。

疗法：针五分、灸五壮。

主治：积气胀满、泄痢不食、侠脐急

痛、遗溺。

备改：本穴在胸部第二侧线。

23. 太乙

位置：关门下一寸（即下脘旁开二寸）

解剖：在小肠上部，有外斜腹肌与直腹肌、循上腹壁动脉、分布肋间神经前穿行枝。

疗法：针五分、灸五壮。

主治：心烦癫狂、吐舌。

备改：本穴在胸部第二侧线。

24. 滑肉门

位置：太乙下一寸（即水分穴旁开二寸）

解剖：在直腹肌中，循腹壁动脉，分布肋间神经。

主治：癫疾狂走，重舌舌强。

疗法：针五分、灸三壮。

备改：本穴在胸部第二侧线。

25. 天枢

位置：平脐横开二寸。

解剖：上层有外斜腹肌与直腹肌外缘循下腹壁动脉、分布肋间神经前穿行枝及肠骨下腹神经。

疗法：针五分、灸十至一百壮。孕妇不可针。

主治：奔豚泄泻、赤白痢、下痢不止食不化、水肿腹胀、肠鸣、上气冲胸、不能久立、久积冷气、绕脐切痛、时上冲心烦满呕吐、霍乱、寒疟不嗜食、身黄瘦、女人癥瘕、血结成块、漏下、月水不调、淋浊带下。

备考：本穴一名长谿、谷门、大肠募长谷、在胸部第二侧线。

26. 外 陵

位置：天枢下一寸、（即阴交旁开二寸）。

解剖：在小肠部、有内、外斜直腹肌及直腹肌、循下腹壁动脉分布肋间神经前穿行枝及肠骨下腹神经。

疗法：针八分、灸十至一百壮。

主治：腹痛，心下如悬、下引腹痛。

备考：本穴在胸部第二侧线。

27. 大 巨

位置：在外陵下一寸（即石门旁开二寸）。

解剖：上层有外斜腹肌、当直腹肌的外缘、循下腹壁动脉、分布肠骨下腹神经及肠骨鼠蹊神经。

疗法：针三分、灸三壮。

主治：小腹胀满，小便难，四肢不收

彎悸不眠、

备考：本穴一名腋门、在腹部第二侧線。

28、水道

位置：脐下三寸，横开二寸。

解剖：在小肠部、有内外斜、直腹肌循下腹壁动脉、分布肋神经前穿行枝及肠骨下腹神经。

疗法：針三分、灸五壮。

主治：大小便不利，疝气偏墜、妇人小腹胀，痛引阴中、月经至则腰腹胀痛，子门寒。

29．归来

位置：脐下四寸、横开二寸。

解剖：内部肠与膀胱接近循下腹壁动脉、分布肠骨下腹神经。

疗法：針五分、灸五壮。

主治：奔豚七疝、阴丸上缩入腹、痛引阴中。（小肠气可以灸大效）

备攷：本穴一名谿穴、在腹部第二侧線。

30．气衝

位置：脐下五寸之(即曲骨穴旁开二寸)

解剖：直腹肌停止部、循总回旋肠骨

动脉与下腹壁动脉，分布肠骨下腹神经及肠骨鼠蹊神经。

疗法：針三分、灸七壮。

主治：逆气上衝、心腹胀满，不得正卧、奔豚积疝，大肠中热、身热腹痛、阴肿茎痛。妇人月水不利，小腹痛无子、妊娠子上衝心、难产、包衣不下、主泻胃中之热。

备考：本穴一名气衝、在胸部第二侧线。又东垣曰：吐血多不愈、以三棱針刺气衝、血立愈。

31、髀关

位置：膝上一尺二寸，交纹中。（即伏兔穴上斜下向里些。）

解剖：在肠骨前下棘的外下侧，内有大腿骨、缝大臀肌部的上臀动脉、分布外股皮下神经、闭塞神经、鼠蹊腰神经。

疗法：針六分、灸三壮。

主治：腰痛膝寒、足麻木不仁，黄疸痿痹、股内筋络急、小腹引喉痛。

备考：本穴在下肢前正中线。

32、伏兔

位置：膝上六寸，跪坐时以指着力按之有肉起者是穴。

解剖：在大腿骨的前外侧、直股肌的

外端、循外回旋动脉分枝、分布外股皮下神经及股神经枝。

疗法：正跪坐取之、针五分、禁灸。

主治：脚气、膝冷不得温、风痹。

备考：本穴一名外勾、外丘、在下股前正中线。

33、阴市

位置：膝上三寸、伏兔下陷中。

解剖：在股骨的前外侧、有外大股肌循外回旋动脉下行枝、分布外股皮下神经及股神经枝。

疗法：屈膝取之、针三分、一说不可灸。

主治：腰膝寒如注水、痿痹不仁不得屈伸、寒疝、小腹痛满、少气。

备考：本穴一名阴鼎、在下股前正中线。

34．梁丘

位置：膝上二寸两筋间（即阴市下一寸）。

解剖：在股骨的前外侧、有外大股肌循外回旋动脉下行枝、分布外股皮下神经及股神经分枝。

疗法：针三分、灸三壮。

主治：脚膝痛、冷痹不仁、不可屈伸

厄寒、大惊、乳痈痛。

备攷：本穴一名膝膑，在大腿前正中线。

35、犊鼻

位置：膝眼外侧之陷凹处（即膝膑下胻骨上，使脚使动伸直，膝下有肉突起若牛鼻者是穴。）

解剖：在胫骨上端的外侧，即膝盖韧带的外下侧，循关节动脉网，分布腓神经及胫骨、膝骨神经的关节枝。

疗法：针三至六分，灸三壮。

主治：膝痛不仁、难跪起、脚气，若膝膑痈肿，溃者不可治。

备攷：本穴在下肢前正中线。

36、三里

位置：膝眼下三寸，胻骨外廉（即犊鼻下的骨节旁，用力按之觉痠者是。）

解剖：在胫骨上端与腓骨小头关节部的下方，有前胫骨肌与长总指伸肌，循前胫骨动脉及返回神经胫骨动脉分布深腓骨神经。

疗法：坐而垂膝取之，针五分至一寸留七呼，灸三至百壮。未满廿岁的小儿禁灸。

主治：胃中寒、心腹胀痛、逆气上攻

脏气虚惫、胃气不足、恶闻食臭、腹痛肠鸣、食不化、大便不通、腰痛膝弱、不得俯仰、小肠气、主泻胃中之热、目不明、五痨七伤。

备考：本穴一名下陵、鬼邪、在下取前正中线、秦承祖云：诸病皆治，华陀曰主五痨羸瘦七伤虚冷脑中瘀血、着者按、此穴擅治百病。

37．上廉

位置：三里穴下三寸、两筋骨罅中、举足取之。

解剖：在胫骨及腓骨之间、即前胫骨肌与长总趾伸肌之间、循前胫骨动脉、分布深腓骨动脉神经。

取法：从足跟着地足尖足背竖起取之针五分、灸七壮。

主治：偏风脚气、腿腰手足不仁、足胫痿、骨髓冷痛、不能久立、侠脐腹痛、肠中切痛、飧泄食不化、喘息不能行。腹胁支满，主泻胃中之热。

38．条口

位置：在三里穴下五寸、上廉（即上巨虚下二寸）。

解剖：在胫骨与腓骨之间、即前胫骨肌与长总趾伸肌之间、循前胫骨动脉、分布腓骨神经。

疗法：举足取之、针二分、灸三壮。

主治：足膝麻木、寒痿胫痛，转筋湿痹，足下热、足缓不收，不能久立。

备考：本穴在下肢前正中线。

39.下巨虚

位置：在足三里下六寸、两筋骨罅中、蹲地取之。

解剖：在胫腓骨之间、有长总趾伸肌，循前胫骨动脉分布深腓骨神经。

疗法：蹲地举足取之、针三分、灸三壮。

主治：胃中热毛焦肉脱汗不出、少气不嗜食、暴惊狂言，喉痹、面无颜色、胸胁痛，飧泄脓血，小肠气、偏风腿痿，足不履地、热风风湿、冷痹胻胫、足附不收，女子乳痈、主泻胃中之热。

备考：本穴在下肢正中线。

40.丰隆

位置：外踝上八寸，离本经约五分，与下廉相并，微上些。

解剖：在胫、腓两骨之间、在长总趾伸肌中、循前胫骨动脉、分布深腓骨神经

疗法：针三分、灸三壮。

主治：头痛面肿、喉痹不能言、风逆

癫狂见鬼好笑、厥逆，腹痛如刺、大小便难、怠惰、腿膝痠痛。屈伸不便，腹痛肢痛胫、足清寒湿。

备考：此穴为足阳明的络穴专负责与太阴经联络，又本穴在下肢前正中线。

41、解谿

位置：外踝之前、足腕之上、（系鞋带处，附上陷者宛中）。

解剖：在前胫骨肌腱与长总趾伸肌腱之间、当十字韧带部、循前胫骨动脉、分布深胫骨神经。

疗法：针三分、灸五壮。

主治：风气面浮、头痛目眩、生霸气上衝、咳逆、腹胀、癫疾烦心、悲泣、瘈疭、转筋霍乱，大便下重、股膝胻肿，又泻胃热、善饥不食、食即支满腹胀、疢疗痎瘧寒热。

备考：本穴在下肢前外侧线。

42、衝阳

位置：足跗上五寸、足背最高之处动脉中、（即中趾与次趾交叉处直上五寸骨间动脉应手。）

解剖：前足背最高处、第二、三楔骨与第二、三跖骨的关节部、当长短伸拇肌两者之间、循背骨间动脉、分布浅腓骨神经。

疗法：针三分、留十呼（出血不止者死）、灸三壮。

主治：偏风面肿、口眼喎斜、伤寒发狂、振寒汗不出，腹坚大不嗜食、发寒热足痿跗肿、胃疟、先寒后热、善见日月光得火乃快然者，於方盛时，针之出血立寒。

备考：本穴一名会原、会涌、趺阳。在下肢前外侧，素问至真要大论，冲阳脉绝，死不治。著者按：本穴在大动脉上，本应禁针，如必需刺此穴者，以小针浅刺不会出血，注意注意。

43. 陷谷

位置：次趾外本节后，去内庭二寸，

解剖：在第二、三蹠骨间的中央外端部，有短总趾伸肌腱，循前胫骨动脉的后枝，分布浅腓骨神经及深腓骨神经。

疗法：针三分，灸三壮，

主治：面目浮肿，及水病善噫，肠鸣腹痛，汗不出，振寒，疝气，小腹痛，

备考：本穴在下肢前外侧线，

44. 内庭 止牙痛

位置：次趾中趾之间，脚叉缝尽处之陷凹中，

解剖：在第二趾骨第一节的后外部、

长短总趾伸肌腱中、循第一跖骨间足背动脉、分布深腓骨神经及浅腓骨神经。
疗法：针三分、灸三壮、留五呼。
主治：四肢厥逆、腹满不得息、恶闻人声，振寒咽痛、齿龋口喎，鼻衄、瘾疹赤白痢，疟不嗜食、久疟不愈并腹胀。
备考：本穴在下肢前外侧线。

45. 厉兑 治牙痛

位置：足次趾外侧爪甲角、去爪甲如如韭菜。
解剖：在第二趾骨第三节的背面外侧，爪甲根部、当长总趾伸肌附着部、循前胫骨动脉的终枝、分布浅深腓骨神经的末枝，
疗法：针一分、留一呼，灸一壮。
主治：尸厥、口噤气绝、状如中恶，心腹满、水肿、热病汗不出，寒热疟不食、面肿、喉痹、发狂好卧、足寒、膝膑肿痛。
备考：本穴在下肢前外侧线，

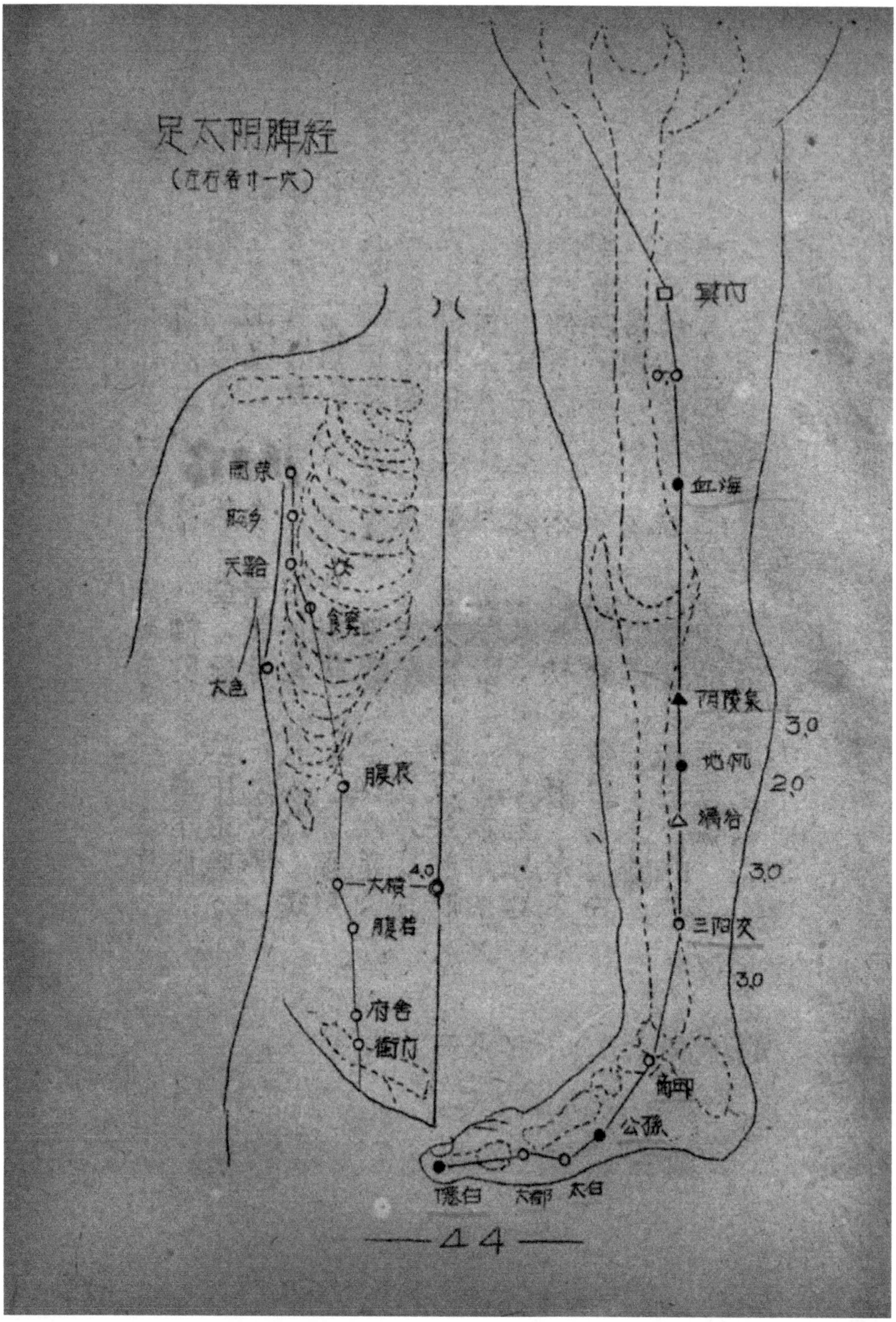
足太陰脾經
(左右各廿一穴)
箕門
血海
陰陵泉
3.0
地機
2.0
漏谷
3.0
三陰交
3.0
周榮
胸鄉
天谿
食竇
大包
腹哀
4.0
大橫
腹結
府舍
衝門
商丘
公孫
隱白
大都
太白
— 44 —

（四）足太阴脾经

（凡廿一穴左右共四十二穴）

经穴歌

二十一穴脾中州，隐白在足大趾头，大都太白公孙盛，商丘三阴交可求，漏谷地机阴陵穴，血海箕门冲门开，府舍腹结大横排，腹哀食窦连天溪，胸乡周荣大包随。

分寸歌

大趾内侧端隐白，节前陷中求大都，太白核骨白肉际，节后一寸公孙呼，商丘踝前陷中遂，踝上三寸三阴交，踝上六寸漏谷是，膝下五寸地机朝，膝下内侧阴陵泉，血海膝膑上内廉，（上二寸）箕门穴在鱼腹取，动脉应手越筋间，冲门横骨两端同，去腹中行三寸半，冲上七分府舍求，舍上三寸腹结标，结上三寸是大横，却与脐平切莫乱，中脘之旁四寸取，便是腹哀分一筱。中庭旁五食窦穴，膻中去六是天溪，再上寸六胸乡穴，周荣相去亦同然，大包腋下有六寸。渊腋之下三寸绊。

1、隐白 经验治血多灸此穴

位置：足大趾端内侧，去爪甲如韭叶

解剖：在第一趾第二节的末端内缘，爪甲的根部、外转拇肌的腱膜中，循趾背动脉，分布浅腓骨神经、内足蹠神经。

疗法：针一分、留三呼、孕妇及产后禁针、灸三壮。

主治：腹胀喘满不得卧，呕吐食不下，胸中痛烦热、暴泄衄血，尸厥、不识人，足寒不得温、妇人月事过时不止，小心客忤、惊风。

备考：本穴在下肢前内侧线。

2. 大都

位置：大趾内侧本节前第二节后，骨缝白肉际陷中，

解剖：在拇指第一节之前，外转拇肌停止部、分布腓骨神经的足蹠枝。

疗法：针三分，留七呼，灸三壮。孕妇及新产未及三月不宜灸。

主治：热病汗不出、不得卧，身重骨痛，伤寒手足逆冷，腹满呕吐，闷乱、腰痛不可俯仰、四肢肿痛，大便难、如年壮，

备考：本穴在下肢前内侧线。

3. 太白

位置：足大趾内侧，内踝前核骨下陷中．

解剖：在第一蹠骨末端内侧，楔状骨

结节的下陷中、有外转拇肌、循足背动脉分布胫骨神经的足蹠枝。

疗法：针二分、留七呼、灸三壮。

主治：身热烦满，腹胀、食不化、呕吐、泻痢脓血、腰痛大便难、气逆、霍乱腹中切痛、肠鸣、膝股肿痿、转筋、身重骨痛。

备考：本穴在下肢前内侧线。

4、公孙（胃痛）

位置：足大趾本节后一寸。

解剖：在第一蹠骨与第一楔状骨的关节内侧、有外转及长伸两拇肌、循足背动脉，分布蔷薇神经。

疗法：针四分、灸三壮。

主治：寒疟不食、痫气好太息、多寒热、汗出善呕、面肿、心烦多饮、胆虚腹虚、水肿、腹胀如鼓、脾冷、胃痛。

备考：本穴在下肢前内侧线、为足太阴之络穴、专负责与阳明经联系。

5、商丘

位置：内踝骨下微前陷凹中。

解剖：在内踝前下部的陷中，十字韧带的下侧，前胫骨肌和长伸拇肌的腱间、循内踝骨动脉，分布胫骨神经。

疗法：针三分、留七呼、灸三壮。

主治：胃脘痛、腹胀肠鸣、不快、脾重、令人不乐，身寒善太息心悲气逆，喘呕，舌强，脾积痞气，黄疸，寒疟，体重肢节痛，怠惰嗜卧，痔疾，阴股内痛，脉疝走引，少腹痛不可俯仰。

备考：本穴在下肢前内侧线。

6. 三阴交 脾肝肾三经之会

位置：内踝直上三寸，约四横指，骨下陷中。

解剖：在胫骨后内侧，后胫骨肌与长总趾屈肌之间，循后胫骨动脉，分布蔷薇神经及胫骨神经。

疗法：针三分，留七呼，妊妇不可针，灸三壮。

主治：脾胃虚弱，心腹胀满，不思饮食，脾病身重、四肢不举、飧泄便痢、痃癖、脐下痛不可忍。中风卒厥、不省人事，膝内廉痛，足痿不行、难产、月水不禁，赤白带下，小肠疝气，偏坠、木肾腫痛、小便不通。浑身浮肿。

备考：本穴一名承命、太阴，在下肢前内侧线。宋太子出游，逢一妊妇，乃指徐文伯曰：此妇身怀者女也，文伯笑曰：否！一男、一女耳，太子性本急，不服文伯诊断，乃令近侍剖之以观究竟。文伯阻而劝曰：不须剖视，臣祇一针，使可令其胎下，乃针合谷、三阴交，胎应针而下，果如文伯所言，后人乃以合谷、三阴交为妊妇禁穴，果是禁穴乎？着者当另文述之，此处不赘述。

7、漏谷

位置：内踝上六寸、（即三阴交上三寸），胻骨陷中。

解剖：在下腿中央的内侧，有比目鱼肌部，循后胫骨动脉的分枝，分布蔷薇神经，胫骨神经。

疗法：针三分、禁灸。

主治：膝痹脚冷不仁，肠鸣腹胀，痃癖冷气，小腹痛，饮食不为肌肤，小便不利失精。

备考：本穴一名太阴络，在下肢前内侧旅，为足太阴脾经之络，专负责与足阳明胃经联系，铜人谓禁灸。

8、地机

位置：膝下五寸内侧，辅骨下陷中，
（即内踝上八寸）

解剖：在胫骨后内缘，有比目鱼肌，循后胫骨动脉的分枝，分布胫骨神经、蔷薇神经。

疗法：伸足取之、针三分、灸三壮，

主治：腰痛不可俯仰，溏泄腹胀水瘇

不嗜食、精不足，小便不利，足痺痛，女子瘕瘕。

备改：本穴一名脾舍，在下肢前内侧线。

9、阴陵泉

位置：膝下内辅骨下陷中，在膝横纹头下寸余，与阳陵泉相对。

解剖：在下腿内侧的上位，胫骨头关节部，比目鱼肌与腓肠肌二屈腱，缝匠肌的附着部，循后胫骨动脉分布蔷薇神经、胫骨神经。

疗法：伸足取之，针五分、留七呼，灸三壮。

主治：霍乱、寒热、腹中热、不嗜食喘逆不得卧，疝瘕腹中寒、胁下满，水胀腹坚，腰痛不可仰俯，阴痛、气淋，遗精小便不利，遗尿，泄泻，足膝红肿。

10、血海

位置：膝盖上二寸内侧白肉际。

解剖：在大腿骨前内下部，有内大股肌、循膝关节动脉，分布内股下皮神经及股神经。

疗法：针五分、灸五壮。

主治：女人崩中漏下，月事不调，带下，逆气腹胀，肾脏风、两腿疮痒湿不可当。

备考：本穴在下肢前内侧線，又名百虫窠。

11、箕门

位置：血海直上六寸，两股内动脉应手处是穴，

解剖：在大腿骨的上部，有缝匠肌，范股肌、内大收肌，分布皮下神经、闭锁神经、股神经。

疗法：针三分（一说禁针）灸三壮，

主治：五淋、小便不通、遗溺、鼠鼷肿痛，

备考：素问刺禁论：刺阴股中大脉，出血不止，死，着者按：即指本穴，在下肢前内侧線。

12、衝门

位置：曲骨穴横开四寸，

解剖：在肠骨前上棘内下方，即肠骨窝，当鼠蹊韧带的中外端相近之所，内外斜腹肌的下部，有肠腰肌膜循下腹壁动脉的分枝，分布肠骨鼠蹊神经。

疗法：针七分，灸五壮。

主治：中寒积聚，淫泺阴疝，妊娠衝心，难乳。

备考：本穴一名上慈宫，在腹部第三侧線。

13、府舍

位置：衝门穴直上七分、横开中行四寸。

解剖：在耻骨软骨结合部与肠骨前上棘中间稍上方、在内外斜腹肌中，循浅腹壁动脉分枝，分布肠骨下腹神经，右当盲肠部的下部，左当结肠的下部。

刺法：针七分、灸五壮。

主治：疝癖腹肠满痛、上下抢心、积聚痺痛、厥气、霍乱。

备考：本穴在腹部第三侧線。

14、腹结

位置：大横穴下一寸三分，横离中行四寸半。

解剖：在内外、斜腹肌部、循浅腹壁动脉分枝，分布肠骨下腹神经及肠骨下腹神经腹壁的分枝。内为小肠，

刺法：针七分、灸五壮。

主治：欬逆、绕脐腹痛、中寒、泻痢心痛，

备考：本穴在腹部第三侧線、又名肠屈、阳屈、肠结、腹屈。

15、大横

位置：去脐横量四寸五分、

解剖：在内外斜腹肌部、循浅腹壁动

—52—

际肋分枝，分布腋骨下腹神经。

疗法：针三分，灸三至二十壮。

主治：大风逆气，四肢不举，多寒善悲。

备考：本穴在腹部第三侧线。

16. 腹哀

位置：中脘旁四寸五分。

解剖：在内外斜腹肌部，循上腹壁动脉、分布肋间神经侧穿行枝，内部左容胃脏，右与肝接近。

疗法：针三分，灸五壮。

主治：寒中食不化，大便脓血，腹痛。

备考：本穴在腹部第三侧线。

17. 食窦

位置：去中庭五寸，第五肋间部。

解剖：在第五、六肋骨之间，有内外肋间肌，大胸肌，循长胸动脉分布侧胸廓神经，肋间神经的侧穿行枝。

疗法：举臂取之，针四分，灸五壮。

主治：胸胁支满，欬吐逆气，饮不下膈有水声。

备考：本穴一名命关，在胸部第三侧线，右侧此穴为治肝脏病的特效穴。

18、天谿

位置：胸第四肋间，去中行六寸，乳头旁二寸。

解剖：在第四、五肋之间，有前大锯肌、大胸肌、内外肋间肌，循长胸动脉，分布侧胸廓神经及肋间神经的侧穿行枝。

疗法：仰而取之，針四分、灸五壮。

主治：胸满喘逆，上气喉中作声，妇人乳痈。

备考：本穴在胸部第三侧线。

19. 胸 鄉

位置：第三肋间、天谿上一寸六分。

解剖：在第三、四肋骨间，有前大锯肌、大胸肌、内外肋间肌、循长胸动脉，分布前胸廓神经及肋间神经的侧穿行枝。

疗法：仰而取之，針四分、灸五壮。

主治：胸胁支满、引背痛不得卧转侧。

备考：本穴在胸部第三侧線。

20. 周 荣

位置：中府穴直下一寸六分。

解剖：第二、三肋骨之间、有大胸肌前大锯肌、内外肋间肌、循长胸动脉，分布前胸廓神经及肋间神经的侧穿行枝。

疗法：仰而取之，針四分、灸五壮。

主治：胸满不得俯仰、欬逆食不下。

备考：本穴在胸部第三侧線。

21 大包

位置：腋窝下六寸，渊腋下三寸，第六、七肋骨间。

解剖：在侧胸部第六、七肋骨之间，前大锯肌中，有长胸动脉，分布肋间神经的侧穿行枝。内容肺脏，但右穴与肝脏接近。

疗法：针三分，灸七壮。

主治：胸中喘痛，腹有大气不得息，实则身尽痛，虚则百节尽纵。

备考：此穴应在腋侧线第八、九肋间，左穴应是与脾脏接近，方为正确，合予更正。

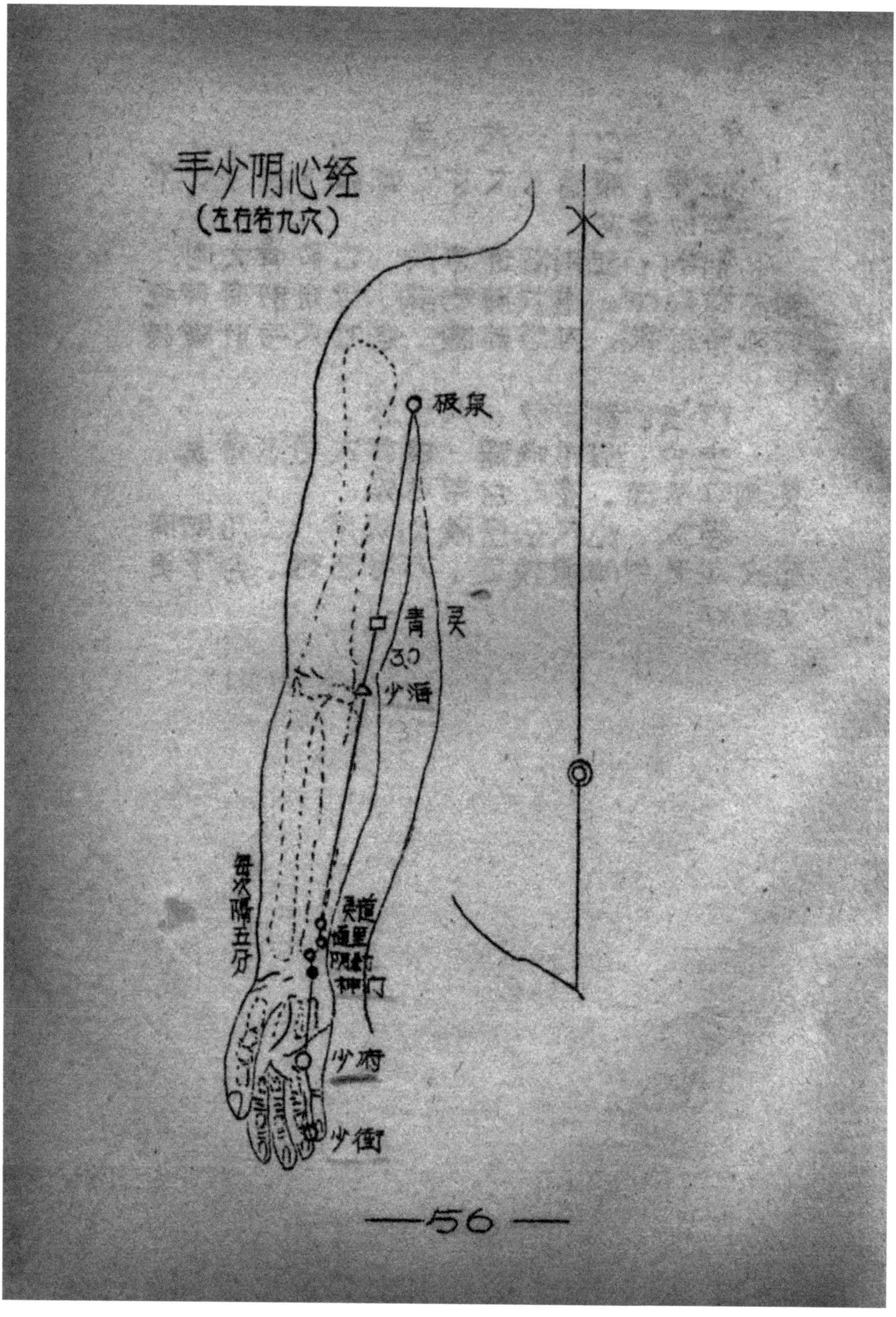
手少阴心经
(左右各九穴)
极泉
青灵
3.0
少海
每穴隔五分
灵道
通里
阴郄
神门
少府
少衝
—56—

（五）手少阴心经

（九穴左右共十八穴）

经穴歌

九穴心经手少阴，极泉青灵少海深，灵道通里阴郄邃、神门少府少衝寻，

分寸歌

少阴心起极泉中、腋下筋间动引胸、青灵肘上三寸觅，少海肘后五分充，灵道掌后一寸半。通里腕后一寸同，阴郄去腕五分的、神门掌后锐骨隆，少府小指本节末，小指内侧是少衝，

1、极泉

位置：腋窝内、两筋中间、横直天府三寸，微高於天府八分。

解剖：在大胸肌付止部外侧与肩胛下肌之间，有腋窝动脉及肩胛动脉。分布内膊皮下神经，

疗法：针三分、灸七壮、

主治：心胁满痛，肘臂厥寒，四肢不收、乾呕、烦渴、目黄。

备考：本穴在上腋前内侧，

2、青灵

位置：在肘上三寸，

解剖：在上膊骨之前内端、上层为二头膊肌内缘、下层为内膊肌之接际部陷中循上膊动脉、腋窝动脉之分枝及贵要静脉分布内膊皮下神经。

疗法：伸肘举臂取之，禁针、灸三至七壮。

主治：头痛目黄、振寒胁痛、肩臂不举。

备考：本穴在上膊前内侧。

3. 少海

位置：肘内侧大骨外、由肘端量去五分陷中、屈肘向头取穴。

解剖：在二头膊肌之旁、内膊肌付止部之内缘、循尺骨动脉、分布尺骨神经的通路及正中神经，中膊皮下神经。

疗法：屈肘取之、针三分、禁灸。

主治：寒热齿痛、目眩发狂、癫痫羊鸣、呕吐涎沫、项不得回、头风疼痛、气逆、瘰疬、肘臂腋胁痛挛不举。

备考：本穴一名曲节、在上肢前内侧缘。

4. 灵道

位置：掌后一寸五分，

解剖：在尺骨下部之前内缘，内尺骨肌腱之桡骨侧廻前方肌中，循尺骨动脉，分布尺骨神经的通路及前膊皮下神经。

疗法：针三分、灸五壮。

主治：心痛悲恐、乾呕烦满、肘挛、暴瘖不能言。

备考：本穴在上肢前内侧线。

5. 通里

位置：腕侧后一寸、灵道下半寸陷中。

解剖：在内尺骨肌腱与浅屈指肌间。循尺骨动脉，分布尺骨神经之通路及前膊皮下神经，

疗法：针三分、灸三壮。

主治：热病头痛、目眩面热、无汗懊憹、暴瘖心悸、悲恐畏人、喉痹、苦呕、重频、少气、遗溺、肘臂臑痛，妇人经血过多、崩漏。

备考：本穴在上肢前内侧线，

6 阴郄

位置：去腕五分、通里穴下五分，即掌后脉中，

解剖：在内尺骨肌腱与浅屈指肌之间循尺骨动脉、分布尺骨神经的通路及中膊皮下神经，

疗法：针三分、灸五壮。

主治：鼻衄吐血、失音不能言、霍乱胸中满、洒淅恶寒、厥逆、惊恐心痛。

备考：本穴在上肢前内侧线。

7、神门

位置：在掌后锐骨（豌豆骨）之端陷中，阴郄下五分。

解剖：在豆骨与尺骨的关节部，即内尺骨肌的付止部，循添掌侧动脉，分布尺骨神经。

手法：针三分，灸三壮。

主治：疟疾心烦，欲得冷饮，恶寒则欲就温，咽乾不嗜食，惊悸心痛，少气身热面赤发狂，善笑上气，呕血吐血，遗溺，失音，健忘，心积伏梁，大人小儿五痫症手臂挛掣。

备考：本穴一名锐中，中都，兑冲，在上肢前内侧线，为治精神病和心脏病的要穴，故东垣曰：有同精导气，以復其本位之句，称赞神门穴的功效不已。

8 少府

位置：手小指本节后骨缝陷中，与劳宫穴平一直线。

解剖：在第四掌骨与第五掌骨之间，即小指屈肌的付止部，循指掌动脉，分布尺骨神经之指掌枝。

手法：针二分，灸三壮。

主治：痎疟久不愈，振寒烦满，少气

胸中痛、悲恐畏人、臂痠肘腋挛急、阴挺血、阴痒、遗尿、阴痛、偏坠、小便不利。

备考：本穴在上肢前内侧線。

9、少衝

位置：手小指内侧、去爪甲角如韭叶。

解剖：在小指第三节外侧、爪甲角之发生根部、循指掌动脉。分布尺骨神经之指掌枝。

疗法：針一分、灸一至三壮。

主治：热病烦满、上气、心火炎上、眼赤血少、呕沫血、反心痛、冷痰、少气悲恐、善惊口热，咽酸胸胁痛、乍寒乍热臑臂内后廉痛。手挛不伸、凡初中风猝倒暴昏沉痰涎壅盛，不省人事、牙关紧闭。水浆不下，急以三棱針刺少商、商阳、中衝、关衝、少衝、少泽、以流通气血。乃起死回生之妙穴。

备考：本穴一名经始、在上肢前内侧線。

手太阳小肠经

（左右各十九穴）

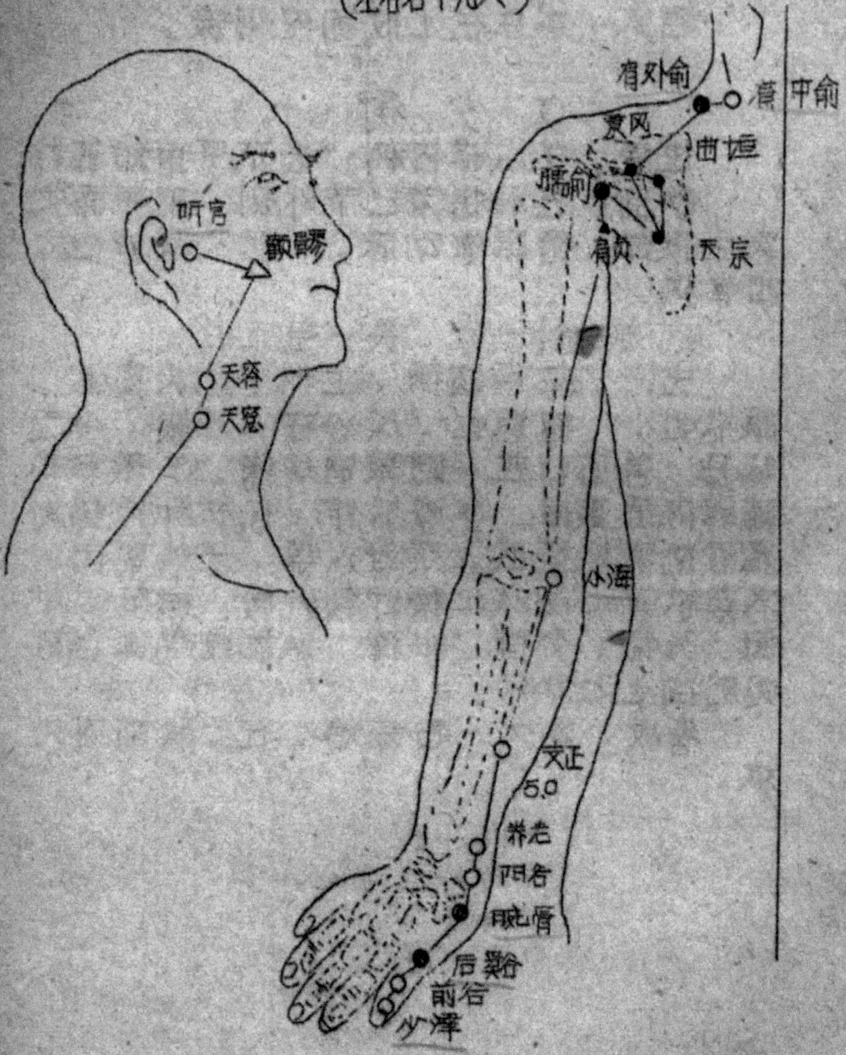

—62—

（六）手太阳小肠经

（凡十九穴左右共三十八穴）

经穴歌

手太阳穴一十九，少泽前谷后溪薮，腕骨阳谷养老绳，支正小海外辅肘，肩贞臑俞接天宗，髎外秉风曲垣首，肩外俞连肩中俞，天窗乃与天容偶，锐骨之端上颧髎，听宫耳前珠上走。

分寸歌

少指端外为少泽，前谷外侧节后觅，节后捏拳取后溪，腕骨腕前骨陷侧，锐骨下陷阳谷讨，腕后锐上觅养老，支正腕后五寸量，小海肘端五分好，肩贞胛下两筋解，臑俞大骨下陷保，天宗秉风后骨中，秉风髎外举有空，曲垣肩中曲胛陷，外俞去脊三寸从，中俞二寸大椎旁，天窗扶突后陷详，天容耳下曲颊后，颧髎面鸠锐端量，听宫耳中大如菽，此为小肠手太阳。

1 少泽

位置：在小指端甲侧，去爪甲角如韭叶。

解剖：在第五指骨第三节内侧，爪甲之发生根部，总指伸肌腱的停止部，有外转少指肌，循尺骨动脉之指背枝，分布尺骨神经的指背枝。

—63—

疗法：針一分、留三呼、灸一壮。

主治：痎疟、寒热、汗不出、喉痹舌强、心烦咳嗽、瘈疭、臂痛、项痛不可回顾、目生翳、妇人无乳、耳聋不得眠、凡初中风卒暴昏沉、痰涎壅盛、不省人事，急以三棱針刺少商、商阳、中衝、少衝、少泽、出血、使气血流通、乃起死回生救急之妙穴。

备考：本穴一名小吉、在上肢后外侧線。

2、前谷

位置：在小指外侧本节前之陷凹处。

解剖：在第五指骨第一节基底、第五掌骨的关节部内侧、短小指屈肌之旁，有外转小指肌、循指背动脉、分布尺骨神经的分枝。

疗法：針一分、灸一至三壮。

主治：热病汗不出、痎疟、癫疾、耳鸣、喉痹、颈项颔肿引耳后、咳嗽、目翳鼻塞、吐乳、臂痛不举、妇人手癱。

备考：本穴在上肢后外侧線。

3、后谿 与大椎同使用治疟病

位置：小指外侧本节后陷中，第五掌骨之前外端，

解剖：在第五掌骨内一部的前下方，

短少指屈肌之旁，有外转小指肌，循指背动脉、分布尺骨神经的分枝。

疗法：握拳取之适当掌尖，針三分，留七呼，灸一壮。

主治：痎瘧、寒热、目翳、鼻衄、耳聋、胸满、项强不得回顾，癫痫，臂挛急五指尽痛。

备攷：本穴在上肢后外側線。

4 腕骨

位置：在手外側腕豆骨的旁側陷中。

解剖：第五掌骨腕骨之间，外尺骨肌的付止部，在外转小指伸肌中，有豆骨掌骨靱帶循腕骨背側动脉、分布尺骨神经的分枝。

疗法：握掌向内取之，針二分，留三呼，灸三壮。

主治：热病汗不出、脅下痛不得息，頸項腫，寒热耳鸣，目出冷泪生翳，狂惕偏枯，臂肘不得屈伸，瘧疾烦闷、头痛、惊风瘈疭、五指掣挛。

备攷：本穴在上肢后外側線。

5. 阳谷

位置：手外側腕中銳骨下陷中腕中銳骨即尺骨茎状突起部。

解剖：在尺骨茎状突起的下际，固有

小指肌的内部、循腕骨背侧动脉、分布尺骨神经的手背枝。

疗法：針二分、留三呼、灸三壮。

主治：癫疾、发狂、妄言左右顾、热病汗不出、胁痛頸腫、寒热、耳聋、耳鸣臂不举、小儿瘈疭、舌強。齿痛、

备攷：本穴在上肢后外側線。

6. 养老

位置：手外踝骨上有空隙中，腕骨上一寸，骨开有孔。

解剖：在尺骨茎状突起的正中部，外尺骨肌腱側。循腕骨背側动脉、分布尺骨神经。

疗法：針二分至三分、灸三壮。

主治：肩臂痠痛、肩欲折，臂如拔，手不能自上下，目視不明。

备攷：本穴在上肢后外側線。

7. 支正

位置：腕后五寸、即阳谷直上与小海成直線、当阳谷与肘尖的中间。

解剖：在尺骨后面的中央，外尺骨肌中，循骨间动脉，分布尺骨神经、前膊内側皮下神经及后下膊皮下神经。

疗法：針三分、灸三壮。

主治：五痨、癫狂、惊风寒热、頷腫

项强、头痛目眩、风痉笃恐悲惊、腰背痠四肢乏力、肘臂不能屈伸、手指痛不能握。
　　备攷：本穴在上肢后外侧線。

8 小海

　　位置：在尺骨鹭嘴突起上端，去肘尖五分陷中、即肘内侧大骨外、去肘端五分。
　　解剖：在上膊骨的内上髁及尺骨鹭嘴的中间、鹭咀突起的内侧、在尺骨肌起始部、循下尺骨副动脉、分布尺骨神经的主干。
　　疗法：屈肘向头取之、針三分、灸三壮。
　　主治：肘臂肩臑颈项痛、寒热、齿根腫痛、风眩、瘍瘰、小腹痛、五痫、瘈瘲。
　　备攷：本穴在上肢后外侧線。

9 肩貞

　　位置：肩峰突起后侧之下、去脊横开八寸、下直腋縫。
　　解剖：在肩峰突起后下方一寸处，即肩峰突起与上膊骨的关节部、上层是三角肌后缘，下层有棘下肌，循后迴手上膊动脉、分布肩胛上神经及腋下神经。
　　疗法：針五分、灸五壮。
　　主治：伤寒、寒热　颔瘰、耳鸣、耳聋、缺盆肩中热痛、风痹手足不举。

备考：本穴在肩胛区。

10 臑俞

位置：肩贞上一寸，横开八分，即肩胛关节后面大骨下，正对腋缝。

解剖：有僧帽肌，冈下肌，循肩胛下动脉，分肩胛下神经，

疗法：举臂取之，针八分，灸三壮。

主治：肩酸无力，肩痛引胛，寒热气肿痠病。

备考：本穴在肩胛区。

11 天宗

位置：在肩贞斜上一寸七分，横开一寸，即肩胛大骨下方当中，平第五椎间。

解剖：在肩胛骨的冈下窝，浅层有僧帽肌，循肩胛横动脉，分布肩胛上神经及付神经。

疗法：举肩取之，针五分，灸三壮。

主治：肩臂痠痛，肘外后廉痛、颊颔肿。

备考：本穴在肩胛区。

12 秉风

位置：在肩上小髃后，举臂有空，即天宗穴的斜上方，秉骨部，

解剖：在肩胛棘起始部上缘，即僧帽

肌部，下层为棘上肌的展开部，循横肩胛动脉，分布肩胛上神经及付神经。

疗法：针五分，灸五壮。

主治：肩臂热痛，不可举。

备考：本穴在肩胛区。

13 曲垣

位置：在肩之中央，曲胛陷中平第二椎间，按之应手痛。

解剖：在肩胛棘的上际，有僧帽肌及肩胛举肌，循肩胛横动脉，分布肩胛上神经附神经。

疗法：针五分、灸三壮。

主治：肩臂热痛，拘急周痹。

备考：本穴在肩胛区。

14 肩外俞

位置：在肩胛上侧，去脊三寸（即陶道穴旁量三寸陷中）。

解剖：在第二肋骨后端上缘，有僧帽肌、项长肌，后上锯肌，菱形肌，循后横颈动脉，分布脊椎神经、付神经、后胸廓神经。

疗法：针五分、灸三壮。

主治：肩胛痛，发寒热、引项挛急、周痹寒至肘。

备考：本穴在肩胛区。

15 肩中俞

位置：在肩胛内侧由大椎穴横量二寸

解剖：第一胸椎棘上突起的两侧，有僧帽肌、菱形肌，循上胸向动脉及肩胛动脉的分枝，分布胸向神经分枝，肩胛背神经，脊椎神经的后枝。

疗法：針三至六分、灸三至十壮。

主治：咳嗽上气，吐血寒热、目視不明。

备攷：本穴在肩胛区，

16 天窗

位置：在耳下二寸大筋间、即颊下扶突后动脉中，

解剖：在胸鎖乳、咀肌中央后缘、分布迷走神经及下頸皮下神经。

疗法：針三分，灸三壮，

主治：頸瘿腫痛，肩胛引项不得回顾頰腫耳聋，喉痛暴瘖。

备攷：本穴在頸后区，又名窓龙，

17 天容

位置；在耳垂下约三、四分、即頰车后上方二寸頸筋间陷中，

解剖：在胸鎖乳咀肌停止部前缘，耳下線所在地，循后头动脉，内頸静脉，分布大耳神经及副神经，

疗法：針五至八分、灸三壮，

主治：瘿气颈项不可回顾，不能言，齿噤，耳鸣，耳聋，喉痹，咽中如梗，寒热胸满，呕逆吐沫。

备考：本穴在耳区。

18 颧髎

位置：目外眥直下，当颧骨下凹陷中。

解剖：在颧骨肌的起始部，有咬肌，循横面动脉，分布下眼窩神经，咬肌神经及颜面神经的颊枝。

疗法：針三分，禁灸。

主治：口㖞、面赤、目黄，目瞤不止

备考：本穴在颊区，又名兑骨。

19 听宫

位置：在耳前珠旁。

解剖：在咬肌付着部后缘，循耳前动脉，分布颜面神经及三叉神经分枝。

疗法：針三分、灸三壮，

主治：失音、癫疾、心腹满，耳内蝉鸣，耳聋。

备考：本穴在耳区，又名多所闻。

—71—

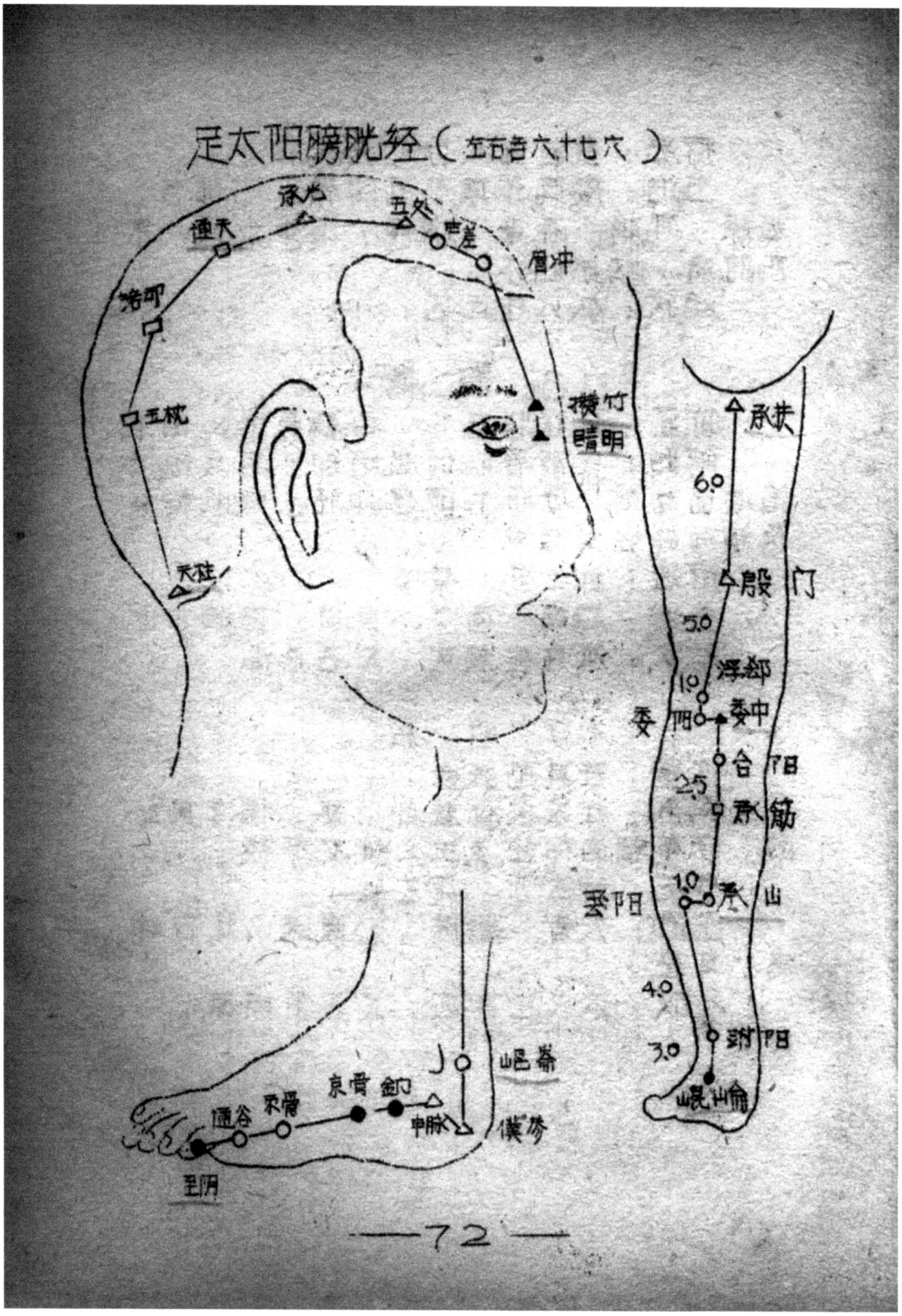
足太阳膀胱经（左右各六十七穴）
承光
通天
五处
曲差
眉冲
络却
玉枕
天柱
攒竹
睛明
承扶
6.0
殷门
5.0
1.0
浮郄
委阳
委中
合阳
2.5
承筋
1.0
承山
4.0
跗阳
3.0
昆仑
仆参
申脉
金门
京骨
束骨
通谷
至阴
—72—

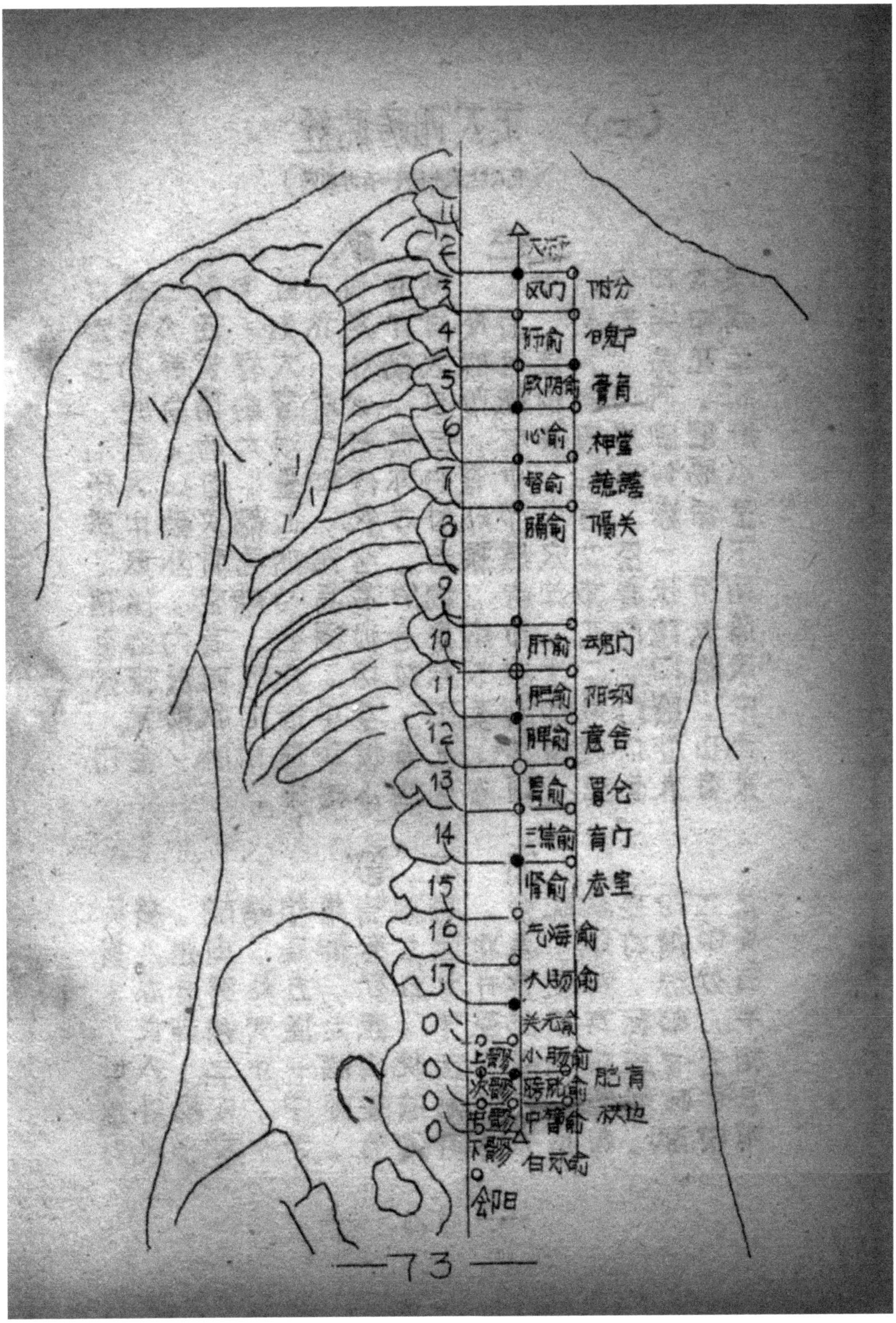

大杼
风门
附分
肺俞
魄户
厥阴俞
膏肓
心俞
神堂
督俞
譩譆
膈俞
膈关
肝俞
魂门
胆俞
阳纲
脾俞
意舍
胃俞
胃仓
三焦俞
肓门
肾俞
志室
气海俞
大肠俞
关元俞
小肠俞
膀胱俞
中膂俞
白环俞
胞肓
秩边
上髎
次髎
中髎
下髎
会阳
1
2
3
4
5
6
7
8
9
10
11
12
13
14
15
16
17
—73—

（七）足太阳膀胱经

（凡六十七穴左右共一百卅四穴）

经穴歌

足太阳穴六十七、睛明目内红肉藏，攒竹眉冲与曲差、五处寸半是承光，通天络却玉枕昂，天柱后际大筋外，大杼背部第二行，风门肺俞厥阴日，心俞督俞膈俞强，肝胆脾胃俱挨次，三焦肾气海大肠，关元小肠到膀胱，中膂白环仔细量，自从大杼至白环，各穴节外寸半长，上髎次髎中髎下，一空二穴腰髁当，会阳阴尾骨外取、附分侠脊第三行，魄户膏肓与神堂，譩譆膈关魂门九、阳纲意舍仍胃仓，肓门志室及胞肓，二十椎下秩边场、承扶阴股横纹中、殷门浮郄到委阳，委中合阳承筋足，承山飞扬踝附扬，昆仑僕参连申脉，金门京骨束骨忙。通谷至阴小指旁。

分寸歌

足太阳是膀胱经、目内眦角始睛明，眉头头中攒竹取，眉冲直上旁神庭，曲差入发五分际，神庭旁开寸五分，五处旁开亦寸半，细标却与上星平，承光通天络却穴，相去寸五调匀看，玉枕夹脑一寸三，入发三寸枕骨取，天柱后项发际中，大筋外廉陷中献，自此夹脊开寸五，第一杼二风门三椎肺俞厥阴四，心五督六椎下论，膈七肝九十胆俞，十一脾俞十二胃，十三三焦十四肾，气海俞在十五椎，大肠十六椎之下，十七关元俞穴推，小肠十八胱十九，中膂内俞二十椎，白环二十一椎下当，从上诸穴可推之．更有上次中下髎，一二三四腰空好，会阳阴尾尻骨旁，背部第二诸穴了，又从脊上开三寸，第二椎下为附分，四椎膏肓三魄户、第五椎下神堂尊，第六譩譆膈关七．第九魂门阳纲十，十一意舍之穴存，十二胃仓穴已分、十三肓门端正在．十四志室不须论，十九胞肓二十秩、背部三行诸穴匀，又从臀下横纹取，承扶居下陷中央，殷门扶下方六寸，委阳腘外两筋乡；浮郄实居委阳上，相去只有一寸长，委中在腘约纹里、此下二寸寻合阳，承筋合阳之下直，穴在腨肠之中央．承山腨上分肉间，外踝七寸上飞扬，跗阳外踝上三寸，昆仑后跟陷中央．仆参跟下脚边上，申脉踝下五分张．金门申前墟后取，京骨外侧骨际量、束骨本节后肉际．通谷节前陷中强、至阴却在小趾侧、太阳之穴始周详。

1．睛　明

位置：目内眦角外一分宛宛中．

解剖：在眼轮肌中，有内眼睑韧带．

循内眦动脉，分布三叉神经第一枝的滑车神经。

疗法：针分半，禁灸。

主治：目痛视不明，迎风流泪，胬肉攀睛，白翳、眦痒，疳眼，眼痛目眩、雀目，

备考：本穴一名泪孔，在眼区，东垣曰二刺太阳，阳明出血，则目愈明，著者按：这里指结膜炎、网膜炎，眼球充血等症而言、学者注意、勿误。

2、攒竹 治头痛

位置：眉头陷中、

解剖：前头骨之下际，眉弓内端部，有皱皮肌，循鼻前头动脉，分布前头神经，上眼窝神经、

疗法：针二分，不得已时方灸，否则禁灸，

主治：泪出目眩，瞳子痒、眼中赤痛、颊热面痛。

备考：本穴一名始光、员柱、光明、在眼区，

3、眉冲

位置：攒竹直上，入发际五分在神庭与曲差两穴的中间。

解剖：前头骨部，前头肌，循前头动

脉、分布前头神经。

疗法：针二分、灸三壮，

主治：头痛目眩，鼻塞不闻香臭，

备考：本穴在眼区。

4 曲差

位置：直上入发际约五分，去神庭旁开一寸五分。

解剖：前头骨部的前头肌，循前头动脉、分布前头神经。

疗法：针二分、灸三壮，

主治：目不明、头痛鼻塞、喘满、顶巅痛、心烦身热、汗不出。

备考：本穴一名鼻衝、在头顶部第一侧线，

5、五处

位置：曲差后五分，上星旁一寸五分。

解剖：前头骨部，前头肌中、循前头动脉、分布前头神经，

疗法：针三分、灸三至五壮，

主治：脊强反折，瘛疭癫疾，头痛戴眼，眩晕、目视不明，

备考：本穴在头顶部第一侧线，

6、承光

位置：五处后一寸五分，

解剖：在前头骨与颅顶骨的缝合部、有帽状腱膜，循浅颞颞动脉，分布颜面神经的颞颥枝。

疗法：针三分，禁灸。

主治：风眩呕吐，心烦，鼻塞不利，目翳口喎。

备考：本穴在头顶部第一侧线。

7. 通天

位置：承光后一寸五分，即百会穴之侧。

解剖：在颅顶骨部，当颅顶结节的后内方，循颞颥动脉后枝，分布后头神经。

疗法：针三分、灸三壮。

主治：头旋项痛不能转侧，鼻塞偏风口喎衄血，头重耳鸣，狂走瘈疭恍惚，目青盲内障。

备考：本穴一名天臼，在头顶部第一侧线。

8. 络却

位置：通天后一寸五分，由后发际量上三寸半。

解剖：在颅顶骨与后头骨联接处，即后头肌停止部，循后头动脉，分布大后头神经。

疗法：针三分，灸三壮。

主治：头旋口喎，鼻塞项肿，瘿瘤、

内障耳鸣。

备攷：本穴一名强扬，脑盖，在头顶部第一侧線。

9、玉枕

位置：络却后一寸五分，去脑户旁一寸三分。

解剖：在后头骨部，有后头肌、循后头动脉，分布后头神经。

疗法：針三分，灸三壮。

主治：目痛如脱，不能远視，脑风头顶痛，鼻塞无闻。

备攷：本穴在头顶部第一側線。

10、天柱 治神经衰弱

位置：项后髮际大筋外側陷中去中行风府七分。

解剖：在后头骨之上、项線之下，当僧帽肌付止部的外側、循项后头动脉，分布大后头神经。

疗法：針二分，灸七壮。（最好不灸）

主治：头旋脑痛，鼻塞泪出，项强肩背痛，足不任俥、目眩不欲視。

备攷：本穴在头顶部第一側線。

11 大杼 骨之絡会，治骨痛。

位置：一椎下，横开中行一寸五分陷

灸大椎七壮 下治寒冷病

中，

解剖：在第一胸椎棘上突起的两旁，上层为僧帽肌，下层为菱形肌，及后上锯肌，循横颈动脉下行枝，分布胸椎神经的后枝及胸廓神经，肋间神经、僧帽肌神经。

疗法：针五分、不宜灸，

主治：伤寒汗不出，腰脊项背强痛不得卧，喉痹，烦满，痎疟，头痛，咳嗽身热，目眩癫疾，筋挛、痿痹，膝痛不可屈伸。

备考：本穴在背部第一侧線。

12、风门

位置：二椎下；横量一寸五分。

解剖：第二、三椎横突起间的外侧，有菱形肌与后上锯肌，循肩胛背动脉，分布胸椎神经的后枝，

疗法：针五分、灸五壮、

主治：能泻全身热气，伤寒头痛项强目瞑，胸中热，呕逆上气，喘卧不安，身热、黄疸、痈疽、挛背、

备考：本穴一名热府，在背部第一侧線，

13 肺俞

位置：三椎下，横量一寸五分。（千金方云，对乳）

解剖：第三、四椎胸横突起的外側、当僧帽肌与菱形肌及上鋸肌之中，循上肋间与横頸动脉下行枝，分布副神经，后胸廓神经，胸椎神经的后枝及肋间神经。

疗法：針三分，灸七至一百壮。

主治：主泻五藏之热，五痨，传尸骨蒸，肺风肺痿、咳嗽、呕吐、上气喘满、虚煩口乾，目眩支满，汗不出、腰背强痛、背偻如龟，黄疸。

备攷：本穴在背部第一側線。伤寒论云，太阳与少阳併病，头項强痛，或眩冒时，如结胸，心下痞坚者，当刺太阳、肺俞、肝俞。

14. 厥阴俞

位置：四椎下，横量寸五分。

解剖：第四、五胸椎横突起的外询，有僧帽肌、菱形肌、上鋸肌及脊骨脊柱肌、循肩胛背动脉，分布胸椎神经的后枝。

疗法：針三分，灸七壮。

主治：欬逆牙痛，心痛结胸，呕吐煩悶，胸中膈气、积聚好吐。

备攷：本穴一名厥俞，在背部第一側線。

15 心俞 治精神病亦梦遗精

位置：在五椎下横量一寸五分

解剖：在五椎下横突起的外側，有僧僧

肌、菱形肌，棘骨脊柱肌，，循后肋间动脉的背枝及横颈动脉的下行枝，分布胸椎神经后枝及肋间神经，

疗法：正坐取之，針三分，灸三壮。

主治：主泻五藏之热，偏风半身不遂食噎积结，寒热心气闷乱，忧恐心惊，汗不出，中风偃卧不得，发痫悲泣，呕吐欬血，发狂健忘，小儿气不足者，数岁不語可灸五壮。艾炷如麦粒，

备考：本穴一名背俞，千金方云，中风心急，灸心俞百壮，当权其缓急也。

16.督俞

位置：六椎下，横量一寸五分。

解剖：第六、七椎横突起间的外侧，分布胸椎神经的后枝。

疗法：正坐取之，針三分，禁灸。

主治：寒热心痛腹痛雷鸣气逆。

备考：本穴一名高益，在背部第一侧線。

17 膈俞 大便有血可针此穴

位置：七椎下，横量一寸五分。

解剖：在七、八胸椎间横突起的外側有僧帽肌及棘骨脊柱肌，循后肋间动脉、分布胸椎神经的后枝。

疗法：針三分、灸三壮。

主治：心痛而痹，膈胃寒痰、暴痛心满气急，吐食翻胃，痃癖、五积、气块，血块欬逆，四肢疼痛。怠惰嗜卧，骨蒸，喉痹，热病汗不出，食不下。腹胁胀满。

备考：本穴在背部第一侧线。

18、肝俞

位置：九椎下，横量一寸五分。

解剖：在第九、十椎横突起间的外侧有僧帽肌，背长肌阔背肌、肋骨举肌、脊骨棘柱肌；循后肋间动脉，分布胸椎神经后枝，右方深部容肝脏。

疗法：針三分、灸三壮。

主治：主泻五脏之热，气短欬血，多怒，胁肋满闷，欬引两胁，背脊急痛不得息，转侧难反侧，上视惊狂，黄疸，鼻衄热病后目中出泪，眼目诸疾，热痛生翳，或热病后因食五辛患目呕血。或疝气筋瘥相引转筋入腹。

备考：本穴在背部在第一侧线。

19、胆俞 以资胆石

位置：十椎下，横量一寸五分。

解剖：第十、十一椎横突起间的外侧上层有僧帽肌，下层有阔背肌、循后肋间动脉的背枝，分布副神经，胸椎神经的后枝，肋间神经。

疗法：針三分、灸五壮，

主治：头痛振寒，汗不出，腋下肿，心腹胀满，口乾苦，咽痛呕吐，翻胃食不下，骨蒸劳热，目黄，胸胁不能转侧，

备考：本穴在背部第一侧線，崔知悌四花穴，当上穴即是膈俞穴，下二穴即是胆俞穴，崔氏以此四穴为治痨病的特效穴，后世取四花穴为斜取、失误。

20 脾俞

位置：十一椎下，横量一寸五分，

解剖：在十一、十二椎横突起的外側有僧帽肌及背骨延肌，循后肋间动脉，分布胸椎神经的后枝，

疗法：針三分，灸三壮，

主治：主泻五臟之热，痃癖积聚、胁下满，黄疸，腹胀痛，吐食，不食，飲食不化，或飲食倍多，煩热嗜卧，身体羸瘦泄痢善欠体重四肢不收，

备考：本穴在背部第一側線，

21 胃俞

位置：十二椎下，横量一寸五分。

解剖：第十二胸椎与第一腰椎横突起端的中间，上层有阔背肌、下层有棘骨脊柱肌，循后肋间动脉的背枝，分布胸椎神经的后枝及肋间神经，内容肾臟。

疗法：针三分，灸三至七壮，

主治：胃寒吐逆，翻胃，霍乱，腹胀支满，胁膚疾瘦，肠鸣腹痛。不嗜食，背脊筋挛，小儿羸瘦，食少不生肌肉，小儿痢疾，秋末脱肛，肚疼不可忍。艾炷如麦大。

备考：本穴在背部第一侧线，东垣曰中湿者、治在胃俞。

22 三焦俞

位置：十三椎下，横量一寸五分。

解剖：第一、二腰椎棘状突起间的外侧，上层是阔背肌，下层是荐骨脊柱肌及方形肌，循腰动脉的背枝，分布脊椎神经的后枝。

疗法：针三至五分，灸三至十壮，

主治：伤寒身热头痛、吐逆、肩背急腰脊强，不得俯仰，藏府积聚，胀满膈塞不通，饮食不化，羸瘦水谷不分，腹痛、下痢。肠鸣目眩。

备考：本穴在背部第一侧線。

23 肾俞

位置：十四椎下，横量一寸五分。

解剖：在第二、三腰椎横突起间的外侧，上层有腰背肌膜，下层有荐骨脊柱肌及方形腰肌循腰动脉的背枝分布腰椎神经的后枝。

疗法：针三分，灸三至百壮。

主治：主泻五脏之热，虚劳羸瘦、面目黄黑，耳聋肾虚，水脏久冷腰痛梦遗、精滑精冷，膝脚拘急、身热头痛、振寒心腹胀，两胁满，痛引少腹，少气溺血，便浊淫湿淋赤白带下，月经不调，阴中痛、五劳七伤、虚惫无力、足冷如冰、洞泄食不化，身肿如水，男女久积气痛、变成痨疾。

备考：本穴一名高盖，在背部第一侧线。

24 气海俞

位置：十五椎下横量一寸五分。

解剖：第三四腰椎横突起间的外侧，上层有阔背肌腱，下层有荐骨脊柱肌及方形腰肌，循腰肌动脉的背枝，分布腰椎神经的后枝。

疗法：针三分、灸五壮。

主治：腰痛、痔漏。

备考：本穴在背部第一侧线。

25 大肠俞

位置：十七椎下，横量一寸五分。

解剖：第四、五腰椎横突起间的外侧有阔背肌、荐骨脊柱肌、大腰肌，循腰动脉背枝，分布腰椎神经的后枝。

疗法：針三分、灸三至十壮。

主治：脊强不得俯仰、腰痛腹胀，绕脐切痛，肠鸣泻痢，食不化，大小便不利。

备考：本穴在背部第一侧線。

26.关元俞

位置：十五椎下，横量一寸五分。

解剖：第五腰椎横突起间的外侧，上层有腰背肌膜，下层有荐骨脊柱肌及方形腰肌，循腰动脉的背枝，分布腰椎神经的后枝。

疗法：針三分，灸五壮。

主治：风劳腰痛，泄痢虚胀，小便难，妇人瘕癥。

备考：本穴在背部第一侧線。

27 小腸俞

位置：十八椎下，横量一寸五分。

解剖：在第一、二荐骨假棘状突起间的外侧，第五腰椎横突起荐骨翼间，有腰背肌膜，荐骨脊柱肌及方形腰肌，循腰动脉的背枝，分布荐骨神经。

疗法：針三分，灸三壮。

主治：膀胱三焦津液少，小便赤不利，淋沥遗尿，小腹胀满，腹痛泻痢脓血，脚肿，心烦短气，五痔疼痛，妇人带下。

备改：本穴在背部第一侧线。

28、膀胱俞

位置：十九椎下横量一寸五分。

解剖：在第二、三荐骨假棘状突起间的外侧，上层为腰背肌膜，下层为荐骨脊柱肌的起始部，循髂侧荐骨动脉。分布腰椎神经的后枝。

疗法：针三分、灸三壮。

主治：小便赤涩，遗尿泄痢，腰背腹痛，阴疮，脚膝寒冷无力、女子癥瘕。

备改：本穴在背部第一侧线。

29 中膂俞

位置；二十椎下，横量一寸五分。

解剖；在第三、四荐骨假棘状突起间的外侧，有腰背肌，中臀肌，循上臀动脉分布荐骨神经的后枝。

疗法：针三分，灸三壮。

主治：肾虚消渴，腰脊强痛，不得俯仰，肠泄、赤白痢，疝痛、汗不出，胁腹胀满。

备改：本穴一名脊内俞、中膂内俞。在背部第一侧线。

30 白环俞

位置：二十一椎下，横量一寸五分。

解剖：在骶骨裂孔的两侧，有大臀肌梨子状肌，循下臀动脉，分布下臀神经与骶骨神经的后枝。

疗法：针三分、灸三壮。

主治：腰脊痛不得坐卧，疝痛手足不仁，二便不利，温疟、筋挛痹缩、虚热闭塞。

备考：本穴一名玉环俞、玉房俞，在背部第一侧线。

八髎治妇科病

31 上髎

位置：十八椎下，横量一寸。

解剖：在第一后骶骨孔部，有腰肌膜骶骨脊柱肌，循侧骶骨动脉、分布骶骨神经的后枝。

疗法：针四分至一寸二分、灸七至一百壮。

主治：大小便不利、呕吐，腰膝冷痛寒热疟，鼻衄、妇人绝嗣，阴中痒痛、阴挺出、赤白带下。

备考：本穴在背部第一侧线。1、大理赵卿患偏风，不能起跪，甄权针上髎、环跳阳陵泉，下廉等穴，即能起跪、下髎合称，"八髎"不特能治腰痛有神效、且男女生殖器的疾患、也同样有效。

32 次髎

位置：十九椎下，横量一寸。

解剖：在第二后荐骨孔部，有腰背肌膜、荐骨脊柱肌循侧荐骨动脉，分布荐骨神经的后枝。

疗法：針四分至一寸，灸七至一百壮。

主治：大小便淋赤不利，心下坚胀腰痛足痿，疝气下坠，引阴痛不可忍，肠鸣泄泻，赤白带下。

备考：本穴在背部第一侧线。

33 中髎

位置：二十椎下，横量八分。

解剖：第三后荐骨孔部，有腰背肌膜荐骨脊柱肌、循侧荐骨动脉。分布荐骨神经的后枝。

疗法：針四分至一寸，灸七至百壮。

主治：五劳七伤，二便不利，妇人少子，带下，月经不调。

备考：本穴一名中空，在背部第一侧线。

34 下髎

位置：廿一椎下，横量八分。

解剖：在第四后荐骨孔部，有腰背肌膜、荐骨脊柱肌、循侧荐骨动脉。分布荐骨神经的后枝。

疗法：針三至五分，灸三至二十壮。

主治：二便不利，下血，腰痛引小腹

急痛、女子淋泻不禁。

备考：本穴在背部第一侧線。

35 会阳

位置：阶尾尻骨旁、离长强穴约六分即尾闾骨下部之旁側陷中。

解剖、在尾闾骨下端的两側、大臀肌的起始部、有肛门举肌，肛门括约肌、循下痔动脉、分布会阴神经。

疗法：針八分、灸五壮。

主治：腹中寒热泄泻、肠癖便血久痔阴汗湿痒。

备考：本穴一名利机、在背部第一側線。

36 附分

位置：第二椎下，由中行横量三寸。

解剖：第二胸椎棘突起下方，两旁约三寸，第二肋骨的上缘，上层有僧帽肌，下层有菱形肌、循横颈及上肋间动脉、分布胸椎神经及肋神经，副神经等。

疗法：針三分、灸五壮。

主治：肘肩不仁，肩背拘急，风客腠理、頸痛不得回顧。

备考：本穴在背部第二側線。

37 魄户

位置：附分下，三椎下横量三寸。

解剖：第三、四胸椎横突起间的外方有僧帽肌、菱形肌、循横颈动脉，分布胸椎神经的后枝。

疗法：针五分，灸七至一百壮。

主治：泻五脏之热，虚劳肺痿，肩膊胸背痛，三尸走注，项强喘逆，烦满呕吐。

备考：本穴一名魂户，在背部第二侧线。

38 膏肓

位置：四椎下，由中行横量三寸，两手相揽，按之觉瘆痛是穴。

解剖：在第四、五胸椎横突起的外方有僧帽肌，菱形肌、循横颈动脉下行枝，分布胸椎神经后枝。

疗法：针三分，灸七至百壮或五百壮。

主治：百病皆治、虚羸劳损，五劳七伤，梦遗失精，上气欬逆，痰火发狂，健忘。

备考：本穴在背部第二侧线，1、此膏肓穴擅治肺结核、哮喘等病，2、灸此穴之后，必立即继灸足三里，或针足三里以诱导火气下行，否则吐血不已，或发生其他的变症。3、左传，成公十年，晋侯患病，求医于秦，秦使医缓治之，未至，晋成公得一梦，见二竖子，其一曰：医缓得至，彼良医也，惧伤我，焉逃之，其一竖子曰：居肓之上，膏之下，若我何。医至，曰：疾不可为也，在肓之上，膏之下，攻之不可，达之不及，药不至焉，不可为也。晋侯曰：良医也，厚为之礼而归之。

39 神堂

位置：五椎下，由中行横量三寸。

解剖：第五、六胸椎横突起的外方，有僧帽肌、菱形肌，循横颈动脉之下行枝，分布肩胛背神经及肋间神经。

疗法：针三分、灸五壮。

主治：腰背强急，喘息，肩膊疼痛。

备考：本穴在背部第二侧线。

40 譩譆

位置：六椎下，横量三寸。

解剖：第六七胸椎横突起的外方有僧帽肌、菱形肌，循横颈动脉下行枝，分布肩胛背神经及肋间神经。

疗法：针六分灸十至一百壮。

主治：大风热病汗不出，劳损不得卧，温疟久不愈，肩背胁痛急，目痛。

备考：本穴在背部第二侧线。

41 膈关

位置：七椎下，横量三寸。

解剖：在七、八胸椎横突的外方，有僧帽肌及背阔肌，循横颈动脉，分布肩胛神经及肋间神经。

疗法：针五分、灸五壮。

主治：背痛恶寒脊强，呕吐饮食不下胸中噎塞，大小便不利。

备考：本穴在背部第二侧线。

42 魂门

位置：九椎下，横量三寸。

解剖：在九、十胸椎横突起的外方，有阔背肌，循后肋间动脉背枝，分布胸椎神经后枝及肋间神经。

疗法：针三分、灸三壮。

主治：尸厥、胸背连心痛，食不下腹中雷鸣，大便不节，小便黄赤，主泻五脏之热。

43 阳纲

位置：十椎下，横开三寸。

解剖：第十、十一胸椎横突起的外方有阔背肌，循后肋间动脉，分布肩胛下神经及肋间神经。

疗法：针五分，灸五壮。

主治：肠鸣腹痛，食不下，小便涩，身热烦渴。

备考：本穴在背部第二侧线。

44 意舍

位置：十一椎下，横量三寸。

解剖：第十一椎及十二椎横突起的外方，有阔背肌，循后肋间动脉，分布肩胛下神经及肋间神经。

疗法：针五分，灸五至五十壮。

主治：脊痛腹胀，大便泄，小便黄，呕吐，饮食不下。

备考：本穴在背部第二侧线。

45 胃仓

位置：十二椎下，横量三寸，

解剖：第十二椎及第一腰椎横突起的外方，循后肋间动脉，分布肩胛下神经及肋间神经。

疗法：针五分，灸五壮。

主治：腹满水肿，食不下，恶寒，背脊痛，不可俯仰。

备考：本穴在背部第二侧线。

46 肓门

位置：十三椎下，横量三寸。

解剖：第一，二腰椎横突起的外侧，有方形肌，阔背肌，荐骨脊柱肌，循腰动脉的背枝，分布腰椎神经的后枝。

疗法：针五分，灸三十壮。

主治：心下痛，大便坚，妇人乳痛。

备考：本穴在背部第二侧線。

47 志室

位置：十四椎下，横量三寸。

解剖：第二、三腰椎横突起的外方。有方形腰肌，阔背肌，循腰动脉背枝，分布腰椎神经后枝。

疗法：針三分至九分，灸三至十壮。

主治：阴肿、阴痛、失精，小便淋沥脊背強，腰脇痛、腹中坚满，霍乱吐逆、不食大便难。

备考：本穴一名精宫，在背部第二侧線。

48 胞肓

位置：十九椎下，横量三寸

解剖：第二、三荐骨椎假横突起的外方，有大小臀肌，梨子状肌，循上臀动脉分布上下臀神经及坐骨神经的后枝。

疗法：針五分，灸三至四十壮。

主治：腰脊痛，恶寒小腹坚，肠鸣大小便不利。

备考：本穴在背部第二侧線。

49 秩边

位置：廿椎下，横量三寸。

解剖：第三、四荐骨椎假突起之外方

有小臀肌，梨子状肌，循上臀动脉，分布上下臀神经及荐骨神经，

疗法：伏而取之，針五分、灸三壮。

主治：腰痛，五痔，小便赤涩，

备考：本穴在背部第二側線。

50 承扶

坐骨神经痛，风湿背痛

位置：直立时在臀部高肉下垂之横纹中，委中之直上，即尻骨下臀部横纹的中央，

解剖：在臀下皱壁横纹中央，即大臀肌的下际，有大内转股肌，循下臀动脉，分布下臀神经后枝及坐骨神经枝。

疗法：針五至七分，灸三壮，一说宜灸。

主治：腰脊相引如解，久痔，臀痛，大便难，小便不利。

备考：本穴一名内郄，陰关，皮部，在下肢后中外線。

51 殷门

位置：承扶穴直下六寸，

解剖：在大腿后面的中央部，即二头股肌与半模样肌之间，循股动脉，分布坐骨神经，

疗法：針五分至一寸，不宜灸。

主治：腰脊不可俯仰、外股腫，

备考：本穴在下肢后面正中外侧線。

52 浮郄

位置：委阳上一寸，曲膝取之。

解剖：在大腿后下部外侧、二头股肌内侧，循膝腘动脉，分布膝腘神经，腓骨神经。

疗法：針五分，灸三壮。

主治：霍乱转筋，小便膀胱热，大肠结，髀枢不仁。

备考：本穴在下肢后面正中外侧線。

53 委阳

位置：膝腘窝外两筋之间，屈膝取之即承扶下一尺二寸。

解剖：在二头股肌的内侧，循膝腘动脉，分布膝腘神经。

疗法：針七分，灸三壮。

主治：腰脊腋下腫痛不可俯仰，引阴中不得小便，胸满身热，瘈疭癫痫，小腹满，痿痹不仁。

备考：本穴在下肢后面正中外侧線。

54 委中 主治腰背痛

位置：膝腘窝正中，横纹中的动脉侧。

解剖：在大腿骨与下腿骨的关节部，腓肠肌的二头间、循膝腘动脉，分布腓骨神经。

疗法：針五分至寸半，禁灸。

主治：大风眉鬓脱落、太阳瘧从背起先寒后热，熇々然汗出难已、头重转筋、腰脊背痛、半身不遂、遗溺、小腹坚、髀枢风痛。脚痛足软无力、主泻四肢之热。

备攷：本穴一名血郄、郄中、腘凹、在下肢后面正中外侧線。1、本穴於必要时，得用三稜針刺出血，往々痼疾立愈。2、刘汉卿郎中患牙槽风、久之頷穿、脓血淋滴、丘经历与針委中及女膝穴，是夕脓血即止，旬日后頷骨蜕去，别生新者，完美如昔。3、张师道亦患此症，復用此法針之而愈，女膝穴在足后跟，攷诸針经无此穴，惜乎未知其神验也，4、崇祯十四年大旱，十五、十六更兼经年亢旱，通国奇荒、疫疠大作，有疠瘄羊毛瘟等病，呼吸即亡，不留片刻，八、九两月、疫死数百万十月间南人瞭解病由，看膝湾后有筋突起，紫者无救、红者刺出血可活，至鷄雪渐繁，势亦渐杀、其病暑燥热毒、蕴酿成菌、深入血分，故刺筋出血。

·55 合阳

位置：委中下二寸。

解剖：在腓肠肌部，循后胫骨动脉，分布后胫骨神经。腓腘神经。

疗法：針六分、灸五壮，

主治：腰脊强引腹痛、阴股热胻酸胫寒症偏坠、女子崩带不止。

备考：本穴在下肢后面正中外侧線。

56 承筋

位置：腓肠肌的中央，即小腿肚，由脚跟直上七寸，亦即在合阳与承山之中间

解剖：在腓肠肌部、循后胫骨动脉，分布后胫骨神经。

疗法：禁针、灸三壮。

主治：瘈瘲、腰背拘急，腋肿便闭。五痔腨痠脚跟痛引少腹、转筋霍乱。

备考：本穴一名腨肠、直肠、在下肢后边中外侧線。

57 承山

位置：小腿肚下，分肉间。

解剖：在腓肠肌部、循后胫骨动脉，分布后胫骨神经。

疗法：针七分至一寸，灸五壮。

主治：头热鼻衄寒热癫疾、疝气腹痛痔疾便血、腰背痛、膝肿胫痠疝痛、霍乱转筋、战慄不能行立。

针承山一三阴交

备考：本穴一名鱼腹、肉柱、肠山在下肢后边正中外侧線。

58 飞扬

位置：外踝骨上七寸，腓骨后侧，

解剖：在腓骨的外侧部，当腓骨肌的外缘。腓骨动脉，分布腓骨神经。

疗法：針三分、灸三至五壮。

主治：痔痛不能起坐，脚痠腫、不能立，历节风不得屈伸，癫疾、寒瘧、头晕目眩逆气。

备攷：本穴一名厥阳，在下肢后边正中外侧線，为足太阳膀胱络，专负责与足少阴肾经联系。

59 跗阳

位置：外踝上三寸。

解剖：在腓骨的外侧部，有腓肠肌循前胫骨动脉、分布深腓骨神经。

疗法：針五分、灸三壮。

主治：霍乱转筋，腰痛不能立，髀枢股胻痛。痿厥风痹不仁，头重頄痛，时有寒热，四肢不举，屈伸不能。

备攷：本穴在下肢后边正中外侧線。

60 崑崙

位置：外踝后五分、跟骨上陷中。

解剖：在外踝骨中央的陷凹部，循外后踝动脉。分布浅腓神经及胫骨神经。

疗法：針三分、灸三壮，妊妇禁針。

主治：腰尻、脚气，足踝踵痛，不能

步立，头痛眩晕，肩背拘急、咳喘目眩，阴睡痛产难、胞衣不下、小儿发痫，瘈疭。

备考：本穴一名下昆崙，在下肢后边正中外侧线，又杨周汴娘治一人，背苦曲杖而行，人以风治，公曰，非风也，血滞不行也，为针昆崙穴，顷之，投杖而去。

61 仆参

位置：跟骨下陷中。

解剖：在跟骨结节后部的稍偏於外侧之所，循胫骨动脉的分枝，分布浅腓骨神经及胫骨神经交通枝。

疗法：针三分、不宜灸。

主治：腰痛、足痿不收，足跟痛，霍乱转筋吐逆、膝痛。

62 申脉

位置：外踝下五分陷中，白肉际，前后有筋、上有踝骨，下有软骨，本穴当中。

解剖：外踝微下，外转小指肌的上端循腓骨动脉穿行枝。分布胫骨神经交通枝。

疗法：针三分，灸三壮，一说不宜灸

主治：风眩癫疾，腰脚痛，膝胻寒痠不能坐立，如在舟中，气逆，腿足不能屈伸，妇人气血痛，腓部红肿。

备考：本穴一名阳跻，在足外侧线，东垣曰：痫病昼发，灸此。

63 金门

位置：外踝下一寸、前五分陷中，

解剖：外踝之前下五分，跟骨与骰子骨的凹处、短总趾伸肌中、循腓骨动脉穿行枝，分布腔骨神经交通枝。

疗法：针三分，灸三壮。

主治：霍乱转筋尸厥癫痫疝气膝胻痠不能立小儿张口摇头身反折。

备考：本穴一名梁关在足外侧线。

64 京骨

位置：小趾外侧赤白内际陷中

解剖：足背及足蹠的界线、骰子骨与第五蹠骨关节部的陷中。有外转小趾肌，循足背动脉的分枝，分布外足蹠神经的分枝。

疗法：针三分、灸七壮

主治：腰背痛如折，髀不可屈，项强不能回顾，筋挛善惊、痎疟寒热、目眩，内眥赤烂，癫疾狂走。

备考：本穴在足外侧线。

65 束骨

位置：小趾外侧、本节后陷中

解剖：第五蹠骨的侧前部、长总伸趾肌健中，循足背动脉的分枝，分布外蹠神经的分枝。

疗法：针三分、灸七壮

主治：肠澼泄泻、瘧痔癫痫，发背痈

—— 103 ——

疗、头痛目眩 内眥赤痛，耳聋，腰膝痛项强不可回顾。

备攷：本穴在足外侧線。

66 通谷

位置：在足小趾外侧，本节前陷中。

解剖：第五趾第一节前外侧長总伸趾肌健中，循趾背动脉，分布趾背神經。

疗法：针二分、灸三壮。

主治：头痛目眩，項痛鼽衄、善驚留飲、食不化。

备攷：本穴在足外侧線。

67 至阴 头顶痛针至阴

位置：足小趾外侧，去爪甲如韭叶。

解剖：第五趾第三节外侧、爪甲的根部、長总趾伸肌腱附着的关节外緣，循趾背动脉、分布趾背神経，

疗法：针一分，灸三壮。孕妇禁针灸

主治：风寒头重，鼻塞目痛生翳，胸脅痛、转筋寒瘧，汗不出，煩心、足下热小便不利。妇人横产手先出，諸药不効，为灸右脚小趾尖三壮如小麦大、下火立产

备攷：本穴在足外侧線。

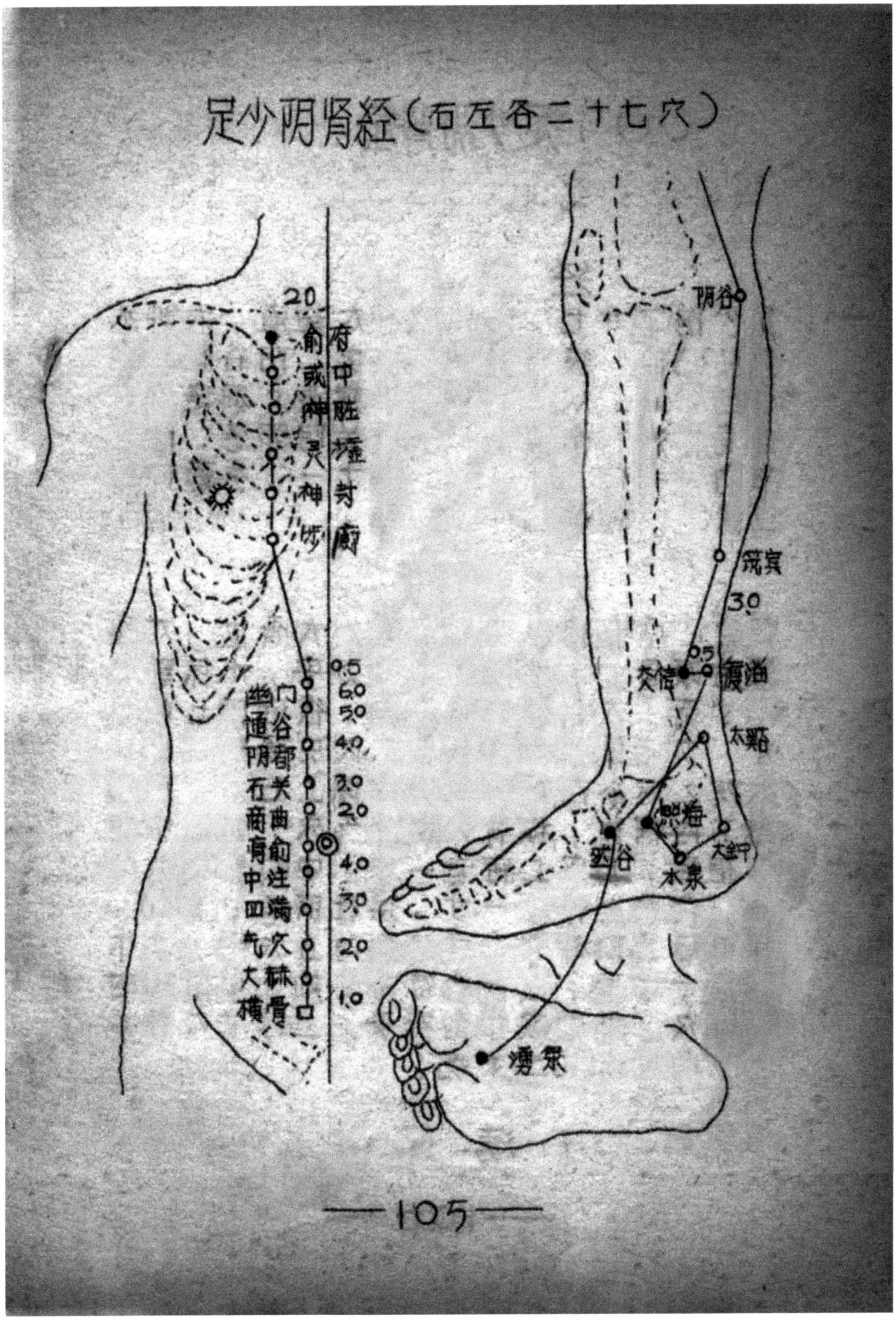
足少阴肾経（右左各二十七穴）
俞府
彧中
神藏
灵墟
神封
步廊
幽门
通谷
阴都
石关
商曲
肓俞
中注
四满
气穴
大赫
横骨
阴谷
筑宾
交信
复溜
太谿
照海
然谷
大钟
水泉
涌泉
—105—

（八）足少阴肾经

（单廿七穴左右共五十四穴）

经穴歌

足少阴穴廿七，涌泉然谷太谿溢，大钟水泉照海适　复溜交信筑宾实，阴谷膝内跗骨后，以上从足走至膝，横骨大赫连气穴，四满中注肓俞脐，商曲石关阴都密，通谷幽门寸半间、折量腹上分十一，步廊神封至灵墟，神藏彧中俞府毕。

分寸歌

足掌心中是涌泉，然谷踝前大骨边，太谿踝后跟骨上，照海踝下四分安，水泉谿下一寸觅，大钟跟后踵筋间，复溜踝上前二寸，交信踝上二寸连。二穴只隔筋前后，太阴之后少阴前，筑宾内踝上五寸，阴谷膝下内辅边，横骨大赫并气穴，四满中注亦相连，五穴上行皆一寸，中行旁开五分边，肓俞上行亦一寸，俱在脐旁半寸间，商曲石关阴都穴，通谷幽门五穴缠，上下俱是一寸取，各开中行半寸前，步廊神封灵墟穴，神藏彧中俞府安，上行寸六旁二寸，俞府璇玑二寸观。

1　涌泉　1.治头项痛　2.救急时用

位置：足心陷中，屈足卷趾宛宛中。

解剖：在拇趾根蹠骨部的外侧，长屈趾肌的外侧、短总趾骨肌的内侧，循后胫骨动脉的末枝及内足蹠动脉，分布胫骨神经的末枝及内足蹠神经。

疗法：针三分（勿令出血）灸三壮。

主治：尸厥面黑，欬喘出血，目无所见，善恐，心中结热，风疹风痛，心痛不嗜食，男子如蛊，女子如妊，咳嗽短气，身热喉痹，目眩头痛，胸胁满，小便痛、肠澼泄泻，霍乱，转胞不得尿，腰痛大便难，转筋足胫寒痛，肾积奔豚，热厥，五趾尽痛，足不践地。

备考：本穴一名地衝，在下肢后内侧线。1、汉北齐王阿母，患热症，足热甚，淳于意刺足心，立愈。2、本穴乃救急的灵穴。

2 然谷

位置：内踝前高骨下，公孫后一寸，两大肉的中间陷中。

解剖：在舟状骨与楔状骨的关节部，外转及长屈两拇肌附着部之间，循后胫骨动脉，分布胫骨神经及内足蹠神经。

疗法：针三分，灸三壮。

主治：喘呼烦满，咳血、喉痹、消渴舌纵，心恐，少气涎出，小腹胀，痿厥寒疝，足跗腫、胻痠，足一寒一热，不能久立，男子遗精，妇人阴挺出，月经不調不孕，初生小儿脐风撮口，痿厥洞泄。主泻肾臓之热。

备攷：本穴一名龙渊，然骨、龙泉，在下后内側線。1、此穴出血，使人立飢 2、初生小儿脐风撮口，灸然谷三壮，或針三分，不見血，立効。

3 太谿

位置：内踝后五分、跟骨上动脉陷中。

解剖：在内踝与跟骨之间陷中，循后胫骨动脉，分布胫骨神经的分枝。

疗法：針三分，灸三壮。

主治：热病汗不出，伤寒手足逆冷，嗜卧，咳嗽、咽腫，唾血呕血，溺赤，消瘅，大便难、久瘧欬逆，煩心不眠，脉沉手足寒。呕吐不嗜食、善噫，腹痛，瘠瘦寒疝痃癖、阴股内湿痒生瘡，便毒、肾瘧呕吐多寒，腰脊痛，手足寒。

备攷：本穴一名吕細，在下肢后内側線。

4 大鍾

位置：在足跟后踵中，太谿穴下五分

解剖：腓肠肌及比目鱼肌的下端，有亚踢氏肌腱，循后胫骨动脉、分布胫骨神经的分枝。

疗法：针二分、灸三壮。

主治：气逆烦闷，小便淋闭，洒洒腰脊强痛，大便秘涩、嗜卧、口中热，虚则呕逆多寒、欲闭户而处，少气不足，胸胀喘息、舌干食噎不得下，善惊恐不乐、喉中鸣、咳吐血。

备考：本穴在下肢后内侧線。

5 照海

治大便不通针照海支沟

位置：内踝下一寸陷中。

解剖：在跟骨与舟状骨之间陷中，外转踇肌中，循后胫骨动脉，分布胫骨神经。

疗法：令人稳坐足底相对，在内踝骨下赤白肉际陷中，针三分、灸七壮。

主治：咽干呕吐，四肢懈惰、嗜卧，善悲不乐，大风偏枯，半身不遂，久疟卒疝，腹中气痛，小腹淋痛，阴挺出，月水不调。

备考：本穴一名阴跻，在下肢内侧線。

6 水泉

位置：在内踝后，太谿下一寸。

解剖：在跟骨结节内侧上陷凹中，有长伸踇肌及外转踇肌，循后胫骨动脉，分布胫骨神经。

疗法：针四分、灸五壮。

主治：目不能远视，女子月事不来，来即

多，心下闷痛，小便淋，阴挺出。
备考：本穴在下肢后内侧线。

7 復溜 紅浦伏高膊

位置：内踝上二寸，距交信后五分。
解剖：在胫骨后部，有后胫骨肌，長总趾伸肌，循后胫骨动脉，分布浅腓骨神经。
疗法：針三分、灸七壮。
主治：腸澼痔疾、腰脊内引痛，不得俯仰、善怒、多懈、舌干涎出足痿脐寒不得履、腸鸣腹痛，四肢腫，十种水病，五淋，盗汗、面色痿黄。
备考：本穴一名昌阳，伏白，外命。在下肢后内側線。

8 交信

位置：内踝上二寸，与復溜并立，在復溜之前，三阴交下一寸之微后。
解剖：在胫骨后部，有后胫骨肌，長总趾伸肌，循后胫骨动脉，分布浅胫骨神经。
疗法：針四分，灸五壮。
主治：五淋，癞疝，阴急，股腨内廉引痛，泻痢赤白，大小便难，女人漏血不止，阴挺，月事不調，小腹痛，盗汗。
备考：本穴在下肢前内側線。

9 筑宾

位置：内踝上五寸，三阴交直上三寸后开一寸二分，

解剖：在比目鱼肌及腓肠肌下垂部之境，循胫骨动脉、分布胫骨神经，

疗法：針三分，灸五壮，

主治：小儿胎生癫疾，吐舌，发狂詈骂、腹痛、呕吐涎沫，

备考：本穴在下肢后内侧线，

10 阴谷

位置：膝内辅骨之后，大筋之下，小筋之上，即在曲泉之后横直一寸微下些大肌之间，按之应手，

解剖：在胫骨内关节踝的内缘后部、有半腱样与半膜样肌，循膝腘动脉分枝，分布膝腘神经，股神经及胫骨神经，

疗法：屈膝取之，針三分，灸四壮，

主治：舌纵涎下，腹胀烦满，溺难，小腹疝急引阴，阴股内廉病，为痿为痹，膝痛不可屈伸，妇人漏下不止少妊，

备考：本穴在下肢后内侧线，

11 横骨

位置：曲骨穴旁开五分、耻骨的上方弯曲如仰月，

解剖：在耻骨的上部，当直腹肌部，

循下腹壁动脉，分布肠骨鼠蹊神经，

疗法：針三分、灸五壮。

主治：五淋，小便不通，阴器下纵引痛。小腹满，目眥赤痛，五藏虚，

备考：本穴在腹部第一侧線，一名下极，曲骨。

12 大赫

位置：横骨上一寸，由中行横量一寸

解剖：在耻骨上部，当直腹肌部，循下腹壁动脉，分布肠骨鼠蹊神经，

疗法：針三分、灸五壮。

主治：虚劳失精，阴萎下缩，茎中痛目赤痛，女子赤带，

备考：本穴一名阴维，阴关，

13 气穴

位置：横骨上三寸，横量中行一寸，

解剖：在耻骨上方、直腹肌部，循下腹壁动脉，分布直肠鼠蹊神经。

疗法：針三分，灸三壮。

主治：奔豚痛引腰脊，泻痢，经不调，

备考：本穴一名胞门、子户，在腹部第一侧線。

14 四满

位置：在气穴直上一寸，

解剖：在耻骨上方、直腹肌部，循下腹壁动脉，分布肠骨鼠蹊神经，

疗法：针三分、灸三壮。

主治：积聚，疝瘕，肠澼切痛，奔豚脐下痛，月经不调，恶血腹痛无子，

备考：本穴一名髓府。在腹部第一侧线。

15 中注

位置：气穴直上二寸。

解剖：在耻骨部上方，直腹肌部，循下腹壁动脉，分布肠骨鼠蹊神经。

疗法：针五分、灸五壮。

主治：小腹热，大便坚燥。腰脊痛、目眥痛，月事不调，

备考：本穴在腹部第一侧线。

16 肓俞

位置：平脐，横量一寸。

解剖：脐的两旁，直腹肌部，循下腹壁动脉，分布肋间神经前穿行枝。

疗法：针五分至一寸，灸五壮。

主治：腹寒疝痛，大便燥，目赤痛从内眥始。

备考：本穴在腹部第一侧线。

17 商曲

位置：育俞直上二寸，由中行横量一寸，

解剖：在直腹肌部，有横腹肌，内外斜腹肌，循上腹壁动脉，分布肋间神经前穿行枝。

疗法：針五分至一寸，灸五壮。

主治：腹中切痛，积聚不嗜食。

备攷：本穴一名高曲，在腹部第一侧線，銅人云：自幽门至商曲去中行五分、素问注为一寸，似以素问主为确，

18 石关

位置：商曲直上一寸，

解剖：在直腹肌部，有横腹肌，内外斜腹肌，循上腹壁动脉，分布肋间神经前穿行枝，

疗法：針七分至一寸，灸三壮，孕妇禁灸，

主治：哕噫呕逆，脊強腹痛，气淋，小便不利，大便燥闭，目赤痛，妇人无子或恶血上衝腹痛不可忍，

备攷：本穴一名石阙，在腹部第一側線，

19 阴都

位置：中脘穴旁开一寸，

解剖：在上腹部，有直、横内斜外斜

寺腹肌，循上腹壁动脉，分布肋间神经前穿行枝。

疗法：針五分、灸三壮。

主治：心烦满恍惚。气逆，肠鸣肺胀气喘呕沫，大便难，胁下热痛，目痛寒热痎瘧，妇人无子，腹狭痛。

备考：本穴一名食宫，在腹部第一侧线。

20 通谷

位置：上脘穴旁开一寸。

解剖：在上腹部直腹肌内缘，循上腹壁动脉，分布肋间神经前穿行枝。

疗法：針五分，灸五壮。

主治：口喎、暴瘖，积聚，痃癖、胸满食不化，膈结呕吐，目赤痛不明、清涕项似拔不可回顾。

备考：本穴在腹部第一侧线。

21 幽门

位置：巨阙穴横量一寸。

解剖：在上腹部直腹肌内缘，循上腹动脉，分布肋间神经前穿行枝。

疗法：針五分、灸五壮，孕妇不可灸

主治：胸中引痛，心下烦满，逆气里急，支满，不嗜食，数欬干呕，健忘，泻痢脓血、少腹胀满、女子心痛逆气，善吐食不下。

备考：本穴一名上门，在腹部第一侧線，神农经云：孕妇不可灸。

22 步廊

位置：在中庭穴（胸骨下端）横量二寸的肋骨间，

解剖：在第五、六肋骨之间、有大胸肌，循肋间动脉，内乳动脉，分布肋间神经及前胸廓神经，内着肺臟。

疗法：仰而取之，针三分，灸五壮，

主治：胸胁满痛，鼻塞少气，欬逆不得息，呕吐不食，臂不得举，

备考：本穴在胸部第一側線，

23 神封

位置：膻中穴与乳的中间，第四肋间

解剖：在第四、五肋骨间，有大胸肌循肋动脉，内乳动脉，分布肋间神经，前胸廓神经，内着肺臟，

疗法：仰取之，针三分，灸五壮，

主治：胸胁满痛，欬逆不得息，呕吐不食，乳痈，

备考：本穴在胸部第一側線，

24 灵墟

位置：乳上一肋间，玉堂穴之旁二寸

解剖：在第三、四肋骨间、有大胸肌循肋间动脉，内乳动脉，分布肋间神经，前胸廓神经，内容肺脏。

疗法：仰卧之，針三分，灸三壮。

主治：胸满不得息，欬逆、乳癰，呕吐。

备考：本穴在胸部第一侧線。

25 神藏

位置：彧中穴下第二肋间、紫宫穴之旁二寸，

解剖：在第二、三肋骨之间、有大胸肌、循肋间动脉，内乳动脉，分布肋间神经，胸廓神经、内容肺臓，

疗法：仰而卧之，針三分、灸五壮。

主治：呕吐欬逆、喘不得息、胸满不嗜食，

备考：本穴在胸前第一側線。

26 彧中

位置：第一、二肋骨之间 华盖穴旁二寸。

解剖：在第一二肋骨间分布大胸肌，循肋间动脉，内乳动脉、分布肋间神经，胸廓神经，内容肺臓，

疗法：仰卧之、針四分、灸五壮。

主治：欬逆，喘息，胸脇支满，呕吐

不食；

备考：本穴在胸部第一侧線。

27 俞府

位置：鎖骨下，璇玑旁开二寸。

解剖：大胸肌中，有鎖骨下动脉，静脉及内乳动脉，分布前胸廓神经，鎖骨神经及肋间神经。

疗法：仰取之，針三分，灸五壮。

主治：欬逆上气、呕吐不食，中痛。

备考：本穴一名输府，在胸部第一侧線。久喘灸壮有效。

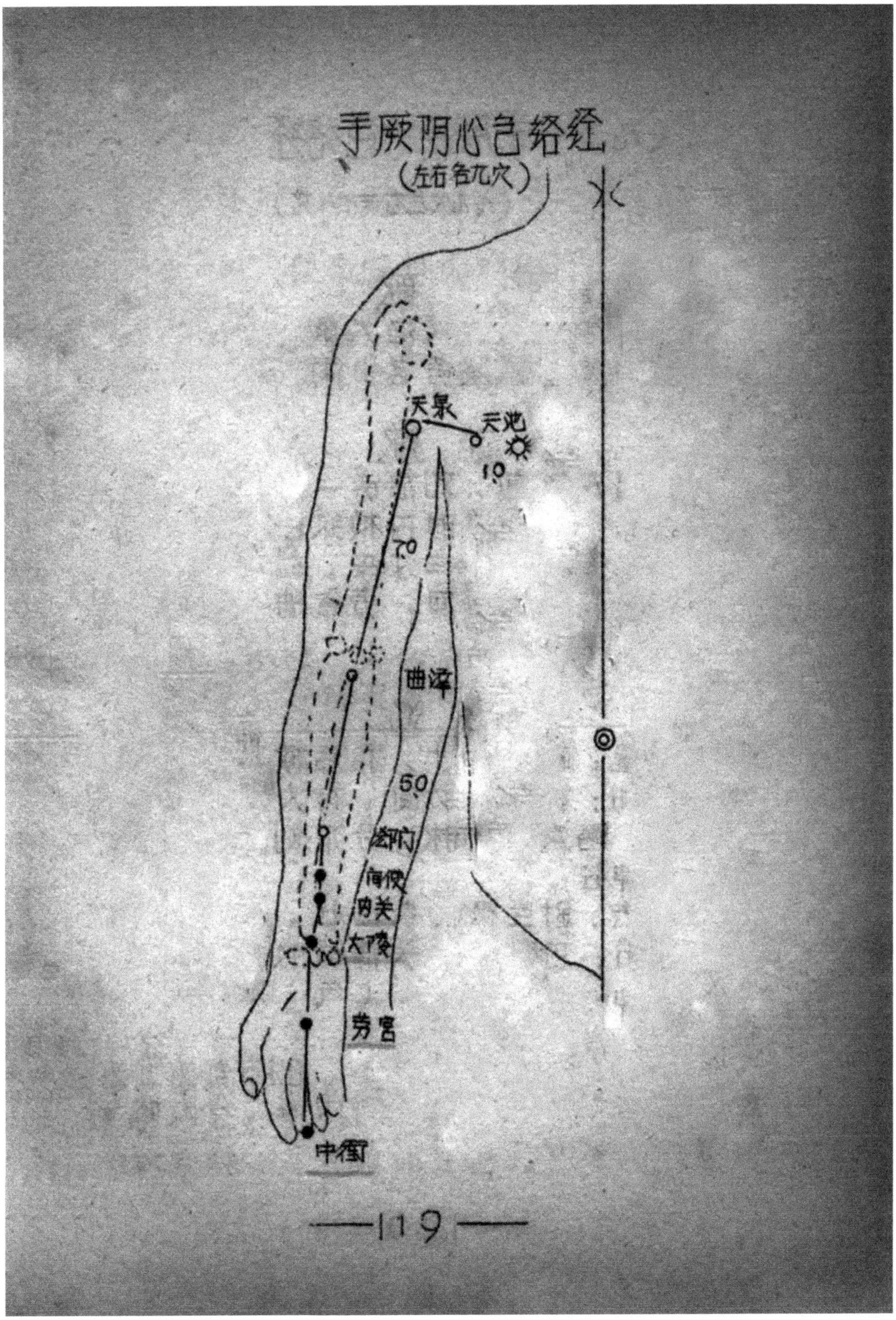
手厥阴心包络经
(左右各九穴)
天泉
天池
曲泽
郄门
间使
内关
大陵
劳宫
中冲
—119—

（九）手厥阴心包络经

（九九穴左右共十八穴）

经穴歌

九穴心包手厥阴，天池天泉曲泽深，郄门间使出内关，大陵劳宫中冲侵。

分寸歌

心包穴起天池间，乳后旁一腋下三、天泉曲腋下二寸，曲泽肘内横纹端，郄门去腕方五寸，间使腕后三寸安。内关去腕之二寸，大陵掌后两筋间，劳宫曲中名指取。中冲中指之末端，

1 天池

位置：腋下三寸，乳后横量三寸，

解剖：在第四肋间，有大胸肌，及前大锯肌，循长胸动脉、分布侧胸廓神经。及肋间神经，

疗法：针三分、灸三壮。

主治：目不明、头痛胸胁烦满。欬逆臂腋肿痛，四肢不举。上气、寒热痎、热病汗不出，

备考：本穴一名天会、在胸部第三侧线、素向刺禁论、刺膺中陷、令人咳。按即本穴。

2 天 泉

位置：手之内侧，腋下二寸，天池穴量上一寸。

解剖：在上膊骨前内侧，二头膊肌部，循上膊动脉，分布内膊皮下神经枝。

疗法：举臂取之，针六分，灸三壮。

主治：恶风寒，胸胁痛，支满咳逆，肩胛臂间痛。

备考：本穴一名天温，天湿，在上肢正中线。

3 曲 泽

位置：肘内廉中，大筋内侧横纹陷中，居尺泽与小海二穴的中间。

解剖：在肘窝正中，上膊骨及前膊骨的关节部，二头膊肌腱间，循上膊动脉及重要静脉，分布中膊皮下神经及正中神经。

疗法：屈肘取之，针三分，灸三壮。

主治：心痛善惊，身热烦渴，臂肘摇动，肘痛不可伸，伤寒，呕吐气逆。

备考：本穴在上肢正中线。

4、郄 门

位置：掌后大陵直上，去腕五寸。

解剖：在桡骨与尺骨中间，长屈拇肌与浅屈拇肌之间，循尺骨动脉之后枝及前骨间动脉。分布正中神经。

疗法：针三分、灸五壮。

主治：呕吐衄血、心痛呕哕、惊恐神气不足、久痔。

备考：本穴在上臂正中线。

5 间使

位置：掌后三寸，郄门穴下二寸，两筋之间。

解剖：在桡骨与尺骨中间，长屈拇肌与浅屈拇肌之间，循前骨间动脉，分布正中神经。

疗法：针三至六分，灸三至七壮。

主治：伤寒结胸，心悬如饥，呕沫少气，中风气塞，昏危不语，卒狂。胸中澹澹、恶风寒。霍乱，干呕不止。所食即吐不停，腋肿肘中挛卒心痛，多惊，咽中如鲠，妇人月水不调，小儿昏忤。久疟，四肢脉绝不至者，灸之便通。

备考：本穴一名鬼路，在上肢正中线干呕不止，粥食汤药皆吐者，灸本穴三十壮。若脉厥沉绝不至者，灸之便通。此法神妙不可测。

6 内关 治内脏一切病

位置：掌后二寸，间使穴直下一寸。两筋之间陷中，

解剖：在桡骨与尺骨之间，长屈拇肌

与浅屈拇肌之间，循前骨动脉，分布正中神经。

疗法：針三至五分，灸三至大壮。

主治：中风失志，实则心暴痛。虚则心烦惕惕，面热目昏，支满肘挛。久疟不已，胸满肠痛，腹内诸疾。

备效：本穴在上肢正中線。1、杨氏医案，泰都尉女患风痫甚急，为針内关乃甦。2、截瘧方：用桃仁半毛，放在内关穴上，再用独蒜搗烂，罨在桃仁上，以布条缚之，男左，女右，临发日先一、二时行之，即止。

7 大陵 1)不耐入眠，口中無气

位置：以中指为直線，在手腕横纹的陷中。

解剖：在腕关骨之前面横纹之正中陷凹部，但前方肌的下缘，有横腕韌带，循尺骨动脉，桡骨动脉，分布正中神经。

疗法：針三至五分。灸三壮。

主治：热病汗不出，舌本痛，喘欬呕血，心悬如饥，善笑不休，头痛气短，胸胁痛，胸前疮疥。驚恐悲泣。呕逆喉痹、目干目赤，时臂挛痛。小便如血。

备效：本穴一名心主，鬼心，在上肢正中線，又令人必吐之法，取葱叶浸湿，紮在大陵、太冲、少商必大吐，惟此法过凶猛、宜慎用之。

8 劳宫 挣乡隆

位置：在掌心。

解剖：在第二掌骨与第三掌骨之间，手掌腱膜中，桡手掌动脉、分布正中神经。

疗法：以中指无名指屈拳掌中在二指之尖之间取针三分，禁灸（一说灸三壮）

主治：中风善笑不休、热病汗不出。胁痛不可转侧，吐衄哕逆。烦渴食不下。胸胁支满，口中腥气，黄疸手痹，大小便血，热痔。

备考：本穴一名五里，掌中、鬼路，在掌正中。1、循资生镜云；屈中指取之。滑伯仁谓，以今观之，屈中指无名指两者之间取之为允。2、针此穴，刺激时觉针尖缠绕者，即须施行手术，手术完毕立即出针，切勿久留。

9 中冲

位置：手中指之尖端，去爪甲如韭叶。

解剖：在中指第三节爪甲之发生部尖端，循指掌动脉，分布桡骨神经手背枝，

疗法：针一分、灸一壮。

主治：热病汗不出，头痛如破，身热如火，心痛烦满，舌强痛，中风不省人事。

治小儿夜啼多哭，化中风初起暴仆昏沉，痰涎壅盛、不省人事，牙关紧闭，药水不入，急从三棱针刺十井穴，使气血流通，乃起死回生。

循按：本穴在上腋正中内侧缘。

手少阳三焦经（左右各二十三穴）

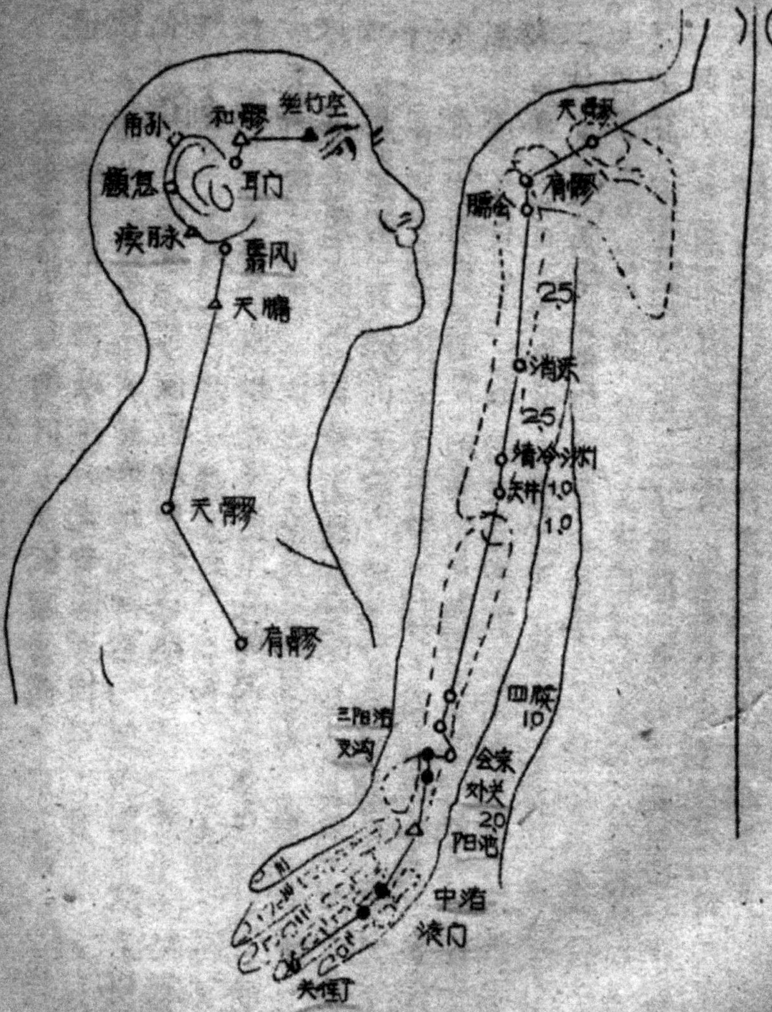

—126—

（十） 手少阳三焦经

（凡廿三穴左右共四十六穴）

经穴歌

二十三穴手少阳，关冲腋门中渚旁，阳池外关支沟正，会宗三阳四渎长，天井清冷渊消泺，臑会肩髎天髎堂，天牖翳风瘈脉青，颅息角孙丝竹空，禾髎耳门听有常。

分寸歌

无名指外端关冲，液门小次指陷中，中渚腋上止一寸。阳池手表腕陷中。外关腕后方二寸，腕后三寸支沟容、支沟横外取会宗。空中一寸用心攻，腕后四寸三阳络。四渎肘前五寸着，天井肘外大骨后，骨罅中间一寸摩。肘后二寸清冷渊、消泺对腋臂外落。（臑会下二寸）臑会肩前三寸量肩髎臑上陷中央，天髎缺骨陷内上。天牖天容之后旁、翳风耳后尖角陷。瘈脉耳后鸡足张。颅息亦在青络上，角孙耳廓上中央。耳门耳曲前起肉。和髎耳前锐发乡。欲知丝竹空何在，眉后陷中仔细量。

1 关冲 針[illegible]关冲刺[illegible]

位置：在无名指外侧，近小指处，去爪甲如韭叶。

解剖：在第四指骨第三节的外侧，爪

针十宣（十指尖）可退热
针十宣、四缝、内关对于治高烧热

甲的发生根部，循手背动脉，分布尺骨神经的手背枝。

针法：针一分、留三呼、灸三壮。

主治：头痛、口干、喉痹、霍乱、胸中气噎不食，肘臂痛不能举、目昏昏、三焦邪热、口渴唇焦。泻此穴出血、凡中风卒仆昏厥。痰涎壅盛，不省人事，牙关紧闭，药水不下，急从三棱针刺各井穴出血使气血流通，乃起死回生之救急妙法。

备考：本穴在上肢后正中线。

2 液门

位置：小指与无名指本节前、歧骨间陷中，握拳取之。

解剖：在第四指第一节与第三节中间，小指之侧，总指伸肌，循第四骨间指背动脉，分布尺骨神经。

针法：针三分，灸三壮。

主治：惊悸妄言，寒厥臂痛，不得上下，痎疟寒热、头痛，目眩赤涩、泪出，耳暴聋、咽外肿，牙根痛。

备考：本穴在上肢后正中线。

3 中渚

治肩背疼 左肩疼针右侧，右肩疼针左侧

位置：小指无名指本节后，即液门穴上一寸陷中。

解剖：在第四掌骨的前下方，小指侧

骨间隔中，循第四骨间指动脉，分布尺骨神经。

疗法：握拳取之，針三分、灸三壮。

主治：热病汗不出，臂指痛不得屈伸，头痛、目眩，生翳目不明，耳聋，咽肿、耳鸣
久疟、手臂红肿、胫痛、背痛。

备考：本穴一名下都，在上肢后正中線。

4 阳池 禁灸

位置：手背腕上横纹陷中。

解剖：在尺骨与腕骨关节部，有总伸指肌，循腕背骨侧动脉，分布后下膊皮下神经、尺骨神经及桡骨神经后枝。

疗法：針二分、不宜灸。

主治：消渴口干、烦闷寒热疟或因折伤手腕、捉不得物，臂不能举。

备考：本穴一名别阳，在上肢后正中線，指微赋云：針透抵大陵穴，不可破皮不可摇手，恐伤針转曲。

主治：口渴、烦闷、寒热、有神效。

5 外关

位置：阳池后二寸两筋间。（与内关相对）

解剖：在总指伸肌与固有小指伸肌之间，循后骨间动脉，分布后下膊皮下神经

及桡骨神经的后枝，

疗法：針三分、灸三壮。

主治：耳聋、渾渾无闻，臂肘不得屈伸，五指痛不能握，

备考：本穴在上肢后正中線，为少阳之络穴，负责与手少阴经联系。

6 支沟

位置：在阳池后三寸，两筋骨间陷中。

解剖：在桡骨与尺骨之间，总指伸肌与外尺骨之间，循骨间动脉，分布后下膊皮下神经及正中神经。

疗法：針三分，灸七壮。

主治：热病汗不出，肩臂痠重，四肢不举，霍乱呕吐，口噤，暴瘖，产后血暈不省人事，三焦相火熾盛、大便不通，胁肋疼痛泻之，

备考：本穴一名飛虎，在上肢后正中線。

7 会宗

位置：支沟穴旁、偏小指一侧，腕后三寸。

解剖：在尺骨肌与固有小指伸肌之间有总指伸肌，循骨间动脉、分布桡骨神经的分枝及后下膊皮下神经。

疗法：針二分、灸七壮。

主治：五痫、耳聋、肌肤痛、
备考：本穴在上肢后正中线。

8 三阳络

位置：去支沟一寸。

解剖：在桡骨与尺骨的中间，总伸指肌与小指伸肌之隔中，下层有长屈拇肌、短屈拇肌、循骨间动脉，分布桡骨神经的后枝及下膊皮下神经。

疗法：禁针，灸五壮。

主治：暴瘖不能言，耳聋齿龋、嗜卧，身不欲动。

备考：本穴一名通门，在上肢后正中线。

9 四渎

位置：肘前五寸、与三阳络、支沟等穴为一线。

解剖：在桡骨与尺骨之间、总指伸肌与外尺骨肌之间，循骨间动脉、分布桡骨神经的后枝及下膊皮下神经

疗法：针五分，灸三壮。

主治：暴气耳聋。下齿龋痛。

备考：本穴在上肢后正中线。

10 天井 治瘰疬

位置：肘尖上方，大骨后，辅骨

上、屈肘拱胸，骨罅中。

解剖：在上膊后面，鹫咀突起的上方三头膊肌腱的内缘，循肘关节动静脉網，分布内膊皮下神经及尺骨神經。

疗法：針三至五分、灸三至五壮。

主治：咳嗽上气、胸痛不得語，哩膿不嗜食，寒热凄々不得卧，惊悸悲伤，瘈疭，癫疾，五痫、风痺，头颈肩背痛，耳聋，目鋭眥頰肘腫痛。臂腕不能提物、及遇一切瘰病疮癤疹。

备攷：本穴在上肢后正中線，

11 清冷渊

位置：肘上三寸，天井穴上一寸，伸肘举臂取之，

解剖：在上膊的后侧，鹫咀突起的尖端上方，三头膊肌的内缘，循下尺骨侧动静脉、分布内膊皮下神经及尺骨神经，

疗法：針三分、灸三壮，

主治：諸痺痛，肩臂肘臑不能举，

备攷：本穴一名清冷泉、清昊，在上肢后正中線。

12 消泺

位置：臑会下二寸，

解剖：在上膊骨结节的后下方、螺旋状沟部，有三头膊肌、循桡骨动脉、中头

静脉，分布后膊皮下神经及桡骨神经。

疗法：針一至三分、灸三壮。

主治：风痹、頸項強急腫痛、寒热头痛、肩背急。

备考：本穴在上肢后正中線。

13 臑会

位置：肩头下三寸，垂直天井。

解剖：在上膊后面的上部，即三角肌停止部的外缘，下层有大腸肌，循后回旋上膊动脉及中膊动脉，分布后膊皮下神经。

疗法：針五至七分、灸五至七壮。

主治：肘臂气腫，痠痛无力不能举，項瘿气瘤，寒热瘰疬。

备考：本穴一名臑髎，在肩胛区。

14 肩髎

位置：肩髃穴后约一寸，微向下，举臂时更显凹陷。

解剖：在肩胛区骨肩峯突起的下际。即上膊骨与鎖骨的关节部，上层是三角肌下层是棘下肌集合部、循前回旋上膊动脉及腋下静脉。分布腋窩神经及肩胛上神经

疗法：針七分、灸三壮。

主治：臂重肩痛不能举。

备考：本穴在上肢肩胛区。

15 天髎

位置：锁骨上窝上部，肩井下约一寸后开八分、上有肉突起处。

解剖：在肩骨上部，有僧帽肌与棘上肌、循横肩胛动脉，分布肩胛上神经及付神经。

疗法：針五分、灸三壮。

主治：肩臂痠痛、缺盆痛，汗不出，胸中烦满、颈项急寒热。

备考：本穴在肩胛区，注意勿误針於陷处。误針令人卒死。

16 天牖

位置：耳垂下约三、四分、颊车穴后上方陷中稍后的髮际处，即风池下一寸微外些之完骨下髮际上天容后天柱前。

解剖：在颞颥骨乳咀突起的后下部、胸锁乳咀肌付止部的后缘。循后头动脉。分布小后头神经及颈椎神经。

疗法：針五分至一寸，留七呼、不宜補、不宜灸。若灸之则面肿眼合、先取譩譆，后針天牖风池、其病即瘥，

主治：面肿头风，项强不能回顾。

备考：本穴在头顶部第三侧线。

17 翳风

位置：耳后尖角陷中，按之引耳中痛

为右侧病者刺针同侧翳风及左侧外关，

解剖：在耳下缘部微上，乳咀突起与下颚枝的中间、咬肌部陷凹中，循颞颥动脉，分布大耳神经、浅颞颥神经的小枝，当颜面神经的耳上线丛。

疗法：針三至七分，灸三至七壮。

主治：耳聋、口眼喎斜，口噤不开、脱頷頰腫、牙车急痛，暴瘖不能言。

备考：本穴在耳区。

18 瘈脉

位置：耳后翳风上一寸，稍近耳根处鸡足青络脉中

解剖：颞颥骨部，有颞颥肌、耳后肌循耳后动脉、分布浅颞颥神经，迷走神经耳后神经、

疗法：用三稜針微刺出血，禁灸。

主治：头风耳鸣、小儿惊痫、瘈疭、呕吐泻痢无时，惊恐目涩多眵。

备考：本穴一名资脉，在耳区。

19 颅息

位置：角孙穴的后下部、瘈脉上方一寸骨陷中，有青络者是，

解剖：颞颥骨部、有颞颥肌，耳后肌循耳后动脉，分布浅颞颥神经及耳后神经

疗法：灸三壮，此穴本禁針，必要时只針一分、多出血令人死亡、

主治：耳鸣喘息，小儿呕吐、瘛疭、惊恐，欠痛、身热头痛、不得卧。

备考：本穴在耳区。

20 角孙

位置：当耳壳正上方陷凹处，口开阖有空，能以手触得牵动者。

解剖：在耳翼上角上方，颞颥肌中，循颞颥动脉，耳前动脉，分布浅颞颥神经

疗法：灸三壮、禁针。明堂云：针八分、似不可靠。

主治：目生翳、齿龈肿不能嚼、唇吻燥，颈项强。

备考：本穴在耳区。

21 耳门

位置：耳前肉峰下缺口处，

解剖：在颞颥肌部，循颞颥动脉、分布浅颞颥神经。

疗法：针三分、禁灸，不得已时灸三壮、切勿超过。

主治：耳聋耵耳生疮、流脓、唇吻强

备考：本穴在耳区。

22 和髎

位置：耳前锐发下、动脉应手陷中、

解剖：在颞颥骨下端与下颚的关节间

耳前肌起始部、循浅颞颥动脉，分布颜面神经的颞颥。

疗法：针三至七分、灸三壮。

主治：头痛耳鸣、牙车引急，颈项肿痛。

备考：本穴在耳区。

23 丝竹空

位置：眉尾尽处陷中。

解剖：在前头骨眉弓突起部、前头肌起始部、循颞颥动脉、分布颜面神经的颞颥枝。

疗法：针三分、禁灸。

主治：头痛、目眩、目赤、视物䀮䀮、拳毛倒睫、风痫戴眼、发狂吐涎沫、偏正头风、眼痛

备考：本穴一名目髎、在眼区、1、此穴禁灸。灸之令人目小或眼盲、慎之。2、此穴施行针术时、宜镇静制止法、不适合兴奋手术，切记。

足少阳胆经(左右各四十四穴)

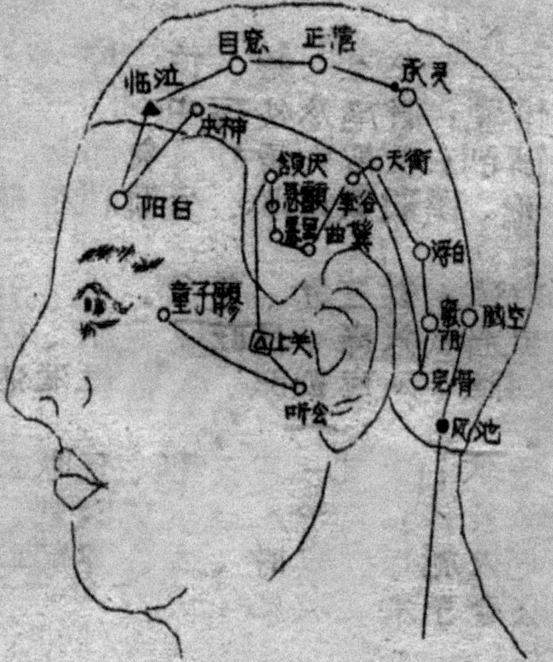

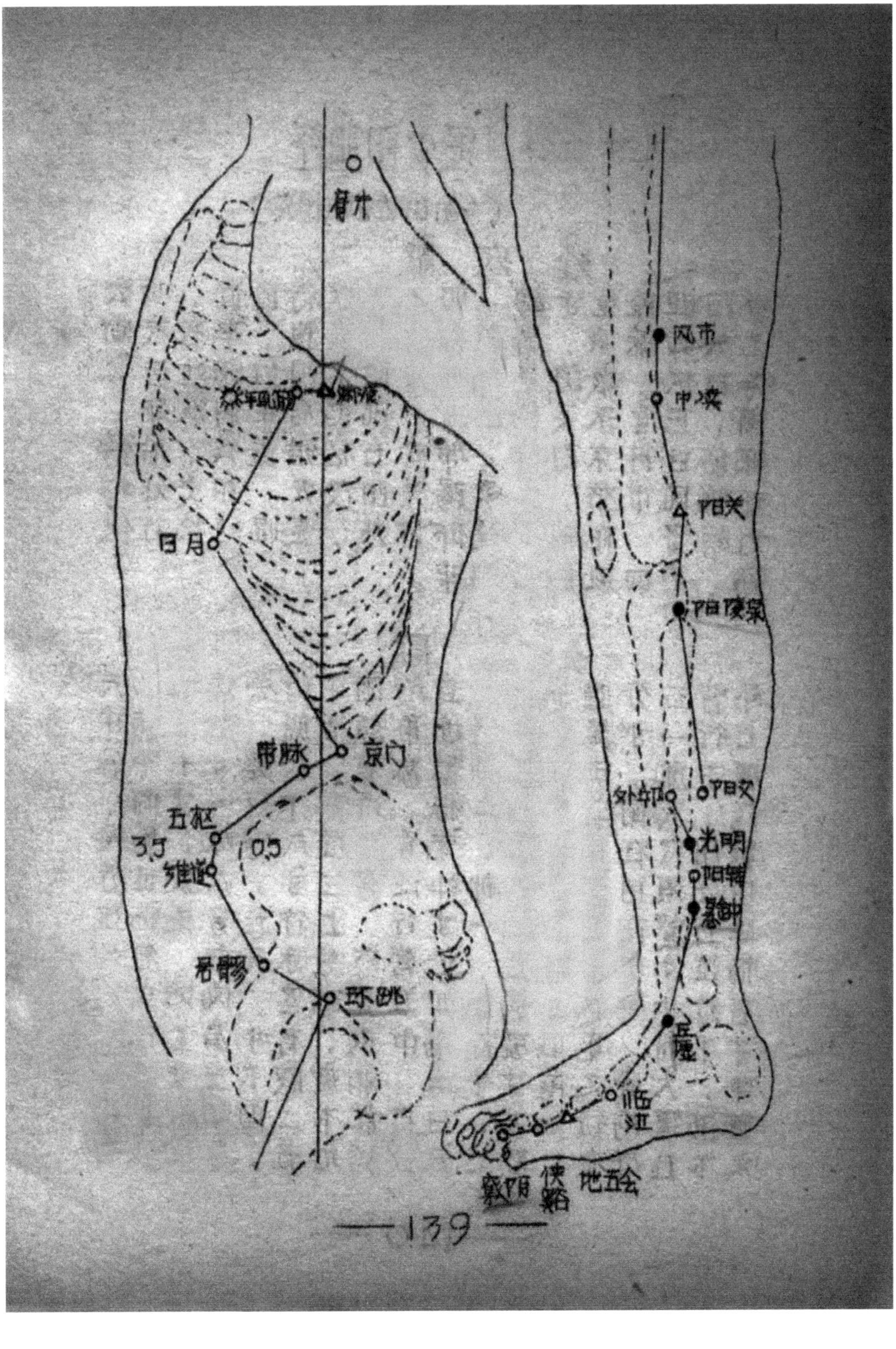
肩井
辄筋
渊腋
日月
京门
带脉
五枢
3.5
0.5
维道
居髎
环跳
风市
中渎
阳关
阳陵泉
外丘
阳交
光明
阳辅
悬钟
丘墟
临泣
地五会
侠溪
窍阴

（十一） 足少阳胆经

（计四十四穴左右共八十八穴）

经穴歌

少阳胆经瞳子髎，四十四穴行迢迢，听会上关颔厌集，悬颅悬厘曲鬓翘，率谷天冲浮白次，窍阴完骨本神邀，阳白临泣目窗辟，正营承灵脑空摇，风池肩井渊液部、辄筋日月京门标，带脉五枢维道续，居髎环跳风市招，中渎阳关阳陵穴，阳交外丘光明宵，阳辅悬钟丘墟外，足临泣地五侠溪、第四趾端窍阴毕。

分寸歌

外眦五分瞳子髎，耳前陷中听会绕，上关上行一寸是，内斜曲角颔厌照，后行颅中厘下廉，曲鬓耳前鬓际着，入鬓寸半率谷穴，天冲耳后斜二探，浮白下行一寸间，窍阴穴在枕骨下，完骨耳后入发际，量得四分须用记，本神神庭旁三寸。入发五分耳上系，阳白眉上一寸许，上行五分是临泣，临泣寸半后目窗，正营穴与承灵穴，各向后行寸半长，灵后四五是脑空，风池穴后寸半同，耳后发际陷中取，肩井肩上陷解中，大骨之前寸半取，渊液腋下三寸量，辄筋复前行一寸。日月乳下二肋缝，期门之下五分存。脐上五分旁九五。季肋夹脊是京门，季下寸八寻带脉，带下三寸五枢真。维道章下五三足，章下八三居髎名。环跳髀枢宛中陷，风市垂手中指寻，膝上五寸是中渎、阳关阳陵上三寸，阳陵膝下一寸住，阳交外踝上七寸，外邱外踝七寸分，此系斜属三阳络，踝上五寸是光明，踝上四寸阳辅也，踝上三寸是悬钟、邱墟踝下陷中立，邱下三寸临泣存、临下五分地五会。会下一寸侠谿是、故窍阴归何处，小趾次趾外侧寻。

1 瞳子髎 [后眼]

位置：目外眥旁五分，

解剖：在颞颥部前头骨的颧骨突起与颧骨的前头突起关节部的后际，眼轮肌中，循颞骨眼窝动脉，分布颜面神经的颧骨枝及颞颥枝。

疗法：针三分，不宜灸。

主治：头痛目痒，外眥赤痛、翳目赤盲、泪出多眵，

备考：本穴一名太阳、前关、后曲、在眼区。

2 听会

位置：耳珠前微陷中。

解剖：在下颞颥状突起与颞颥骨之间，循耳前动脉及内颞动脉、分布颜面神经。

疗法：针三分、灸三壮至七壮。

主治：耳聋，耳鸣、牙车脱臼，中风瘈疭

喎斜。

备考：本穴在耳区。

3 客主人

位置：耳前颧骨弓上侧，张口有空处

解剖：在颞颥骨，颧骨、蝴蝶骨的三骨关节部，有颞颥肌循内颚动脉，分布三叉神经，颜面神经的分枝，

疗法：禁针，灸七壮。

主治：偏头痛，眩晕、耳鸣、耳聋，口眼喎斜，中风，青盲、齿痛，口眼洒肌痉挛。

备考：本穴一名上关，太阳、在颞颥区，本为禁穴，如必要时、宜小针浅刺。

4 颔厌

位置：额角之下，颞颥上侧。

解剖：在前头骨，颞顶骨的缝合部，颞颥肌中，循浅颞颥动脉，分布颜面神经的颞颥枝，

疗法：针一、二分（不可深刺，深刺令人耳聋。）灸三壮。

主治：头风，偏头颈项俱痛，目眩，耳鸣，多嚏、惊痫，历节风汗出

备考：本穴在颞颥区。

5 悬颅

位置：额角下颞颥中，颔厌下一寸，

解剖：在前头骨与颞顶骨的缝合部，颞颥肌中，循浅颞颥动脉、分布颜面神经分枝。

疗法：針二、三分（深刺令人耳聋。）灸三壮。

主治：头痛、齿痛，偏头痛引目，热病汗不出，

备考：本穴在颞颥区。

6 悬厘

位置：额角之下，颞颥下侧，距悬颅下一寸，

解剖：在前头顶骨与颞顶骨的缝合下部，颞颥肌中、循浅颞颥动脉，分布颜面神经的颞颥枝。

疗法：針三分，灸三壮。

主治：偏头痛，面痛，目锐眥痛，热病烦心，汗不出。

备考：本穴在颞颥区。

7 曲宾

位置：在耳上入发际一寸后些，即颞骨上方凹陷中鼓颔有空。

解剖：在颞颥骨颞顶骨的缝合部，颞颥肌中，循浅颞颥动脉，分布颜面神经的颞颥枝，

疗法：针三分，灸三壮。

主治：颔颊肿引牙车不得开，口噤不得言，颈强不得顾。

备考：本穴一名曲发。在颞颥区。

8 率谷

位置：在耳上入发际一寸五分，

解剖：在颞顶骨下端，颞颥肌中，循耳后动脉，分布颜面神经颞颥枝。

疗法：针三分，灸三壮。

主治：脑痛，两头角痛，胃膈寒痰，烦闷呕吐，酒后皮风肤肿。

备考：本穴在颞颥区。

9 天冲

位置：耳后入发际二寸，

解剖：在上耳翼根后上部，颞颥肌上际，有耳上肌，循耳后动脉，分布颜面神经的颞颥枝。

疗法：针三分，灸三至七壮。

主治：癫疾风痉，牙龈肿，惊恐头痛

备考：本穴一名天衢。在头顶部第三侧线。

10 浮白

位置：耳后入发际一寸，

解剖：在耳后乳咀突起根之上一寸，

颞颥肌中，有耳上肌，循耳后动脉，分布颜面神经的耳后枝。

疗法：針三分，灸三壮。

主治：咳逆胸满，喉痹，耳聋齿痛，项瘿痰沫，不得喘息，肩臂不举，足不能行。

备考：本穴在头顶部第三侧线。

11 窍阴

位置：完骨上，枕骨下，动脉有空，即浮白下一寸。

解剖：乳咀突起的后上部，即颞颥骨颞顶骨，后头骨三维合部，有耳后肌，循耳后动脉，分布耳后神经。

疗法：針三分、灸三至七壮。

主治：四肢转筋，目痛头项痛，耳鸣痈疽发热，手足烦热，汗不出，欬逆喉痹舌強，胁痛口苦。

备考：本穴一名枕骨，在头顶部第三侧線。

12 完骨

位置：耳后入髮际四分，即窍阴下七分。

解剖：在乳咀突起的后缘中央，胸鎖乳咀肌附着部的上际，循耳后动脉，分布耳后神经。

疗法：針三分、灸三壮。

主治：头痛、头风，耳鸣齿龋。牙牛急口眼喎斜，喉痹颊肿，瘿气便赤，足痿不收

备考：本穴在头顶部第三侧線。

13 本神

位置：曲差旁一寸五分，直外眥斜上髮际五分。

解剖：在前头部、有前头肌，循颞颥动脉的前枝及上眼窩动脉，分布三叉神经的分枝，

疗法：針三分，灸七壮。

主治：惊痫吐沫。目眩，项強急痛、胸脇相引不得转侧，偏风癫疾，

备考：本穴在头顶部第三侧線。

14 阳白

位置：眉毛上一寸，与瞳子对正。

解剖：在前头前部、前头肌中，循上眼窩动脉，分布上眼窩神经。

疗法：針二分、灸三壮。

主治：头痛、目昏多眵，背寒慄，重衣不得温。

备考：本穴在眼区。

15 临泣

位置：瞳上入髮际五分，

解剖：在前骨部，前头肌中，循上眼窩

动脉，分布眼窩神经及顏面神经的颞颥枝
疗法：針三分、禁灸，
主治：鼻塞目眩，生翳冷泪、眼目诸疾，惊痫反视，卒暴中风不识人，腋下痛瘫疾日西发。
备考：本穴在头顶第二侧線。

16 目窗

位置：临泣后一寸，
解剖：在前额顶部帽状腱膜中，循浅颞颥动脉分枝，分布上眼窩神经，
疗法：針三分、灸五壮。
主治：头目眩、痛引外眥。远视不明面腫寒热。汗不出，
备考：本穴一名至荣，在头部第二側線。

17 正营

位置：目窗后一寸五分，
解剖：在颞颥顶骨帽状腱膜中，循后头动脉分枝、分布上眼窩神经，
疗法：針三分，灸五壮。
主治：头痛目眩，唇吻强急，
备考：本穴在头顶部第二側線，

18 承灵

位置：正营后一寸五分，
解剖：在颞顶骨结节后方，有帽状腱

膜，循浅颞颥动脉的分枝，分布大后头神经。

疗法：禁针灸五壮。

主治：脑风头痛，鼻塞不通。

备考：本穴在头頂部第二側線。

19 脑空

位置：承灵穴后一寸五分、玉枕骨下陷中。

解剖：在后头结节外侧，后头肌部、循后头动脉，分布大后头神经。

疗法：針四分，灸五壮。

主治：劳瘵身热，羸瘦、脑风头痛不可忍，項強不得顾、惊悸癫风，引目鼻痛。

备考：本穴一名颞颥，在头頂部第二側線。

20 风池

治眼鼻诸病
治口腔病

位置：脑空穴直下，后头骨下发际陷中。

解剖：在后头骨下缘，当耳后突起尖端与項部正中，僧帽肌与胸锁乳咀肌之间的夹板机中，循后头动静脉，分布小后头神经及頸椎神经的后枝。

疗法：針四分，灸三壮。

主治：中风、偏正头痛，伤寒热病汗不出，痎瘧頭項如拔，痛不得回，目眩赤痛泼云，耳聋胫痛背痛，伛偻引项，肋力不收，脚弱无力。

备考：本穴一名热府，在头项部第二侧线。

21 肩井 治乳痈 [illegible]

位置：肩上陷的中央，缺盆穴之上，大骨前一寸半，以三指按取，当中指下陷中，

解剖：在肩胛举肌与棘上肌之间，有僧帽肌，循横肩胛动脉，分布肩胛上神经及副神经。

疗法：针四分，灸三壮，孕妇禁针。

主治：中风气塞，涎上不语气逆，五劳七伤，头项颈痛，臂不能举，或因仆伤腰痛，脚气上攻，若妇人难产堕胎后，手足厥冷，针之立愈。

备考：本穴一名膊井，在肩胛区，又此穴切勿深刺，免伤锁骨下动脉，刺此穴最易晕针，若是晕针，急刺足三里以兴奋手法行之。

22 渊液

位置：在腋下三寸，平乳，举臂取之

解剖：在侧胸部第四肋间，前大锯肌与肋间肌中，循肋间动脉，分布肋间神经侧穿行枝及侧胸廓神经、内络肺脏。

疗法：针三分，禁灸。

主治：肋膜炎、肋间神经痛，胸肌痉挛，恶寒发热。

备考：本穴一名泉液，液门、在液侧线。

23 辄筋

位置：液下三寸，复前行乳房一寸，三肋端横直蔽骨旁，量开七寸五分，对正玉堂穴，

解剖：在第四肋间，有前大锯肌与肋间肌，循肋间动脉，分布肋间神经的侧穿行枝，

疗法：针六分，灸三壮。

主治：太息多唾，言语不正，四肢不收，呕吐宿汁。吞酸，胸中暴满不得卧，

备考：本穴一名神光，胆募、在胸部第三侧线。

24 日月

位置：期门穴下五分，中脘横量四寸。

解剖：在上腹部外斜腹肌中。循上腹壁动脉及长胸动脉，分布长胸神经的末梢。

疗法：针六分、灸七壮，

主治：小腹热、言语不正，四肢不收，

备考：本穴在胸部第三侧线。

25 京门

位置：由腋窝直下平脐，由脐腹量上二寸，最下的短肋骨前端。

解剖：在侧腹部第十二肋软骨之尖端外斜腹肌与内斜腹肌中，循腹壁动脉之分枝，分布肋间神经。

疗法：侧卧屈上足伸下足，举臂取之针三分、灸三壮。

主治：肠鸣洞泄水道不利小腹急痛寒热腹胀，脊背腰髀引痛不得俯仰久立。

备考：本穴一名气俞气府在腋侧线。

26 带脉

位置：京门下一寸八分，去脐旁八寸半，

解剖：在第十一肋软骨的游离端下，内外斜腹肌中，右为上行结肠部，左为下结肠部，循上腹动脉，分布肋间神经侧穿行枝，

疗法：针六分，灸五壮，

主治：腰腹纵容如坐水中状、妇人小腹痛急、瘈疭，月经不调，赤白带下，两胁气引背痛，

备考：本穴在腋侧线。

27 五枢

位置：带脉直下三寸，稍斜外云。

解剖：在肠骨前上棘的前上部，内外

斜腹肌的下缘，循肠骨迴旋动脉，分布肠骨下腹神经。

疗法：針五分，灸五壮。

主治：痃癖，小肠膀胱气攻两脇，小腹痛，阴疝睾丸上入腹，妇人赤白带下。

备攷：本穴在腹侧线。

28 维道

位置：章门穴直下五寸三分，五枢斜下八分。

解剖：在肠骨前上棘的前上部，内外斜腹肌中，循迴旋肠骨动脉，分布长胸神经及肋间神经分枝。

疗法：針八分、灸三壮。

主治：呕逆不止，三焦不调，水肿。

备攷：本穴一名外枢。在腹侧部。

29 居髎

位置：五枢直下一寸五分，即维道穴下七分。

解剖：在大臀肌停止部之前缘大肠部有内外斜腹肌循迴旋肠骨动脉，分布肠胸神经及肋间神经分枝。

疗法：針三分，灸三壮。

主治：痛引胸臂，挛急不得举腋，引小腹痛。

备攷：本穴在腹侧线。

30 环跳 坐骨神经痛

位置：在髀枢中适京门之下，令病者立正，髀骨的大转子后凹陷中，

解剖：在大腿大转子坐骨结节中间部上层有大臀肌，下层有中臀肌，循上臀动脉，为坐骨神经穿坐骨大孔处，分布存骨神经的后枝，

疗法：侧卧伸下足屈上足在大臀有穴处取之，针一至二寸，灸七至五十壮。

主治：冷风湿痹不仁，胸胁不引，半身不遂，腰胯疼痛，膝不得伸，遍身风疹

备考：本穴一名膑骨，另中、仁寿宫患脚气。甄权奉刺针环跳、阳陵泉、阳辅下廉，即能起行。

31 风市 半身不遂风湿骨痛

位置：膝上大腿外侧两筋中，令病者立正，两手垂直，中指尽处是穴。

解剖：大腿外侧，股薄与外大股肌之间，循外旋股动脉，分布外股皮下神经，上臀神经。

疗法：针五分、灸五壮，

主治：腿膝无力，脚气、浑身搔痒，麻痹，厉风症。

备考：本穴在下肢前外侧線。

32 中渎

——153——

位置：大腿外側，膝上五寸，两肌之间陷中。

解剖：大腿外侧，股鞘与外大股之间循外廻旋动脉，分布外股皮下神经、上臀神经。

疗法：針五分、灸五壮。

主治：寒气客於分肉间，攻痛上下，筋痺不仁。

备攷：本穴在下肢前外側線。

33 阳关

位置：阳陵泉上三寸，犊鼻外陷中，即膝盖旁两筋之间尽处。

解剖：大腿外侧上髁上方，四头股肌付止部的外侧，二头股肌腱的前方，循上外廉膝关节动脉，分布股神经分枝。

疗法：針五分、禁灸。

主治：风痺不仁、膝股冷痛，不可屈伸。

备攷：本穴一名阳陵、关陵、关阳，在下肢前外側線。

34 阳陵泉 喝认得会

位置：膝下一寸外关骨前凹陷处。

解剖：在腓骨小头之前下部、长腓骨肌与长总趾伸肌之间，循前胫骨动脉分枝及后返回胫骨动脉，分枝腓骨神经，

左侧 疾侧 右侧

疗法：針六分、灸十壮。

主治：偏风半身不遂，足膝冷痹不仁无血色，脚气筋挛。

备攷：本穴在下肢前外側線。

35 阳交

位置：外踝尖上七寸，崐崘直上方分肉之间。

解剖：在腓骨部，有长总趾伸肌与长腓骨肌，循长腓动脉枝，分布浅腓骨神经分枝。

疗法：針六分、灸三壮。

主治：胸满喉痹，足不仁。膝痛寒厥惊狂面肿。

备攷：本穴一名別阳，足窌，在下肢前外側線。

36 外丘

位置：外踝上七寸与阳交相并，祇隔一肌，本穴稍前。

解剖：在腓骨与胫骨之间，循前胫骨动脉、分布浅腓骨神经。

疗法：針三分、灸三壮。

主治：頸项痛、胸满痿痹、恶犬伤毒不出、

备攷：本穴在下肢前外側線。

37 光明

位置：外踝上五寸。

解剖：在腓骨前缘、长总趾伸肌与长腓骨肌之间，后部有比目鱼肌及腓肠肌，循前胫骨动脉，分布浅腓骨神经。

疗法：针六分，灸三壮。

主治：热病汗不出，卒狂嚼颊，淫泺胫酸痛，不能久立，虚则痿痹偏细，坐不能起，实则足胻热膝痛，身体不仁。

备考：本穴在下肢前外侧缘。又此穴乃少阳的络脉，专与厥阴经联系。

38 阳辅

位置：足外踝上四寸。

解剖：在腓骨与胫骨间，长总趾肌与长腓骨肌之间，后部有比目鱼肌及腓肠肌循前胫骨动脉，分布浅腓骨神经。

疗法：针三分，灸三壮。

主治：腰溶溶如水浸，膝下肤肿，筋挛，百节酸痛痿痹，项痛，喉痹汗不出，及汗出振寒，疟疾，胫胻酸痛，不能行立。

备考：本穴一名内阳，在下肢前外侧缘。

39 悬钟 髓之会

位置：外踝上三寸。

解剖：在腓骨前缘、长总趾伸肌与长

腓骨机的中央，循前腓骨动脉，分布浅腓骨神经。

疗法：针五分，灸三壮。

主治：心腹胀满，胃热不食，喉痹，欬逆，头痛中风，癫疾，颈项痛，手足不收，腰膝痛，脚气，筋骨挛。

备考：本穴一名绝骨，在下肢前外侧线。

40 丘墟

位置：外踝下微前陷中，由小趾次趾的缝中，直量上外踝前五分的骨缝中。

解剖：在胫腓关节下端与跗骨的关节部，长总趾伸肌腱中，循前外踝动脉及腓骨动脉穿行枝，分布前腓骨神经。

疗法：针五分，灸五壮。

主治：胸胁满痛不得息，寒热，目生翳膜，颈肿，久疟，振寒，痿痹，厥冷腰腿痠痛，髀枢中痛，转筋足胫偏细，小腹坚，卒疝。

备考：本穴在下肢前外侧线。

41 临泣

位置：小次趾歧骨间，量上一寸五分

解剖：在第四跖骨之后外侧与第五跖骨后内侧之间，长、短总伸肌腱中，循外跗骨动脉，分布胫骨神经交通枝。

疗法：針三分，灸三壮。

主治：胸满气喘、目眩心痛。缺盆中及腋下马刀疡、痺痛无常，厥逆。痎瘧日西发者、胻痠洒淅振寒、妇人月经不調、季肋支满，乳癰。

备攷：本穴在下肢前外側線。

42 地五会

位置：小趾次趾歧骨间、直量上一寸。

解剖：第四五蹠骨间的前端部，循外附足动脉，分布胫骨神经交通枝。

疗法：針一分，禁灸。

主治：腋痛内损吐血。足外无膏泽，乳癰。

备攷：本穴在下肢前外側線。

43 侠谿

位置：足小趾次趾歧骨间，本节前陷中。

解剖：第四趾骨第一节的后外侧，歧骨之间，长总趾伸肌腱的外侧，循趾背动脉，分布胫骨神经穿行枝及趾背神经。

疗法：針三分、灸五壮。

主治：胸胁支满，寒热病，汗不出，腋痛耳聋。

备攷：本穴在下肢前外側線。

44 窍阴

位置：足小趾外侧，去爪甲如韭叶。

解剖：第四趾骨第三节的外侧，爪甲根部，长总趾伸肌附着部的外侧。循趾背动脉，分布胫骨神经穿行枝及趾背神经。

疗法：针一分、炙三壮。

主治：胁痛、欬逆不得息，手足烦热汗不出，痈疽、口乾口痛。喉痹舌强，耳聋、转筋肘不可举。

备致：本穴在下肢前外侧線。

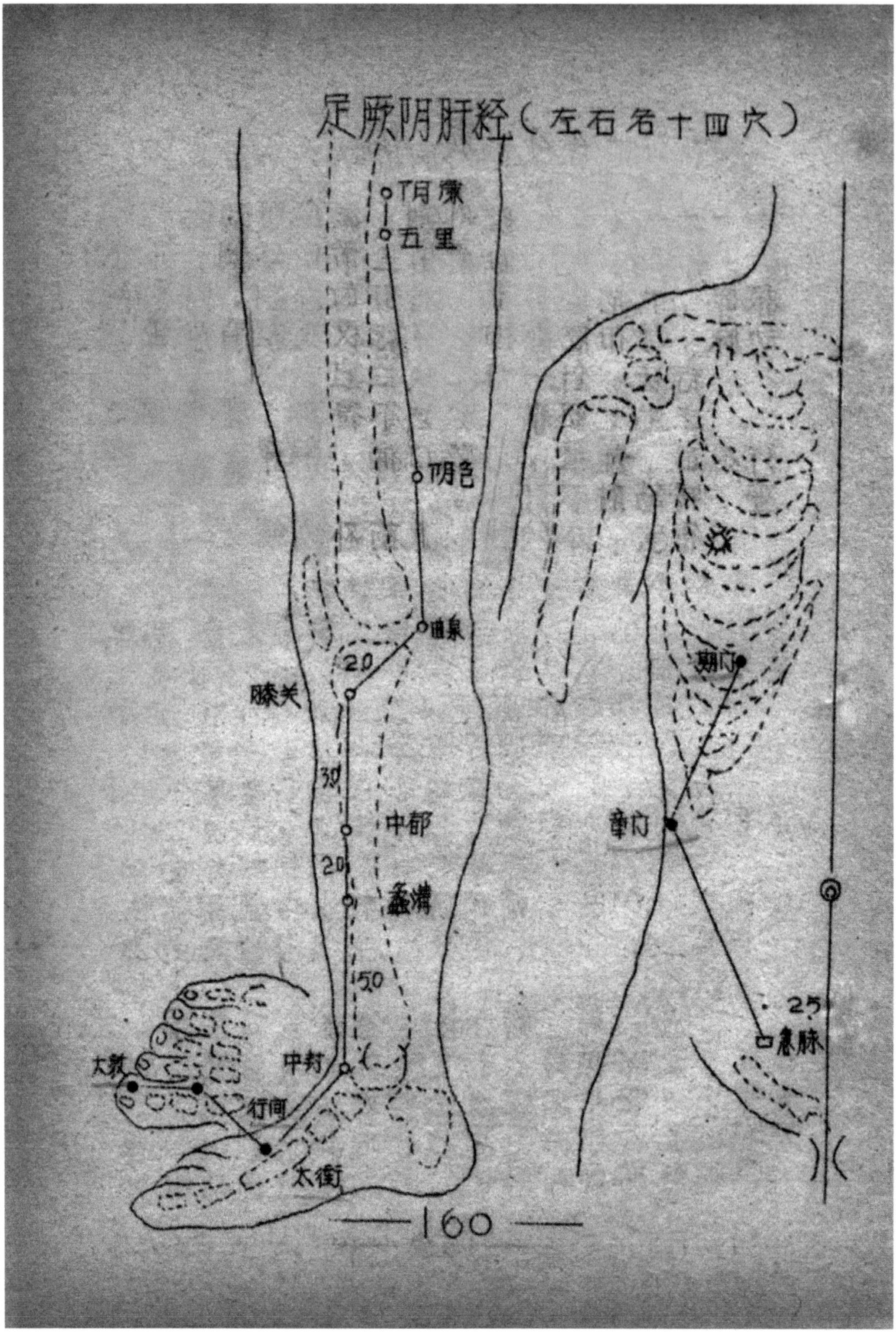
足厥阴肝経（左右各十四穴）
阴廉
五里
阴包
曲泉
20
膝关
30
中都
20
蠡沟
50
中封
大敦
行间
太衝
期门
章门
25
急脉
160

（十二） 足厥阴肝經

（計十四穴左右共二十八穴）

經穴歌

一十四穴足厥阴，大敦行间太冲侵。中
沟中都　、膝关曲泉阴　临，五里阴廉并
急脉、章门常对期门深。

分寸歌

足大趾端名大敦，行间大趾缝中存，太冲本节后寸五，踝前一寸号中封，蠡沟踝上五寸是，中都踝上七寸中，膝关犊鼻下二寸，曲泉曲膝尽横纹，阴包膝上方四寸，气冲三寸下五里，阴廉冲下有二寸，急脉阴旁二寸半，章门脐旁季肋端，肘尖尽处侧卧取，期门乳下二肋端，旁距不容寸五量。

1 大敦 治腹痛大便秘结症

位置：足大趾外端近次趾侧之爪甲后丛毛中，按之有陷处。

解剖：第一趾骨第二趾骨节的外侧、爪甲根部，即短伸姆肌腱中、循趾背动脉、分布趾骨神经的终枝。

刺法：针二分，灸三壮。

主治：卒心痛汗出。腹胀腔满中热。喜寐。五淋七疝。小便频数不禁。阴痛引小腹。阴挺出。血崩。尸厥如死。

备考：本穴一名水泉，大懷。在下肢前正中綫。1時后华陀疗中恶短气欲絶方，灸大敦二七壮。2妇人血崩不止，灯心一根 香油点燃，燒大敦穴一下即止，倘止復崩，即在原处燒之；若原处起泡，将泡挑破灸之，无不止矣。此治崩神效也。

2 行间

位置：大、次趾岐骨间的陷中。

解剖：第一、二蹠骨间，内转姆肌的附着部，循趾背动脉，分布浅腓骨神經，內足蹠神經。

疗法：針三分、灸三壮。

主治：呕吐欬血。心胸痛。腹肋脹。色苍苍如死状。中风口喎。嗌乾煩渴。瞑不欲視。目中淚出。太息。癲疾短气。肝积肥气。洞泄。遺尿。癃閉。崩漏。白濁。寒疝。腹腫。腰痛不可俯仰。驚风。

备考：本穴在下肢前正中線。

3 太冲 专治头痛

位置：足大趾本节后二寸，内间动脉应手陷中。

解剖：第一、二蹠骨与第一楔状骨关节的前部、長短伸姆肌之间，循趾背动脉，分布浅腓骨神經，內足蹠神經。

疗法：針三分、灸三壮。

主治：虚劳呕血。恐惧气不足。呕逆。发寒。肝疟令人腰痛。嗌乾。胸胁支满。太息。浮肿。少腹满。腰引小腹痛。足寒。或大小便难。阴痛遗溺。溏泄。小便淋癃。小腹疝气。腑疼踝痈。女子月水不通。或漏血不止。小儿卒疝。产后汗出不止。

备考：本穴在下肢前正中线。素问至真要大论：太冲脉绝，死不治。

4. 中封

位置：内踝骨前一寸，微下些之筋里宛中，屈足见踝前下面有陷凹处是穴。

解剖：在一楔状骨内侧，舟状骨节的上部，前胫骨肌腱的外侧，循前踝动脉，前胫骨动脉的枝别及内附骨动脉，分布大蔷薇神经，深腓骨神经。

疗法：针四分，灸三壮。

主治：痎疟。色苍苍如死状。善太息振寒。溲白。大便难。小便肿痛。五淋，足厥痛。不嗜食。身体不仁。寒疝痿厥。筋挛。失精。阴缩入腹痛相引痛。或身微热。

备考：本穴一名悬泉。在下肢前正中线。

5. 蠡沟

位置：内踝上五寸，胫骨内侧。

解剖：胫骨内面，有胫骨筋与比目鱼肌，循后胫骨动脉，分布胫骨神经。

疗法：针二分，灸三壮。

主治：疝痛。小腹满痛。癃闭。脐下积气如卵。数噫恐悸。少气足胫寒痠。屈难。腰背拘急。不可俯仰。月经不调。漏下赤白。

备考：本穴一名交仪。在下肢前内侧缘。此穴下本经的络穴。专与厥阴经联系。

6. 中都

位置：内踝上七寸，胫骨内侧。

解剖：在胫骨部，有胫骨肌，循胫骨动脉分枝，分布胫骨神经。

疗法：针三分，灸五壮。

主治：肠澼溏泄。小腹痛。湿热足胫寒。不能行立。妇人崩中。产后恶露不绝。

备考：本穴一名中郄，太阴。在下肢前内侧缘。

7. 膝关 灸膝痛

位置：犊鼻下二寸，微前陷处。

解剖：胫骨内侧上部，有腓肠肌，循膝关节动脉与胫骨动脉，分布胫骨神经，蔷薇神经。

疗法：针四分，灸五壮。

主治：风痹。白虎历节风痛不能举动咽喉中痛。膝内肿痛引膑不可屈伸，及寒湿走注，

备考：本穴在下肢前内侧線。

8. 曲泉

位置：膝股上内侧，屈膝横纹头取之

解剖：胫骨内关节髁下际，半腱半膜肌停止部，循膝关节动脉，分布胫骨神经蔷薇神经。

疗法：针四分，灸三壮。

主治：癀疝。阴股痛。小便难。小气泄痢脓血。腹胁支满。膝痛筋挛。四肢不举。不可屈伸。风劳失精。身体极痛。膝胫冷。阴茎痛。实则身热目痛。汗不出。发狂衄血。喘呼痛引咽喉。女子阴挺出、阴痒血下。

备考：本穴在下肢前内侧線。

9. 阴包

位置：膝上四寸股内侧两筋间。

解剖：大腿内侧上髁的上方，四头股肌的内缘，循股动脉与上外膝关节动脉，分布内股皮下神经。

疗法：针六分，灸三壮。

主治：腰痛引小腹痛。小便难、遗尿。月水不调。

备考：本穴在下肢后内侧线。

10. 五里

位置：阴廉下斜二寸，去气冲二寸。

解剖：在耻骨结节下端，长内转股肌的内缘。循外阴部动脉，分布股神经及闭锁神经。

疗法：针三分，灸三壮。

主治：肠风，热闭不得溺。风劳嗜卧。四肢不举。

备考：本穴在下肢后内侧线。

11. 阴廉

位置：阴部之旁皮肉之下有如核者名曰羊矢骨。穴在其下。本即五里穴直量上一寸。

解剖：在耻骨结节的下端，内转肌的内缘，循外阴部的动脉，分布股神经，腰腿神经。

疗法：针三分（亦有针七分的）。灸三壮。

主治：妇人不孕，月经不调未有孕者。灸三壮即有子。

备考：本穴在下肢后内侧线。

12. 急脉

位置：阴旁二寸半。

解剖：在鼠蹊窝，普派尔氏韧带下，当腹肌停止部循浅回旋肠骨动脉及下腹壁动脉，分布腸骨下腹神经及肠骨神经。

疗法：禁针。灸三壮。

主治：癫疝。小肠气。

备考：本穴在腹部第二侧线。

13. 章门 十二指肠疾 [illegible]

位置：由脐量上二寸，再横量六寸，在十一肋骨前端。

解剖：侧腹部第十一肋前端，内，外，斜腹肌中，循横腹动脉分布肋间神经侧穿行枝。

疗法：针六分，灸七至五百壮。

主治：两胁积气如卵石。臌胀肠鸣。食不化。胸胁痛。烦热支满。呕吐。欬喘不得卧。腰脊冷痛不得转侧。肩臂不举。伤饱黄瘦。泄泻。四肢懒。善恐小气厥逆。

备考：本穴一名长平，胁髎，肋髎。1.昔魏士珪妻病疝，自脐下上至心皆胀满，兼呕逆，烦闷不进食，滑伯仁认为寒在下焦，为灸章门，气海乃愈。2.杨氏医案云：给事杨后山迺郎患疳疾，药日服而人日瘦，予曰：此子形羸，虽是疳症，而腹内有积塊，附于脾胃之旁，若徒治其痞而不治其塊，是不求其本而治其末耳。先取章门针灸消散积块，后次第理治脾胃，形体渐盛，痞疾俱瘥。

伤寒六日不退针此穴

14. 期门

位置：乳旁下一寸五分，再直下一寸五分。

解剖：第九肋附着部的尖端，当第八肋间乳線部，循上腹壁动脉，分布肋间神经侧穿行枝。

疗法：针四分，灸五壮。

主治：伤寒。胸中烦热。奔豚上下。目青而呕。霍乱。泻痢。胸胁积痛，支满呕酸，善噫食不下。喘不得卧。

备考：本穴在腹部第三侧線。1.昔有一病妇神昏谵语，扬衣踞地，不知人事，大热不已，许叔微诊之曰：此热入血室也，为刺期门应手而愈。2.伤寒论云：太阳与少阳併病，头项强痛，或眩冒，时结胸，心下痞坚者，当刺大椎肝俞肺俞慎勿发汗，汗则谵语，五六日谵语不止者，当刺期门。

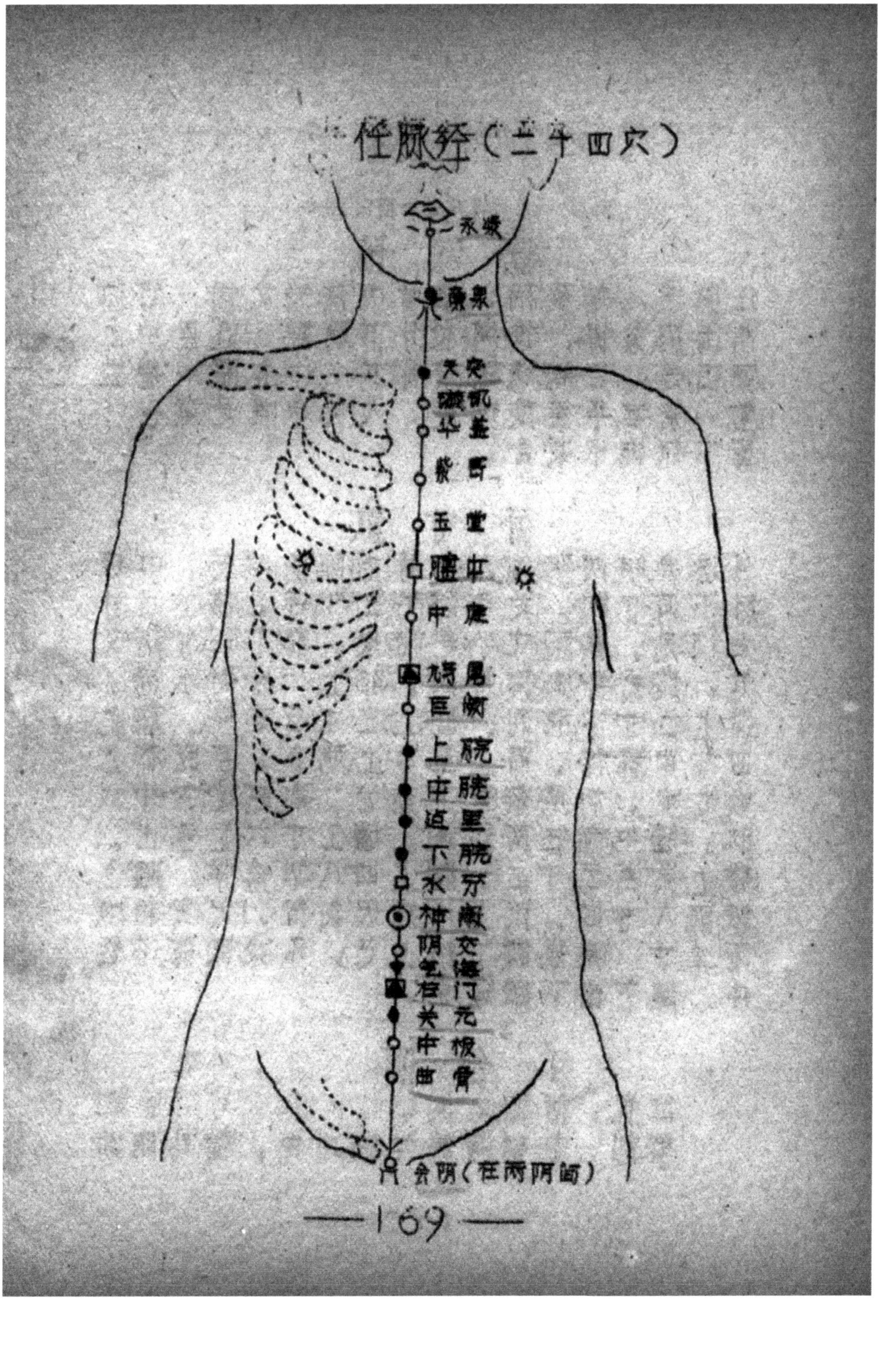
任脉经（二十四穴）
承浆
廉泉
天突
璇玑
华盖
紫宫
玉堂
膻中
中庭
鸠尾
巨阙
上脘
中脘
建里
下脘
水分
神阙
阴交
气海
石门
关元
中极
曲骨
会阴（在两阴间）
—169—

（十三） 任脉经

（凡二十四穴）

经穴歌

任脉三八起会阴，曲骨中极关元锐，石门气海阴交仍，神阙水分下脘配，建里中上脘相连，巨阙鸠尾蔽骨下，中庭膻中慕玉堂，紫宫华盖璇玑夜，天突结喉是廉泉，唇下宛宛承浆舍。

分寸歌

任脉会阴两阴间，曲骨毛际陷中安。中极脐下四寸取。关元脐下三寸连。脐下二寸石门是。脐下寸半气海象。脐下一寸阴交穴。脐之中央即神阙。脐上一寸为水分。脐上二寸下脘列。脐上三寸名建里。脐上四寸中脘详。脐上五寸上脘在。巨阙脐上六寸步。鸠尾蔽骨下五分。中庭膻下寸六取。膻中却在两乳间。膻上寸六玉堂主。膻上紫宫三寸二。膻上四八华盖举。膻上璇玑六寸四。玑上一寸天突取。天突结喉下二寸。廉泉颔下结上已。承浆颐前下唇中。龈交齿下龈缝里。

1. 会阴

位置：两阴之间。

解剖：在球海绵体肌中央，有外阴动

脉，会阴动脉，分布会阴神经。

疗法：禁针。灸三壮。

主治：阴汗阴中诸病。前后相引痛。不得大小便。谷道病。久痔相通。男子阴寒冲心。女子阴门痛。月经不通。

备考：中风，淹溺，可针此穴一寸，或五分。是救急奇穴。淹溺针有水可救。又本穴一名屏翳，金门，下极。在腹部正中線。

2. 曲骨

位置：横骨上，阴毛际凹处。

解剖：耻骨软骨接合上际，左右直腹肌停止部中间，循下腹壁动脉、外阴部动脉，分布肠骨下腹神经，肠骨鼠蹊神经。

疗法：针八分至寸二，灸五壮至五十壮。

主治：小便胀满。小便淋涩。血癃。癞疝小腹痛。失精虚冷。妇人赤白带下。

备考：本穴一名胞尿，屈骨，屈骨端在腹部正中線。

3. 中极

位置：脐下四寸。

解剖：在耻骨上际的白條線中，循下腹壁动脉，分布肠骨下腹神经。

疗法：针八分，灸三至五百壮。

主治：阳气虚惫，冷气时下冲心，尸厥恍惚。失精无子。腹中脐下结快。水肿奔豚，疝瘕。五淋。小便赤涩不利。妇人下元虚冷。血崩白浊。因产恶露不行。胎衣不下。经闭不通。血积成块。子门肿痛。转脬不得小便。

备考：本穴一名玉泉，气原。在腹部正中线。

4. 关元

小便不止灸关元

位置：脐下三寸。

解剖：有下腹壁动脉，分布着十二肋间神经穿行枝。深部当小肠，在妇女则子宫底。

疗法：针八分至二寸。灸三至三百壮。

主治：积冷诸虚百损，脐下绞痛。渐入阴中。冷气入腹。小腹奔豚。夜梦遗精。白浊五淋。七疝，溲血。小便赤涩。遗沥。转胞不得溺。妇人带下瘕聚。经水不通。不妊或妊娠下血。或产后恶露不止。或血冷月经断绝。

备考：本穴一名下纪，次门，丹田，大中极。在腹部正中线。绍兴刘武军中步卒王超者，本太原人，后入重湖为盗，曾遇异人授以黄白住世之法，年至九十，精彩腴润，辇首淫术女不衰；后被擒临刑，监官问曰：汝有异术，信乎？曰：无也，惟火之力耳：每夏，秋之交即灸关元千壮，久久不畏寒暑，累日不饥，至今脐下一块如火之暖。岂不闻土成砖，木成炭，皆火力也。死后刑官令剖其腹之暖处，得一块，非肉非骨，凝然如石，即其火之力耳。

5. 石门

位置：气海下半寸。即脐下二寸。

解剖：在下腹部白條腱中，循下腹壁动脉，分布肋间神经前穿行枝，深部容小肠。

疗法：针五至八分。灸三至一百壮。妇人不宜针灸，犯之绝嗣。

主治：腹胀坚硬。水肿支满。气淋。小便黄赤不利。小腹痛。泄泻不止。身寒热。咳逆上气。呕血。卒疝疼痛。妇人因产恶露不止遂结成块。崩中漏下血淋。

备考：本穴一名利机。精露，丹田，命门。在腹部正中線。

6. 气海

位置：脐下寸半。

解剖：下腹部白線系中，循下腹壁动脉，分布肋间神経前穿行枝，深部容小肠。

疗法：针八分至一寸。灸七至百壮。

主治：下焦虚冷。上冲心腹。或呕吐

不止。或阳虚不足。惊恐不卧。奔豚七疝。小肠膀胱癖瘕结块。状如覆杯。脐下冷气。阳脱欲死。阴症伤寒卵缩。四肢厥冷。小便赤涩。羸瘦。白浊。妇人赤白带下。月事不调。产后恶露不止。绕脐腹痛。小儿遗尿。

备考：本穴一名脖胦，下肓。在腹部正中线。1.浦江郑义宗，患泄泻，昏仆、目上视、遗尿汗出。脉大、丹溪诊之，断为阴虚阳气脱，得之病后酒色，灸气海渐甦、服人参膏数斤乃愈。2.枢密孙公林生数日，患脐风医不効，家人乃盛以盘，将送诸江，道遇一妪曰；儿可活，即与俱归，以艾灸脐下，遂活。

7. 阴交

位置：脐下一寸。

解剖：下腹部白系线中，有下腹壁动脉，分布肋间神经前穿行枝。

疗法：针八分，灸五至百壮

主治：冲脉生病。从小腹冲心而痛。不得小便。疝痛。阴汗湿痒。奔豚。腰膝拘挛。妇人月事不调。产后恶露不止。绕脐冷痛。

备考：本穴一名横户，少关。在腹部正中线。

灸脐中，百会，则不脱肛之
灸脐中关元气海百会治宫下垂

8. 神阙

位置：脐中央。

解剖：循上腹壁动脉，分布肋间神经前穿行枝，深部容小肠。

疗法：宜以盐填满脐中，隔姜灸三至百壮，禁针。

主治：阴症伤寒。中风不省人事。腹中虚冷。阳惫。肠鸣泄泻不止。水肿鼓胀。小儿乳痢不止。腹大，风痫角弓反张。脱肛。妇人血冷不受胎者。灸此永不脱肛。

备考：本穴一名气舍，脐中。在腹部正中线。昔徐平仲中风，不省人事，桃源簿为灸百壮，不醒，再灸百壮乃甦。

9. 水分

位置：脐上一寸。

解剖：上腹部白线中，循下腹壁动脉，分布肋间神经前穿行枝，内容横行结肠。

疗法：针一寸（一说禁针）以不针为妙。灸百壮。

主治：水病腹坚。肿胀如鼓。冲胸不得息，绕脐痛。肠鸣泄泻。小便不通。小儿陷囟。为水肿症的专穴。

备考：本穴一名分水，中守。在腹部正中线。

—175—

10 下脘

位置：脐上二寸。

解剖：上腹部白條線中。循上腹壁动脉，分布肋间神经前穿行枝。内容胃脏。

刺法：针八分，灸二七至二百壮。孕妇忌灸。

主治：脐上厥气坚痛。腹胀满。寒谷不化。虚胀癖块连脐。瘦弱少食。翻胃小便赤。[illegible]

备考：本穴一名幽门。在腹部正中線。

11. 建里

位置：脐上三寸。

解剖：腹部白条線中，循上腹壁动脉。分布肋间神经前穿行枝。内容胃脏。

刺法：针五分至一寸二分，灸五壮。孕妇忌灸。

主治：腹胀身肿。心痛上气。肠鸣呕逆不食。

备考：本穴在腹部正中線。

12. 中脘 治积滞

位置：脐上四寸。

解剖：上腹部白条線中。循上腹壁动脉，分布肋间神经前穿行枝，内通腹膜，容胃脏。

—176—

疗法：针八分，灸八至四百壮。

主治：心下胀满。伤饱食不化。五膈五噎。翻胃不食。心脾烦热。疼痛。积聚。痰饮。面黄。伤寒饮水过多。腹胀气喘。温疟。霍乱吐泻。寒热不已。或因读书得奔豚气上攻。伏梁心下。寒癖结气。凡脾冷不可忍。心下胀满。饮食不进化。气结疼痛雷鸣者。皆宜灸之。

备考：本穴一名太仓，中管。在腹部正中線。

13. 上脘

位置：脐上五寸。

解剖：上腹部白系線中，循上腹壁动脉，分布肋间神経前穿行枝。当胃的喷门。

疗法：针八分。灸五至百壮，

主治：心中烦热。痛不可忍。腹中雷鸣。饮食不化。霍乱翻胃。呕吐。三焦多涎。奔豚伏梁。气胀积聚。心风惊悸呕血。身热汗不出。

备考：本穴一名胃脘，上纪，上管。

14. 巨阙

位置：鸠尾下一寸。距脐上六寸。

解剖：上腹部白系線中，循上腹壁动脉，分布肋间神経前穿行枝。

疗法：针六分，灸七至二十壮。

主治：上气欬逆。胸满气痛。九种心痛。冷痛。少腹绞痛。痰饮咳嗽。霍乱腹胀。恍惚发狂。黄疸。膈中不利，烦闷。卒心痛。尸厥蛊毒。忽喷呕血。吐痢不止。

备考：本穴在腹部正中线。

15. 鸠尾 治神经病

位置：胸骨下突出尖端，脐上七寸，

解剖：上腹部上方白条线起始部，值上腹壁静脉，分布肋间神经的前穿行枝。

疗法：不可轻针，必须针时两手举高方可下针。针三分，灸三壮。（因本穴贴近横膈膜，针之则伤膈膜）。

主治：心惊悸。神气耗散。癫痫。狂病。胃痛

备考：本穴一名尾翳，𩩲骬，神府，骬骭，在腹部正中线。

16. 中庭

位置：膻中下一寸六分。

解剖：胸骨体部。当左右第六肋间的中央。值内乳动脉分枝，分布肋间神经。

疗法：针三分，灸三壮。

主治：胸胁支满噎塞。吐逆。食入还出。小儿吐乳。霍乱。

17. 膻中

位置：两乳的中间中央線。

解剖：胸骨本部，循内乳动脉分枝，分布肋间神经前穿行枝。

疗法：禁针，灸七壮。

主治：一切上气短气。痰嗽哮喘。欬逆噎气。膈食反胃，喉鸣气喘，肺痈。呕吐涎沫脓血。妇人乳汁少。

备考：本穴一名元儿，上气海，元见，胸堂。在胸正中線。

18. 玉堂

位置：紫宫穴下一寸，即第四肋骨端

解剖：胸骨体部，循内乳动脉分枝，分布肋骨神经前穿行枝。

疗法：针三分，灸五壮。

主治：胸膺满痛。心烦咳逆。上气喘急不得息，喉痹咽塞。水浆不入。呕吐寒痰。

备考：本穴一名玉英，在胸部正中線。

19. 紫宫

位置：华盖穴下一寸，第三肋端。

解剖：胸骨体部，循内乳动脉分枝，分布肋间神经前穿行枝。

疗法：针三分，灸五壮。

主治：胸胁支满膺痛，咽壅喉痹。水浆不入。欬逆上气。吐血烦心。

备考：本穴在胸部正中線。

20. 华盖

位置：天突穴下二寸，第二肋骨间。

解剖：胸骨柄与骨体之界，循内乳动脉分枝，分布肋间神经前穿行枝。

疗法：针三分，灸五壮。

主治：欬逆喘急上气、哮咳喉痹。胸胁满痛。水饮不下。

备考：本穴在胸部正中線。

21. 璇玑

配足三里治胃病有積滞

位置：天突下一寸。

解剖：胸骨柄部，第一肋左右的中央，循内乳动脉分枝，分布肋间神经。

疗法：仰头取之。针三分，灸三壮，

主治：胸胁满，欬逆上气，喘不能言，喉痹咽痈。水饮不下。

备考：本穴在胸部正中線。

22. 天突

位置：结喉下二寸五分宛宛陷中。即喉头甲状软骨下二寸。

解剖：胸骨颈截痕上际的中央。当左右胸锁乳肌的中间。有胸骨、舌骨肌，甲状舌骨肌，循上下甲状腺动脉。分布下颈皮下神经。深部有气管。

疗法：针刺直下不低手，针三分，灸五壮。

主治：上气哮喘，咳嗽喉痹。五噎。肺痈。咯吐脓血。咽肿暴。身寒热。咽乾舌下急。不得食。

备考：本穴一名天瞿，玉户。在前颈区。许氏曰：此穴一针有四效，凡下针后良久，脾胃似有磨食，觉针动，为一效。次针，破痰根，腹中作声，为二效。感觉流入膀胱，为三效。然后觉气下行，流入腰后肾堂中，为四效。

23. 廉泉

位置：在颔下，舌本之下，结喉之上

解剖：喉头结节的上方，舌骨的上部，当左右胸骨，舌骨肌停止部的中间，循上甲状腺动脉，分布颜面神经的分枝，上颈皮下神经。

疗法：仰面取之，针三分，灸三壮。

主治：咳逆上气吐沫，舌下肿、舌根急缩。

备考：本穴一名舌本，本池。在前颈

区。

24. 承浆

位置：在下唇下中央陷凹中。

解剖：下颚骨颐结节的上部左右，方形颐肌的中间，循下唇动脉，颐动脉，分布三叉神经的颐神经，下颚皮下神经。

疗法：开口取之，针三分，可灸七壮。

主治：偏身不遂。口眼喎斜。口噤不开。暴喑不能言。[illegible]

备考：本穴一名悬浆，在口鼻区。

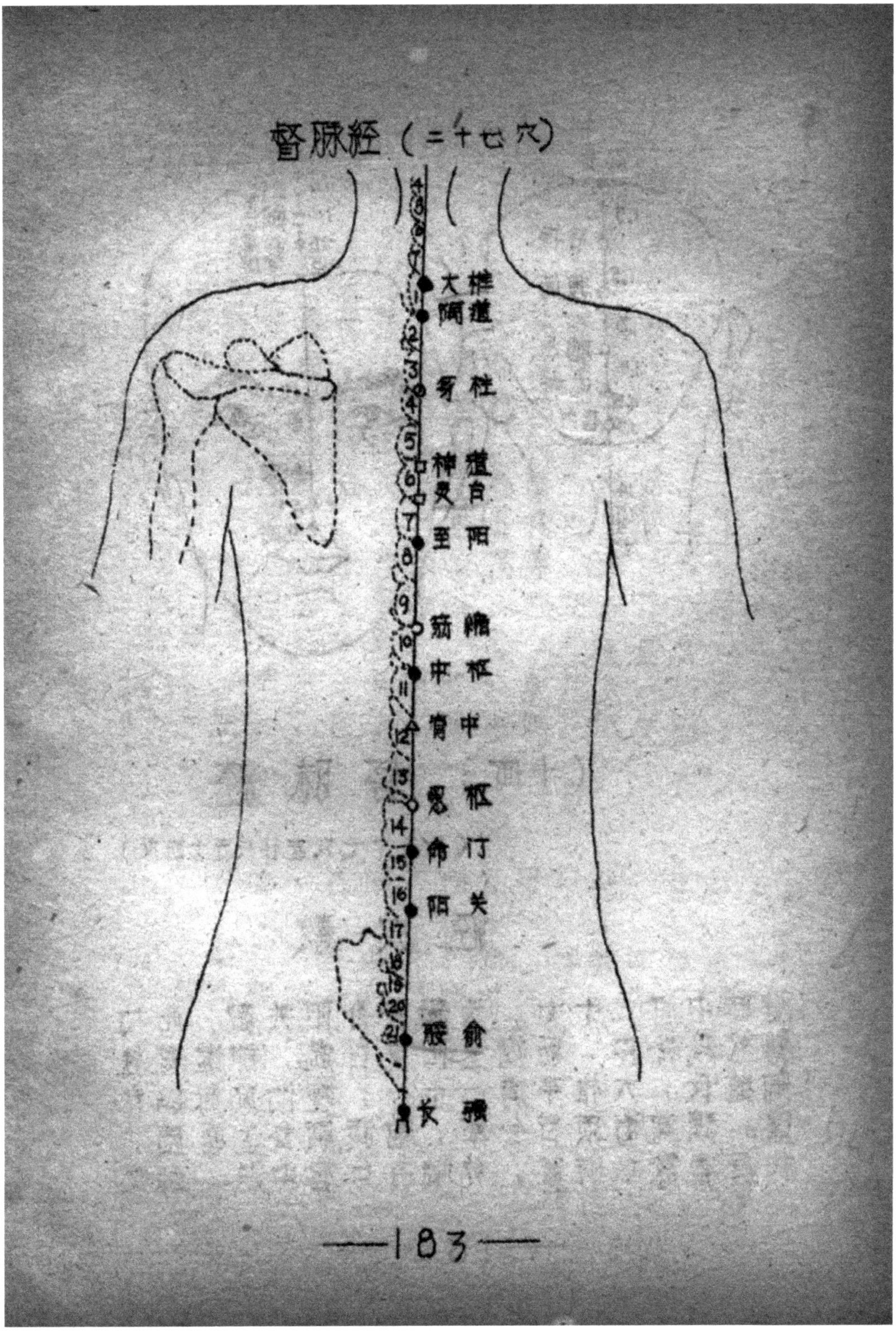
督脉经（二十七穴）
大椎
陶道
身柱
神道
灵台
至阳
筋缩
中枢
脊中
悬枢
命门
阳关
腰俞
长强
—183—

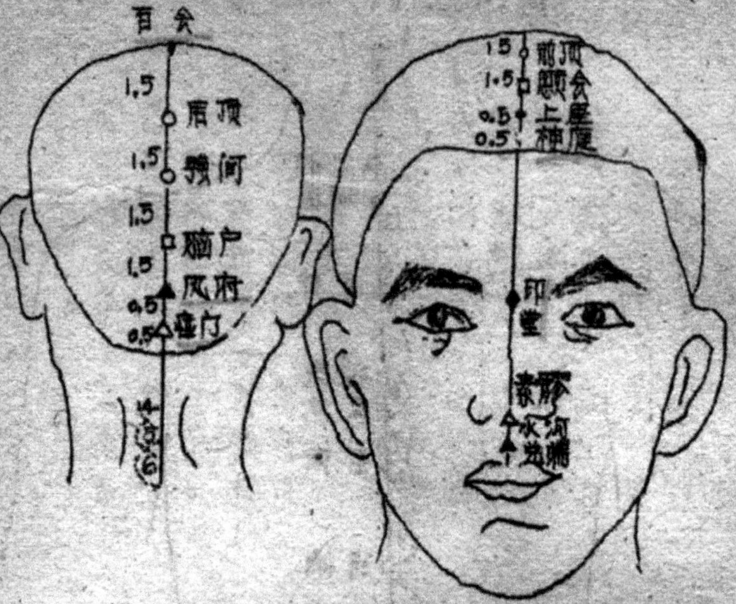

（十四）督脉経

（凡二十七穴左右共五十四穴）

経穴歌

督脉中行二十七，长强腰俞阳关密，命门悬枢接脊中，筋缩至阳灵台逸，神道身柱陶道长，大椎平肩二十一，哑门风府脑户深，强间后顶百会率，前顶囟会上星圆，神庭素髎水沟窟，兑端开口唇中央，龈交唇内任督交。

分寸歌

尾闾骨端是长强。二十一椎腰俞详。十六阳关十四命。十三悬枢脊中央。十一椎下寻脊中。十椎中枢筋缩九。七椎之下乃至阳。六灵五神三身柱。陶道一椎之下乡。一椎之上大椎穴。上至发际哑门行。风府一寸宛中取。脑户二五枕当方。再上四寸强间位。五寸五分后顶强。七寸百会顶中取。耳尖直上发中央。前顶前行八寸半。行前一尺囟会量。一尺一寸上星会。入发五分神庭当。鼻端准头素髎穴。水沟鼻下人中藏。兑端唇上端中取。龈交齿上龈缝乡。

1. 长强 治内外痔

位置：尾闾骨端五分之处，肛门之上。

解剖：尾闾骨下部，荐骨韧带的下端，即大臀肌外肛门括约肌中，值下臀动脉，内阴部动脉，下痔动脉等，分布尾闾神经及外阴神经。

疗法：针三分，灸三至二百壮。

主治：腰脊强急，不可俯仰，狂病。大小便难，肠风下血，五痔五淋，下部疳蚀。洞泄失精。呕血。小儿囟陷。癫痫。脱肛。泻血。等病。

备考：本穴一名气之阴郄，厥骨；穷骨，骨骶，龟尾，龙虎穴，河车路，上天梯。在背部正中線。

2. 腰俞

位置：尾闾骨之上部，二十一椎之下，挺身伏地舒展中。

解剖：在荐骨裂孔，腰骨肌膜中，循下臀动脉，分布荐骨神经后枝。

疗法：针三至八分、灸三至五十壮。

主治：腰脊重痛，不得俯仰，腰以下至足冷痹不仁。强急不可坐卧。灸随年壮。

备考：本穴一名背解，髓孔，腰柱，腰户。在背部正中線。

3. 阳关

位置：十六椎下。

解剖：腰椎的棘上突起间，有荐骨脊柱肌，循腰动脉，分布腰椎神经前后枝。

疗法：伏而取之，针五分，灸五壮。

主治：膝痛不可屈伸。风痹不仁。筋挛不行。

备考：本穴背部正中線

4. 命门

位置：十四椎下。

解剖：第二、三腰椎棘上突起间，有背骨脊柱肌，循後肋间动脉。分布腰椎神经的后枝。

疗法：伏而取之，针五分，灸三壮至数十壮。年满二十者灸之有绝子之孔。

主治：肾虚腰痛。赤白带下。男子泄精。耳鸣。手足冷痺挛。急惊恐。头眩。头痛如破。身热如火。骨蒸汗不出。痎疟。瘈疭。里急后重。淋浊。阳痿。失眠。缩阳。

备考：本穴一名属累。行系。在背部正中線。

5. 悬枢

位置：第十椎之下。

解剖：第一、二腰椎棘上突起间，当腰背肌膜起始部，循后肋间动脉，分布背椎神经的后枝。

疗法：伏而取之，针三分，灸三壮。

主治：腰脊强。不得屈伸。腹中积气，上下疼痛。水谷不化。泻痢不止。

备考：本穴在背部正中線。

6. 脊中

位置：十一椎之下。

解剖：第十一、十二胸椎棘突起之间，当腰背肌膜起始部，循后肋间动脉，分布背椎神经的后枝。

疗法：伏而取之，针三分，灸三壮。

主治：风痫癫邪。腹满不食。五痔。积聚。下痢。小儿痢下赤白。秋末脱肛。每厕则肛痛不可忍。灸之。

备考：本穴一名神宗。脊俞。在背部正中线。

7. 筋缩

位置：第九椎下。

解剖：第九、十胸椎之间，僧帽肌起始部，循后肋间动脉，分布脊椎神经后枝。

疗法：伏而取之，针五分，灸三壮。

主治：癫疾。惊狂。发强。风痫。目上视。

8. 至阳 1½黄疸

位置：第七椎下。

解剖：第七、八胸椎之间，有薦骨脊椎肌，循后肋间动脉分枝，分布背椎神经后枝。

疗法：针五分，灸三至七壮。俯而取之。

主治：腰脊强痛，胃中寒不食，少气

难言。胸胁支满。羸瘦身黄。胫痠。四肢重痛。

备考：本穴在背部正中线。

9. 灵台

位置：第六椎下。

解剖：第六、七胸椎之间，菱形肌起始部，循后肋间动脉分枝，分布背部神经后枝后膊胛下神经。

疗法：俯而取之，针三分，灸三壮。

主治：今人以灸气喘不得卧。及风冷久嗽。火到便愈，为哮喘咳嗽要穴。

备考：本穴在背部正中线。

10. 神道

位置：第五椎下。

解剖：第五、六椎之间，僧帽肌起始部，循颈横动脉分枝下行枝，及肋间动脉背枝，分布胸椎神经内后枝。

疗法：针五分（一说不宜针）灸五壮。

主治：伤寒头痛。寒热往来。痎疟悲愁。健忘。惊悸。牙车急。口张不合。小儿风痫。瘈疭。

备考：本穴在背部正中线。

11. 身柱

位置：第三椎下陷中。

解剖：第三、四胸椎之间，僧帽肌起始部，循横颈动脉的下行枝及肋间动脉的背枝，分布胸椎神经的后枝。

疗法：俯而取之，针五分，灸七至五十壮。

主治：腰背痛。癫痫狂走。怒欲杀人。瘈疭身热。妄见妄言。小儿惊痫。

备考：本穴在背部正中线。

12. 陶道

位置：第一椎之下。

解剖：第一、二胸椎之间，僧帽肌起始部，循横颈动脉之分枝，分布副神经及胸椎神经。

疗法：针五分，灸五壮。

主治：痎疟寒热。洒淅背寒。烦满汗不出。头重目眩。恍惚不乐。善退骨蒸之热。

备考：本穴在背部正中线。

13. 大椎

位置：第一椎上之陷凹中。

解剖：第七颈椎与第一胸椎之间，棘间韧带及僧帽肌起始部，循横颈动脉的分枝，分布副神经，胸椎神经。

疗法：坐与肩平，低头取之；针五分

，灸三壮。

主治：五劳七伤乏力。风气食劳。痎疟久不愈。肺胀胁满。呕吐上气。背膊拘急。项颈强不得回顾。

备考：本穴在背部正中线。伤寒论云：太阳与少阳并病，颈项强痛，或眩冒时，如结胸，心下痞坚者，当刺大椎第一间。

14. 哑门 浅针

位置：项后入发际五分，即大椎上四横指，仰头取之。

解剖：第一、二颈椎之间，僧帽肌起始部，枕后头动脉的分枝，分布颈椎神经的后枝，深部有延髓。

疗法：针二分，不宜深。禁灸。灸之令人哑。

主治：颈项强急不语。阳阳热盛。衄血不止。脊强反折。瘈疭癫痫。头风疼痛。汗不出。寒热风痉。中风尸厥。暴死不省人事。

备考：本穴一名舌厌，舌横，瘖门。在头项正中线。

浅针

15. 风府

位置：在项部入发际一寸，脑户后一寸五分，大筋中。

解剖：后头骨后部与第一颈椎之间的陷凹部，僧帽肌间，循后头动脉，分布大后头神经。深部有延髓。

疗法：针三分，禁灸。不可直针及猛力刺太深，恐伤延髓。

主治：主治胸中之疾。中风舌缓暴瘖不语。振寒汗出。身重。偏风半身不遂。伤风头痛。项急不得回顾。目眩反视。鼻衄咽痛。狂走悲恐惊悸。

备考：本穴一名舌根，曹谿。在头顶正中線。昔魏武帝患头风，痛甚。华佗针此穴，应手而効。

16. 脑户

位置：枕骨枕上。

解剖：在枕外粗隆上缘，循枕动脉的分枝，分布枕大神经。

疗法：禁针灸，若针灸必伤后脑动脉。

主治：不叙。

17. 强间

位置：后顶后一寸五分。

解剖：矢状縫合处，后头骨与顶顶骨之间，即三角縫額顶部帽状腱膜中，循后头动脉，分布大后头神经。

疗法：针二分，灸七壮。

主治：头痛项强。目眩脑旋。烦心呕吐涎沫。狂走。

备考：本穴一名大羽。在头顶正中线

18. 后顶

位置：百会穴后一寸五分。枕骨上。

解剖：颤顶骨矢状缝合的后端部，有帽状腱膜，循后头动脉，分布后头神经。

疗法：针二分，灸五壮。

主治：颈项强急。额颤上痛。偏头痛。目眩不明。

备考：本穴一名交冲。在头顶正中线。

以头眩晕

19. 百会

位置：两耳尖直線的中央。

解剖：在颤顶部帽状腱膜中，循浅颞颥动脉及后头动脉的各終枝。分布大后头神经。

疗法：针二分，灸七壮。

主治：头风头痛、耳聋鼻塞。鼻衄。中风言语蹇涩。口噤不开。或多悲哭。偏风半身不遂。风痫卒厥。角弓反张。吐沫。心神恍惚。惊悸健忘。痎疟，女人血风。胎前产后风疾。小儿痫风惊风。脱肛久不瘥。

备考：本穴一名三阳，五会，巅上，天满，泥丸宫。在头顶正中線。1.獨太子尸厥，扁鹊取三阳五会，立时而甦。2.唐高宗苦风眩头重，目不能视，侍医秦鸣鹤曰：风毒上攻，宜刺头顶少出血，即愈矣。天后自廉中怒曰：此可斩也，至尊岂是试出血处耶！上曰：医之议病，不加罪，且吾头重闷，实不能忍，出血未必不佳。命刺之，鸣鹤乃刺百会少出血，上曰：吾眼明矣；言未毕，天后自廉中顶礼谢曰：此天赐我师也躬负缯宝，以遗鸣鹤。

20. 前顶

位置：囟会穴后一寸五分，亦即百会穴前一寸五分。

解剖：头盖部正中线，左右颠顶骨的縫合部，帽状腱膜中，循浅颞颥动脉，分布前头神經。

疗法：针一分，灸三至二七壮。

主治：头风眩晕，目赤肿。小儿惊痫瘈疭。鼻多清涕。顶项肿痛。

备考：本穴在头顶正中線。

21. 囟会

位置：眉心直上五寸，即小儿头顶跳动者是。

解剖：前头骨上缘，颠顶骨縫合部，帽状腱膜中，循浅颞颥动脉，分布前头神經。

疗法：针二分，灸五壮。未满八足岁者，禁针灸。

主治：脑虚冷痛。头风眩痛。项痛目眩。鼻塞。惊痫戴目。

备考：本穴在头顶正中线。

22. 上星

位置：鼻直上发际一寸。

解剖：前头骨部，有前头动脉。分布前头神经。

疗法：针三分，灸五壮。本穴不宜多灸，多灸恐眼昏。

主治：头风头痛。头皮肿。面虚。恶寒。痎疟寒热。汗不出。鼻衄。鼻涕。鼻塞不闻香臭。目眩睛痛。不能远视。以三棱针刺之出血。特效。

备考：本穴一名神堂。在头顶部正中线。

23. 神庭

位置：鼻直上入发际五分。

解剖：前头骨部，有前头肌，循前头动脉，分布前头神经。

疗法：灸七壮。禁针。据云：针之令人发狂。目失明。

主治：发狂。发癫狂走。风痫癫疾。角弓反张。目上视不识人。头风鼻渊。流涕不止。头痛目泪。烦满喘咳。惊悸不得安瘥。

备考：本穴在头顶正中线。张子和曰：目瞳目翳，针上星，神庭，囟会，前顶，翳者可立退，瞳者可立消。

24. 素髎

位置：鼻端准头。

解剖：鼻软骨小端部，鼻压绪肌中，循外鼻动脉，分布外鼻神经及肺骨神经。

疗法：针一分，禁灸。

主治：鼻中瘜肉不消。喘息不利，多涕。衄血。霍乱宜刺之。

备考：本穴一名面正，面王，鼻准。在口鼻区。

25. 水沟 急救用

位置：鼻下沟之正中，俗称人中。

解剖：鼻柱根与口唇的中央，口轮肌中，循上唇动脉及外颚动脉分枝，分布三义神经及颜面神经的颊枝。

疗法：针二分，灸三壮。（一说不宜灸）。

主治：中风口噤牙关不开。卒中恶邪，不省人事。癫痫卒倒。消渴多饮水。口眼㖞斜。俱宜针之。若面座风水，针此穴，水出尽顿愈。

备考：本穴在口鼻区。

26. 兑端

位置：上唇边缘中央。

解剖：口轮肌部，上唇的粘膜、人中的外皮，循外颚动脉的分枝及上唇冠状动脉，分布颜面神经的颊枝及下眼窝神经。

疗法：针三分，灸三壮。

主治：癫痫吐沫，齿龈痛。消渴衄血。口噤口疮。

备考：本穴一名兑通锐。在口鼻区。

27. 龈交

位置：唇内齿上龈缝筋中。

解剖：上唇里面粘液膜部，口轮肌中，循内颚动脉分枝及口冠状动脉，分布三叉神经分枝，上齿槽神经。

疗法：逆针二分，灸三壮。

主治：面赤心烦痛。鼻生瘜肉不消。额颏中痛。头项强。目泪多眵赤痛。牙疳肿痛。小儿面疮。

备考：本穴一名断交。在口鼻区。

經外奇穴表

穴名	1 内迎香	2 鼻准	3 耳尖	4 机关	5 聚泉	6 金津玉液	7 海泉	8 鱼腰	9 太阳	10 印堂	11 中魁
穴数	二	一	二	二	一	二	一	二	二	一	二
部位	鼻孔中	鼻柱尖上	耳尖上	耳下	舌中央	舌下两傍	舌下中央	眉中	眉后陷中	两眉中陷中	手中指二节
主治	目赤暴痛	鼻上生酒风	眼生翳膜	卒中风口噤不开	舌强 哮喘咳嗽舌胎	重舌肿痛喉痹	消渴	眼生垂帘翳膜	眼红肿及头痛	小儿惊风	五噎反胃吐食
附	用芦管子搐出血 由鼻孔刺入至晴明有血出	宜用三棱针	卷耳取之灸五壮	在耳下微前八分灸五壮	吐舌取之艾炷灸	卷舌取之即舌紫脉宜用三棱针	同前	针一分沿皮向两傍 斜针	宜用三棱针	针一分灸五壮	屈指骨尖陷中灸七壮

眼起红筋 [illegible]

12 大骨空	二	手大指中节	目久痛及翳膜内障	同前
13 小骨空	二	手小指二节	手节百痛	同前
14 十宣	十	手十爪甲端	乳蛾	每指去爪甲一分宜三棱针
15 鬼眼	二	手大指甲后	五痫	去爪甲如韭叶缚指灸之
16 五虎	四	手食指及无名指二节尖	五指拘挛	握拳取之灸五壮
17 四缝	四	手四指内中节	小儿猢狲劳症	宜用三棱针
18 二白	四	掌后横纹上四寸	痔疾脱肛	一手二穴一在筋内两筋间即间使后一寸在筋外与筋内之穴相并
19 肘尖	二	肘骨尖上	瘰疬	屈肘取之灸七壮
20 池泉	二	手背腕中	心腹诸气痛不可忍	在阳谿阳池间陷中灸二七壮
21 肩柱骨	二	肩端	瘰疬及手不举动	起骨尖上灸七壮
22 八风	八	足五指歧骨间	脚背红肿	针一分灸五壮
23 独阴	二	足二指横纹中	小腹疝气及死胎衣不下	灸五壮又治妇人乾呕吐血月经不调

24 足小指尖	二	足小指尖端	难产	灸足小指尖
25 足太阴	二	足内踝后	逆产	足内踝后白肉际骨节陷宛宛中
26 足太阳	二	足外踝后	足痿无力	足外踝后一寸宛宛中
27 百劳	二	大椎旁	瘰疬疰珠疮	在大椎各开一寸灸七壮
28 通关	二	中脘旁	五噎	在中脘旁各开五分此穴左捻能进饮食右捻能合脾胃
29 五骨	二	乳下	远年咳嗽	乳下一指头低陷处男左女右灸三壮
30 精宫	二	背后	梦遗	在背十四椎下各开二寸灸七壮
31 子宫	二	中极旁	妇人久无子嗣	中极各开三寸针二分灸七壮
32 阑门	二	曲池旁	膀胱七疝奔豚	即曲池各开三寸
33 命关	二	胁下腕中	脾家一切病症	中脘何乳二寸取之可灸百十壮
34 内太冲	二	足掌侧	疝气上冲气不通	足太冲对内旁隔大筋陷中举足取之针一分灸三壮
35 甲根	四	足大指甲角	七疝	足大指端爪甲角隐爪根左右两甲之隙际针一分灸三壮

36 腰眼	二	腰两旁微陷处	痔症	灸七壮
37 鹤顶	二	膝盖尖上	两足瘫痪无力	灸七壮
38 膝眼	二	膝	膝膑痠痛	膝盖骨下两旁陷中针五分
39 四关	四			即两合谷两太冲也
40 夹脊	二	脊间	霍乱转筋	两脊尖横拉开寸半灸百壮 令病者仰卧伸两手着身以绳索平

—— 201 ——

禁针禁灸穴一览表

经名	禁针穴	禁灸穴	孕妇禁针灸穴
手太阴肺经	青灵	天府尺泽经渠少商	
手少阴心经		少海	
手厥阴心包络经			
手阳明大肠经	五里、臂臑巨骨	禾髎、迎香	合谷
手太阳小肠经		秉风颧髎	
手少阳三焦经	会宗、三阳络角孙	阳池、天牖、瘈脉、颅息和髎丝竹空。	
足太阴脾经	箕门	隐白漏谷	三阴交
足少阴肾经			
足厥阴肝经	急脉		
足阳明胃经	承泣、乳中	头维、下关、承泣、四白、巨髎登溪门缺、人迎、乳中、伏兔、犊鼻、天枢。	
足太阳膀胱经	承筋	睛明攒竹、五处、承光、大杼、承扶殷门、委中、仆参昆仑申脉。	
足少阳胆经	客主人、承灵渊液、	瞳子髎、客主人、临泣、渊液、阳关、地五会。	肩井

任脉	督脉
会阴、膻中、鸠尾、水分	神道、神庭、脑户
会阴	交、上星、素髎、水沟、兑端、虚门、风府、脑户、强间、龈
石门、下脘、建里·	

十四経絡補泻手法表

手术 / 经络 / 经穴	行度		补法 左	补法 右	泻法 左	泻法 右	説明
手阳明大肠経	自手至头	自下而上	前从左转右 大指向后食指向	从右转左 大指向前食指向后	从右转左 大指向前食指向后	从左转右 大指向后食指向前	凡属泻法当捻动时微向上提分许疾出针而不闭其孔 凡属补法当捻动时微深进分许徐而出针疾闭其孔
手少阳三焦経							
手太阳小肠経							
足太阴脾経	自足至腹						
足厥阴肝経							
足少阴肾経							
手太阴肺経	自脑至手	自上而下	后从右转左 大指向前食指向	从左转右 大指向前食指向后	从左转右 大指向后食指向前	后从右转左 大指向前食指向	
手少阴心経							
手厥阴心包絡							
足太阳膀胱	自头至足						
足少阳胆経							
足阳明胃経							
任脉	前后正中		后从右转左 大指向前食指向		前从左转右 大指向后食指向		
督脉							
备考							

—— 203 ——

(十五)配穴精义

一　大椎曲池合谷

大椎手足三阳督脉之会，纯阳主表，故凡外感六淫之在表者，皆能疏解也，佐以曲池合谷者，以阳从阳，助大椎而斡旋营卫，清里以达表也，审其身热自汗，则泻大椎以解肌，无汗恶寒，则补大椎以发表，或先补而后泻，或先泻而后补，神而明之，存乎其人矣，至于外感变症，至繁且杂，兼他症者，尤必兼而治之。是以邪在于经，头项强痛者则加风池(透风府)热甚而心烦溺赤者则加内关谵语更燥胃府实者则加丰隆三里胃痛呕吐见少阳症者，则加支沟阳陵泉，气逆喘嗽则加鱼际、伤风鼻塞则加上星，又若疟疾之病，虽有表里阴阳之别，而其寒往热来。无不关乎营卫，故是法亦能兼治，再如骨蒸潮热盗汗等症，虽系阴虚劳损之症，余採用此法，亦大有养阴清热之功，谁谓个中无活泼泼天机耶。

二　合谷复溜

二穴止汗发汗，书有明文。针家皆知之，而其所以能止汗发汗之理，则多未知也，试伸言之，夫止汗补复溜者，以复溜属肾，能温肾之阳、升膀胱之气，使达于周身，而外卫自实也，泻合谷者即所以清气分之热，热解则汗自止矣，发汗补合谷者，则以合谷属阳。清轻走表故能发表托邪，随汗出而解也，佐以泻复溜者，藏补卫之阳，而成其开皮毛之作用也，至于阳虚之自汗，阴虚之盗汗，故与外邪有别，而合谷复溜亦能止之者，盖又以复溜非特能温肾中之阳，亦且以滋肾中之阴也，尤有进者，寒饮咳逆水肿等症，余推详其理。借用复溜以振阳行水，合谷利气降逆，颇有奇效，可见此中变化无穷，学者当隅反之。

三　曲池合谷

二穴属手阳明经，主气，曲池走而不守，合谷升而能散，二穴相合，清热散风，为清理上焦之妙法，以轻清之气上浮故也，头者诸阳之会也，耳目口鼻咽喉者，清窍也，故禀诸阳之气者，皆能上走头面诸窍也，以合谷之轻载曲池之走，上升于头面诸窍，而实行其清散作用，故能扫荡一切邪秽，消弭一切障碍也，然此二穴之上行也，遍无定所，苟欲其专攻某处，势必再取某穴以为响导，则其经捷，其力专，其收效也亦速，故头痛头晕取风池头维，目赤目翳加攒竹睛明，鼻痔鼻渊配迎香禾髎，耳鸣耳聋选听会翳风，口实舌裂水沟劳宫，咽肿喉痹鱼际颊车，龈肿齿痛则有下关，口眼喎斜则参地仓，君臣合力，标本兼施，何患疾之不瘳也乎。

四 水沟风府

风者百病之长也，善行而数变，金匮曰：邪入于脏舌即难言口吐涎，盖肾脉侠舌本，脾脉络舌本散舌下，心之别络亦系舌本，故风邪中于此三脏，则令人舌强难言，口吐涎而神昏不省也，又三阳之并络入颔颊挟于口，今诸阳为风寒所客，故经急而口噤不开也，是法补水沟以开关解禁，通阳安神，泻风府搜舌本之风，舒三阳之经，凡一切卒中急症，牙关不开，不省人事，施于关窍立开，随即甦醒，语言自和，转危为安，诚针科之首选，起死回生之宝筏也，他如口眼喎斜，偏枯不遂等症，虽有中经中络之别，然异流同源，亦其所宜焉。

五 肩髃曲池

二穴皆属手阳明大肠经，大肠为肺之腑，故是法有调理肺气之特效，尤妙在肩髃斜针，有舒通之象，而曲池更走而不守，擅能宣气行血，搜风逐邪，二者相配，真可谓之珠连璧合，举凡一切经络客邪气血阻滞之病，无不能舒畅而调和之，而尤以中风偏枯瘫痪七气等症为对工，所谓一通百也，昔仲景有云：客气邪风中人多死，预料此法通行后，其或能减少客气邪风中人之死率欤。

六　环跳阳陵泉

二穴皆属足少阳胆经，厥性舒通宣散，善能理气调血，驱风祛湿，且阳陵泉又为筋之所会，尤有舒筋利节之功，故凡中风偏枯下肢瘫痹不仁以及痠痹筋挛腰痛湿痹等症，皆具保奏，实常以环跳拟肩髃，阳陵泉拟曲池，以彼此上下相应，形性相仿，而功效又雷同也。

七　曲池委中下廉

痹有风寒湿三邪合而为病也，风气胜者为行痹，以风性游走也，寒风胜者为痛痹，以寒性凝结也。湿气胜者为着痹，以湿性呈着也，主以是法者，曲池祛风以行湿，委中疏风以利湿，下廉通阳以渗湿，其寒气胜者则补泻兼行，散寒去风而燥湿，兼以各舒其经，各通其络，邪去而经络亦通，何痹之有哉。

八　曲池阳陵泉

曲池居于肘内，阳陵泉位于膝下，同为大关节要，曲池行气血通经络，阳陵泉舒经利节，皆具有宣通下降之功，以之配合，相得益彰，百症赋列其治半身不遂，是举其要，余如瘰疬痧节情痒等症，可一望而知矣，且此二穴尤有降浊泻火之功，曲池清肺走表，阳陵泉泻肝胆平里，余因推广其用，凡肝肺抑郁胸脅作痛或热结肠胃腹胀便溺等症，借其清利疏泄之力，靡不获效，由是可见穴法之妙，全在善用者之配合也。

九 曲池三阴交

一阴一阳，恰相配偶，曲池性善通导，疏散清热搜风，三阴交为三阴之会，为肝脾肾三经之枢纽，亦即血科之主穴，二者相合，曲池入三阴之分，故能清血中之热，搜血中之风，而热自行血自通矣，是以诸般肿痛，得之而肿消痛止，花柳毒疮，得之而毒消疮平，余如风湿搔痒，腰痛脚气痿痹，以及妇女崩带癥瘕经闭等症，尤称著手成春也。

十 三里三阴交

三里外阳益胃，三阴交滋阴健脾，阴阳相配为脾胃虚寒气血亏损之主法，犹夜门所不可少者也，亦有胃浊脾热阳亢阴亏者，则补阴之中，势必兼行清导，补三阴交泻三里是也，更有阳虚气乏，风湿客邪或痹腿酸麻木疼痛者，则一以振阳气，一以和阴血，合而舒经理痹，其功效尤卓著者也。

十一 阳陵泉三里

阳陵泉为胆经之关键，三里为胃府之枢纽，二穴相合泻阳陵泉以清清净之府，平肝火之横，降上逆之势，输胆汁入胃，从木疏土而完成其中精之府之专能也，再泻三里以导胃中之浊，通胃之阳，于是清阳得升，浊阴得降，凡木土不和之病，如中消停痰吞酸口苦泄泻呕吐等症，得之自然烟消病解，而饮食亦因之畅和矣，且阳陵泉为筋之所会，大有舒经利节搜风祛湿之特功，三里亦有通阳活血燥湿散寒之功能，再进而治诸痹腰痛筋挛历节痿躄脚气等症，亦未始非针法之妙用也。

十二 四关

四关者合谷太冲四穴也，经外奇穴以之名关，盖有精义存焉，夫合谷原穴也，太冲亦原穴也，以形势言，合谷位于两歧之间，而太冲亦位于两歧之间，是二者相同之处也，再以性质言，合谷属阳主气，而太冲则属阴主血，是又二者同中之异也，然二者之同正所以成其虎口冲要之名，二者之异，亦正所以竟其斩关破巢之功，使其开关节以搜风理痹，行气血以通其行痹，及乎配丰隆阳陵泉以降痰泻火而治癫狂，配百会神门以镇安神而疗五痫，是明证矣。

十三 丰隆阳陵泉

二穴为通大便之主法，何以言之，夫丰隆为足阳明胃经之络脉，别走太阴，其性通降，从阳明以下行也，得太阴湿土润下也，阳陵泉性亦疏降，斜针向下透三里，从木以疏土也，余尝以是法拟承气，有承气之功，而不若承气之猛峻，其治癫狂等症，非但泻其实，亦且折其痰也。

十四 气海天枢

气海为气血之会，呼吸之根，藏精之所，生气之海，下焦至要之穴也，补之益脏真，固生气、温下元，振肾阳，有如釜底添薪，故能蒸发膀胱之水使化气上腾，而布于周身也。天枢乃大肠之募，胃经之穴，其分理水谷糟粕，清导一切淤滞，实有特效，以之气海相配，取气海振下焦之阳，以散群阴，取天枢调肠胃之气，以利运行，故擅治腹寒疝瘕奔豚肾阳失精阴缩，厥逆胀满痞痛气喘小便不利妇女转胞崩带月事不调等症，为虚劳羸瘦积寒痼冷之首法，较之天雄散肾气丸等方，犹且过之无不及也。

十五　中脘三里

经云阳明之上，燥气治之，燥者阳明之本气也，胃府禀此燥气，故能消磨水谷，若此燥气不足，则水谷停矣。太过则又为中消噎膈等症，燥气之关乎胃若如此，是法专理胃病，兼治腹中一切疾病，君以中脘者以中脘为六府之会，胃之募也，臣以三里者，正所以应中脘而安胃也，审其胃中虚寒，饮食不下，胀痛积聚，或停痰蓄饮者则补中脘即所以壮胃气散寒邪也，泻三里者引胃气下行，降浊导滞，而襄助中脘以利运行也，其或胃府燥化太过，消谷引饮食呕吐反胃者，则中脘亦可酌泻也，至于霍乱为病，总由夏秋之时，饮食不节，暑湿污秽扰乱中宫，以至清浊不分，阴阳混淆，上吐下泻，腹中疞痛而挥霍变乱，治之，先刺出恶血以去暑秽，然后补中脘以升清，泻三里以降浊，中气调和，阴阳接续，斯愈矣，再者胃病而兼有其他症疾者，兼治必须加减，如下元虚寒补气海，上焦郁气泻通谷，脏气微补章门，肠中滞泻天枢，或取上脘或去三里等是也。

十六　合谷三里

二穴居属阳明，一手一足，上下相应，合谷为大肠经原穴，能升能降，能宣能通，三里为土中真土，补之益气升清，泻之虚阳降浊，二穴相合，肠胃并调，升清阳下降胃气。虚弱纳谷不畅者，则补三里益合谷以升下陷之阳，俾胃气充而食自进，若湿痰壅塞，浊滞中宫，或畜食停饮，脘痞胀噫哕者，则泻三里引合谷下行以导浊降逆，斯中宫利而自畅矣，吾资调理中宫以宣通为胃腑立法，仗不诬也。

十七　三里二穴

五脏六腑，皆赖胃气以为营养，有胃气则生，无胃气则死，盖以胃为后天之本，水谷之海，主消纳者也，胃气盛则纳谷自畅，营养自周，否则脏腑失养而生气绝矣，夫胃者戊土也，三里者合土也，是三里为土中英土，胃之枢纽，后天精华之所根也，秦承祖云诸病皆治，盖又以胃为五脏六腑之海也，余取之以壮人身之元阳，补脏腑之亏损，凡寒气积聚之癥瘕，皆得而温之化之，湿浊瘀滞之壅胀亦得而燥之消之，至于升清降浊之功，导痰行滞之力，补中升阳等方不能抗美于前也。

十八　劳宫三里

劳宫属心包络，性清善降，功能理劳伤气滞，开七情郁结，尤能清胸膈之热，导火腑下行之路，与三里相合，大泻心胃之火，挫上逆之势，凡结胸痞闷呕吐干哕噫气吞酸烦懊嗜卧等症，无不效若桴鼓，用针者其勿忽诸。

十九　三阴交

李东垣治病以脾胃为主，宗之者颇不乏人，惟立方皆升提辛燥，与阴虚体质大相違背，自唐容川氏滋脾阴说倡兴以来，深得医林多数人之钦仰，盖脾阳虚馁运化失司，诚宜益气升阳，若脾阴枯槁，津液不行者，则温燥之法断乎不可尝试，而当滋阴润燥者也。考三阴交为肝脾肾三经之交会，故其补脾之中，间接可以补肝阴肾阳，是三阴交独有气血两补之功，不特为女科之主穴，亦为内伤虚劳杂病门中之主要穴也，其治腹泻痢疝瘕转胞崩带经闭绝嗣等证，较之理中建中八珍肾气等方，实不可同日而语也。

二十　隐白二穴

脾主运化，全赖阳气为之旋转，苟脾阳不运，则腹胀泻泄倦怠少气崩带等症作矣，东垣立补中调中升阳等方，即本此意，余取隐白亦复如是，缘隐白为太阴之根，补之大益脾气，升举下陷之阳，温散沉痼之寒，直如统驭中州之主帅，内伤虚劳门中之良相，所谓扶中央即可固四外也。

二十一　大敦

肝主筋，前阴为宗筋所聚，而足厥阴之经环阴器抵小腹，故诸疝皆属于肝，大敦为肝经井穴，余取其直接舒筋调肝去邪，寒则补之，热则泻之，兼风湿者加曲池委中，寒甚卵缩引小腹痛者阴包，见效后再取三阴交太冲行间中封蠡沟曲泉诸继之，即可痊愈，又若妇女寒疝下坠痛引小腹阴挺睾痛等症，与男子诸疝无异，故此法亦为对症，学者其细参也。

二十二　大椎内关

夫饮水邪也，水停于胸膈之间，气道壅塞，则作喘咳胸满吐逆等症，然水何以能停也，是又当责之于三焦，经云三焦者决渎之官，水道出焉，盖三焦即人身之油膜，水之道路全在油膜之中，人饮之水由三焦而下膀胱，则决渎通畅，水自无停留之患，如三焦之油膜不利，于是水道闭塞，气化不行而饮症作矣，此法大椎为督脉手足三阳之会，余取之以调太阳之气，气行则水自利也，内关为手厥阴心主之络，别走少阳三焦，余取之宣心阳以逐其群阴，利油膜以通其淤塞，则决渎畅而饮症自瘳矣，是说本自内经，参之唐氏，又与仲景青龙苓桂诸方吻合，其亦愚者之千虑一得欤。

二十三 内关三阴交

内关手厥阴心主之络，别走少阳三焦，故清心胸郁热，使从水道下行，配以三阴交滋养阴血，交济坎离，为阴虚劳损之要法，盖下焦之阴精一亏，则上焦之阳独亢，而骨蒸盗汗咳嗽失血梦遗经闭等症作矣，内关清上，三阴交滋下，一以和阳，一以固阴，阴阳和合，斯可滋生化育矣。

二十四 鱼际太溪

虚劳之病，现咳嗽吐血骨蒸潮热者，十居七八，皆缘近世之人，溺于酒色，沉于思虑，脾肾两亏，阴液枯涸，不能上滋心肺，以致上炎肺痿，柔金遭烁，遂酿损症，揆治大法，宜仿喻氏清燥救肺汤之意，清火热以减金刑，滋阴液以润肺燥，水火交济，子母相生，庶几有一线生机也，是取君太溪补水中之土，润燥而生金，臣鱼际泻金中之火，逐邪而扶正，谨肾者兼谨色慾，清肺者亦清酒伤，丝丝入扣，宜其屡奏奇功也。

二十五 天柱大杼

东垣曰五脏气乱于头者取之天柱大杼，不补不泻，以导气而已，旨哉斯言，夫膀胱者州都之官，气化所出，故扬周身之阳气，而名太阳经也，且有五脏之俞穴，皆在于背，是五脏之气，又皆通于太阳也，若天气乱于头者，则头晕目眩者有之，头胀者亦有之，治者当然以导气下行为定律。今考天柱大杼二穴，皆属足太阳经，而大杼更为督脉别络，手足太阳少阳之会，其能调理气机可知，至云不补不泻者，盖亦以气既乱矣，补之泻之，皆足以益其乱，故不必操之过急，但须得其头绪，徐徐导之，使循太阳经而下，则无紊乱之弊矣，再如风寒客于太阳之经，头项脊背强痛，是法亦所当用，惟邪之所在，势不得不行泻法，以舒经散邪也。

二十六　巨骨二穴

巨骨属于阳明大肠经，穴在肩端两叉骨罅中，刺之居高临下，宛如左右各树一铁压标号，且其性沉降，大能开胸镇逆，宣肺利气，举凡胸中痰滞及一切上逆之邪，均能推之使下，故为定喘之无上妙法，他如咳逆上气肝火上冲呕血吐血等症，亦能挫其上逆之势，急切收效也。

二十七　俞府云门

咳嗽喘息本至普通之症，而医治每多不效何也，一言以蔽之，要皆未彻底认识其标本原因也，夫咳嗽喘息，固是肺病，然近因也，标病也，其根本原因，固不在肺，而在肾也，以肾司收纳，冲脉又交于肾经，至脐中而散，若下元空虚，收纳失司，则肾阴之气，随冲脉上逆入胸，鼓动肺叶，故咳嗽而喘急也，今人不问来源，只知治肺，一味宣散清利，轻者或可取效一时，重则不啻隔靴搔痒，毫无所觉，良以肺部未及肃清，而冲气已复上逆，前仆后继，何若望咳止嗽宁喘定耶，余取此法，君俞府以降冲气之逆，理肾气之源，佐云门以开胸顺气，异痰理肺，标本兼施，则诸症悉愈矣。亦有阴火随冲脉上逆，以致胸中烦闷烦热呛咳者，此法亦有奇效，是又在学者之选择耳。

二十八　气海关元　中极子宫

方书求嗣之方，不胜枚举，而有应不应者何也，盖未得其癥结所在故耳。经云：女子二七天癸至，任脉通，太冲脉盛，月事以时下，男子二八肾气盛天癸至，精气溢泻。又云阴阳和故有子，夫惟其阴阳和始能有子，惟其女子月事以时下，男子精气溢泻，阴阳斯之调和，否则阴阳已不和则子嗣又乌从而得哉。是以求嗣之道，男子首在调精，女子首在经行，在男子有淫欲过度，阴精亏损，兼酒色淡者，亦有先天不足，肾气不充，精不注射矣，在女子则有经不调之外，更有子宫寒冷，胞门闭塞者，尤此等妇人无成孕之可能，求嗣之士，可知营眼之所在矣，余于男子之阳不和者，取气海以振阳气，取关元以滋阴精，盖以气海为男子生气之海，关元为三阴任脉之会，藏精之所也，其於女子之阴不和者，则取中极以调经，取子宫以开胞，盖又以中极亦为三阴任脉之会，胞宫之门户也，子宫二穴，在中极旁三寸，位居小腹，正当胞宫之处，胞宫亦今名子宫，此穴此名其义可知，补之者正所以暖胞開胞，俾其血接受孕也，育嗣之穴，固不止此，然苟能以此法此理融会贯通之，则求嗣之道，思过半矣。

二十九　合谷三阴交

二穴安胎堕胎之理，已详于针灸大成中，兹不再赘，兹所欲言者，不过引伸其义而已，夫三阴交补脾养血，固为妊娠要穴，然其安胎之功，尤赖乎合谷之清热也，何言之，徐灵台先生之言曰：妇人怀孕中一点真阳，日吸母血以养，故阳日旺而阴日衰，凡半产滑胎，皆火盛阴衰不能全其形体故也，又读叶天士先生胎得凉而安一语，益信其真，故昔贤安胎，皆至黄芩以清热也，脾主后天生化，故又佐白术以补脾而养胎也，再参之是法，合谷亦犹黄芩也，三阴交亦犹白术也，白术虑其燥而黄芩趋以平之，三阴交虑其温，而合谷亦泻以和之，是法与是方吻合有如此，且三阴交为三阴之会，中寓肝脾肾阳，能温补元气能滋阴者也，余常借用是法，取合谷以清上中之热，取三阴交以滋中下之阴，故凡阳亢阴亏上热下寒者，皆其宜也。

三十　少商商阳合谷

此三穴医宗多取以为喉科之主法，以其清肺泻热也，余因推广其用，以为儿科之主，以小儿稚体纯阳，内热最盛，肺为娇脏，首当其冲，且小儿卫气未充，感邪尤易，肺合皮毛，故儿症恒多咳喘逆发热，由是观之，余主此法，不无相当理由也，惟加减之法，他书未详，兹特分别述之，夫咽喉病症，固由内热郁结，然热有脏腑之殊，轻重之别，取之必须丝々入扣，方能有效，今是法仅太阴阳明之热，功力有限，故必再取关冲少冲中冲少泽等穴配之以竟全功，至小儿外感时邪，兼停食积滞以至吐泻者加四缝四穴，腹痛者加隐白厉兑大敦，热甚咳逆烦燥者酌加少冲中冲少泽，热极生风惊痫瘈疭目直乌青，或角弓反张者，必再取手足诸井十宣穴应之，若邪炽病危，险象丛生，诸治不效者，则必取水沟风府百会前顶素髎[illegible]脉涌泉昆仑身柱命门等穴尽取之，庶乃能挽回一二也，尤有进者此法不特儿科之主，即成人内热外感见症，先刺之出血，重者亦可见效，轻者能使立愈，余经此有素，裨益殊多也。

三十一　曲泽委中

二穴皆大经动脉所在，故能出血，为霍乱吐泻之妙法，其出血之能力，非只放出暑湿风热毒邪而已，他如暴绝厥逆阴阳气不相接续等闭症，亦有起死回生之功，盖邪之卒中于人也，内外为之闭绝，有如河道为淤泥阻塞，则水无去路，上下断隔，苟决以出口，则河流通行，淤塞自去也，且曲泽通于心，有清烦热涤邪秽之力，故尤心乱神昏，皆其所宜，委中位于下，有祛风湿解暑热清血毒之功，故善治泻痢，而于疖恶疮之未溃者，刺之出血即消，尤其特效也，惟金鉴针科以曲泽误为尺泽，未免差之毫厘，谬之千里，以尺泽亦为大经出血，亦无清心安神之可能也，甚有更误为曲池者，尤属风马牛之不相及，宜其付为笑柄也，至于加减之法，亦当审慎，如霍乱呕吐不止者可加金津玉液少商商阳合谷，心烦乱者加中冲少冲百会，不泻痢者去委中，如刺之后腹痛吐痢仍不止者，可再取中脘天枢三里留针以继之，始竟竟其全功也。

（十六）治疗歌诀

一 百症赋

百症俞穴，再三用心，囟会连於玉枕，头风疗以金针，悬颅颔厌之中，偏头痛止，强间丰隆之际，头痛难禁，原夫面肿虚浮，须仗水沟前顶，耳聋气闭，全凭听会翳风，面上虫行有验，迎香可取，耳中蝉鸣有声，听会堪攻。目眩兮支正飞扬，目黄兮阳纲胆俞，攀睛攻少泽肝俞之所，泪出刺临泣头维之处。目中漠漠即寻攒竹三间，目觉䀮䀮急取养老天柱，观其雀目肝气睛明行间而细推。审他项强伤寒温溜期门而主之，廉泉中冲舌下肿痛堪取。天府合谷鼻中衄血宜追。耳门丝竹空住牙疼于顷刻。颊车地仓穴正口喎于片时。喉痛兮液门鱼际去疗转筋兮金门丘墟来医。阳谷侠溪颔肿口噤并治，少商曲泽血虚口渴同施。通天去鼻内无闻之苦，复溜祛舌干口燥之悲，哑门关冲舌缓不语而要紧，天鼎间使失音嗫嚅而休迟。太冲泻唇㖞以速愈，承浆泻牙疼而即移，项强多恶风，束骨相连於天柱，热病汗不出，大都更接于经渠，且如两臂顽麻少海就傍于三里，半身不遂阳陵远达于曲池。建里内关扫尽胸中之苦闷，听宫脾俞祛残心下之悲凄。久知胁胁疼痛气户华盖有灵。腹内肠鸣下脘陷谷能平。胸胁支满何疗，章门不容细寻。膈痛饮蓄难禁，膻中巨阙便针。胸满更加噎塞，中府意舍所行，胸膈停留瘀血，肾俞巨髎宜徵。胸满项强神藏璇玑宜试。背连腰痛白环委中曾经。脊强兮水道筋缩，目瞤兮颧髎大迎，痉病非颅息而不愈，脐风须然谷而易醒，委阳天池腋肿针而速散。后溪环跳腿疼刺而即轻。梦魇不宁厉兑相谐于隐白。发狂奔走上脘同起於神门。惊悸怔忡取阳交解溪勿误。反张悲哭仗天冲大横须精，癫疾必身柱本神之令。发热仗少冲曲池之津岁热时行陶道復求肺俞理。风痫常发神道还须心俞宁。湿寒湿热下髎定，厥寒厥热涌泉清。寒栗恶寒二间疏通阴郄暗。烦心呕吐幽门开彻玉堂明。行间涌泉去消渴之肾竭。阴陵水分去水肿之脐盈。痨瘵传尸趋魄户膏肓之路。中邪霍乱寻阴谷三里之程。治疸消黄谐后溪劳宫而看。倦言嗜卧往通里大钟而明。咳嗽连声肺俞须迎天突穴。小便赤涩兑端独泻太阳经，刺长强於承山，善主肠风新下血。针三阴於气海，专司白浊从遗精。且如肓俞横骨，泻五淋之久积。阴郄后溪治盗汗之多出。脾虚谷以不消脾俞膀胱俞觅。胃冷食而难化，魂门胃俞堪责。鼻痔必取龈交瘿气须求浮白，大敦照海患寒疝而善蠲。

五里臂腨生疮而能治，至阴屋翳疗痒疾之疼多。肩髃阳溪消隐风之热极。抑又论妇人经事改常，自有地机血海。女子少气漏血，不无交信合阳。带下产崩，冲门气冲宜审。月潮违限天枢水泉细详。肩井乳痈而极效。商丘痔瘤而最良。脱肛趋百会尾翳之所，无子搜阴交石关之乡。中脘主乎积痢，外丘收乎大肠。寒疟兮商阳太溪验，痃癖兮冲门气海强。夫医乃人之司命，非志士而莫为。针乃理之渊微，须至人之指教。先究其病源，后考其穴道。随手见功，应针取效。方知玄中之玄，始达妙中之妙。此篇不尽，略举其要。

二　席弘赋

凡欲行针须审穴，要明补泻迎随诀。
胸背左右不相同，呼吸阴阳男女别。
气刺两乳求太渊，未应之时泻列缺。
列缺头痛及偏正，重泻太渊无不应。
耳聋气闭听会针，迎香穴泻功如神。
谁知天突治喉风，虚喘须寻三里中。
手连肩脊痛难忍，合谷针时要太冲。
曲池两手不如意，合谷下针宜仔细。
心疼手颤少海间，若要除根觅阴市。
但患伤寒两耳聋，金门听会疾如风。
五般肘痛寻尺泽，太渊针后却收功。
手足上下针三里，食癖气块凭此取。

鸠尾能治五般痫，若下涌泉人不死。
胃中有积刺璇玑，三里功多人不知。
阴陵泉治心胸满，针到承山饮食思。
大杼若连长强寻，小肠气痛即行针。
委中专治腰间痛，脚膝肿时寻至阴。
气滞腰疼不能立，横骨大都宜救急。
气海专能治五淋，更针三里随呼吸。
期门穴主伤寒患，六日过经犹未汗。
但向乳根二肋间，又治妇人生产难。
耳内蝉鸣腰欲折，膝下明存三里穴。
若能补泻五会间，且莫向人容易说。
睛明治眼未效时，合谷光明安可缺。
人中治癫功最高，十二鬼穴不须饶。
水肿水分兼气海，皮内随针气自消。
冷嗽先宜补合谷，却须针泻三阴交。
牙疼腰痛并咽痹，二间阳溪疾怎逃。
更有三间肾俞妙，善除肩背消风劳。
若针肩井须三里，不刺之时气未调。
最是阳陵泉一穴，膝间疼痛用针烧。
委中腰痛脚挛急，取得其经血自调。
脚痛膝肿针三里，悬钟二陵三阴交。
更向太冲须引气，指头麻木自轻飘。
转筋目眩针鱼腹，承山昆仑立便消。
肚疼须是公孙妙，内关相应必然瘳。
冷风冷痹疾难愈，环跳腰间针与烧。
风府风池寻得到，伤寒百病一时消。
阳明二日寻风府，呕吐还须上脘疗。

—224—

妇人心痛心俞穴、男子痃癖三里高、
小便不禁关元好、大便闭结大敦烧、
髋骨腿痛三里泻、腹满气滞便离腰、
从来风府最难针、却用功夫度深浅、
倘若膀胱气未散、更宜三里穴中寻、
若是七疝小腹痛、照海阴交曲泉针、
又不应时求气海、关元同泻效如神、
小肠气撮痛连脐、速泻阴交莫再迟、
良久涌泉针取气、此中玄妙少人知、
小儿脱肛患多时、先灸百会次鸠尾、
久患伤寒肩背痛、但针中渚得其宜、
肩上痛连脐不休、手中三里便须求、
下针麻重即须泻、得气之时不用留、
腰连胯痛大便急、必在三里攻其隘、
下针一泻三补之、气上攻噎只管住、
噎不住时气海灸、定泻一时立便瘥、
用针补泻分明说、更用接气本与标、
咽喉最急先百会、太冲照海及阴交、
学者潜心宜熟读、席弘治病名最高、

三　行针指要歌

或针风、先向风府百会中、或针水、水分侠脐上边取、或针结、针着大肠二间穴、或针劳、须向膏肓及百劳、或针虚、气海丹田委中寄、或针气、膻中一穴分明记、或针嗽、肺俞风门须用灸、或针痰、先针中脘三里间、或针吐、中脘气海膻中

丹田又名关元

—225—

"水"即水肿　"風"即中風　"劳"即積劳
"结"即大便秘结

补、翻食吐胃一般医、针中有妙少人知、

四 玉龙歌

扁鹊受我玉龙歌、玉龙一试绝沉疴、玉龙之歌真罕得、流传千载无差讹、我今歌此玉龙诀、玉龙一百二十穴、看者行针殊妙绝、但恐时人自差别、补泻分明指下施、金针一刺显明医、伛者立伸偻者起、从此名扬天下知、（伛者补曲池泻人中、偻者补风池泻绝骨、）

中风不语最难医、发际顶门穴要知、更向百会明补泻、即时苏醒免灾危、（顶门即囟会也、禁针、灸五壮、百会先补后泻、灸七壮、艾如麦大）

鼻流清涕名鼻渊、先泻后补疾可痊、若是头风并眼痛、上星穴内刺无偏、（上星穴、流涕并不闻香臭者泻、但得气补）

头风呕吐眼昏花、穴取神庭始不差、孩子慢惊何可治、印堂刺入艾还加、（神庭入三分、先补后泻、印堂入一分、沿皮透左右攒竹、大哭效、不哭难、急惊泻、慢惊补）

头项强痛难回顾、牙疼并作一般看、先向承浆明补泻、后针风府即时安、（承浆宜泻、风府针不可深。）

偏正头风难医、丝竹金针亦可施、沿皮向后透率谷、一针两穴世间稀、偏正头风有两般，有无痰饮细推观，若然痰饮风池刺，倘无痰饮合谷安，（风池刺一寸半透风府穴。此必横刺方透也，宜先补后泻，灸十一壮，合谷穴针至劳宫，灸二十七壮）。

口眼㖞斜最可嗟，地仓妙穴连颊车、㖞左泻右依师正，㖞右泻左莫令斜，不闻香臭从何治、迎香两穴可堪攻，先补后泻分明效，一刺未出气先通，耳聋气闭痛难言，须刺翳风穴始痊，亦治项上生瘰疬，下针泻动即安然，耳聋之病不闻声，痛痒蝉鸣不快情，紅腫生瘡须用泻，宜从听会用針行、偶尔失音言语难，哑门一穴两筋间、若知浅針莫深刺，言语音和照旧安，眉间疼痛苦难当，攒竹沿皮刺不妨、若是眼昏皆可治，更針头维即安康，（攒竹宜泻、头维入一分沿皮透两额角、痛泻、眩晕补）

两睛紅肿痛难熬，怕日羞明心自焦、只刺睛明鱼尾穴、太阳出血自然消。（睛明針五分、略向鼻中，鱼尾針透奥腰、即童子髎、俱禁灸）

眼痛忽然血贯睛，羞明更涩最难睁、须得太阳針出血，不用金刀疾自平、心火炎上两眼紅，迎香穴内刺为通，若得毒血出去后，目内清凉始见功、（内迎香二穴在鼻孔中、用芦叶或竹叶入鼻内出血为妙

227

不俞再针合谷）、

脊背强痛泻人中、挫闪腰酸亦可攻、更有委中之一穴、腰间诸病任君攻、（委中禁灸、四畔紫脉上皆可出血、弱者慎之）

肾弱腰痛不可当、施为行止甚非常、若知肾俞二穴处、艾火频加体自康、环跳能治腿股风、居髎两穴认真攻、委中毒血更出尽、愈见医科神圣功、（居髎头刺偏缩）

腿膝无力身立难、原因风湿致伤残、倘知二市穴能灸、步履悠然渐自安、（二市者风市阴市也，候先补后泻）。

髋骨能医两腿疼、膝头红肿不能行、必针膝眼膝关穴、功效须臾病不生。（膝关在膝盖下、横针透膝眼）。

寒湿脚气不可熬、先针三里及阴交、再将绝骨穴兼刺、肿痛登时立见消。（即三阴交）。

腿足肿红草鞋风、须把昆仑二穴攻、申脉太溪如再刺、神医妙诀起疲癃。（外崑针透内吕）。

脚背疼起丘墟穴、斜针出血即时轻、解溪再与商丘识、补泻行针要辨明、行步艰难疾转加、太冲二穴效堪夸、更针三里中封穴、去病如同用手抓、膝盖红肿鹤膝风、阳陵二穴亦堪攻、阴陵针透尤收效、红肿全消见异功、腕中无力痛艰难、握物难移体不安、腕骨一针虽见效、莫将补泻

—228—

寿两肩、两臂急痛气攻胸、肩井分明穴可攻、此穴原来真气聚、补多泻少应其中。（此二穴针二寸效、乃五脏真气所聚之处倘或体弱针晕、补足三里）。

肩背风气连臂疼、背缝二穴用针明、五枢亦治腰间疼、得穴方知病顿轻。（背缝二穴在背肩端下、直腋缝尖、针二寸、灸七壮）。

两肘拘挛筋骨连、艰难动作欠安然、只将曲池针泻动、尺泽兼行见圣传、（尺泽宜泻不灸）。

肩端红肿痛难当、寒湿相争气血狂、若向肩髃明补泻、诸君多灸自安康、筋急不开手难伸、尺泽从来要认真、头面纵有诸般症、一针合谷效通神、腹中气块痛难当、穴法宜向内关防、八法有名阴维穴、腹中之疾永安康、（先补后泻不灸、如大便不通、泻之则通）

腹中疼痛亦难当、大陵外关可消详、若是胁痛并闭结、支沟奇妙效非常、脾寒之症最可怜、有寒有热两相煎、间使二穴针泻动、热泻寒补病俱痊、（间使透针文津、如脾寒可灸）、

九种心痛及脾痛、上脘穴内用神针、若还脾败中脘补、两针神效免灾侵、痔漏之疾亦可憎、表里急重最难禁、或痛或痒或下血、二白穴在掌后寻、（二白四穴在

掌后去横纹四寸，两穴相对，一穴在大筋外，针五分、取穴用稻心从项后围至结喉取草打齐，当掌中大指虎口纹，双围转两筋头点到掌后背草尽处是、即间使后一寸郄门穴也，灸二七壮，针宜泻，如不愈灸骑竹马）。

三焦热气壅上焦，口苦舌干岂易调，针刺关冲出毒血，口生津液病俱消，手臂红肿连腕痛，液门穴内用针明，更将一穴名中渚，多泻中间疾自轻，（液门沿皮针向后透阳池）。

中风之症症非轻，中冲二穴可安宁，先补后泻如无应，再刺人中立便轻，（中冲禁灸、惊风灸之）。

胆寒心虚病如何，少冲二穴功最多，刺入三分不着艾，金针用后自平和，时行疟疾最难禁，穴法由来未审明，若把后溪穴寻得，多加艾火即时轻（热泻寒补）。

牙痛阵阵苦相煎，穴在二间要得传，若患翻胃并吐食，中魁奇穴莫教偏，乳鹅之症少人医，必用金针疾始除，如若少商出血后，即时安稳免灾危。(三棱针刺之)。

如今瘾疹疾多般，好手医治亦难，天井二穴多着艾，纵生瘰疬灸皆安。（宜灸七壮）

寒痰咳嗽更兼风，列缺二穴最可攻，先把太渊一穴泻，多加艾火即收功，痴呆之症不堪亲，不识尊卑枉骂人，神门独治痴呆病，转手骨开得穴真，连日虚烦面赤粧，心中惊悸亦难当，若须通里穴寻得，一用金针体便康。（惊恐补，虚烦泻，针五分，不灸）。

风眩目烂最堪怜，泪出汪汪不可言，大小骨空皆妙穴，多加艾火疾应痊。（大小骨空不针，俱灸七壮，吹之）。

妇人吹乳痛难消，吐血风痰稠似胶，少泽穴内明补泻，应时神效气能调。（刺沿皮向后三分）。

满身发热痛为虚，盗汗淋淋渐损躯，须得百劳椎骨穴，金针一刺疾俱除，忽然咳嗽腰背痛，身柱由来灸便轻，至阴亦治黄疸病，先补后泻效分明。（针俱沿皮三分，灸二十七壮）。

肾败腰虚小便频，夜间起止苦劳神，命门若得金针助，肾俞艾灸起邅迍，九般痔漏最伤人，必刺承山效若神，更有长强一穴是，呻吟大痛穴为真，伤风不解嗽频频，久不医时劳便成，咳嗽须针肺俞穴，痰多宜向丰寻。（灸方效）

膏肓二穴治病强，此穴原来难度量，斯穴禁针多着艾，二十一壮亦无妨，腠理不密咳嗽频，鼻流清涕气昏沉，须知喷嚏风门穴，咳嗽宜加艾火深，胆寒由是怕惊心，遗精白浊实难禁，夜梦鬼交心俞治，

白环俞治一般针（更加脐下气海两旁效）

肝家血少目昏花、宜补肝俞力便加，更把三里频泻动、还光益气自无差，脾家之症有多般、致成翻胃吐食难、黄疸亦须寻腕骨、金针必定夺中脘、无汗伤寒泻复溜、汗多宜将合谷收、若然六脉皆微细，金针一补脉还浮、大便闭结不能通、照海分明在足中、更把支沟来泻动、方知妙穴有神功、小肠胀满气攻心、内庭二穴要先针、两足有水临泣泻、无水不能病不侵、七般疝气取大敦、穴法由来趾侧间、诸经俱载三毛处、不遇师傅隔万山、传尸痨病最难医、涌泉出血免灾危、痰多须向丰隆泻、气喘丹田亦可施、浑身疼痛疾非常、不定穴中细审详，有筋有骨须浅刺，灼艾临时要度量、劳宫穴在掌中寻、满手生疮痛不禁、心胸之病大陵泻、气攻胸腹一般针、哮喘之症最难当、夜间不睡气遑遑、天突妙穴宜寻得，膻中着艾便安康、鸠尾独治五般痫，此穴须当仔细看、若然着艾宜七壮，多则伤人针亦难、气喘急々不可眠、何当日夜苦忧煎、若得璇玑针泻动、更取气海自然安、肾强疝气发甚频、气上攻心似死人、关元兼刺大敦穴，此法亲传始得真、水病之疾最难熬、腹满虚胀不肯消、先灸水分并水道、后针三里及阴交、肾气冲心得几时、须用金针疾自除、若得关元并带脉，四海谁不仰明医，妇人赤白带下难，只因虚败不能安，中极补多宜泻少，灼艾还须着意看，吼喘之症嗽痰多，若用金针疾自和，俞府乳根一样刺，气喘风痰渐々磨、伤寒过经犹未解，须向期门穴上针，忽然气喘攻胸膈，三里泻多须用心，脾泄之症别无他，天枢二穴刺休差，此是五脏脾虚疾、艾火多添病不加，口臭之疾最可憎，劳心只为苦多情，大陵穴内人中泻，心得清凉气自平，穴法深浅在指中，治病须臾显妙功、劝君要治诸般疾，何不当初记玉龙。

五 胜玉歌

胜玉歌兮不虚言，此穴杨家真妙传，或针或灸依法治，补泻应随々手拈，头痛眩晕百会好，心疼脾痛上脘先，后溪鸠尾及神门、治疗五痫立便痊，（鸠尾穴禁灸针三分、宋传灸七壮）。

髀疼要针肩井穴，耳闭听会莫迟延，胃冷下脘却为良，眼痛须觅清冷渊，（针一寸半不宜行经言禁灸宋传灸七壮）。

霍乱心疼吐痰涎，巨阙着艾便安然，脾疼背痛中渚泻，头风眼痛上星专，头项强急承浆保，牙腮痛紧大迎全，行间可治膝肿病，尺泽能医筋拘挛，若然行步苦艰难，中封太冲针便痊，脚背痛时商丘刺，瘰疬少海天井边，腹痛闭结支沟穴，颔肿喉闭少商前，脾心痛亟寻公孙，委中驱疗脚风缠，泻却人中及颊车，治疗中风口吐沫，五疟寒多热更多，间使大杼真妙穴，经年或变劳怯者，痞满脐旁章门决，噎气吞酸食不投，膻中七壮除膈热，耳内红肿苦皱眉，丝竹攒竹亦堪医，若是痰涎并咳嗽，治却须当灸肺俞，更有天突与筋缩，小儿吼闭自然疏，两手酸痛难执物，曲池合谷共肩髃，臂痛背痛针三里，头风头痛灸风池，肠鸣大便时泄泻，脐旁两寸灸天枢，诸般气症从何治，气海针之灸亦宜，小肠气痛归来治，腰痛中空穴最奇。（中空穴从肾俞穴量下三寸及开三寸是穴，灸十四壮，向外针一寸半，此即膀胱经之中髎也）。

腿股转酸难移步，妙穴说与后人知，环跳风市及阴市，泻却金针病自除，（阴市虽云禁灸，家传亦灸七壮）。

热疮臁内年々发，血海寻来可治之，两膝无端肿如斗，膝眼三里艾当施，两股转筋承山刺，脚气复溜不须疑，踝跟骨痛灸昆仑，更有绝骨共丘墟，灸罢大敦除疝气，阴交针入下胎衣，遗精白浊心俞治，心热口臭大陵驱，腹胀水分多得力，黄疸至阳便能离，肝血盛兮肝俞泻，痔疾肠风长强欺，肾败腰疼小便频，督脉两旁肾俞治，六十六穴施应随，故成歌诀显针奇。

六、杂病穴法歌

杂病随症选杂穴，仍兼原合与八法，经络原会别论详，脏府俞募当谨始，根结标本理玄微，四关三部识其处，伤寒一日刺风府，阴阳分经次第取（伤寒一日太阳风府，二日阳明之荥（即内庭）三日少阳之俞（即临泣）四日太阴之井日（即隐白）五日少阴之俞（即太溪）六日厥阴之经，（即中封）在表刺三阳经穴，在里刺三阴经穴）六日过经未汗，刺期门三里，古法也，惟阴症灸关元穴为妙。）

汗吐下法非有他，合谷内关阴交杵，一切风寒暑湿邪，头痛发热外关起，头面耳目口鼻病，曲池合谷为之主，偏正头疼左右针，列缺太渊不用补（左疼针右右疼针左）。

头风目眩项捩强，申脉金门手三里，赤眼迎香出血奇，临泣太冲合谷侣（眼肿血烂泻足临泣）。

耳聋临泣与金门，合谷针后听人语，鼻塞鼻痔及鼻渊，合谷太冲随手取，口噤喎斜流涎多，地仓颊车仍可举，口舌生疮舌下窍，三棱出血非粗卤。（舌下两边紫筋）舌裂出血寻内关，太冲阴交走上部，舌上生苔合谷当，手三里治舌风舞，牙风面肿颊车神，合谷临泣泻不数，二陵

—235—

二跷与二交，头项手足互相与，二井二商二三间，手上诸风得其所，手指连肩相引疼，合谷太冲能救苦，手三里治肩连脐，脊间心后称中渚，冷嗽只宜补合谷，三阴交泻即时住，霍乱中脘可入深，三里内庭泻几许，心痛翻胃刺劳宫，寒者少泽灸手指，心痛手战少海求，若要除根阴市睹，太渊列缺穴相连，能祛气痛刺两乳、胁痛只须阳陵泉，腹痛公孙内关尔，疟疾素问分各经，危氏刺指舌红紫。痢疾合谷三里宜，甚者必须兼中膂，心胸痞满阴陵泉，针到承山饮食美。（白痢合谷，赤痢小肠俞赤白痢足三里中膂俞）

泄泻肚腹诸般疾，三里内庭功无比，水肿水分与复溜，胀满中脘三里揣，腰痛环跳委中求，若连背痛昆仑武，腰连腿疼腕骨升，三里降下随拜跪，腰连脚痛怎生医，环跳行间与风市，脚膝诸痛羡行间，三里申脉金门后，脚若转筋眼发花，然谷承山法自古，两足难移先悬钟，条口针后能步履，两足酸麻补太溪，仆参内庭盘跟楚，脚连胁腋痛难当，环跳阳陵泉内杵，冷风湿痹针环跳，阳陵三里烧针尾，七疝大敦与太冲，五淋血海男女通，大便虚秘补支沟，泻足三里效可拟，热闭气闭先长强，大敦阳陵堪调护，小便不通阴陵泉，三里泻下溺如注，内伤食积针三里，璇玑相应块亦消，脾病气痛先合谷，后刺三阴针用烧，一切内伤内关穴，痰火积块退烦潮，吐血尺泽功无比，衄血上星与禾髎、喘急列缺足三里，呕噎阴交不可饶，劳宫能治五般痫，更刺涌泉疾若挑，神门专治心痴呆，人中间使祛癫妖，尸厥百会一穴美，更针隐白效昭昭，妇人通经泻合谷，三里至阴催孕始，死胎阴交不可缓，胞衣照海内关寻，小儿惊风少商穴，人中涌泉泻莫深，痈疽初起审其穴，只刺阳经不刺阴，伤寒流注分手足，太冲内庭可浮沉，熟此筌蹄手要活，得后方知度金针，又有一言真秘诀，上補下泻值千金。

七 杂病十一穴

攒竹丝竹主头疼，偏正皆宜何此针，更去大都除泻动，风池针刺三分深，曲池合谷先针泻，永与除痾病不侵，依此下针无不应，管教随手便安宁，头风头痛与牙疼，合谷三间两穴寻。更何大都针眼痛，太渊穴内用针行，牙疼三分针吕细，齿痛依前指下明，更推大都左之右，交互相迎仔细穷，听会兼之与听宫，七分针泻耳中聋，耳门又泻三分许，更加七壮灸听宫，大肠经内将针泻，曲池合谷七分中，医者若能明此理，针下之时便见功、肩背并和肩膊疼，曲池合谷七分深，未愈尺泽加一

——237——

寸，更於三间次节行，各入七分於穴内，少冲二府刺心经，穴内浅深依法用，当时蠲疾两之轻，咽喉从下至於脐，胃脘之中百病危，心气痛时胸结硬，伤寒呕哕闷涎随，列缺下针三分许，三分针泻到风池，二指三间并三里，中冲还刺五分依，汗出难来到腕骨，五分针泻要君知，鱼际经渠并通里，一分针泻汗淋漓，二指三间及三里，大指右刺五分宜，汗至如若通遍体，有人明此是良医，四肢无力中邪风，眼涩难开百病攻，精神昏倦多不语，风池合谷用针通，两手三间随后泻，三里兼之与太冲，各入五分於穴内，迎随得法有奇功、风池手足指诸间，右痪偏风左曰瘫，各刺五分随后泻，更灸七壮便身安、三里阴交行刺泻，一寸三分量病看，每穴又加三七壮，自然瘫痪即时安。肘痛将针刺曲池，经渠合谷共相宜，五分针刺於二穴，疟病缠身便得离，未愈更加三间刺，五分深刺莫忧疑，又兼气痛增寒热，间使行针莫用迟，腿胯腰疼痞气攻，髋骨穴内七分穷，更针风市兼三里，一寸三分补泻同，又去阴交泻一寸，行间仍刺五分深，刚柔进退随呼吸，去疾除根捻指功，肘膝痛时刺曲池，进针一寸是相宜，左病针右右针左，依此三分泻气奇，膝痛三寸针犊鼻，三里阴交要七吹，但能仔细寻此理，劫病之功在片时。

八　长桑君天星秘訣

天星秘訣少人知，此法专分前后施，若是胃中停宿食，后寻三里起璇玑，脾病气痛先合谷，后刺三阴交莫迟，如中鬼邪先间使，手臂挛痹取肩髃，脚若转筋并眼花，先針承山次内踝，脚气痠疼肩井先，次寻三里阳陵泉，如是小腸连脐痛，先刺阴陵后涌泉，耳鳴腰痛先五会，次針耳门三里内，小腸气痛先长強，后刺大敦不用忙，足緩难行先绝骨，次寻条口及冲阳，牙疼头痛兼喉痹，先刺二间后三里，胸膈痞滿先阴交，針到承山飲食喜，肚腹浮腫胀膨々，先針水分泻建里，伤寒过经不出汗，期门通里先后看，寒瘧面腫及腸鸣，先針合谷后内庭，冷风湿痹針何处，先取环跳次阳陵，指痛挛急少商好，依法施之无不头，此是桑君真口訣，时医莫作等闲看。

九　马丹阳天星十二訣

三里内庭穴，曲池合谷接，委中配承山，太冲崑崙穴，环跳与阳陵，通里并列缺，合担用法担，合截用法截，三百六十穴，不出十二訣，治病如神灵，渾如汤泼雪，北斗降真机，金鎖教开徹，至人可传授，匪人莫亂說。

239

三 里

三里膝眼下，三寸两筋间，能通心腹胀，善治胃中寒，肠鸣并泄泻，腿肿膝胻酸，伤寒羸瘦损，气蛊及诸般，年过三旬后，针灸眼便宽，取穴当审的，八分三壮安。

内 庭

内庭次趾外，本属足阳明，能治四肢厥，喜静恶闻声，瘾疹咽喉痛，数欠及牙疼，疟疾不能食，针着便惺々。针三分、灸三壮。

曲 池

曲池拱手取，屈肘骨边求，善治肘中痛，偏风手不收，弯弓开不得，筋缓莫梳头，喉闭促欲死，发热更无休，遍身风癣癞，针着即时瘳。针五分、灸七壮。

合 谷

合谷在虎口，两指歧骨间，头痛并面肿，疟病热还寒，齿龋鼻衄血，口噤不开言，针八五分深，令人即便安，灸三壮。

委 中

委中曲瞅里，横纹脉中央，腰痛不能举，沉々引脊梁，痠疼筋莫展，风痹復无挛，膝头难伸屈 針入即安康，針五分，禁灸。

承山

承山名鱼腹，腨肠分肉间，善治腰疼痛，痔疾大便难，脚气并膝肿，展转战疼痠，霍乱及转筋 穴中刺便安，針七分，灸五壮。

太冲

太冲足大趾，节后二寸中，动脉知生死，能医惊痫风，咽喉并心胀，两足不能行，七疝偏坠肿，眼目似云朦，亦能疗腰痛，針下有神功，針三分，灸三壮。

昆仑

昆仑足外踝，跟骨上边寻，转筋腰尻痛，暴喘满中心，举步行不得，一动即呻吟，若欲求安乐，须於此穴針。針五分，灸三壮。

环跳

环跳在髀枢，侧卧屈足取，折腰莫能顾，冷风并湿痹，腿胯连腨痛，转侧重欷歔，若人針灸后，顷刻病消除，針二分灸五壮。

阳陵

阳陵居膝下，外臁一寸中，膝肿并麻木，冷痹及偏风，举足不能起，坐卧似衰翁，針入六分止，神功妙不同，灸三壮。

通里

通里腕侧后，去腕一寸中，欲言声不出，懊恼及怔忡，实则四肢重，颔腮面颊红，虚则不能食，暴瘖面无容，毫针微々刺，方信有神功。针三分、灸七壮。

列缺

列缺腕侧上，次指手交叉，善疗偏头患，遍身风痹麻，痰涎频壅上，口噤不开牙，若能明补泻，应手即如拿。针三分灸七壮。

十　四总歌

肚腹三里留　　腰背委中求
头项寻列缺　　面口合谷收

十一　肘后歌

头面之疾针至阴，腿脚有疾风府寻。心胸有病少府泻。脐腹有病曲泉针。肩背诸疾中渚下、腰膝强痛交信凭。胁肋腿痛后溪妙，股膝肿起泻太冲。阴核发来如升大，百会妙穴真可骇，顶心头痛眼不看，涌泉下针定安泰。鹤膝肿痛难移步，尺泽能舒筋骨疼，更有一穴曲池妙，根寻源流可调停，其患若要便安愈，加以风府可用针。更有手臂拘挛急，尺泽刺深去不仁。腰背若患挛急风，曲池一寸五分攻。五痔原因热血作，承山须下病无踪。哮喘发来寝不得，丰隆刺入三分深。狂言盗汗如见鬼，惺惺间使便下针。骨寒髓冷火来烧，灵道妙穴分明记。疟疾寒热真可畏，须知虚实可用意。间使宜透支沟中，大椎七壮如至治，连日频频发不休，金门刺深七分是。疟疾三日得一发，先寒后热无他语。寒多热少取复溜，热多寒少用间使。或患伤寒热未收，牙关风壅药难投，项强反张目直视，金针用意列缺求。伤寒四肢厥冷，脉气无时仔细寻，神奇妙穴真有二，复溜二寸顺骨行。四肢回还脉气浮，须晓阴阳倒换求，寒则须补绝骨是，热则绝骨泻无忧。脉若浮洪当泻解，沉细之时补便瘳，百合伤寒最难医，妙法神针用意推。口禁眼合药不下，合谷一针效甚奇。狐惑伤寒满口疮，须下黄连犀角汤，虫在脏腑食肌肉，须要神针刺地仓。伤寒腹痛虫寻食，吐蛔乌梅可用攻，十日九日必定死，中脘回还胃气通。伤寒痞气结胸中，两目昏黄汗不通，涌泉妙穴三分许，速使周身汗自通。伤寒痞结胁积痛，宜用期门见深功。当汗不汗合谷泻，自汗发黄复溜凭，飞虎一穴通痞气，祛风引气使安宁。刚柔二痉最乖张，口禁眼合面红妆，热血流入心肺腑，须要金针刺少商。中满如何去得根，阴包如刺效如神，不论老幼依法用，须教患者便抬身。打扑伤损破伤风，先于痛必下针攻，后向承山立作效，甄权留下意无穷。腰腿疼痛十年春，应针环跳便惺惺．大都引气探根本，服药寻方枉费金，脚膝经年痛不休，内外踝边用意求，穴号昆仑并吕细，应时消散即时瘳，风痹痿厥如何治，大杼曲泉真是妙，两足两胁满难伸，飞虎神灸七分到。腰软如何去得根，神妙委中立见效。

十二　八会诀

脏会章门，筋会阳陵，髓会绝骨，血会膈俞，骨会大杼，脉会太渊，气会膻中，腑会中脘。

（十七）分门取穴

一　气

大椎调和阳气．　天柱理气治气乱于头．
肩井镇肝降逆气。巨骨开肺降逆气．
天突降气。　气户利气
中府理肺利气，　云门开胸降气．
俞府开胸降冲气．中脘升清降浊利气．
彧中开胸降冲气．气海振阳气利气．
膺窗理肺行气　曲池行气
合谷升气降气行气重气．
三里升气降气调气．

隐白升阳气。 復溜固卫气而阴气收肖气。
阳陵泉行气导滞。 公孙运脾气。
气逆气海尺泽商邱太白三阴交针之。
短气针大陵尺泽，灸大椎肺俞神阙肝俞鱼际。
上气太冲灸之。噫气上逆太渊神门针之
少气间使神门大陵行间然谷至阴少冲足三
里下廉肝俞或针或灸。

二 血

三阴交通经行瘀清血生血凉血固血。
太冲通经行瘀养血凉血。 委中清血。
曲泉清血凉血养血。 行间行瘀破血结。
膈俞下血 曲池行血
交信调经血 间使行血
衄血不止灸囟会上星大椎针委中合谷内庭
三里照海。
衄血吐血下血隐白大陵神门太溪针之。
吐血针风府大椎上 中脘气海关元三里或
灸大陵。
呕血上脘大陵曲泽神门鱼际针之
大便血大便出血数斗者肠胃伤也灸肠俞。
咳血列缺三里肺俞百劳孔最风门。
虚劳吐血中脘肺俞三里灸之
口鼻出血不止上星灸之。
下血不止灸命门七壮

三 虚

气海补气振阳益肾精．　关元固下元益精气．
中极益精补气血　　　曲骨补真气益精．
章门补五脏益气血　　中脘振阳益胃补六腑
三里益胃补气血　　　上廉益胃
解溪益胃．三阴交补三阴壮阳益精生气血．
阴陵泉补血滋阴益气血固精．
地机补脾益阴精．　　公孙补脾中适脾阳．
隐白补脾益气升阳　　涌泉补肾益精滋阴．
然谷益肾振阳　　　　水泉益肾阴
太溪益肾振阳滋阴．　照海益肾阴
复溜补肾气滋阴兴阳固精．交信补肾滋阴．
阴谷益肾阴　　　　　曲泉养肝补血
蠡沟益肝　太冲养肝血　　太渊润肺

四　实

神门少冲通里俱泻心．然谷太溪俱泻肾
大陵劳宫内关曲泽中冲俱泻心包络．
公孙商丘俱泻脾　　　上脘泻胸膈．
阳陵泉泻胆通大便，　行间大冲蠡沟中封俱泻肝．
关元泻膀胱　　　　　肺俞列缺尺泽少商俱泻肺
中脘泻腑导滞　　　　三里泻胃降浊．
外关支沟关冲俱泻三焦　丰隆泻胃祛痰通大便．

五　寒

中脘温中暖脐治胃寒及腹中一切寒冷
气海治腹中一切寒冷温中下焦．
关元温下焦暖子宫　　章门治脏寒积聚．

归来治下元寒冷寒疝，三里治胃寒腹中寒冷，
三阴交温中下治血寒一切寒冷
公孙理心腹寒　　阳陵泉温中焦理脾寒
隐白温脾壮阳理中下寒，曲泉理血寒腹中寒冷
然谷温下元助肾火，　列缺理肺寒
大椎发表寒　　　　后谿发表寒
大敦温肝暖下元治寒疝

六　热

神门通里少府俱清心热
内关清心包利火解胸中热，大陵清心胸热，
尺泽鱼际肺俞俱清肺热　　风门清胸背热。
上星清头目鼻中热，大椎中冲命门退身热。
丝竹空清头目热，　曲池清气血表里及头
合谷清气分及头面诸窍之热，　目诸窍之热。
支沟清三焦热，　　阳陵泉降肝胆热，
悬钟清三焦及头热。大椎清表热，
后谿清表热，　　　劳宫清心经热
百会清头部热，　　三阴交清心热平肝热
三里清胃热肺热。　上廉清肠胃热。
丰隆降肠胃热及痰热，解谿清胃热。
天枢清大肠热　　　上脘清心胃热
曲泽出血清血闷心伤暑热用三棱针
委中出血清血热大肠膀胱热，
金津玉液出血退心胃热、肩髃退四肢热

七　风

风府搜周身内外游走风外感风邪，
风池治头风外感风邪、风门治腰背风
风市治腰腿风，肩髃搜经络之风主周身四肢，
曲池搜周身风邪，百会治暴中风头风
水沟治暴中风头面风邪，八风治腿脚风邪
八邪治手臂风邪，环跳搜经络之风主四肢，
阳陵泉舒筋利节搜四肢风，委中治腰腿风，
三里搜四肢风，三阴交搜中风主四肢周身，

八　湿

三里燥湿去湿
上廉祛湿燥湿
委中利湿
昆仑行湿
内关利湿
然谷利湿
曲池行湿
中脘燥湿化湿
下廉祛湿
三阴交化湿行湿
悬钟祛湿
太溪利湿
阳陵泉行湿
阴市祛湿
复溜化湿

九　汗

多汗针少商列缺曲池涌泉然谷冲阳大敦鸠尾，
虚汗针合谷灸复溜足三里阴郄曲泉照海阴陵
盗汗针阴郄灸肺俞中极（脐下四寸，旁开二寸）
黄汗针合谷曲池足三里阴陵泉脾俞三焦俞
中脘人中，

十　腫

—248—

面肿灸水分气海针迎香合谷
面目臃肿刺内血络及陷谷多刺出血
颈肿针合谷曲池，腋下肿针阳辅丘墟临泣，
浑身卒肿面浮洪大针曲池合谷三里内庭行间三阴交，
四肢面目浮肿针照海人中合谷三里绝骨曲池中脘腕骨脾俞三阴交
四肢及面目胸腹背浮肿灸水分气海百壮。

十一 积

脐上有积块针上脘大陵足三里灸上脘心俞，
左胁下有积块灸中脘章门肝俞行间
胃脘中有积块灸痞根（在十三椎横开三寸）脾俞中脘内庭足三里隐白商丘行间，
右胁下有积块灸巨阙期门经渠肺俞，
少腹有积块灸关元间使太冲太溪三阴交肾俞

十二 痛

头项痛针通天百会风池完骨大杼后溪
脊膂强痛针人中，背痛灸肩井膏肓
肩背痛针三里肩髃天井曲池阳谷，
脊膂浑身痛针哑门　胁与脊引痛针灸肝俞，
背痛连胛五枢昆仑悬钟肩井胛缝，
心痛引背京骨昆仑然谷委阳，
缺盆痛针灸太渊商阳足临泣，
九种心痛针灸间使灵道公孙太冲足三里阴陵泉巨阙
卒心痛针灸然谷上脘气海涌泉间使支沟足三里大敦独阴。

胁痛 针灸悬钟窍阴外关三里支沟章门中封阳陵行间期门阴陵。

胁引胸痛不可忍 针灸期门章门行间上巨虚涌泉支沟胆俞。

腹痛 内关支沟照海巨阙足三里。

脐腹痛 阴陵太冲足三里支沟中脘关元天枢。

小腹急痛不可忍 灸独阴五壮。

小腹疝痛 灸独阴大敦三阴交。

腰痛 针委中出血灸肾俞环跳大都昆仑。

腰痛不可俯仰 针人中环跳委中昆仑。

（十八） 治疗各论

一. 脑神经系疾患

（一） 脑溢血 中风 卒中

原因：本病从头部之充血，郁血、血管之疾病等而来之脑疾患，皆起脑动脉之病的变化，因血管脆弱之病变，致小动脉破裂，而有脑髓内出血之疾患，就中以发生于脑动脉之粟粒动脉瘤为最频繁；此病老人最多，因年高有血管之自然变化也，壮年亦常见之，而以酒精及铅中毒梅毒，痛风，心脏瓣膜病，肾脏炎、肥胖症等起循环障害为本病之诱发，其他如愤怒、劳责、等之精神感动，身体之剧动，饱食暴饮，温浴等致血行亢盛亦为本病之诱因，又体质肥满、短颈，颈短之多血人即名卒中质者，易患此病，亦有因遗传之关系而来者。

症候：本病有先发前兆者，亦有并无前兆、卒然而来、陷于不省人事，卒然而倒者，此名卒中发作，其前驱症为头重，头痛、眩晕、眼火闪发，耳鸣、精神兴奋，不眠、一时性言语障害等，因而知觉障害运动障害。

卒倒之患者，神识之失，陷于昏睡，感觉知觉及反射机能完全消失，瞳孔不散大而缩小，其反应迟钝，呼吸深长而带鼾声，颜面往往潮红，脉搏大而弦、紧数不整，且结代，此时除呼吸及心动可认识外，殆与死者无异，而常来尿屎之失禁。

又于发作中欲诊定何方面麻痹实属难能，其麻痹方面之皮肤，以反射作用消失，得略略认知之。如斯卒中发作之持续，长短甚异，或数时间即终局，或亘数日之长，轻者于一定时日后，次第醒觉，但重度者因心脏麻痹竟致于死，此称之为电击中风，此病即使偶觉醒，患者呈现显着之不安而来体温升腾至于颓废症状。即残留性病灶症候。

颓废症状于发作后来半侧运动麻痹，其出血病灶，多来于内囊附近，致身体半侧之麻痹，即发他侧之偏瘫。而来颜面神经上肢及下肢之麻痹，又时时随伴以知觉症状，或舌下神经之麻痹，后大回复，其他因舌及颜面之不全麻痹采口角下垂之言语障碍，咽下困难、如斯诸症状，经过一定时间而渐次消失。仅不过遗留其一部份、尤以壮年者被侵之场合，因运动而卵可回復，而下肢之麻痹较上肢为轻，且易缓解。

疾病已久，则追随而发续发之变性、来麻痹侧之筋之短缩，手指曲屈，前下膊及腿亦短缩曲屈，是所谓半身不遂性位置，而病侧之腱反射，尤以膝盖腱反射，每常亢进。

治疗：1.形寒发热，身重疼痛，肌肤不仁，筋骨不开，头痛项强，角弓反张者，针合谷曲池阳辅阳陵内庭风府肝俞。2.中风四肢麻痹不仁者针肘髎上廉鱼际风市膝关三阴交。3.全身不能动疼痛甚者针少商少商尺泽委中出血，针合谷曲池肩髃阳陵绝骨昆仑环跳人中。4.口眼喎斜灸地仓颊车人中，斜向左者，针灸右面。5.半身不遂及左瘫右痪。百会合谷（先针无病一边后灸有病一边）曲池肩髃手三里昆仑绝骨阳陵泉环跳足三里肝俞。6.手拘挛或麻木，手三里肩髃曲池曲泽间使后溪合谷。7.足拘挛或麻木，行间丘墟昆仑阳辅阳陵泉足三里。8.口禁不开，灸颊车百会人中。9.痰涎上壅，灸关元气海百会。

（二）脑贫血　血虚

原因：本病因俄然多量之出血，或血液集注脏器之协合，例如因大出血产后及剧甚之下痢，或心脏衰弱，脑之血液输导障害，以及脑血管之挛缩，精神之感动、大动脉瓣孔狭窄等而来。

症候：急性症颜面苍白，流冷汗，四肢厥冷，重听耳鸣、心悸亢进，心窝觉苦闷，而发恶心呕吐，视力减退而黑暗，神识朦胧，而至卒倒者，此称之曰失神，此际或发全身之挛痉，发作时间数秒乃至数分，大多能醒觉，亦有延致死者，此种情形，可称神经性卒中，但失神中其反射器官能消失，瞳孔散大、脉搏细少不整。

慢性贫血症发于各种之贫血，及数回出血之协合，头重头痛，眩晕、耳鸣、及眼火闪发，视力并记忆力减退，不眠幻觉等，因之而来，甚致卒倒，又小儿因顽固之下痢的结果，亦呈脑贫血病状。

治疗：1.头眩晕而呕：针内庭丰隆中脘风池解谿灸风池上星神庭百会。2.头眩晕，针申脉足三里灸风池上星前谷足三里后顶脑空百会。3.头晕目赤：针攒竹丰隆风府。

（三）癫狂痫

原因：本病伴以人事不省，起于发作

性之全身痉挛，初发于七岁乃至二十岁之间，而来于遗传的疾患者亦不少，其他从酒精中毒，妊娠时母之精神感动而发者亦多，而头部之外伤及传染病等，亦为本病之原因，又有从耳内异物，耳炎龋齿，肠寄生虫生殖器疾患而来者。

1.癫。

症候：或哭或歌或悲或泣语言颠倒，秽洁不知，精神恍惚如醉如痴，时轻时剧。

治疗：针人中少商隐白大陵申脉风府颊車承浆劳宫上星会阴曲池舌下中缝出血。间使后谿或灸心俞三四壮。喜笑无时：针人中阳谿列缺神门大陵。呆而不灵：灸少商心俞针神门溥象中脘。多悲泣：灸百会大陵针人中。

2. 狂

症候：喜怒无常、歌泣无时，妄言妄詈自高自夸，少卧不饥，两脉多滑大，登高而歌，弃衣而走，踰墙上屋等。

治疗：针人中少商隐白大陵申脉风府颊車承浆劳宫上星会阴曲池舌下中缝出血，间使后谿。

3. 痫

症候：发时卒然眩仆，瘈疭抽搐，目上视，口眼㖞斜，口吐涎沫，忽作五畜之声，皆不知人事移时即醒，有一月数发或数月一发，两脉缓结，分作五痫：

治疗：羊痫：吐舌目瞪，声如羊啼，灸天井巨阙百

—254—

会神庭大椎涌泉。牛痫：直视腹胀，灸鸠尾大椎间使涌泉。猪痫：如厂厥吐沫，针昆仑仆参涌泉人中，灸劳宫百会率谷腕骨间使少商。鸡痫：善惊反折手挛自摇，针金门灸灵道足临泣内庭。马痫：张口摇头反张，灸仆参风府神门金门百会神庭。

五痫吐沫、灸后谿神门少商间使心俞，目黑眼上视昏不识人，灸囟会行间巨阙，状如鸟鸣心闷不喜闻语，灸鸠尾。注意：（凡灸痫必须先下之，乃可灸，不然则气不通，能杀人，针则不拘）

（四）不眠 失眠

原因：思虑过度，神经兴奋，及为惊惕畏恐，多思、终夜不寐。

症候：辗转不寐，心烦焦急，善惊恍惚。

治疗：针太渊公孙隐白肺俞阴陵泉三阴交。

（五）三叉神经痛 颜面痛

原因：主因为寒冒、麻拉利亚梅毒等。其他因头盖之骨膜炎，齿牙之疾患，口腔耳及鼻疾患等。系往往来反射性的疾患等官能象歇斯的里等之症合亦有发者。

症候：本病常来于偏侧，尤于其第一枝上眼窝神经为多，其疼痛发作经常甚猛烈，往往颜面知觉过敏及知觉麻痹并发痉挛 睑眼痉动神经及分泌系障害（颜面皮肤及粘膜苍白或潮红，流液流涎，唾液分泌旺盛。）又因神经枝而异，第一枝名眼神经痛或前头神经痛，其疼痛在前额眼球上眼等。压痛点在前头骨之上额窝孔。

第二枝名上颚神经痛，发于上颚神经之区域者为多，其疼痛在下眼睑上唇颊部鼻翼上颚齿等，压痛点在下眼窝下。

第三枝名下 神经痛，其痛在下颚及下齿列，下唇颐部颊粘膜，时々波及于舌，压痛点在颚骨之前颚孔。

治疗：针合谷曲池颊车地仓承浆肩髃童子髎翳风。

（六） 常习头痛

原因：本病从脑疾患急性传染病，贫血症所来，与所谓症候的头痛者有异，系于独立的，有比较的频繁之疾患。

本病起于三叉神经及大小后头神经为头盖内之神经痛，本来之神经未知，其补助原因为脑之过劳头部充血，神经衰弱，精神亢奋，不眠，贫血，中毒，肠胃之疾患，寒冒等，又体温急急上升时，亦多伴以头痛。

症候：疼痛之所在，在前头部后头部颅顶部，颞颥部，或头部全体，或限于一局部，其性状甚多，或如裂，或如灼，或如刺，或如压重而感不快，疼痛之持续者甚希，大多时时一进一退，患者之头部知觉过敏，嫌忌就业，恶心呕吐，食思不振，思考力减退，遂致陷于忧郁，不耐精神作业。

治疗：颅顶痛，针上星风池百会天柱少海。正头痛：针上星前顶百会合谷丰隆崑崙侠谿。额角眉棱痛：攒竹合谷神庭头维解谿。偏头痛：头维丝竹攒竹风池前顶上星侠谿液门。

（七）坐骨神经痛、腰痛

原因：本神经痛极多存在之所，因寒冒外伤过劳，骨盆内之肿瘤等之压迫而易发，其他亦有从麻剌利亚梅毒关节偻麻质斯、淋疾糖尿病风痛中毒脊髓痨及便秘等而发者，以廿岁至六十岁之男子为多。

症候：本病之疼痛，其始发自腰部，大多发自臀部之坐骨神经之派出部，沿大腿及大腿之后面而波及于足跟，亦有沿下腿前侧腓骨神经而波及足蹠者，其疼痛大抵在该神经之全路一致，有时限局于上部或下部，此疼痛之发作，尤甚于夜间，而有持续性，发时如灼如裂如绞痛不能忍，刺痛大多从上方散放于下方，因下之运动压迫及冷更增剧，或因喷嚏咳嗽等而诱起其发作。

本患者因患侧之劢作或欲减轻其疼痛因而倾斜体躯，则来脊髓之侧湾，亦往往有患部呈轻度之知觉异状，筋肉痿削，或不全麻痹等。本病之压痛点，在坐骨結节与大转子之间，大腿后面之中央，膝膕窝（胫骨神经）腓骨小头之直下，腓骨神经等。

治疗：针委中环跳大都崑崙委肾俞。

（八）关节神经痛

原因：多发于贫血或歇斯的里，或以关节之外伤，泰旨生殖器疾患等为诱因、大概男子多于女子。

症候：本病于关节呈神经痛样之发作性疼痛，大多侵于膝关节及股关节。其疼痛之性状如引如裂如刺，放散于上方或下方，且起筋肉痉挛，皮肤知觉过敏，轻压之发疼痛，强压之却缓解，伸展患下觉疎涩劢。本病若永持续，则来之痿削。

本病误认为关节炎，然其异点，则肿胀缺如，疼痛不定，因之精神状态紫影响或意志他转；若加压迫于关节，则不感疼痛。

治疗：膝眼阳陵泉环跳绝骨。

（九）脊髓痨

原因：本病不问其为先天性或后天性

，总之梅毒为本病最频繁之原因，其他有从脊髓之外伤寒冒，精神过劳房事过度，频回之分娩及急性传染病等而发者，尤以三十岁乃至四十岁之男子为多。

症候：本病系脊后索即知觉道起灰白性变性，此疾患特异之症候有如下三期之区别：

第一期：名神经痛期，下肢起神经痛样之疼痛，膝盖腱反射消失、躯干许带状感觉，因而视神经萎缩，瞳孔起变化，视力起障害膀胱及直肠器械等亦见障害。

第二期：名运动失调期，此期中下肢渐次起共同运动之障害，致步行困难，又闭目直立，身体有动摇倾侧之倾向。

第三期：名截瘫期：下肢完全麻痹，不能步行，致常卧褥而生褥疮，膀胱直肠，及生殖器起障害，或发闭尿便闭，或二便失禁，生殖器障害，尤以男子为多，往往因色欲亢进之后，陷于阳萎。

其他内脏发症，为胃肠及肾脏等所疼痛，又呼吸系困难，常々累及关节之肿胀。

治疗：腰俞阳陵绝骨大杼承山昆仑太冲中封曲泉环跳。

（十）神经衰弱

原因：最频繁之原因为精神过劳，手淫及房事过度，滥用酒精等，亦为其原因，其他如肠窒扶斯或感冒梅毒慢性消化器病及慢性生殖器病等为诱因。

症候：本病之特徵为神经器微之异常亢奋，且易疲劳，即头重头痛眩晕耳鸣，眼火内发，视力减弱，心悸亢进不眠多梦，嫌忌就业，记忆力减弱，患者遇有小事，极异常愤怒，易于变心，或忽忽而易流于悲哀。

又患者易陷于恐怖状态，往往在通行之场所，而时怀不测之恐，发此者名恐怖症，又有忌河流者曰恐河症，总之对于事事物物，均起恐惧之观念，甚至来神经衰弱症性癫狂。

其他为内脏障害，即心动疾速或迟徐，或起神经性消化不良，腹鸣敷溺便通不止，轻度之身体运动，即觉心窝苦闷，时呼吸短促，或来骨骼筋肉之麻痹或痉挛，倘有一种系从手淫暴行而起者，则来早时射精、遗精、阴萎等症。

治疗：神门足三里百会涌泉合谷关元膏肓俞肺俞大椎。

二、消化器疾患

（一）舌病

原因：因匠豚心火盛，或伤寒热毒。

症候：舌干无沛，舌破出血。舌疮糜烂，舌强难言，重舌则舌下焮瘇如舌状。木舌则舌瘇满口而语謇。舌卷舌急。舌纵不收。

治疗：舌干——廉泉刺出血。舌疮——针承浆人中合谷金津玉液委中后谿。舌强——针哑门少商鱼际中冲阴谷然谷。重舌——针十宣金津玉液合谷劳宫人中海泉。舌出血——针内关太冲三阴交。舌瘇难言——针廉泉金津玉液天突风府然谷。舌卷——针液门二间，舌纵不收——针阴谷风府。舌急不能伸出——针哑门。

（二）扁桃腺炎、喉痹

原因：春秋二季凉温之候，多往往起因于寒冒。亦有渐渐流行者。

症候：急性症其初恶寒疼痛，舌上现厚苔，有热候、咽头部感干燥及瘙痒、扁桃腺肥大赤肿，咽嚥下困难，甚至两侧相接触，致呼吸困难。此种大者在一侧之时，则压排于他侧，此病又有从咽头如蚕儿诱发者。本病又名咽头狭窄。

慢性症渐次发生各急症之微候，起扁桃腺之肥大，时时发痉挛状之咳嗽，放鼻声，或咽头壁起而妨嚥下或从急性而转。

治疗：针颊车少商经渠合谷丰隆涌泉关冲中渚太谿天突尺泽。

（三）耳下腺炎、骨槽风

原因：本病多系春秋二季温润之候所来之流行性。名流行性耳下腺炎。其传染病原尚属未知。又有因室扶斯猩红热颜面丹毒续发者，名续发性耳下腺炎。

症候：流行性耳下腺炎有头痛及轻发热之前兆。然后耳下腺部疼痛肿胀。面貌变常态。头倾患侧，而肿起甚在颊部及颈部蔓延增大，唾液之分泌旺盛而有舌苦，食思缺乏。且常疼痛。咀嚼感困难。二、三日后波及于他侧，又大肿起——渐至化脓。

治疗：手足之后跟赤白肉接界各灸五十壮，即女膝穴。

（四）食道狭窄，膈食

原因：食道狭窄，汉法医称膈噎，原因从食道瘢痕而来者最多，又有因异物之嵌入。患烟喉灼后瘢痕收缩，食道痉挛。或者食道周围因大动脉瘤，心囊炎。横隔膜肿疡等之压迫而来者。

症候：其初所硬物嚥下之困难，只能取液状之食物。其后狭窄愈甚，虽流动物亦不能嚥下，甚致时时伴以疼痛，此狭窄性嚥下困难，因食物摄取之不全，渐次呈饥饿之状态，其狭窄之上部，发生憩息之症状，斯时患者甚形羸瘦，颜面苍白。呈一见而知有疾患之状态，此症候渐渐增进，终以死亡。

治疗：1.胃脘胀满，呕吐清水，四肢厥冷，食不得入，针中脘足三里公孙，灸膻中膈俞中脘足三里公孙血海。2.胃脘灼甚，口苦舌燥烦渴不安食入则吐，针内庭阳辅然谷阳陵太白大陵膈俞大肠俞。3.中脘满痛、痛引背脊、胸间气逆，食不得入，针中脘膻中气海列缺内关胃俞三焦，灸膻中气海胃俞三焦俞。

（五）神經性胃痛

原因：精神过劳，睡眠不足，时间不规则等，及其他多少遗传性之倾向。

症候：食欲不振，胃部有不快之疼痛，全身倦怠，感胸至腹胀，嗳气嘈杂等、精神易兴奋，大便秘之倾向，往往三四日一便，大多质硬而量不充分，症状进步则来恶心呕吐，身体渐次衰弱。

治疗：针足三里中脘内关。

（六）胃炎

原因：为暴食暴饮——不消化物、腐败物，或寒热过度之物——其他各菌中毒，肠炎波及外伤等，又或有急性热性病之前驱症。

症候：发微热，头痛，睡不安，四肢

疲倦，舌苔、无味，嫌食消渴，嗳气吞酸恶心呕吐，胃痛，胃部痞满，上腹膨而下痢或便秘，尿量减少等诸症。

治疗：胃俞公孙内关足三里。

（七）胃溃疡、胃出血

原因：本病因血行障害于胃粘膜之一部，其部之胃液因其组织蚀损，多于胃之后壁，发生圆形之溃疡，而胃部之外伤，过热之食饵，贫血、肺结核、梅毒等为诱因。

症候：本病之发大概缓慢，迅速为少，本病必发之症候为猛烈之胃痛及呕吐，尤有吐血，胃痛多在食后渐次发作，若按压胃部则觉疼痛，舌呈赤色，食欲不振，食味变化，或胃痛不可食，食后忽发呕吐，不后忽然吐血，血液之血暗红，与食物并吐出，若出血之量多，则来头痛晕眩，心悸亢进，面色苍白，脉细少，失神烦闷，其次必来暗褐色之粪便，及卒然眩晕卒倒，内部出血之微，若泄血便，初可知为胃出血。

胃壁溃疡而穿孔，则发腹膜炎，疼痛甚剧、呕吐、鼓胀、颜色憔悴、脉细少，至陷于衰弱。

治疗：针灸除尺泽支沟隐白太谿神门肺俞脾俞肝俞及肺俞肝俞脾俞。

（八）神經性消化不良

原因：神經衰弱、歇斯的里等最多，其他因吸烟饮酒、多食及腺病精神过劳等而发。

症候：食后觉胃部压重，好辛鹹物，发嗳气嘈雜，恶心呕吐，或在空腹时感疼痛祥之不快，全身倦怠，漸々呈头痛眩晕、心窝苦闷，心悸亢进，不眠，成精神之抑忽，本病于胃中仅食物的消化困难，於胃之器质並无变化，不过胃之运动性器能减弱而已。

治疗：手足三里胃俞脾俞上脘中脘下脘。

（九）胃痙挛

原因：从胃自身之疾患而起，其他因神經衰弱脊髓痨脑膜炎。官能的神經系疾患，或酒精咖啡茶烟草等之吸收，刺激胃神經而起，而从子宫疾患，月經不调，卵巢疾患等反射的来者尤为频数。

症候：本病之主徵，胃部有烈甚之疼痛，如切如絞，又以觉疼痛如刺者为多，屈上体则往往放散于左胸部、左侧肩胛部，其甚时流汗，手足厥冷，有时陷于人事不省，发作之持续亘一二分时乃至数时间，渐次缓解发嗳气呕吐，疼痛全止，再本病之特性，如加强压于胃部，则可緩解疼痛。

治疗：针中脘灸脐中曲门挟阴天枢。

（十）神经性呕吐

原因：从脑溢血。脑膜炎脊髓痨等神经之脑脊髓疾患即中枢的作用併发，或于胃中受血液之刺激，及胃中被外压中毒而起，又有因咽头之刺激、腹膜炎、妊娠女子生殖器病，胆石肾石肠寄生虫等反射的作用而起者。

症候：本病频回反复呕吐，每食后即发，患者营养大受障碍，但太多无永持续者，又本病先恶心以催呕吐。

治疗：口渴作恶食入则吐或苦酸头目昏眩，针内庭太冲合谷曲泽通里阳陵太谿通谷。呕吐稀涎面青肢冷胃脘不舒口鼻气冷不渴，灸中脘内关气海胃俞间使三阴交膻中。干呕不止有声无物，针太渊大陵胆俞尺泽灸间使廿壮隐白章门乳根。

（十一）胃阿笃尼症

原因：为筋肉薄弱腹压弛缓营养不良，或因贪食而胃过劳等。

症候：少量之摄食，即起胃部膨满及压重之感。其他胃部有振水音，食物久滞胃中，而起异常酸酵，胃常有充满之状态，但食物多不变化，其他多呈神经衰弱样症候，使患者饮用少量之水则胃之大湾即降脐下。

治疗：灸脐中下脘巨阙膈俞胃俞。

（十二）肠加答儿、泄泻

原因：本病多因饮食之不摄生——如暴饮暴食，或食未熟之果物，腐败之食物，饮污水冷水等而发，或因菜物之中毒，下腹部及下肢之冷却，气候之不顺，及肠室扶斯，赤痢等传来病異物之停滞而起。

症候：下痢腹痛及肠鸣为主征，其下痢一日三四次至十数回，腹中雷鸣腹痛、下腹膨满，全身倦怠，口渴利尿减少，间有轻度之发热，粪便呈褐赤黄色或带绿色，不消化，混食物之残片及粘液，尤有恶臭，又因所犯患部之异，而各异状，即在胃者下痢欠缺而徐，肠回者有腹痛，十二指肠者徐徐发黄疸，结肠者发水泄觉疝痛，在结肠之下部及直肠者，便意频数。

治疗：肠鸣腹痛大便泄泻小便水少四肢厥冷者，针中脘灸神阙三阴交中极气海天枢关元。泄泻黄糜，气移肛门灼热口渴烦热小便短赤者，针太白太谿曲池足三里阴陵泉曲泽。

（十三）神经性肠疝痛

原因：本病因肠器质之变化，发肠膜神经丛或下腹神经丛之疼痛，或因中枢性之神经衰弱，贫血脊髓痨等而发，或因不摄生或从粪尿及瓦斯之积滞等直接刺激而来，或从肠寄生虫，及子宫肾脏、肝脏等疾患反射的而来，又有因铅铜等诸种之中毒而来者。

症候：本病之主徵为发作性之腹痛，其痛从脐部走及於四方，或轻易或剧甚，疼痛发作之长短度数无一定，腹筋大多为紧度紧张，若上体前屈压住患部，则觉轻快，故患者每以自己的两手，压迫腹部，以求缓解疼痛，疼痛剧甚时则心悸亢进，脉调不整，呼吸困难，颜面呈苦恼甚至额有冷汗，往往至于失神。本症若从粪尿之积滞及气体即瓦斯忽滞肠中而来者，其痛发于结肠之下部，渐渐及於脐部，腹部膨胀，患者觉苦闷，发肠鸣恶心呕吐，若便通排尿及嗳气或放屁，则忽缓解。

治疗：灸神阙大敦关元针三阴交气海中脘章门。

（十四） 常习便秘

原因：便秘为肠之运动神经之疾患，即因肠筋肉之弛缓，致肠之蠕动机能减衰，或分泌物之减少也，其原因由于运动不足，摄生不正，或神经衰弱，或在女子妊娠之时，或脑脊疾患而发。

症候：亘久时之便秘为主徵，此便秘

每涉一周或二周以上之久，宿便附于肠内，非经下剂及灌肠，不得通便，因之腹部多膨满，重压其部，觉有高度膨满以致全身营养障害，引起种种神经症状，即头痛头重，眩晕全身倦怠不眠，神思不振，食欲不振等。

治疗：针支沟照海承山太谿太冲太白灸章门大肠俞脐中关元。

（十五）小肠疝气痛

症候：少腹有疝形如鸡卵，数发以后，渐大而长，从少腹坠入睾囊甚易，返位甚难，下体稍受微寒即发，发则烈痛非常，必俟块中冷气渐转暖热，始得软滑而缩入，否则如卧酒瓶于胯上，半在小腹，半在睾囊，坚硬如石，其气进入前后腰脐各道筋中同时俱胀，上攻入胃，大呕大吐，上攻巅顶战慄畏寒。

治疗：针大敦长强灸大敦长强，脐下五寸两傍各一寸，关元两旁各三寸，或以净草一条度病人两口角为一折摺断，如此三折则摺成三角，以三角安脐中心，两角在脐之下，两旁尖处尽是穴，若患在左则灸右，右则灸左，两边俱患，即两穴皆灸，艾炷则麦粒大，灸十四壮，或廿一壮。

（十六）痔

原因：本病因痔静脉之扩张，起郁血之容易，即常习便秘直肠癌。子宫肿瘍妊娠坐业等及其他肝脏肺脏心脏之疾患，因而起血行障害之结果者也、此病以三十岁至五十岁之男子为多。

症候：痔疾之主徵，在肛门内外生结节，而时时破绽出血，在肛门之内部者名内痔，在肛门之外部者名外痔，其自觉症，轻重甚相异，轻者肛门搔痒紧张及疼痛，自有一种苦闷，以头部充血，头痛眩晕，心悸亢进等为前驱，但出血后苦闷始缓解。然频频反复则来贫血，且时有内痔之肛门，脱出于外，而不能还纳、其甚者发则甚之疼痛，苦闷不堪，前后被冷汗，此称为痔核嵌顿症。又痔结节起炎症，形成脓疡，穿破肛门外或直肠中而穿孔者，此名痔漏，又外痔于肛门生裂疮，致排便时疼痛而出血者名痔裂。

治疗：针承山昆崙脊中飞扬太冲復溜侠谿气海长强，灸命门肾俞。脱肛：灸百会长强命门气冲大肠俞。久痔：灸二白承山长强命门。痔漏：以附子末水和作饼如钱大安漏上以艾火灸令热，干则易新饼、日灸数枚，至内肉平始已。

（十七）黄疸

原因：感冒、胃十二指肠加答儿之传

梧于输胆管，因之其部扩张，而胆汁排泄困难，其他因胆石寄生虫匪病等致胆道狭窄，及肝脏实质炎，血行障病，尤以心病之精神感动中毒性传染病之经过中为甚。

症候：初期为通常胃部之压重，渐发生恶心，呕吐而头痛，身体倦怠，食思缺乏，舌带白苔，大便大多秘结，此后本病之特徵，为全身之皮肤粘膜发黄色，而于眼球眼睑及结膜为尤甚，尿亦含有胆汁色素变为黄色，粪便则缺乏胆汁色素而呈灰白色，且血中呈胆汁之刺激，起皮肤搔痒之感，脉搏因而减少，体温下降，胆囊肝脏肿大压重。

治疗：1.身尽黄色如橘黄烦渴头汗消谷善饥大便秘小便赤针中脘足三里公孙委中腕骨至阳胆俞，灸至阳七壮。2.身目皆黄，黄色晦暗，有如烟熏渴不欲饮。灸脾俞心俞气海合谷至阳中脘。3.食即头晕心中怫忽腹满不安遍身发黄针内庭三里腕骨阳谷灸至阳。

（十八）肝脏肥大

原因：大抵不明，但好酒狂饮，实为一大原因，又有由毒性病续发者。

症候：本病因肝实质之肥大硬固，其结缔组织亦随之增生，致肝脏之全体变大，伴以右季胁下觉压重紧满，消化不良，而发黄疸，脾脏肿大，粪便呈灰白色。又往往发轻度之热，渐次致身体衰弱，其肥大处，可由触诊打诊或视诊而知。

治疗：灸巨阙期门经渠肺俞中脘章门肝俞。

（十九）胆石症

原因：最多者於胆囊内生胆石之结石，此由于肝汁凝结，形成结石之故，美食，肥胖病，坐业为本病之诱因，四十岁以上之女子，发者尤多。

症候：本病之症候不定，难以确诊，但本呈极着明之症候，即胆石通过输胆管之际起强烈刺激，发剧甚之疼痛，此名胆石疝痛，其痛放散于右侧肩胛部，右胸部右季肋部，及右上肢，腹筋挛急，痛疼甚者呈大苦闷，人事不省痉挛恶心呕吐，四肢厥冷，皮肤被冷汗、如斯疼痛之发作，短者一二时，长者亘数周，诊于腹部、肝脏部有膨大之压痛，但结石下于肠中后，则苦闷全解散，其外常见黄疸

治疗：三焦俞肾俞气海俞大肠俞骶尾上脘右章门京门。

（二十）腹水、膨胀

原因：从心脏病肾脏病肝脏病及肺气肿而来，即静脉管因血压之亢进，下静大

脉之压迫血塞等，致生门静脉血行之障害也，从理学的原因言，係腹腔所当渗漏液之疾患，故此种液体，不名渗出物、而名漏出物云。

症候：本病在腹水之量尚少时，无自觉的及他觉的发症，但其量渐增，则觉腹部压重紧满，横膈膜举上时，觉呼吸困难，胸中苦闷，而心悸亢进，大便秘结，尿量减少。触诊上见腹当多量之液时，其腹壁张度紧张，前则扁平而侧方尤扩张，且有光泽，透见静脉之怒张，按压之其腹並不硬固，亦不訴疼痛，若按压腹部，试行波动，则能感知，又打诊上呈浊音，此浊音因患者体位之变换而移动其浊音部位，如坐于椅中，浊音则在骨盘之一方，仰卧则浊音在左右侧部是也。腹水鉴别时，有误认为卵巢囊腫者，但腹水之浊音部位，因部位之变换而转移，卵巢囊腫则其始生于左右之何方，雖腹壁前方，突然转换体位而浊音之位置，依然在一处，故此种鉴别，当注意于已往症原因等。

治疗：针三阴交阴陵绝骨人中足三里灸水分气海阴交照海肾俞，脾俞胃俞、足三里。

四 呼吸器疾患

（一）　鼻加答儿

原因：最频繁的原因为感冒，尘埃之吸入，瓦斯之刺激等次之，其他有因感冒麻疹肠室扶斯百日咳及药物中毒而来者，其慢性症在腺病质之小儿，吸烟过多及梅毒等亦发此病。

症候：本病多俄然袭来，往往恶寒伴以发热头痛、鼻腔感灼热，鼻粘膜发赤肿胀，鼻腔遂狭窄，或闭塞，频发喷嚏，其初流稀薄如水之鼻汁，渐次流脓浆之粘液，进而流黄色脓厚鼻汁，其慢性症多从急性症转移，鼻根部诉疼痛，鼻腔闭塞、失嗅觉钝、声言变为鼻音，鼻汁呈水样或呈脓状，且带恶臭。

治疗：香臭不知呼吸不利，针迎香上星合谷。灸风府百劳前谷　鼻流清涕，针上星人中风府百会风池大椎，灸上星百会大椎风门　鼻流臭黄浊涕，针迎香合谷上星人中风府百会风池大椎。

鼻生瘜肉发臭窒塞作痛，针风府风池风门人中禾髎。

（二）　衄血

原因：通例健康之人多起衄血，心神之过劳者，亦有常习性衄血，其因头部或肩部有外伤者亦每发之，女子当月经时，每来代偿性月经，又肠室扶斯、肺炎等亦多发之，其他有出血性之素因者（如血友俐白血病）亦有时发之可依。

症候：多从偏侧鼻腔流血，而其量不一同，本病多只为鼻粘膜之出血，则不呈何种异状，若为头痛等之脑症，因心神亢快而贫血者，则发时血量必多，甚至呈贫血症状，未颜色苍白，眩晕、耳鸣、头痛、全身倦怠，以至精神失神。

治疗：针委中少商关元灸顖会上星。

（三） 喉头炎

原因：为寒冒、蒸体冷饮、鼻炎、咽头炎之波及、麻疹、流行性感冒，发病饮酒及吸烟过度等。

症候：颈部感灼热，喉头粘膜常红肿，有粘液样及脓样之渗出物附着，甚者有溃疡。其他发嘶哑、咳嗽、咯痰，质咽嚥下时感疼痛呼吸困难等症。

治疗：针少商合谷尺泽关冲风府间使。

（四） 喉头溃疡

原因：为加答儿性剥脱、室扶斯，梅毒或结核等。

症候：发咳嗽频固嘶哑，喉头瘙痒、及溃疡等，而梅毒结核各有全身及局处症状，即如（甲）发疹疮（乙）肺结核是也。

治疗：针少商合谷尺泽风府关冲照海颊车间使液门。

（五） 气管枝加答儿

原因：由感冒、鼻炎、及喉头炎之波及，合尘埃刺激性空气之吸入流行性感冒，麻疹、而发此症，其他为心脏病之郁血，或生齿反射刺激等。

症候：咳嗽咯痰，为朝夕之常习，夜间尤增恶，咯痰之量不同，或多或少或无，或咯出粘液脓样之分泌物，通常不呈热候，呼吸常感困难，急性发作时，则体温升腾，在打诊上有变化，听诊上闻笛声及类鼾声，或大或少水泡音。

本病因咯痰之性状，分之为四种。

1.干性加答儿，通常咳嗽强甚咯痰少，时起喘息样发作，因努力而咯出少量之粘液痰，听诊上只闻干性水泡音。

2.气管枝漏，咯痰稀薄、逾多量咯出之后，觉大大轻快，听诊上闻湿性水泡音。

3.脓液性加答儿、咯痰量多起发作性，因猛烈之咳嗽，咯出多量之粘液性或脓液性之痰，咳嗽发作中，感呼吸困难，听诊上闻湿性水泡音。

4.腐败性气管枝炎，据咯痰之性状，为本病特有之征候，咯痰量多者，放腐败性之恶臭，患者每至嫌忌食饵，若将所咯之痰，静置之，则有三层显着，上层成泡沫之粘液脓状，中层成带绿色之浆液，

—276—

下层成铁色浓厚之漠样液。

治疗：天柱风池大杼风门肺俞大椎身柱合谷列缺太渊尺泽。

（六）喘息

原因：本病之原因未详，但想係因呼吸中枢之病变，为迷走神经之疾患，即由细小气管枝之痉挛而起，为神经性气管枝喘息者也，今区别其原因，可分为中枢性末梢性及反射性，中枢性者因铅、水银、尿毒等之中毒刺激迷走神经之中枢而来者也，末梢性者，因头部肿病，压迫迷走神经而起者也，反射性者，最多从鼻腔粘液，咽头气管之粘液肿胀，反消化不良；寄生虫，子宫之转位、歇斯的里等而发，本病多发于十四岁以上之人，就中以神经性之男子为多，又有遗传性者。

症候：本病通常发作于夜间，顿发时，胸部窘迫，起呼息的呼吸困难，呼气比吸气甚延长，有剧烈的喘息，颜色呈紫蓝色，肩背及前额，往往流冷汗，须危坐呼吸，而脉膊频数，呼吸音呈微弱之笛声或鼾声，打诊上发低之鼓音，如此发作一二时间，渐觉缓快，亦有亘长至二三日者，呈发作终期，咯出少量之粘液。

治疗：1.鼻煽口噤喘咳不得卧声如曳锯：针天突膻中合谷列缺手三里足三里太

冲丰隆肺俞风门。2.形寒肢冷咳嗽痰多喉中有声；灸灵台俞府乳根膻中天突。3.胸高气粗两肩耸动不能卧声达户外；针灸际阳谿解谿昆仑合谷足三里期门乳根。若面淡鼻冷则不治，然速灸关元气海各数十壮或有救。4.喘时声低息短，吸不归根，若断若續，动则更甚，心悸怔忡；灸关元膏俞足三里。

（七）肺脏水肿

原因：由于小循环之郁血而来，又有从死战期之心脏衰弱而来者，其他亦有从肾脏病结核等之肺脏疾患，或由肺之血管神经衰而来者。

症候：强度之呼吸困难，为本病之特徵，全身呈苍白色（即苍身症）流汗甚，肋间于呼吸时现陷没，胸部从打诊上多不呈异状，但渐渐发鼓音，听诊上为水泡声音，咯痰稀薄如肥皂水，而多泡沫、咯出时往往混血液。

治疗：大杼风门肺俞厥阴俞心俞肝俞俞府彧中气户列缺涌泉、

（八）咯血（咳血）

原因：为肺结核、肺坏疽、肺包虫、肺肿疡，急性气管枝炎、肺炎、肺郁血、出血性肺硬塞。

症候：出血，发咳嗽，反如温液涌于胸中之前驱症，其血液为鲜红色，含有泡沫，呈亚尔加尔性，但出血性梗塞，所楔状出血，短咳嗽，反呼吸困难，血中混有煤色痰，而多成黑块，而为无泡矣。

治疗：针百劳肺俞中脘列缺肝俞涌泉，灸百劳肺俞中脘足三里列缺风门肝俞。

（九）肺结核（肺痨）

原因：本病由结核杆菌而起，凡体格虚弱、胸廓扁平，皮肤菲薄，颊红背部之纖毛，长颈等，所谓痨瘵质之体质，本病易以侵入，又因患者咳嗽喷嚏或谈话之际，其所含之结核菌，从咯痰而唾出细小泡沫状，飞散于空气中，随呼吸而吸入，因之而起此病，或者因与泌尿生殖器结核之妇人相接，而起感染，其发获喉头肠管泌尿生殖器之原发性结核结核菌由血管或淋巴管之介而催起本病，其他各运动之不节矜，精神之感动，身心之过劳，营养之不良，贫血产褥，肺动脉狭孔狭窄等，为本病之诱因，而尤以十八岁乃至三十岁之男子为多。

症候：本病之初期多潜进性，渐次来咳嗽频发胸部微痛，逐渐时呼吸迫促，贫血羸瘦诸症候，有时因身体过劳兴奋张意之际，忽然起咯血，其始末也，恰类似肺窒扶斯之症候，高热稍少而有全身倦怠，便通不整等之象，毕尔资氏所谓结核假性窒扶斯是也。

体温徐徐，其肺结核者，呈轻度之热候，晨间三十六度二三分，晚来达三十八度。但疾病之显着者晨间每在正常或正常之下，晚来升腾至三十九乃至四十度，咳嗽频，而每与疾病之进行俱增加，咯痰亦从而增加，肺脏生空脏，痰呈脓性或粘液脓性，咯血往往来于初期，大多因肺脏空洞而起，患侧之胸廓比较的狭小，呼吸时收缩亦较微弱，打诊上初期呈浊音，听诊上闻中等大的水泡音，因疾病进行至于肺脏组织崩坏、形成空洞，遂呈鼓音，因口腔之开闭，依促之变化而有高低，至于听得大小之水泡音及煮沸性大小之水泡音，患者日益羸瘦，渐々盗汗。

治疗：灸命门鬼眼中脘关元神阙关元俞膏肓俞脾俞六椎陶道膈俞。针列缺尺泽涌泉。

（十）肋膜炎（胁痛）

原因：由寒冒外伤而起，然亦有因急性传染病结核瘰疬，肾脏炎，急性关节偻麻质斯及其加答儿性肺炎诸种之肺脏疾患而续发者，是皆系细菌之感染也。

症候：本病初期，大多为轻度之恶寒发热，呼吸迫促咳嗽，胸腹刺痛，皮肤苍苍白，食思减损，身体倦怠。因渗出物之性状及别为干性肋膜炎及湿性肋膜炎。干性肋膜炎其纤维素上之物质，沉着于肋膜面，患則之卧位不能取，打診上有抵抗，听診上有磨擦音；湿性肋膜炎之渗出物，呈液状而蓄留于肋膜腔内。患侧之胸部膨大，心尖搏动压于健侧，患者横卧而打診于患侧，其渗出物之部位呈浊音，听診上証明有幽微之呼吸。其渗出物并呈脓状时，则热度高腾，而其他諸証，一般增剧，此之谓化脓性肋膜炎。其甚时脓汁破皮肤而向外面流出，或者肺脏穿通，突然从口腔咯出。

治疗：公孙三里太冲三阴交阳陵泉支沟章门期门阴陵府俞。

（三）血行器病

（一）心内膜炎（心痛）

原因：溃疡性心内膜炎及赘疣性心内膜炎之二种，来于内伤性传染急性传染等又牵缩性续发于赘疣性，或併发于飲酒无度梅毒慢性肾脏病、痛风糖尿病等。

症候：溃疡性心内膜炎，或如室扶状而发稽留性热，无慾状态，舌干燥被苔脾腫，蔷薇疹等諸症，或如间歇热，而为发作状，又发持移性脉病于诸脏器，贅疣性心内膜炎、初时往往有不知其发病者，而此症增进，则体温升腾、心悸、心浊音部扩张，诸脏器栓塞等诸症，又所取收缩期杂音及第二期肺动脉音之增盛。

治疗：针灸内关膈俞涌泉太谿中封大陵隐白少冲神门。

（二）心脏痉挛（真心痛狭心症）

原因：发于歇斯的里、神经衰弱、胃肠子宫及卵巢之疾患，又或来于中毒、或来于冠脏动脉硬化症，心脏大动脉障害，大动脉瘤，或于痛风糖尿肾脏炎等。

症候：本病大抵在夜间睡眠中或操作中，俄然于心脏基部及胸骨部，发剧烈之发作性疼痛，其疼痛之状，如切如灼，渐觉放散于左肩背部左臂，否则现心窝苦闷，心脏紧窄等之感觉，致感大大苦恼，其发作之持续，至数分钟或数十分钟间，发作之际，颜貌惨惨，皮肤苍白，额部流冷汗，四肢厥冷，不可名状，陷于恐怖状态，此际心动强盛，增其扩张，脉搏渐渐频数不整，往往迟缓小且软，触知困难，本病之诊断因上述之发作状态，故容易观察。

治疗：针灸间使灵道公孙太冲足三里阳陵昆仑京骨。

（三）心悸亢进怔忡、急脉症

原因：从精神过劳、神经恐怖症，房事过度而来，又有来于心脏瓣膜障碍患者、其他贫血症、神经性之人体衰弱者甚多。

症候：本病为心脏一器质之变化，其机能亢进、能自觉心悸进之频数。本症发作的来者，其时胸际部发窘迫，呼吸不利、有不快之感觉每因轻微之运动，及精神之兴奋，即心悸亢进，脉搏多充实而频数、时时不齐、又患者觉苦闷时，呈颜面苍白，或潮红，发作的持续，短则四五分、长则一二时，后渐消

治疗：肺俞心俞，灸尾闾骨上四指间的地方，每日七壮。

（四）拔設篤氏病，突眼性甲状腺肿病

原因：从来以此症原因为颈部交感神经性麻痹説之。然近时为由甲状腺的作用，呈一种之中毒症者，是以医药无效，则切除之也，而幼壮者及妇女屡妊娠者，月经异常贫血症等尤多得此病。

症候：发心悸，心脏肥大，脉搏增进，甲状腺肿大，眼球突出等諸症，其他上眼睑举上，而不蔽眼球巩膜，其状恰如瞪视，是为此症之特徵。

治疗：针五穴颈椎两旁横开各一寸，大杼风门膈俞胆俞脾俞胃俞大肠俞八髎三焦俞肾俞。

（五） 泌尿器疾患

（一） 郁血肾小便血

原因：本症发于心脏瓣膜病，肺气肿、或肾脏血塞症之患者，因肾脏静脉血之循环障碍，郁血于肾实质内而来之疾患也。

症候：肾部郁血，则尿量减少而浓厚、其色呈赤褐色，用检尿器检之，其比重增加，且有强度之酸性反应，通常含有少量之蛋白质，因其他之原因、发心悸亢进，呼吸迫促头痛晕眩浮肿腹水压重於肾部等症、

治疗：针灸大陵关元照海阴谷涌泉三阴交。

（二） 肾脏炎小便癃

原因：本病由肾实质起急性炎症、每发于猩红热，实扶的里肠窒扶斯，急性关节僂麻质斯。麻拉利亚麻疹等之传染病，续发于淋疾膀胱炎等，其他如妊妇之寒冒、渔夫舟子之因劳动触冷、以及药物之中毒等亦所发此疾患。

症候：本病以恶寒发热、肾部疼痛浮肿及蛋白尿为主征、然症之轻者往往难以自知热候及自觉症，稍重者发症着明，其主征如呕吐、食思欠乏、尿量减少，其始颜面浮肿，渐次波及全身、脉博紧张，排

尿困难，肾部觉压重，且尿意频数，甚者尿利全止。尿呈赤褐色，比重大，含有多量之蛋白尿，尿之沉渣中，有赤色球血色素、小颗粒细胞、及肾圆柱、但非经检尿渣检尿不能确知。

治疗：针关元三阴交阴谷阴陵泉气海太溪阴交曲泉。

（三）萎缩肾

原因：居常牛饮狂食，好吃茶，致罹本病、其他或有因急性肾脏炎之移行、或从痛风梅毒铅中毒淋疾而来者。

症候：本病之初微、起心悸亢进、头痛晕眩衄血呕吐视力障害、顽固之失神等、医者每误会为神种神经疾患之事，且本病固有症状、为夜间尿意频数、水量者著增加、色淡而呈淡黄色、比重减少，蛋白之量成仅微，或全欠，无一定，心脏呈特之肥大，脉搏之硬度增高，亦为此症特異之点、水肿亦为本病之主征、其发也从颜面至足踝渐渐蔓延，致心脏机能减衰，肿从心脏器能之盛衰而时有进退、或来脑水肿或发尿毒症。

治疗：灸肾俞关元。

（四）化脓性肾脏炎

原因：本病因化脓菌経尿道或血管或淋巴道侵入于肾脏内，形成肿疡，病之轻者、肾脏有一个或数个小脓灶，重者感全肾脏实質破坏之疾病。

症候：如其他之化脓症呈弛張性之热候、伴以战慄，所患之肾脏，肿大而发疼痛、压之其痛剧增，化脓时其疼痛呈波动，尿之量减而成为脓样，時時混以血液，

治疗：针关元三阴交中封照海太冲，灸关元中封。

（五）肾脏結石　癃疝

原因：遺传、坐业，肉类及酒精之滥用，痛风或输尿管有諸般之疾患等为诱因，本病析出尿之盐类則見沉着如石，嵌入于肾脏肾盂等，結石小者如砂状，（名肾砂）大者如豌豆，如鸡卵，

症候：本病特有之症候为肾石疝，肾砂或肾石之小者，嵌入肾中，不呈何等之症候。若係太者，則起肾炎或肾盂炎。在肾部覺压重紧满，时时多出尿砂，尿意频数，而通尿之际則覺痛楚，且出多少之血，肾石去肾盂，通输尿管到膀胱时，卒然患者之输尿管发剧甚之疼痛、放散于膀胱龟头腰部大腿，此即肾石疝也。患者之容貌呈恐怖之状、皮肤

呈苍白色，四肢厥冷，甚至战慄发热、呕吐恶心，脉搏频数、终至全身痉挛，神庆缺乏，尿量大减，甚至殆无尿液，招尿毒症，肾石症痛起于发作性，其发作或数时，或持续数日，结石至破碎，或落于膀胱，若排出于尿中时，则其痛忽止。

治疗：针灸关元肾俞阴陵泉三里大肠俞小肠俞三焦俞。

（六）膀胱炎

原因：普通因大肠菌，淋毒菌化脓菌等之细菌感染而来者为多，故主要者以肠窒扶斯赤痢虎力拉淋症之传染病发寒冒外伤，邻接脏器之炎症，其他之膀胱疾患等为诱因，又有少数因药剂之中毒而发者。

症候：因其经过区别为急性及慢性症急性症常寒战，发多少则热膀胱部及会阴部觉疼痛，尿意频数、通尿之际其痛如灼、且觉尿白淋沥，或者一时闭止、其他食欲缺乏频渴，其尿于加答儿性膀胱炎，其呈弱性或中性反应，检镜上含有多量之粘液及上皮细胞等、又于化脓性膀胱炎，其尿溷浊如脓样，检镜上有脓球血液及上皮细胞。

慢性症如前者尿意频数，而呈溷浊，且诉疼痛，但程度轻而通常之热候而已，然患者居常亦郁郁不乐，嫌忌坐业，渐次羸瘦、渐々来危险之併发証。

治疗：灸命门肾俞及荐骨部之两侧凡八穴，即上次中下八髎。

七　遗尿症

原因：本病发于三四岁至十一二岁间，因小儿保育不适当，饮食不良，教育等之不注意而来，或从肠寄生虫，萎缩肾，及膀胱结石等之疾患，反射刺激而来。

症候：遗尿于睡眠一二时间，发排尿而不自知，致排尿于褥中，此名夜间遗尿症，本病经过缓慢，大人較少。

治疗：灸气海、大敦、关元、命门、

八　膀胱麻痺　小便不禁

原因：从脊髓疾患脑疾患而来，或从急性传染病后之衰弱，膀胱炎而来，其他于淫房事过度或居常有尿意者，亦易惧本病。

症候：膀胱之膨胀，而无小便射出之势，虽经努责，仅放点滴，甚者完全不能放尿，故尿并之充满于膀胱，膀胱括約筋之麻痺，其尿结不能貯留，遇咳嗽喷嚏吹笑之时机，每失禁淋沥，又两筋均麻痺时，其症候混同。

治疗：中极膏肓心俞然谷肾俞。

（六）生殖器疾患

（一）淋疾

原因：由淋浊球菌而发，男子发于尿道，女子来自子宫内膜及膣，本病因与淋毒患者交接而发，或因淋毒汁之附着物而传染，娼妓艺妓最多为本病传染之媒介。

症候：本病之潜伏期，少有延长，大多至一日至三日之时间，本病有男女两性及急慢性之区别。男子急性淋疾之初期，于尿道粘膜，出很微之粘液分泌物，锁闭尿道口，故尿呈线状，其次尿道部感瘙痒，或发疼痛，放尿之际，觉甚灼热，尿意频数，利尿困难，依病势之进步，至成脓样，含有淋毒菌，本病发生中，与摄护腺炎，膀胱炎、副睾丸炎等併发者最多。

慢性淋疾因尿流不充分时间则复发为急性症。

女子急性淋疾侵及尿道及子宫头之粘膜，其外阴部全部充血红，渐々成为炎症，侵及子宫口及子宫膣，从膣及尿道出脓样之分泌物，患者排尿之际感灼热及瘙痒，渐次剧痛。脓中见多数之淋菌，因此急性症，移行于慢性症，本病发生中，每与子宫炎喇叭管炎等併发。

治疗：针灸三阴交关元阴陵泉中极气海阴谷肾俞。

（二）梅毒

原因：1.直接传染，已染梅毒之男子与未染梅之女子交媾，女子阴部稍受刺激，即发生细微之伤口，当时毫无感觉，但已为梅毒螺旋状菌夺门而入矣。此即最普遍之直接传染，其他尚有因接吻而传染，或奶娘哺乳而传染，或因职业而传染，如医生产婆护士等其原因均以皮肤破裂，适触病菌而感染者也。2.间接传染，已染梅毒之人与健康之人，虽不接触，亦能借媒介物体而传染，凡饮器、便所、衣服被褥、乐器、手巾及种种器具，皆为传染之媒，如甲男有梅毒，与一健康之女人交接，而此女人又与乙男交接，结果将甲男之梅毒，传染与乙男，而此女人或因无破伤之处，反不传染者亦有之。涉足花丛者，可不慎欤。

症候：第一期硬结，第一期局部发生之梅毒成一硬结，形状大小不一，小者如黄豆，大者若毛钱，有正圆形有椭圆形，单独一个，决无多生，男则生於龟头冠内，繫带，包皮内外等处，女则生于小阴唇，阴核、阴道等处，生于外阴部者较少，常硬结发生后一二星期，其附近之淋巴腺亦发生肿胀，因梅毒感染以阴部为最多，故肿胀之腺亦以大腿根部之鼠蹊腺为尤甚，此种肿胀之腺，既不疼痛，又不化脓，称为"无痛横痃"再经过六七星期，全身淋巴腺肿胀，而至第二潜伏期。

第二期梅毒，先有各种前驱症，如贫血瘦削，头痛晕眩，心悸亢进，不眠症，神经痛，关节痛，消化不良等。在疹发生前数日，其症状每晚体温约在三十七度五至四十度之间，次晨即退，发热之后，皮肤出疹约分：

（1）蔷薇疹——其好发部在胸背皮肤颈部关节之屈曲面，次为四肢手掌和蹠等处。其疹之大小不一，小如绿豆，大如豌豆，有圆形，有椭圆形，其平坦与皮肤表面相同，或稍隆起，初为桃红色，渐々加深，变为暗褐赤色，或散生，或簇生，但均不相连，与他种红斑不同，其特徵已不疼痛，亦不觉痒。

（2）丘疹——丘疹发生，较蔷薇疹稍迟，亦有同时发生者。初时皮肤中发生小结节，或由蔷薇疹变成如球形者，在皮肤表面上稍稍隆起，扁平而有光彩，小者有如粟粒，大者若黄豆不等，初为赤褐色，后变黄棕色，不痛痒不灼热，其症状如下：梅毒大丘疹、大血疹之好发部为背前胸腹两旁，或四肢屈侧为最多，若在左臂发生一个疹子，则右臂同一地方，亦发生一个疹子，迨后渐渐变成扁平，色仍不退或鳞屑状，尚有因所发生部位之不同，而另至時別形状者，计两种：一为扁平湿疹疣，一为掌蹠干癣，(甲)扁平湿疣为若二期梅毒最多之症，其色灰白，或带红褐色之疹子，小者如豌豆，大者若钱文，耸起在皮面之上，硬如有弹性，分泌一种稀泊液、或脓汁，含有臭气，皮肤或常湿润，男多生于阳物下面，大腿两旁，外肾皮会阴部及肛门周围等处，（俗谓之沿肛杨梅）女则生于阴部，大腿夹缝、会阴、肛门周围等处，不觉痛苦，若运动摩擦，或女子溺尿湿润时，略觉疼痛也。(乙)掌蹠干癣为手掌与足蹠之皮肤所发之疹，其疹状大如绿豆，为紫赤色，并不隆起，该疹之中心有光泽之白屑，可固湿润，追后屑落，遗留红斑，2.梅毒小丘疹，初时全身发热，发疹处稍有瘙痒，色似好铜，大如米粒，高起在皮肤之上，疹顶似有小脓点、治愈后有鳞屑脱落，好发部为腰背，四肢，关节曲屈面，颈部发际额面，阴茎和阴囊等处。患者若体质虚弱，殊发此疹，亦为恶性梅毒之一种。

(3) 脓疱疹大部由蔷薇疹变成，亦为梅毒之重症，分为三种：1.小脓疱梅毒，有早发型晚发型两种，前者发生散 ，初生在躯干与四肢屈侧，后者聚合成簇而生，在腋窝关节屈曲侧等处，当发疹前两三日晚上，全身发热，待疹发出，则热亦退，再过几日，须臾化脓，应即医治，若小脓疱变成大脓疱，则医治更难矣。2.痘疮状之梅毒疹，为梅毒中极重之症候，全身发热，骨痛头痛，甚为剧烈，其疹状有如绿豆者，有如豌豆者，甚为紧张，形似天然豆，故曰痘疮。3.大脓疱疹，大如铜圆，不久与第二期溃疡相并，侵入皮肤内层深部，再结痂皮，疹之中心，层层相叠，类似蛎壳，故曰蛎壳状梅毒。

第三期梅毒，梅毒从第二期至第三期，少则一二年，多则十数年，最久竟有隔数十年而复发者，但感染二三年发作最为普通，亦有在六个月后发作者，为之奔马梅毒。梅毒一入第三期，即施其破坏工作，非常猛烈，极力侵害身体全部组织，如皮肤、肌肉、骨骼、关节、脑脊髓、内脏等莫不被害，兹将各部之症状略述于后：

第三期之护膜瘤，约分二种症状，一为浅部护膜瘤，生在皮肤浅层，而达外面者，一为深部护膜瘤，生在皮下，上犯皮肤，下侵浅层者，大都浅部先发，深部较晚。

浅部护膜瘤，好发部为面部、口唇、鼻翼、肩胛、四肢等处，从发生至消退、并不痛苦。其形大如豌豆，或榛实，有球形或半圆形，生在浅层皮肤内，为稍硬之疹，前是红色，后变深色，发育亦缓，消散漫、如治愈一个后，每在其近处，又生新硬结继续不断，故谓之"匍行梅毒结节"其结节亦有软化或溃烂者。

深部护膜腫，大如核桃有如鸡卵者，至多不过二三个，生于皮下深部之綿结組织内，由赤色变为棕色。其發初时甚为坚硬，后渐软化溃烂，分泌液体，粘如树胶，故又名树胶腫。周围不见湿润，並成极深之溃疡，若再不急治，则后来必遗留醜恶之疤痕矣。

以上所说三期梅毒，分别症状，仅就普通常见者择其一二。至于各脏器发现特異之症状者种类繁殊，非片言所能概括，自有专书备考，不细分述。要知感染梅毒者，若放任不治，或治不得当，或病毒已深而始求医治，均足以遗害终身，如发于眼眼则盲，或眼睑外翻，发于耳则耳聋，或剧烈耳鸣，发于口鼻则鼻烂唇缺，與相变形。发于头顶则开天窗，其头毛光，发于咽喉则咳嗽音哑，嚥物困难，发于毛髮，则眉毛、鬍鬚、头髮、阴毛等尽皆脱落，发于骨骼，则骨质松脆，或成骨瘤，腐骨疽等。发于关节，则不能活动，或足手等关节渐渐分离，发于爪甲，则爪甲无光或脱落，發于脑脊髓，则麻木不仁，或成狂疾，发于内脏，则病势猖狂，其狂暴之病毒，不堪收拾矣。

治疗：每日灸曲池心俞手三里等穴。

（三）睾丸及副睾丸炎

原因：从外伤惹起，或淋疾经过中，就中以尿道淋疾发副睾丸炎者最多。又传染性炎症如流行性耳下腺炎多发性关节偻麻质斯等，发生者亦有之。

症候：淋病性副睾丸炎为主，在淋病发生后第三周或第四周，多突然发病。而局限于一侧。此际患者恶寒发热，头痛。所患之副睾丸发剧甚之疼痛，延及精系，放散於下腹部、荐骨部及下大腿部等。副睾丸甚肿大，几达手拳之大，发亦浮肿，呈硬节状之肿瘤至睾丸之囊。按压之疼痛特剧。

治疗：针灸温谷肾俞大肠俞三阴交气冲中极涌泉。

（四）遗精症

原因：本病通常从手淫、暴行房事过度，及淫欲亢进而来，又发自尿道淋疾，包茎痔疾等反射的。或有脊髓痨脊髓炎神经衰弱症，男子歇斯的里等而来。

症候：遗精之轻症者，夜间一个月一二回、阴茎微勃起，梦与人淫事，或快感，至流出精液，精液漏出后，不论轻症至症，感觉身体疲劳，头痛晕眩，心悸亢进，神思不振，甚至记忆力减弱，食欲缺乏，消化不良，健康之男子，偶遗精无这些现象。

治疗：夜梦遗精，针心俞肓所俞肾俞灸中极关元三阴交合谷中封。

无梦自遗，或动念即遗，不拘昼夜，欲念顿生，即行遗泄，灸精宫肾俞关元中封

（五） 阴痿

原因：从阴茎气质之变異而来。即阴茎发育不全，或生肿瘤，睾丸炎疾患等。又房事过度手淫精神衰弱症併发。

症候：本病初期，尚有不完全之勃起，淫心未动，未及交接，早先射精，而阴茎忽痿。或在交接中，尚未到射精快感，而渐次阴茎已痿。病增进时，勃起全缺乏，淫欲或减或绝，并至于诸般之神经症疾患併发。

治疗：肾俞、气海俞小肠俞命门关元。

（六） 阴囊水肿

原因：急性阴囊水肿从外伤。淋毒性副睾丸炎及睾丸炎而续发。慢性从急性而来，或因急性症之原因而起。

症候：急性症潮红肿胀，或共疼痛，伴以发热，慢性症阴囊之弹力性、肿胀性呈肿胀。

治疗：针曲泉中封商邱大敦，灸中封太冲商邱。

七　营养病

（一）腺病　瘰疬预防

原因：此症有十三四岁以下男女所多见之疾病也。而有先天及后天性之区别，但其病毒同一而为结核菌，其他营养不良、湿地居住、及空气不洁等为之诱因。

症候：体质消弱（迟钝性者，皮下组织脂肪多，颜面如肿起，而其色苍白，口唇肥厚。过敏性者，颜面细长，皮肤菲薄，易潮红，皮下静脉可透见。）皮肤苔癣及痒疹、耳漏、结膜炎，眼睑炎、角膜炎、鼻炎、羞明龋齿，脊髓骨疡、白肿、膝关节炎诸症。

治疗：1.尾骶骨上四指阔的地方为灸穴。以大艾柱灸十余壮，觉灸火自腰入腹，自腹入四肢，全身关节有非常舒畅之情形，轻者一次愈。重者隔一月或半月再灸。亦三次四次亦无不可。至愈为止。2.在少海穴用当门子一分，另装艾绒如钉鞋齿大者三团中灼之。如艾不能灼肉，稍用粘性物粘之，待三火将了时，以手按其灰，然后贴以普通膏药，听其自烂自愈，不烂者不治，左患灸左，右患灸右，一次即可，三个月内禁食稍性物。3.百劳灸三七壮至百壮，肘尖百壮，另一个以针贯核正中，以雄黄末拌艾灸之。4.针少海，灸天井翳风。

（二） 糖尿病 消渴

原因：为遗传素酒过饮，粉食或甘味坐食；喫烟，精神过劳，梅毒、头部外伤，脑疾及膵脏疾患。

症候：善饥善渴，咽喉干燥，排尿过多且频繁，夜间尤甚，其尿澄清如水，且含有多量糖分，此外倦怠头痛不眠，皮肤干燥瘙痒，疖腫痈，色欲减损，神经痛昏睡。

治疗：心胸烦热，大渴引饮，饮不解渴，小便清长，针人中承浆神门然谷内关三焦俞，灸关元气海。

多食善饥，不为肌肤，小便多而味甜，针中脘三焦俞，胃俞太渊列缺。

烦渴引饮，小便多而浑浊，腿膝枯细，面色黎黑，针然谷肾俞腰俞肺俞中膂俞。

（三） 白血病 脾大

原因：为寒冒，月经变常，精神感动，间歇热，肺俞脾淋巴腺骨髓之损伤等疾患，下肢充血，慢性下痢结核等。而丁年以上贫男发此病最多。

症候：以白血球非常增多为主征。即

脾性白血病。其脾肥大作硬固一大块，骨髓性白血病，发胸骨痛。淋巴腺白血病，则脾下及腹内淋巴腺显呈肿胀。其均发全身倦怠，食欲缺损。心悸头痛晕眩，失神皮肤弛缓，失色或瘙痒。恶液汁，呼吸短促，下腹痞满，衄血下血咯血。腹水浮肿诸症。

治疗：灸大椎至阳陶道、脾俞胃俞间使与块中。

（四）贫血　血虚

原因：此症为稀有之症，而原发性为身心过劳，不摄生，妊娠大出血等。又续发性为寄生虫，胃肠溃疡，子宫肌瘤，赤痢间歇热等诸症。

症候：肌肤皮粘膜呈苍白色、头发脱落，爪甲肥厚，食思缺乏、身体倦怠等，屡陷人事不省，其他有来骨节疼痛，不整安寐，皮肤浮肿等症。又赤血球若减其数，血液成水样。且变其形状，血色素及白血球减少。

治疗：灸马骶骨上四指阔之地方为灸穴，以大艾柱灸二三十壮。

八　运动器疾患

（一）关节偻麻质斯　白虎历节风

原因：本病为一种传染病。大抵每发自十月间至翌年五月间流行。其因未详。而主要病毒，于心脏及神经起毒作用，感冒及湿润为本病之诱因。

症候：十岁以上至四十岁之人多患之。为多数之关节肿起，疼痛。摩擦音，发热，烦渴，皮肤湿润，尿呈强酸性，富于赤色沉渣者，其疼痛无定处。今日发于膝关节，明日则发于手关节，名曰游走性关节痛。急性并发心脏内膜炎及外膜炎，或胸膜炎者亦不少。慢性症每发于限局性关节，虽无热而时时反复，终至其部之运动障害。

治疗：灸膝中痛处。手疼痛——针曲池合谷肩髃。手腕痛——针合谷太冲。手臂冷痛——灸肩井曲池下廉。鹤膝风——针阳陵泉阴陵泉。膝痛——针灸阳陵泉。脚膝痛——针足三里阳陵阴陵绝骨三阴交申脉。腿痛——针合谿环跳。脚腿痛——针内庭仆参。股膝内痛——针委中三里三阴交。诸节骨痛——针灸阳辅。

（二）关节强直及挛缩症

原因：由胎生时关节发育障害，持久性或强直性痉挛。脊椎侧弯症，外翻膝，外翻足，神经中枢之疾患，及损伤。软部火伤。创伤。及炎症等而起。其他发于关节及其周围软部之炎症及损伤。而艺结缔织性关节性强直，称骨关节强直。骨关节强直假性关节之强直。

症候：因关节强直。而关节运动全然废绝者，曰真性关节强直，有因全身麻醉中而营运动者，曰假性关节强直。又因挛缩而关节位置变常，及运动被其限制者。

治疗：膝中痛处。指挛痛——针少商。肘拘挛痛——针太渊曲池尺泽。臂疲麻——少商手三里关井外天经渠支沟阳谿腕骨上廉。手节急难伸——针尺泽。肘挛——针尺泽肩髃少海间使大陵后谿。肘臂手指强直不能屈——曲池手三里外关中渚。手指拘挛筋紧——曲池阳谷合谷。足挛——肾俞阳陵阳辅绝骨。足不能步——绝骨条口太冲足三里中封曲泉阳辅三阴交。脚腕挛急——金门丘墟然谷承山。

（三）筋肉偻麻质斯

原因：与关节偻麻质斯同。通侧。多来于僧帽肌。三角筋腋筋间筋腰筋。

症候：急性以患筋之肿起疼痛若而肥大或萎缩终。其症候与关节偻麻质斯同，急性症有发热发汗，而慢性症全无热候、疼痛。即有疼痛，则限于局部一定之筋肉，而发身体各部游走性疼痛者绝少。

治疗：灸麻中，局部痛处。

—301—

（四）佝偻症　龟胸　龟背

原因：大概为三岁以下小儿病，而多自生后，石灰化类及滋养分不足而来，又有先天性者。

症候：发脊柱转位弯曲，额门关大，颜成四角，胸部隆起，全身消瘦，步行及起立困难，下腿关节肥大压痛，营胫骨弯曲诸症。又起下痢呕吐，头部出汗，带白米色尿渣。皮肤苍白及顽固性咳嗽等。其他兼发声门水肿，腹部膨胀，淋巴腺肿者亦不少。

治疗：龟背——肺俞。

龟胸——乳根、外卯。

九　传染病

（一）肠窒扶斯　伤寒　小肠热

原因及传播：本病系爱斐鲁脱及夜格非二氏所发现。肠窒扶斯菌存在于患者之肠内、尿及咯痰中，而直接从是等含有病毒之排泄物中，以手指染之而受传染。间接则以此等含有病毒之物混入食品，因摄取饮料水野菜而感染。

症候：受传染后经七日至二十一日（平均十四日）之潜伏期，渐次来倦怠头痛，胃肠加答儿之前驱症。其次来一二回之恶寒而发起本病。以后热度渐次升腾，四五日后达于四十度之稽留。

下痢为无痛性的，状如豌豆汁，与便泌渐多，腹部膨胀雷鸣，至第二周往往躯干发蔷薇疹，病人呈无欲状，放谵语重听。

轻症热轻减少，三周之后复平温，重症往往致肠出血或心脏麻痹而死，但本症有不呈上述症候者，往往有极不正之轻症状经过（此称为不完全之室扶斯）或有误认为感冒之经过者，轻症之轻重不一。健康者粪便中包有本菌，称所谓保菌者亦多。

治疗：1——太阳症：头身疼痛恶寒发热有汗或无汗，不甚口渴舌苔白，脉浮，心恶寒喜热饮，针风府合谷头维风池风门。2——阳明症：前额眼眶胀累或疼痛，发热不恶寒或微恶寒，壮热烦渴渴喜冷饮，口臭气粗，大便秘结。针二间合谷曲池内庭解溪。3——少阳症：头痛在侧，目眩耳聋，喜呕多吐，胸胁痛往来寒热，口苦咽干或利或不利。针中渚足临泣期门间使穷阴中脘。4——太阴症：腹满而吐，时腹自痛，自利不渴，手足微温或兼恶寒，发热骨痛，针公孙中脘少商隐白三阴交中脘章门。5——少阴症：挟火而动者，心烦不寐，肌肤灼燥，少便短，咽干，针涌泉照海复溜至阴通谷神门太溪，挟水而动者，目眩倦卧，声息低微，不欲言，身重恶寒，四肢厥逆，腹痛泄泻，或不泄泻，舌淡白而不渴，灸肾俞膏俞，关元俞太谿复溜。6——厥阴症：张目直视，燥燥不眠，口臭气粗，四肢厥冷，心胸灼热或下利脓血，或喉烂血腐，针大敦中封期门灸遗肝俞。

四肢厥冷，指甲青黑，腹中灼急呕吐酸苦，灸肝俞行间关元中脘期门。

腹中痛挛，四肢厥冷，吐泻交作，饮下即吐，针中封灵道关元间使肝俞。

（二）虎列拉　霍乱

原因：此疾由虎列拉菌之传染而发。即自饮食物，如饮料水侵入于体中而来。故饮食不摄生，及有肠胃炎病者及寒冒等，皆能为之媒介。

症候：单纯虎列拉，下痢发腹中雷鸣，暴泄（一日六七次）倦怠。食欲缺乏，四肢厥冷，尿量少，呕吐烦渴，腓肠挛痛，脉搏细弱等诸症。或以数日治愈，或转以至症虎列拉。

类似虎列拉，腹中雷鸣，忽然发水泻及呕吐，（吐物及便色皆呈米泔样汁）泌尿减少或绝止。手足厥冷，皮肤苍白，动力特甚，脉搏细数，腓肠疼痛等。轻症以数日治愈。

真性虎列拉。亲于单纯虎列拉，或类似虎列拉。又或有突然特发者。而起全身衰弱，体温下降，脉搏细数，尿量减少或绝止，吐泻无痛性米泔样液。（一日二三十次）眼眶陷没，鼻梁峻立，诸肌痉挛。（腓肠）大渴引饮，声音嘶嗄，呼吸困难诸症。其他皮肤厥冷，而指无弹力，撮之则留皱襞，且呈皮肤苍色，遂于数时间或一二日死。或有一二周而治者。又此症有不发下痢，名曰干性虎列拉。

治疗：1. 寒霍乱——肠胃绞痛或吐或泻或吐泻交作四肢厥逆汗出而冷面唇色青爪紫螺瘪眼陷转筋两目失神，针委中中脘合谷太冲内关内庭足三里承山灸天枢神阙章门气海。2. 热霍乱——发热烦渴气粗喘闷，上吐下泻，螺瘪腹冷躁渴不安，神识昏迷。刺尺泽少商关冲少泽委中出血，合谷太冲大都曲池阴陵中脘绝骨承山素髎人中，3. 干霍乱——腹中绞痛，欲吐不能吐，欲泻不能泻，爪甲青紫，烦躁不安，舌黄或白，针人中少商关冲十宣委中十指头出血。合谷曲池素髎。太冲内庭中脘间使绝骨。

（三）赤痢

原因及传染：本病为日本智西博士所发现，因赤痢菌存在于患者肠内及粪便中。其传染全与虎列拉同。

症候：传染后经一日内至五日间之潜

代期，即发恶寒之前驱下痢，或腹疝痛，下泄粘液血液性粪便，恶寒发热疝痛，便通之行数增，至有里急后重之苦。经过良好者数日后下痢行数渐次减少而复粪样，但残留永久下痢之倾向。

治疗：1腹痛下痢，青白粘液。灸合谷关元脾俞天枢。2.腹痛下痢里急后重，赤白相杂，腥秽不堪，日行数十行针小肠俞中膂俞足三里合谷外关复衰复溢。3.痢下腹中觉痛，乍发乍止，面黄食少。灸天枢神阙关元小肠俞。4.胸闷呕逆，痢下不止。心烦发热饮食不下，灸神阙天枢小肠俞

（四）间歇热　疟疾

原因：此症所谓麻剌利亚普於斯谟善之寄生物存在血中发之。而此寄生物由蚊属之一种，即阿纳非列斯蚊螫刺入人体以传染者也。

症候：本病之发作分为恶寒发热发汗之三期。(即恶寒期(半时间或一时间)发恶寒战栗脉搏频数(百博至百廿博)。颜面苍白或紫色。发热期灼热难堪，头痛眩晕，大渴引饮。体温升腾达三十九度至四十度(约三时至五时发汗期则出汗淋漓，体温下降，诸症消散尿中含多量之赤色沉渣，比重甚高。

此病日热或隔日热，四日热等之别，而其发作之时间，为每天热六时至十二时

隔日热大時间，四日热四時间。又脾脏肿大为本病之所常見。

治疗：1.但热不寒，肌肉消烁，烦渴或呕。针太谿后谿间使，陶道大椎。2.寒多热少，始而战慄，继乃作热烦渴逾数時，汗出或不出汗而解，灸大椎间使後谿神道。3.寒热日作或時作时止，飲食减少，胁下痞闷有块。针灸章门脾俞痞中。

（五）脚气

原因：未詳。或为由一种固有之黴菌傳染病。或为青魚科之魚肉中毒。或为营养障碍，即由飲食中含蛋白素物及炭素物之配合不得其適当。一說係維他命缺乏。

症候：此症有乾性脚气及湿性脚气及冲心性脚气之别。乾性脚气初发於足及下腿之知觉麻痺，次及上腿下腹口唇等，膝盖腱反射消失。腓肠紧张压痛，每行步困难，其他发心悸亢进，脉搏頻数。

湿性脚气，为干性脚气之外兼发浮肿者，即初来足部下腿之浮肿，遂並及全身。

冲心性脚气，兼发如上述之症外，更发心脏亢进，脉搏頻数，呼吸迫促，颜面苍白，恶心呕吐等，遂陷心脏麻痺而死。

治疗：1.干脚气——针涌泉至阴太谿崑崙阴陵阳陵三阴交绝骨血海膝关委中灸风市
2.湿脚气——针灸足三里三阴交绝骨阴市

阳辅阳陵。注意——按之愈甚，则秘针不灸。3.冲心脚气——灸足三里三阴交绝骨各数十壮

十　妇科

(一)　子宫内膜炎　带下

原因：为淋毒，分娩、产褥时不摄生，子宫疾患之变形，转位、及肿瘤等而发。其他手淫及房事过度、感冒、月经时不摄生，亦易罹此病。

症候：急性病从恶寒发热为始，骨盘内有压重之感，带下初稀薄，后则为脓性。慢性症月经时血量增加外出血、带下之变化，即为玻璃样粘液或脓汁，下腹部有疼痛；其他有头痛；食思缺损、消化不良神经性胃病等，又有续发精神忧郁于歇斯的里者。

主治：三阴交阴陵泉肾俞关元中极八髎

(二)　子宫实质炎　子宫痈

原因：急性症发于淋毒子宫内膜炎、子宫创伤传染病。慢性症发于它之子宫病。其他惹起子宫充血诸症。即分娩后子宫收缩不全时有房事过度手淫等则发之。

症候：急性症来恶寒发热，小腹剧痛，谵语衰惫、脓汁流出，恶心呕吐下痢，尿闭子宫知觉过敏、及肿胀等、慢性症起腰痛、便秘、尿意频数，疝痛、子宫肥大

白带增大、白带下諸症。

治疗：针手足三里、合谷、三阴交、肾俞、八髎、中极。

（三）子宫出血　崩漏

原因：为卵膜或胎盘片残留、子宫收缩不全。息肉纤维肿、癌肿等.

症候：经行后淋漓不止，或经血忽然大下不止，或非经期而下血甚多，或淋漓流下不止。

治疗：针灸气海大敦阴谷关元/太冲然谷三阴交中极，灸大都穴三壮.

（四）子宫痉挛

原因：有器质的及官能的区别

甲、恶新生物、子宫之转位、子宫喇叭管及卵巢之急性或慢性炎症，月经困难、及其他来自器质的疾患。乙、发于歇斯的里、精神之激动、舞蹈骑竹马　蓄尿便秘，月经之前后，亦有因冷却逆洵劳动神经质者或房事过度而发者。

症候：因子宫之神经器管而发，起于子宫之收缩而发痉挛、其初有下腹压重及紧缩之感觉其后若骨部及下腹部发痉挛，随而疼及腰膝，其状觉如灼如绞或如刺之疼痛或有求形状之物体向心窝上冲；腹痉挛急如板状之多属上体之往往有反射　　对之呕吐，或伴以胃痛，甚至有四肢转筋、陷于人事不省者，然脉博多无异状、亦不发热。此际触诊於腹部、子宫之接触，恰有似触肠之感，因精神之感动，大小便之努责。便必肠中瓦斯之集积，而增加疼痛，本病发于歇斯的里及宫内膜炎。

治疗：针灸涌泉足三里三阴交。

（五）卵巢炎

原因：急性症为子宫炎、淋毒漫症、产褥热、腹膜炎、子宫外膜炎、慢性症为精神过劳、房事过度、堕胎婴儿，子宫内膜炎等。

症候：肠胃部觉膨满疼痛，压之则疼痛增加，有恶寒发热，又自腔及肛门探之，可触知卵巢增大，若炎症消散，则此症状亦去大白消散，若化脓则有脓流注于腹内、直肠室及膀胱等其他发便秘，食思缺损，睡眠不安等。

治疗：足三里三阴交合谷。肾俞、痛处。

（六）月经过多

原因：因精神剧动、营养不良，脂肪过多肺结核等发、亦有因心脏肝脏及肾之疾患及生殖器疾患（尤以子宫转位）新生物慢性炎症或舞蹈骑马等之刺戟性。或在月经時因步行而致血液瘀積於骨盆內來者，又有因短年月間反復分娩及流产及房事过度等而来者。

症候：月經过多時，月經多量劇甚，超越于常量，有害健康之症也。寻常月經之量，依各人而无一定，但其标准，个人自己可判然而得、若在月經期中來多量之血，或忽然中止，又忽然超出常規、往再持續，费多多之日数、或月經頻数而來、月月数回，致影响全身而起貧血，发白帶下、而知覚过敏、於是而发头痛、或影响异状之異常等。至其末期或与疼痛併发、或来高度之貧血、而老妇尤常起恶液質焉。

治疗：针隱白三阴交、灸左大都穴三壮。

(七) 月經困难 經痛、經行腹痛

原因：一器械之月經困难，由子宫前肿及子宫外口狭窄或不全，致一時妨害經血之排出，二充血症或炎症性月經困難，有子宫内膜炎、子宫周围炎，卵巢炎、及其他涉出物肿病而来。三神經性月經困难，因精神过劳，神經衰弱等而发。

症候：多于月仅前二三日间发前驱症。即全身違和、头痛胃痛恶心呕吐、食慾不振不眠等。神經性者月經來潮时，則請症候随後解或消失，又於炎症性与出血共同开始，而病状多携轻快。器机的月经困难，出血增多，则症状增进，出血减量则症状渐次消失。

治疗：针内庭三阴交气海。

（八） 月经闭止

原因：因萎黄病腺病、结核糖尿病，重性病，慈剂中毒，肥胖性，精神病、生殖器疾患子宫疾患、精神激动等而发。

症候：例期无月经，或中途闭止，月经将发时腰痛头痛，胸部苦闷，消化不良等

本病为代偿机能，而因衄血吐血咯血往往得症状轻快。

治疗：针合谷三阴交地机血海。

（九） 膣加答儿

原因：由淋疾外伤或房事过度其它子宫炎症性疾患而来。慢性症由急性症移转

症候：膣之粘膜肿胀，且呈赤色肿痛、次第增加，则局部灼有热感，流出脓样分泌物，其他未腰痛，全身倦怠，食思欠缺等。

治疗：白环俞关元三阴交长强中髎。

（十） 不孕

原因：男子精虫缺乏，精虫减少，女

子性交时的快感缺乏，子宫肥大，卵巢机能障害，性交过多。

症候：依时性交，但不能受孕。

治疗：针上脘阴交灸阴廉神阙关元中极商邱子宫。

（十一）妊娠恶阻

原因：妊娠二三个月，而起妊娠初之呕吐；其原因称妊娠中毒。

症候：显著的忌嫌食物，常催恶心，甚而流动物之饮食，竟致并吐，然若与固形食成反之纯粹固形物，反容易收入，精神多亢奋，呕吐久之，每数日断食，而发头痛，身体[illegible]等。

治疗：针内关中脘灸间使。

（十二）流产癖 半产

原因：为梅毒、淋毒、痨性病、胎儿畸形脐带异状，又卵巢之疾患，身体发热、贫血子宫后屈，子宫内膜炎、子宫发育不全，生殖器疾患、骨盘狭窄，精神感动，药剂中毒等。

症候：发四肢倦怠，食思缺损，尿意频数及腰部压重下垂，来子宫出血，而此出血初为点滴状或为多量，次发阵痛样疼痛，出血益增加，终排出卵膜。

治疗：关元左右各开二寸灸二十壮，

或中极旁各开三寸灸之。

(十三) 产病

原因：缺乏运动，营养不良，以致产时骨盘不开，及无力努责。

症候及治疗：1.生产数日不下。针合谷三阴交太冲昆仑，灸至阴。2.横生手先出。灸足小指尖三壮。3.胎死腹中。针三阴交合谷太冲。4.胞衣不下。针三阴交中极气海内关昆仑。5.产后流血不止，针肩井三里三阴交支沟关元神阙。

(十四) 乳腺炎

原因：因乳房之裂伤、咬伤、溃疡等致酿脓菌侵入于乳腺内而发炎症，多于授乳中之妇人，妊娠及处女发者甚少。

症候：乳房内生硬结、甚疼痛、其后加肿胀潮红等、遂呈波动。若放置之能自溃而出脓汁，但在轻症，每不化脓而消散。重症则每伴以恶寒及高热。

治疗：肩井乳根膻中大陵少泽委中三里、

(十五) 乳汁不足 无乳

原因：为异样体质，乳腺发育不全，全身衰弱，营养不足、精神感动、食事变换身体过劳等。

症候：乳汁分泌过少。

治疗：针少泽、灸膻中乳根。

十一，儿科

（一）脐风

原因：由于断脐时剪刀不洁，或包脐时不小心，破伤风菌侵入所致。

症候：小儿生七日内，面赤喘哑，吮乳口松，两眼角挨眉心处忽现黄色。脐上有青筋一条，上冲心口，或牙龈有小泡，须用绸布裹指擦破之。

治疗：脐上有青筋未致心口时、急用小豆大或麦粒大艾柱在青筋头上灸之。此筋即缩下寸许，再从缩下之筋上灸此筋即消而病愈矣。

灸法：用灯心蘸香油燃火於顖门人中承浆两少商各一燋，脐轮绕脐共六燋、脐带未脱於带口烧一燋、既脱处烧一燋。

（二）小儿急痫　急惊风

原因：从恐怖、惊愕、暑天日射病或消化不良所寄生虫、生齿困难、便秘、及其他肺炎。麻疹急性热性传染病等而来、或起於吾人常常饱食下痢伴以此症者。於小儿之肠胃症常常遭遇之。

症候：急痫发作、恰无异於癫痫发作、眼睑搐动不止，眼球翻转、眼睛固定，、牙关紧急或龂齿、其始颜面躯干四肢痉挛，其后未全身之间代性痉挛、伴以痉挛性呼吸、及发汗等。发作的持续，数分时而醒觉、一回发作已終又以原因再发，如此反复冕之。

治疗：针少商曲池人中大椎涌泉中脘委中印堂承山百会。

（三）結核性脑膜炎 慢惊风

原因：本病从全身粟粒結核、肺結核、結核性肋膜炎，淋巴性結核、及生殖器結核之脏器結核而續发。即結核菌之感染于脑膜者、其部发生結核病灶，最多发于十岁以下之小儿、尤以二岁至七岁时发生最多。

症候：本病每常有前驱症状、即小儿从来性活者忽然觉头痛感增加、不喜游戏、食慾减少，呕吐下痢，便泌。不眠或嗜卧、颜色苍白、有不定之发热、其后持續数日或一二周，常不能判别其为何病。其后次第增重，成为脑膜炎性刺戟症，副精神朦胧，项部强直。譫妄痉挛。瞳孔甚大，反应则迟鈍，知觉过敏、其后精神次第昏蒙、啼哭号泣、使二亲起不忍的心情。此名脑膜性号泣，便通多秘結，发呕吐、腹部显著陷没。

其始脉博减少且不正。其后频数且呼

吸多急促，体温上升，又有降于常温以下者、至病之末期则甚上升，终至意识完全消失，昏迷之状渐深，麻痹者明显貌憔悴，甚形羸瘦。

至此时忽似里轻快之貌，而有一线希望、其后再陷于昏睡，强直消失、并下困难、呼吸不正、脉搏频数，终因心脏麻痹而死、其完全经过时间，为一二周乃至三周。

治疗：针十宣列缺上中下脘足三里委中印堂人中中冲合谷精宁。灸关元天枢大椎神阙。

原因：本病为三岁至六岁之小儿，因过食或消化器能之不调，及精神感动如因昼怪谈，或长時间之乘坐电车汽车或高度之音响等、精神受过度之刺激、而虚弱及神经质与贫血者尤多发焉、又扁桃腺肥大鼻咽喉之病等亦为本症之原因。

症候：大多数於就寝后一時间至三時间突然号泣醒觉、甚至呈惊怖之状，或似有觉或似无觉、精神混乱、或甚至起坐狂噪，经慈母之抚慰，而仍不知其在梦中也、如斯经十五分乃致一時间、此种发作、一夜间反复再来者甚稀。大多不过每夜两回，或一周二至三回或一月二三回。

治疗：灸百会三壮。

（五）儿消化困难症　猴子疳

原因：以不良之乳汁，不适当之食物，饱食过饮，牛乳脓厚、食器之不洁等，而来者较多，其他授乳者之精神感动，身心之过劳，热性症下痢月经等。与早生儿、贫血腺病质之小儿、亦易罹本病。本病为吾人日常最多遭遇之疾病。

症候：面黄肌瘦、不思饮食、腹胀泄赤便溏消化不良、摇鼻搔首啼哭无常、潮热无定，其特征为二手四指中节纹内呈有红色丝纹瘀点一二粒。

治疗：针其二指中节纹内之瘀点约一分深、流出黄色稠粘之脓液以棉拭净至出清血为度。

十二　牙科

（一）齿痛

原因：为齿牙骨疡及寒热之刺激等。

症候：齿痛有较有重、有上外牙痛、有下外牙痛。

治疗：下外牙痛，针合谷大迎人中内庭。上外牙痛，针合谷列缺承浆颊车内庭。

蛀齿痛：针合谷，齿孔中填入樟脑少许。

（二）齿龈炎

原因：口内炎、坏血病、水银中毒。

症候：齿龈肿起疼痛。粘液唾液之分泌增加、放恶臭等。

治疗：针合谷颊车内庭太溪阳陵。

十四 眼科

（一）加答儿性结膜炎。

原因：急性症多於春秋两季流行，其他由夜中不眠、异物窜入、摩擦外伤、鼻加答儿及颜面炎症之波及、麻疹猩红热等而发之。慢性症由急性症转来，或因不洁空气，眼睑腺炎性睫毛乱生等而发此症。又老人易罹慢性症。

症候、急性症眼睑呈赤肿。热痛、眼睑腺糜烂、结膜充血肿胀（在重症则发结膜浮肿及结膜下出血）而眼脂溢出、晨起有胶着上下睫毛、慢性症虽如急性诸症、然结膜弛缓、呈暗赤色、分泌为少量。

治疗：目赤有翳针太渊临泣侠溪攒竹风池、合谷睛明丰络。

目赤不甚痛、针目窗大陵合谷液门上星攒竹丝竹空

目赤肿翳羞明隐涩、针上星目窗攒竹丝竹空睛明瞳子髎合谷太阳内迎香。

目赤肿痛、针神庭上星囟会前顶百会光明地五会。

目肿痛睛如裂出、刺八关十指尖。

目赤痛不肿。针合谷手三里太阳睛明。

目痛不红、针二间三间前谷上星大陵阳谿。

目昏悬痛、针三间

（二）角膜炎

原因：为结膜炎砂眼病、梅毒、急性传染病外伤及其他眼之诸病。

症候：角膜溷浊、脉管发生羞明、流泪疼痛、及水泡发生，溃疡等为其主要症状。

治疗：迎风流泪——针头维睛明临泣风池灸大小骨空。

冷泪有流——灸肝俞百会风池后谿大小骨空。

（三）夜盲症　雀目

原因、本症发于网膜外层之疾患。营养不良、神经衰弱症，产妇黄疸等之妨害眼底不抱何等障碍、而多来本症。

症候：眼之外部及眼底不异於常，对於弱光视力顿减，若遇落暮或画採光不充分时、视力甚形障碍、甚至与盲者无异、虽用灯光、亦渐渐不能读书笔记。

治疗：才至黄昏便不見物——针上星前顶百会睛明出血、灸肝俞照海。右手大指甲后内角下一节横纹端白肉际灸三壮。

瞳神如常无或缺横日间亦视物不见。灸巨髎肝俞命门针商阳出血。忽然视物不见，必急睡卧时始能见人物、然亦不能明辨——针攒竹前顶神庭上星内迎香出血。睛黄视渺乾涩昏花或黄晕满目起坐生花——针头维三里承泣攒竹目窗百会风府风池灸肝俞胃俞。

（四）角膜翳　翳膜

原因：为角膜炎、角膜溃疡、角膜营养障害、外伤经久刺激等。

症候：角膜由脂肪变性、结缔组新生、或石灰沉着之沉着等，而生溷浊，障害视力，其白色不透明者曰白斑，稍带灰白色而透明者曰翳斑，又虹彩与白斑癒着者，曰癒着性白斑。

治疗：针肝俞睛明四白太阳商阳厉兑出血灸肝俞命门三里光明翳风。

十四　耳科

（一）　耳聋

原因：因患从肝胆之火、肾气之弱、劳伤气血、风邪袭虚、遂致暴聋，精脱肾惫、肝气虚衰遂致重听。

症候：两耳重听、其声嘈嘈、久则不闻声音。

治疗：耳暴聋、针天牖四渎、又以苍术长七分、一头切平、一头削尖、将尖头插入耳中、于平头上灸七壮、重者二七壮、觉内热即止。

耳聋实症——针中渚外关和髎听会听宫合谷商阳中冲金门临泣

重听无所闻——针耳门听宫风池翳风侠溪听会。

（二）耳鸣

原因：国医以肝胆之火挟痰火而上逆、亦有因肝肾虚者。

症候：耳鸣如蝉鸣噪不休者属实，若其鸣汩汩然霎时散、而霎时复鸣者属虚。而手按之而不鸣或少鸣者属虚、按之愈鸣者属实。

治疗：耳内虚鸣——针足三里合谷、灸肾俞足三里。

耳内实鸣——针液门耳门足临泣阳谷[illegible]谿、阳谿合谷大陵太谿金门。

耳鸣不能听远——灸心俞五壮、积灸至三十壮。

（三）鼓膜炎

原因：起于鼻及咽头急性加答儿或急性传染病。

症候：耳内生脓时感耳腔闭塞

治疗：耳红肿痛、针听会合谷颊车。
出脓水、针合谷翳风耳门。

乌梅苋黄糖，二味追…
盖趾敷患处 对脐…
有效

十五 外科疾患

（一） 疖肿疔（阳症）

原因：酿脓菌于皮肤不清洁、深侵入毛囊孔发之而以颜面头项及四肢臀部为多

症候：皮肤发焮赤、疼痛、为圆锥形隆起，而其顶可见脓栓头。

治疗：针身柱合谷曲池委中出血，服野菊花汁一杯

疔生在唇角、背之皮对侧红点出血。

疔生在口四周、针委中出血。

（二）坏疽 脱疽（阴症）

原因：由机械的作用（压迫）化学的作用（酸作用）动脉血流通障碍（心病动脉病）发之。

症候：坏疽初皮起软化成腐败，其坏死部呈暗红色或黑色，失知觉及搏动、生水疱色血样浆液、溃烂坏故恶臭、发坏疽热、（脉博细数、厥冷、发汗、烦闷、失神、呃逆、呼吸困难、呕吐下痢、皮肤黄疸色。）

治疗：针曲池身柱委中。用大蒜捣烂安于疮上灸之。痛者灸至不痛、不痛者灸至痛为止。

背痈：针身柱灵台承山 用水翁叶煲水洗

(三) 疥癬

原因：由疥癬虫之侵袭发之

症候：此症好生於指间、腕側肘腕、膝等之关节部．逐蔓延於全身、极称发泡、小水泡状、丘疹状。及脓疱状之疹、最感搔痒、夜间卧后身体温暖更甚。由搔破而脱落、又續发濕疹。

治疗：灸血海膈俞曲池各十壮。

(四) 天泡疮

原因：小儿最多患此症。

症候：皮肤发炎、其部生鸡蛋大及豌豆大透明水泡，次自潰烂而生湿潤面、蔓延全身皮肤，大陷衰弱或有发热、

治疗：针血海委中

(五) 横痃腺炎

原因：大半由花柳坊中得来：

症候：横痃腺部发生炎症紅肿生脓痛癢不止

治疗：针三阴交中都復出血海下巨墟

(六)乳癌：针肩井乳根

(七)痔疮：针长强承山

—— 324 ——

勘正表

页	行	字	误	正	页	行	字	误	正
2	9	5	旁	旁	18	12	9	莫	美
4	21	1	蹲	蹲	18	13	1	着	著
5	24	8	蹲	蹲	19	20	1	喃	喃
6	5	7	喝	喝	20	19	10	内	肉
7	5	9	掐	掐	21	1	4	胃	胃
8	12	11	肠	肠		图	乳下	乳很	乳根
9	1	5	肠	肠		图	上腹部	大乙	太乙
10	1	6	肠	肠		图	上腹部	滑内门	滑肉门
10	18	9	肠	肠	22	10	8	大	太
11	1	2	疾	疾	22	11	2	内	肉
12	3	9	疾肠	疾肠	22	16	2	鲜	解
12	5	10	无	先	23	6	3	云	去
12	9	6	脂	指	23	7	15	真	其
12	19	4	吾	言	23	8	8	犬	太
12	21	4	朴	朴	23	8	11	内	肉
13	1	4	本	本	23	13	5	鬼	鬼
13	11	9	冗	冕	23	15	5	是	足
14	8	13	冗	冕	23	15	8	至	(至)不要
14	9	1	鬼	寇	23	25	4	颧	颧
14	10	6	肠	肠	24	19	9	颞	腢
14	11	9	蜿	蜿	26	22	1	吸	收
14	21	8	肠	肠	27	8	6	风	凤
14	22	6	忍	忍	28	22	7	澜	澜
15	1	9	何	向	29	8	8	二	之
15	4	4	桡肌	桡骨肌		8	10	各	开
15	8	3	肠	肠		10		大胸	大小胸
15	8	7	渍	澹	32	16	8	胃	肩
15	8	9	肠	肠		20	10	煋	里
15	21	2	羸	羸	34	3	10	功	切
16	2	4	附	肘	35	20	10	胸	腹
16	2	12	附	肘	37	3		生取	坐而取
16	11	8	博	膊	39	7	4	羸	羸
17	7	9	欸	款		8	3	樯	樯
17	8	8	满	满		12	4	腰	胫

页	行	字	误	正	页	行	字	误	正
40	10	5	劫	劫	51	23	6	聚	聚
	10	9	泺	源	52	4	6	软	软
	15	7	焦	焦		16	15	骨	骨
	22	5	徘	腓	53	9	10	竹	行
41	11	3	冗	见	56	图	手部	每次	每穴
	14	9	皎络	的络	57	20	5	湾	湾
	10	6	鞆	鞘	58	18	5	沬	沫
	15	7	六	大	61	1	6	丧	贯
	21	15	五	五		11	12	痿	灸
43	16	8	絕	絶	63	12	2	各	谷
	18	2	踵	腫		16	11	尺	天
44	图	下腹部	腹者	腹络		22	11	内	内
	图	足部	三阳交	三阴交	65	3	9	掌	掌
45	7	5	实	實	66	1	5	内	内
	16	8	三寸	寸三		21	3	左	在
	17	7	会	旁	67	8	11	内	内
	19	1	冉	再	69	14	每故		欲在肩胛区
		5	肋	腑		23	10	项	项
	21		陷白	隐白	70	15	11	神经	神经
46	2	11	脂	脆		18	7	暴	暴
	6	6	满	满	71	8	4	颧	颧
	20	12	如年	交如年		8	12	笑	笑
48	1	3	肩	膏		16	7	着	着
	4	14	脈	脈	74	11	5	穴	空
	8	7	二	三		22	7	皋	里
	9	1	下	后	75	10	4	膀	膀
	18	6	屡	瘘		12	6	室	室
49	8	11	爪	比		18	3	上	下
	13	11	膏	膏	76	1	2	内	内
	22	16	酱	酱		19	7	膛	膛
50	7	6	阴	阳	78	1	8	颧	颧
	10	13	畜	蓄	79	2	8	扬	扬
	15	13	满	满	80	20	4	离	离
	25	11	疣痒	疮痒	81	1	…	四椎胸	四胸椎

— 2 —

页	行	字	误	正	页	行	字	误	正
	25	3	在	在		19	12	为痿	为 痿
84	2	5	根	拔	112	9	6	二	上
	3	7	善	善		18	7	肠	肠
	12		骨柱肌	骨脊柱肌		20		经下	月 经 下
	22	6	腑	腑	115	20	8	腰	腰
85	4	1	痛 筋	痛 筋	117	2	6	内	内
	8	2	湿	湿		3	6	内	内
	13	13	椿	脊	121	13	5	小	少
86	25	4	七	六		19	3	痛	痛
87	7	4	五	七	122	18	7	鬼	鬼
88	6	8	髂	臀	124	1	1	凶	凶
94	6	3	噎	噎		12	11	鬼	鬼
97	11	7	肉	内	127	6	12	臁	臁
98	8	13	肠	肠		16	16	臁	臁
99	8	10	律	往	130	15	6	热	热
	9	5	郎	郊		16	2	冬	疼
	10	16	夕	夕	131	6	7	伊	伸
	16	1	国	国	132	2	8	惊	惊
	16	9	病	痛	133	1	4	布 后	布 后
	17	9	两 F	两 月		1	12	桡	桡
100	20	10	脑	腰		16	4	髌	髌
102	17	14	甚	甚		20	11	前	前
	25	1	乐	东	134	12		臁	臁
105		全部	慢 湍	慢 浩		23	7	项	项
106	8	14	廓	廓	135	4	8	上	下
	11	9	谷	谷	136	6	3	骶	骶
	20	14	廓	廓		7	5	翼	翼
108	6		下后	下 股 后	137	2	4	髋	髋 技
	16	1	痹	痹		7		终	膝
109	4	9	处	处		9	7	唇	唇
	11	4	中	中		17	12	眼	眼
	25	8	文	女	138		全部	基 里	基 压
111	7	12	王	在	140	5	5	集	集

— 3 —

页	行	字	误	正
141	6	5	庄	定
142	4	5	顴	顴
	23	7	顴	顴
143	17	7	痛	腄
144	3			(加)头角痛
	8	11	顴	顴技
	10	9	唇	胃
	11	10	脛	脛
146	16	9	臆	膻
	20	11	慄	慄
148	12	3	劳	膀
	21	4	枫	胍
149	1	14	肋	府
	14	1	劳七伤	痨七伤
	19	5	急	若
150	19	10	腕	脘
151	6	尾加		侧弯较
	21	5	秋	麻
152	5	5	睾	睾
	8	3	章	章
153	8	15	穴	空
	12	7	眹	肤
	17	9	盼	贴
157	10	9	中	中
160	图	脉下	章门	章门
161	4	15	吏封	中封
	5	3	京郄丘	中都丘
		11	司	包
163	1	10	下	不
	9	8	肥	绝
	11	5	見	覓
	20	9	痛	不要
164	10	4	下	乃
	16	5	痍	癀

页	行	字	误	正
166	1	4	亢	肮
	10	9	溺	弱
	14	4	都	部
167	3	10	為	焉
	4	1	宣	直
	21	3	魏	魏
168	19	2	小	少
		12	胃	胃
169	图	下腹部	右门	石门
170	8	1	香	唇
	20	16	香	唇
171	11	5	上	旁
172	1	10	下	上
173	1	1	心丁	大力
	5	8	右	石
		13	功	动
	14	8	膄	腹
	16	1	产恶	产后恶
		9	愧	塊
174	2	8	快	块
	13	5	逼	遍
	19	8	丑百	至百
175	21	11	中	冲
178	5	6	蠱	蠱
179	3	5	本	体
187	7	15	孔	恐
188	20	1	椎	柱
191	6	4	小	少
	9	9	给	络
		12	畫	盡
195	14	12	远	远
196	11	3	皿	血
	22	8	例	侧
	24	4	镜	犢

— 1 —

页	行	字	误	正
197	16	10	瘛	瘛
198	4		了耳夫	了耳关
		14	取	取
199	4	11	痾	痾
	7	26	郎	即
203	3		太阳	太肠
	3		阳少	阳小
204	5	11	助	肋
	23	2	弑	試
		14	腹	腹
205	3	1	邪	邪
		6	解	解
		11	腹	腰
	6	11	盖	盖
	8	4	寒	寒
	10	6	冗	晃
	15	15	泛	浮
	20	3	邪	邪
	21	4	漫	浸
206	5	4	乎脏	于脏
	18	3	颞	颞
	22	2	舫	触
		10	邪	邪
		14	配	配
	23	1	臭	鼻
		16	邪	邪
	25	1	以	以
	26	11	邪	邪
207	9	8	彼	彼
	16	15	湿	湿
	19	6	有	有
	24	12	半身	半身
208	1	11	髓	髓
	2	5	耳也	且也
	5	12	疏	疏

页	行	字	误	正
	6	5	是	是
	19	11	門	阴
	21	6	者	者
	22	5	之	之
	23	8	有	有
209	4	13	清	清
	7	11	胃	胃
	11	14	梗	梗
	23	14	巢	巢
210	12	3	者	者
	17		水槽	水谷槽
211	3	13	消	消
	5	13	胃苦	胃苦
	16	14	梓	梓
212	1	3	阳	阳
	14	3	土	土
	15	4	胃	胃
	17	1	朴	朴
	18	8	溯	溯
213	1	14	若	若
	6	5	唐	唐
	7	16	应	迕
213	14	12	脆	脆
	15	1	解	解
		4	较	较
214	3	13	唇	属
	16	13	伏	伏
	24		瘤	瘤
		11	唐	唐
215	4	7	文	文
	6	4	盗	盗
	12	2	恶	恶
	19	14	抑	抑
216	4	7	杼	杼
	7	2	之	之

— 5 —

页	行	字	误	正	页	行	字	误	正
		10	得	㝵		22	4	委	委
	8	4	必	必	221	23	16	下	不
	9	12	先	无	222	5	7	项	项
	13	4	于	寻		21	16	大	太
	17	3	椎	推		25	13	愈	俞
217	1	3	帆	胸	223	11	2	散	教
	3	7	息	應	224	19	4	烧	烧
	5	2	垂	垂	225	10	13	鸠	鸠
	6	15	仆	仆		22	13	不	大
	7	3	多	发		23	4	劳	毒
	20	16	不	不		25	4	嗽	嗽
	21	5	之	又		26	4	脘	脘
	24	8	精下	精不			12	脱	脘
	25	8	更	更	226	3	4	枕玉兔	救玉尤
		10	于	于		4	11	教	古
		16	匆	闭		7	13	偻	偻
	26	6	见	寺		9	3	偻	偻
218	1	16	下	不			5	朴	朴
	16	8	朴	朴	227	16	1	眼	眼
	22	16	岑	夲	228	13	1	心	必
	24	1	夲	本		16	13	冗	見
219	3	1	再	而		27	10	患	虫
		10	借	措	229	1	12	开	井
	4	2	清	清		22	15	支	文
	11	11	咳喘	咳嗽喘	231	27	2	遗	遗
220	5	13	方	力	232	20	5	痫	痫
	6	7	楼	被	233	9	5	憎	嘈
	10	7	河	河		14	9	穴	是
	11	10	愁	热			13	妙	秘
	15	11	曲	曲		25	15	舌	苦
	17	2	出	舌	234	1	6	开	井
	18	7	属	属		5	12	章	章
	19	1	仿	付		9	3	孔	孔
	20	1	尔	如		15	12	膀	膀

— 6 —

頁	行	字	誤	正	頁	行	字	誤	正
	22	8	他	併	259	4	4	乃	乃
235	8	11	幵	井	260	4	4	另	易
	10	13	刺	制		7	6	万	易
	15	6	由	曲		7	11	恐	都
	25	15	吾	舌			14	而	而
	26	10	吉	舌	261	9	6	沛	津
236	3	12	沿	治		2	1	灿	烂
	4	2	间	肩	262	19	8	七	大
	16	5	求	求		24	10	取	败
237	2		怏积	积 抉	263	22	12	臭	臭
238	8	14	囬	间		25	4	微	微
241	12	14	沉	虎	264	12	1	本	本
242	3	11	垂	垂	265	9	2	郄	郗
246	13	4	开	肝	268	14	9	忽	郄
	18	11	大	太	271	8	9	膺	膺
249	21	4	昔	背		17	9	叢	叢
251	8	6	器	喜	273	19	15	楔	楔
	10	2	例	侧	274	10	14	界	臀
	20	3	者	者		13	6	喜	音
252	9	4	之	欠		19	3	瘫	瘫
	25	10	址	址	275	13	14	脹	脉
253	3	5	骶	骶		13	1	历疾病见	疾烂溃
	10	7	例	倒		17	5	使	使
	14	1	宫	害		22	17	症	症
		4	失	失	277	14	4	之	之
254	5	8	丙	内	278	21	10	真	泉
255	20	1	泉	原	279	18	10	谷	吾
	23	11	作	坊		25	3	疫	瘦
256	10	1	下 神	下頭神	280	3	1	空	室
	18	2	铁	缺		13	11	疼	疾
		7	胶	较		16	14	之	之
	20	8	之神经	之原因		19	4	脾	肺
	21	3	四	因		25	1	而	而
257	7	8	豆	星	281	2	12	湿	湿

页	行	字	误	正
	9	13	並	至
	21	7	胆	脏
282	19	6	惨	憺
	22	6	徐	徐
	23	14	万	易
283	3	6	乂	文
	6	1	器	器
	16	12	願	顯
	18	19	者	香
	26	3	凡	风
284	4	9	昔	者
	5	8	肾	肾
	7	2	色	色
	18	7	胱	胱
		9	寺	寺
	20	4	刎	肋
	25	4	腥	腥
285	1	2	因	困
	2	7	亦	赤
	18	1	亠	之
		10	高	高
	21	12	水	水
	22	15	赤脑	赤 脑
286	3	2	轻	轻
	26	14	皮	皮
287	5	15	胱	胱
	16	7	发	发
	17	7	承	原
	18	15	其	其
	24	14	浓	热
289	4	15	淋	淋
	5	13	附	附
	10	7	仗	仪
290	3	1	椅 之	梅毒之

页	行	字	误	正
291	9	12	皮	反
	10		和痂	和 疗 瘢
	15	12	下	不
	19	15	及	皮
	23	7	血	丘
	24	14	左	右
292	14		落	落 而 愈
	16	11	好	累
	24	1	冇	有
		10	数	散 漫
293	15	16	页	皮
	21	15	教	较
294	5	15	歸結	歸 歸
	7	4	教	软
	12	5	音	者
296	10	9	腹	痛
	15	12	渐	渐
297	5	5	有	于
	8	1	温	湿
	21	7	于	于
298	7	9	梅	梅
	16	3	愈	俞
299	19	1	血	血
301	10	6	关卅外天	天卅外关
	18	3	内	肉
	22	13	麻	麻
302	3	5	卄	廾
	5	10	亇	门
	10	3	发	发
	17	4	发瑰	发 瑰
		11	存	存
302	17	15	音	者
	19	9	蚀	触
	21	1	茉 而	茉 荨 而

— 8 —

頁	行	字	誤	正
303	12	4	大	太
	26	13	丆	不
304	3	1	燥	烦
	5	2	更	灵
	23	12	等	寺
	25	3	流	亮
305	14	15	分	音
306	5	2	求永	永求
	9	11	模	膜
308	8	4	滛	淫
	17	1	主治	治疗
	20	8	慢性症发于它之疾病	慢性症继发于他处子宫病
309	19	1	盾	质
310	5	4	沙	秒
	6		及宫内膜炎。	等及子宫内膜炎。
	10	1	产	產
	11	11	塔	答
	14	11	脘	腔
	16	2	日消	日而消
	23	3	等发	等而发
311	18	4	罡	器
	20	7	症	性
312	1	2	喷	频
	8	1	賓	腎
		10	性	病
	19	2	弟	弟
313	9	6	忌嫌	嫌忌
	16	12	完	宛
	23	6	滴	滴
314	3	5	欠	血
315	7	12	睡	唾

頁	行	字	誤	正
	17	10	胱处	胱于胱处
	19	9	病或	病后或
	22	8	饱	饱
316	3	11	特	持
	17	10	泌	秘
	20	12	剌	刺
	21	8	譜	譫
	23	2	蒙	腺
	24		腺性	腺炎性
317	3	4	迷	腺
	5	3	時忽	時期忽
			致	至
318			下	上
			上	下
319	13	2	腺	線
320	21	4	横	視
	22	12	育	盲
321	11	3	写	害
	14	12	待	稍
	16	3	菁	著
322	1	8	臍	膚
	2	8	平	平
	4	2	肉	内
	14	1	而	以
		16	餘	愈
	22	2	厳	鼓
	25	10	厳	毁
323	11	6	脊	针背
	19	2	瘡	疮
		10	红	坏
	21	14	疸	疽
324	5	10	瘡	疮
	7	7	濕	湿
	10	3	此症	此症其原因不详

頁	行	字	誤	正
	12	10	摩	麻
	13	1	蔓	迷蔓
	18	10	由	油
97	13		一說宜灸	一說不宜灸

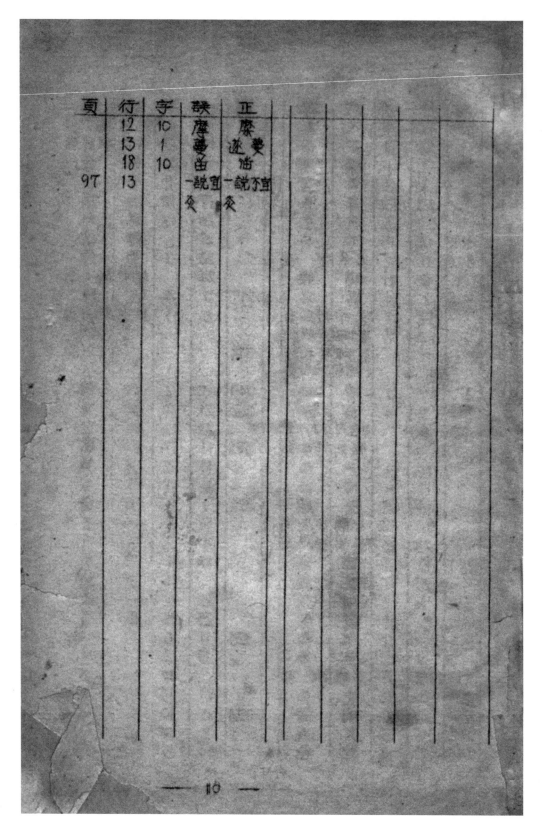

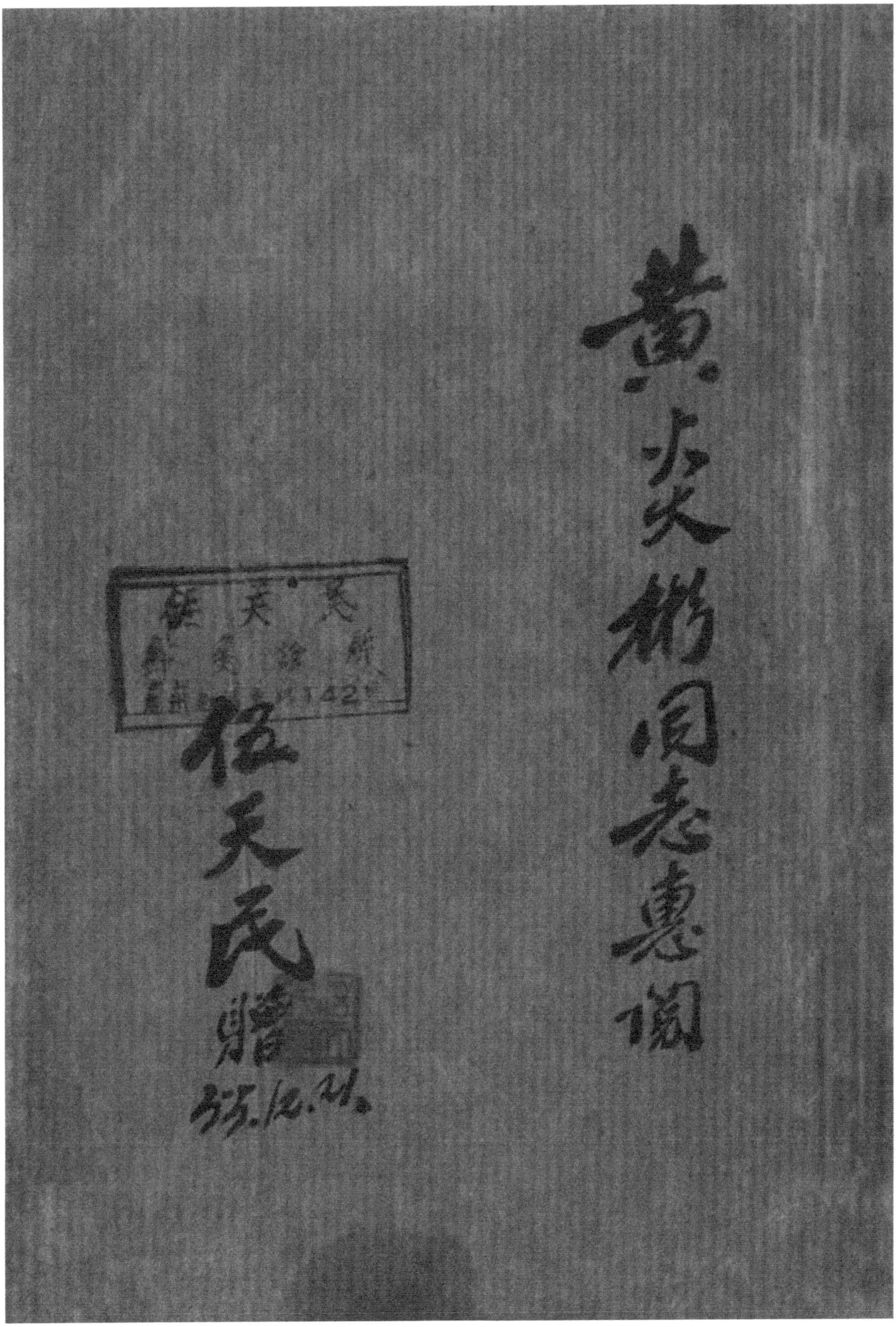
黄炎彬同志惠阅
伍天民
赠

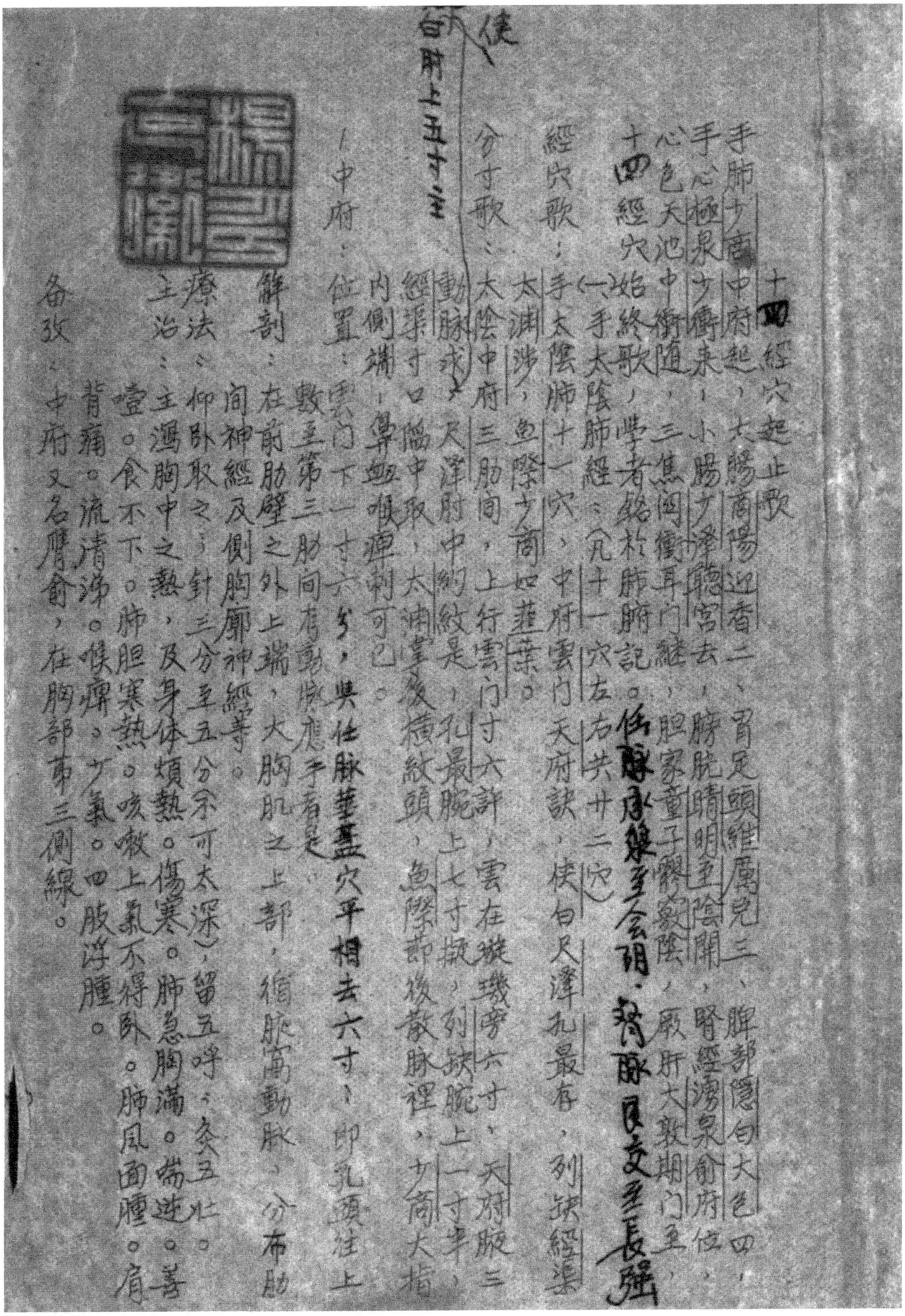

十四經穴起止歌

手肺少商中府起，大腸商陽迎香二，胃足頭維厲兌三，脾部隱白大包四，
手心極泉少衝來，小腸少澤聽宮去，膀胱睛明至陰閒，腎經湧泉俞府位，
心包天池中衝隨，三焦關衝耳門繼，胆家童子髎竅陰，厥肝大敦期門至，
十四經穴始終歌，學者銘於肺腑記。任脈承漿至會陰，督脈艮交至長強。

（一）手太陰肺經：（凡十一穴左右共廿二穴）

經穴歌：手太陰肺十一穴，中府雲门天府訣，侠白尺澤孔最存，列缺經渠
太渊涉，魚際少商如韭葉。

分寸歌：太陰中府三肋間，上行雲门寸六許，雲在璇璣旁六寸，天府腋三
動脈求，尺澤肘中約紋是，孔最腕上七寸擬，列缺腕上一寸半，
經渠寸口臨中取，太渊掌後横紋頭，魚際节後散脈裡，少商大指
內側端，鼻衄喉痺刺可已。

侠白肘上五寸主

1 中府：位置：雲门下一寸六分，與任脈華蓋穴平相去六寸，即乳頭往上
數至第三肋间有動脈應手者是。

解剖：在前肋壁之外上端，大胸肌之上部，循腋窩動脈，分布肋
间神經及側胸廓神經等。

療法：仰卧取之，針三分至五分（不可太深），留五呼，灸五壮。

主治：主瀉胸中之熱，及身体煩熱。傷寒。肺急胸滿。喘逆。善
噎。食不下。肺胆寒熱。咳嗽上氣不得卧。肺風面腫。肩
背痛。流清涕。喉痺。少氣。四肢浮腫。

备考：中府又名膺俞，在胸部第三側線。

2、雲门：位置：巨骨鎖骨下，中府微斜上一寸六分餘，即離璇璣六寸，氣户二寸，動脉應手處。

解剖：在鎖骨外端下面，大胸肌上部，通過頭静脉，胸肩峯動脉，分布側胸廓神經，肋間神經及鎖骨下神經等。

療法：手举平，坐取之，針三分（太深令人氣短促），灸五壮。

主治：傷寒。喉痺。咳逆。喘不得息。四肢熱不已。胸脇煩滿。肩痛不举。胸脇徹背痛。

备攷：本穴在胸部第三側線。

3、天府：位置：腋下三寸動脉中，直对尺澤穴相距七寸。

解剖：在上膊骨前外側上部（即二頭膊肌外側部），循頭静脉及上膊動脉分枝，分布橈骨神經，正中神經，外膊皮下神經。

療法：令病人手上举，柱鼻尖碰到處是穴，針三分留七呼，禁灸。

主治：中風中惡。口鼻衄血。寒熱痎瘧。目眩。善忘。喘息不得卧。風濕関節痛。

备攷：本穴在上肢前外側線。

4、侠白：位置：天府穴下二寸動脉中，即尺澤穴上五寸。

解剖：在上膊骨前外側中央部（即二頭膊肌與内膊肌間），循上膊動脉及頭静脉，分布内外膊皮下神經。

療法：針三分至五分，留三呼，灸五壮。

主治：心氣痛，胸部神經痛，呕逆，煩满。

备攷：本穴在上肢前外側線。

5、尺澤：位置：肘窩橫紋上兩肌中央之筋骨罅陷中。

解剖：在桡骨與上膊関節部，當二頭膊肌外緣，膊桡骨肌起始部之內緣；循返迴桡骨動脈；分布桡骨神經，外膊皮下神經。

療法：手平舉取之；針三分，留三呼；不宜灸。

主治：汗出中風。寒熱痎瘧。喉痹鼓頷。嘔吐上氣。心煩身痛。口乾喘滿。咳嗽唾濁。心痛氣短。肺脹腹痛。風痹肘攣。四肢腫痛不舉。溺數遺失。面白善嚏。悲愁不樂小兒慢驚。

備考：本穴在上肢前外側線。

6、孔最：尺澤下三寸，腕側橫紋上七寸；即尺澤與列缺二穴相距之中央。

解剖：在迴前圓肌停止部，二層是上膊骨肌內緣，下層為長屈拇肌的外緣；循桡骨動脈通頭靜脈；分布外膊皮下神經，桡骨神經。

療法：側手取之；針三分；灸五壯。

主治：傷寒發熱汗不出。欬逆。肘臂痛。屈伸難。手不及頭。指不能握。吐血失音。頭痛。咽痛。

備考：本穴在上肢前外側線。

7、列缺：位置：去腕側一寸五分；以兩手交叉食指盡處，兩筋骨罅中。

解剖：在內桡骨肌腱外側，長屈拇肌外緣，迴前方肌中；循桡骨動脈分枝通頭靜脈；分布外膊皮下神經及桡骨神經。

療法：針二分，留三呼；灸三壯。

主治：偏風口眼喎斜。手肘痛無力，半身不遂。口噤不開。痎瘧

寒熱。煩躁。欬嗽。喉痺。嘔沫。縱唇健忘。驚癇善笑。（上
妄言妄見。面目四肢疼腫。小便熱痛。實則肩背暴腫汗出，虛則肩背寒慄少氣不足以息。陰中痛。尿出精血。

備攷：本穴在上肢前外側線又此穴乃手太陰肺經之絡穴，負責與陽明經聯系。

8、經渠：位置：腕後五分，寸口脈上，陷中。

解剖：在肱橈肌腱外部，迴前方肌中，循橈骨動脈之通及和頸骨動脈，分布外膊皮下神經及橈骨神經。

療法：針二分至三分，留三呼，禁灸，灸則傷血。

主治：傷寒熱病汗不出。心痛嘔吐。痎瘧寒熱。胸背拘急。胸脹滿。喉痺。欬逆上氣。掌中熱。

備攷：本穴在上肢前外側線。

9、太淵：位置：寸口前橫紋上，緊接經渠。

解剖：在橈側屈腕肌腱外側，迴前方肌下緣，舟狀骨結節外上部，循橈骨動脈，分布外膊皮下神經，及橈骨神經。

療法：在腕骨上陷中橫紋之甚酸楚處，針二分，留二呼，灸三壯。

主治：乍寒乍熱。煩躁狂言。胸痺氣逆。肺脹喘息。嘔噦。噫氣。欬嗽咳血。咽乾心痛。目生翳赤筋。肩背痛引臂。溺色變。煩悶不得眠。

備攷：本穴又名太泉，鬼心，在上肢掌內側線。

10、魚際：位置：在大指本節後內側白肉際散紋中。

解剖：在第一掌骨的後側些丹狀骨的關節部，即短外轉拇肌的停止部，橈骨動脈，分布正中神經。

療法：針二分，留三呼，禁灸。

主治：酒病，身熱惡風。寒熱。舌上黃。頭痛。欬嗽。傷寒汗不出。痹走胸背痛。不得息。目眩煩心。少氣寒慄。咽喉乾燥。欬引尻痛。吐血。心痹悲恐。腹痛食不下。乳癰。

备考：東垣曰：胃氣下流，五臟氣亂，皆在於肺者取之，手太陰魚際，足少陰俞。又本穴在掌內側線。

11、少商：位置：在拇指內側之第一節去爪甲角如韭葉。（約二三分）

解剖：在拇指第二節之前外側，爪甲的發生根部，有拇指內轉肌，循橈骨動脈的終枝，分布橈骨神經的前枝。

療法：針一分，留三呼。瀉熱宜以三棱針刺出血。不可灸。

主治：頷腫喉痹。乳鵝。咽腫喉閉。咳逆。痎瘧。煩心嘔吐。腹脹腸鳴。寒慄鼓頷。手指攣痛。掌中熱。口乾引飲。食不下。微刺出血能泄諸臟之熱。凡初中風卒暴昏沉。痰涎壅盛。不省人事。牙關緊閉。藥水不下。急以三棱針刺此穴些諸井穴。使氣血流行。乃起死回生救急之妙。

备考：1、此穴宜用三棱針刺出血，能退內臟熱。2、唐刺史成君綽，忽頷腫，大如升，喉中閉塞水粒不下者三日，甄權以三棱針刺之，微出血立愈。3、又急喉閉，針令出血即刺，若大危急，两手少商都針，其功甚妙。又本名一名鬼信，在掌内側綫。

二、手陽明大腸（凡廿穴左右共四十穴）

經穴歌：手陽明穴起商陽，弍間三間合谷藏，下廉上廉手三里，曲池肘髎五里近，臂臑肩髃巨骨當，天鼎扶突禾髎接，鼻旁五分號迎香。

分寸歌：商陽食指内側邊。二間尋來本節前。三間節後陷中取。合谷虎口岐骨間。陽谿腕上筋間是。偏歷交叉中指端。溫溜腕後去五寸。池前四寸是下廉。池前三寸上廉中。池前二寸三里逢。曲池曲肘紋頭盡。肘髎大骨外廉近。大筋中央尋五里。肘上三寸行向裡。臂臑肘上七寸量。肩髃肩端舉臂取。巨骨肩尖端上行。天鼎扶下一寸真。扶突人迎後十五。禾髎水溝旁五分。迎香禾髎上一寸。大腸經穴是分明。

1、商陽：

位置：食指端内側去爪甲角如韭葉。

解剖：在总指伸肌末端附着部，有指背动脉及静脉，又分布橈神經的指背枝。

療法：針一分，留三呼。灸三壯。

主治：傷寒。熱病汗不出。耳鳴。耳聾。痎瘧。胸中氣滿。喘欬。口乾。頤腫。齒痛。目盲。惡寒。肩背肢[illegible]。急引缺盆中痛。中風跌倒。卒暴昏沈。[illegible]。不省人事。牙関緊閉。藥水不下。急以三稜針出血。

備攷：此穴最宜用三稜針微刺出血，頭面諸般疾病，皆能有效。又本穴一名絶陽，在上肢掌後外側線。

2、二間：位置：在食指第三節之關節前內側。與食指之掌面近關節處。

解剖：在總指伸肌腱的附着部，循指背動脈及靜脈，分布橈骨神經。

手法：針三分，留六呼。灸三壯。

主治：頷腫。喉痺。肩背臑痛。鼽衄。齒痛。目黃。口乾。口眼歪斜。飲食不消。振寒。傷寒。

備攷：本穴一名間谷，在上肢掌後外側線。

3、三間：位置：在第二掌骨端之凹陷處（即食指本節後陷中去二間約寸）

解剖：在固有食指伸肌的外緣，循指掌動脈及靜脈，分布橈骨神經。

手法：針三分，留三呼。灸二壯。

主治：鼽衄。熱病。喉痺。咽塞。氣喘多吐。唇焦口乾。下齒齲痛。目眥急痛。吐舌捩頸。嗜臥。腹滿。腸鳴洞泄。寒熱瘧。傷寒氣熱。身寒善驚。

備攷：東垣曰：氣在於臂，先取血脈，後深取，二間、三間。又本穴一名少谷。在上肢掌後外側線。

4、合谷：位置：手的大指與次指岐骨間，即拇指與食指相合的紋頭盡處。

解剖：在第一掌骨與第二掌骨的骨間中央部，長伸拇指與總指伸肌的腱膜間，循橈骨動脈分布橈骨神經。

四）

療法：針三分，留六呼。灸三壯。孕婦禁針。

主治：傷寒大渴。脈浮在表。發熱惡寒。頭痛脊強。風瘧寒熱。瘈瘲。熱病汗不出。偏正頭痛。面腫。目翳。唇吻不收。瘖不能言。口噤不開。腰脊引痛。痿躄。小兒乳鵝。一切齒痛。虚性脈絶不還。針三分。急補之。

備攷：1.此穴總治頭面各部的病症，用之得法，莫不針到病瘥。著者以此穴為齒科，眼科，喉科之專穴，以此穴治三科病，收効特速。2.婦人妊娠，祗可施用鎮靜的針術，勿用興奮的方法，著者以合谷喻之「藁苓」，三陰交喻之「歸身」，頗為適當。又本穴一名虎口。在上肢掌側外側緣。

5.陽谿：位置：在手腕橫紋上側兩筋間陷中。與合谷直。

解剖：在舟狀骨與橈骨之間，橈腕骨關節外面的陷中，當短拇肌與長伸拇肌之間，循橈骨動脈及靜脈，分布橈骨神經及外膊皮下神經。

療法：針三分，留七呼。灸三壯。

主治：熱病狂言。喜笑見鬼。煩心。掌中熱。目赤翳爛。厥逆頭痛。胸滿不得息。寒熱瘧疾。咽喉。喉痺。耳鳴。齒痛。驚瘈。肘臂不舉。痂疥。

備攷：本穴一名中魁。在上肢皮外側緣。

6.偏歷：位置：在腕後三寸。

解剖：在總指伸肌腱與拇指伸肌腱之間，循橈骨動脈，分布橈骨神经之皮枝及外臂皮下神经。

疗法：针三分，留七呼，灸三壮。

主治：疟疾寒热。癫疾多言。目视䀮䀮。耳鸣。喉痹。口渴咽乾。鼻衄。齿痛。汗不出。大人水蛊。

7.温溜：

备考：本穴在上肢皮外侧线。

位置：在偏历上二寸余。即去腕五寸余。

解剖：有肱桡骨肌与长外桡骨肌之间，循桡骨动脉的分枝，分布桡骨神经及外臂皮下神经。

疗法：针三分，留三呼。灸三壮。

主治：伤寒。寒热头痛。喜笑狂言见鬼。哕逆。吐沫。噎膈气闭。口舌肿痛。喉痹。四肢肿。肠鸣腹痛。肩不得举。肘腕疼痛。

8.下廉：

备考：本穴一名逆注，既头。在上膊皮外侧线。

位置：腕后六寸余，微向外斜去曲池四寸余。

解剖：在桡骨小头前下部，肱桡骨肌与长外桡骨肌之间、循桡骨动脉的分枝，分布桡骨神经及外臂皮下神经。

疗法：针三分至五分。灸五壮。

主治：痨瘵。狂言。头风痹痛。飧泄。小腹满。小便血。小肠气。面无颜色。痃癖。腹痛不可忍。食不化。气喘涎出。乳痈。主治同中三拄。

9.上廉：

备考：本穴在上肢皮外侧线。

位置：下廉上一寸微向外。斜曲池下三寸余。

解剖：在桡骨上头前下部，膊桡骨肌与长外桡肌之间，循尺骨动脉的分枝，分布尺骨神经及外膊皮下神经。
疗法：针五分至七分，灸五壮。
主治：肠风头痛。咽痛。喘息。半身不遂。肠鸣。大便涩。大肠气滞。手足不仁。主泻胃中之热。

10. 三里：位置：曲池穴下二寸。按之肉起而感疼痛处。即锐肉之端。
备考：本穴在上肢后外侧缘。
解剖：在桡骨上缘之外部，膊桡骨肌与长外桡骨肌之间，下层有回后肌，循桡骨动脉之分枝及头静脉，分布桡骨神经的后枝及外膊皮下神经。
疗法：以手拱至胸前取之。针五分至七分。灸三壮至数十壮。
主治：伤寒振寒。余热不尽。胸中烦满。热渴。目眩。耳痛。瘰疬。喉痹不能言。痎疟。癫疾。绕踝风。手臂红肿。肘中痛。偏风。半身不遂。臂膊痛。筋缓无力。屈伸不便。皮肤干燥。痂疥。妇人经水不行。

11. 曲池：位置：在肘外辅骨之屈中。屈肘横纹头。
备考：本穴一名手三里。在上肢后外侧缘。
解剖：在上膊骨的外上髁与桡骨的关节部，深部有膊桡骨肌，循回返桡骨动脉，分布桡骨神经的分歧部及外膊皮下神经。
疗法：以手拱胸取之，针七分。灸七壮。
主治：中风口僻。手足不遂。五劳虚乏。瘰疬。霍乱。齿痛类腫。瘰疬。手麻不仁。肘挛不伸。
备考：本穴一名鬼臣、阳泽。在上肢皮外侧线。
（附注：手三里与曲池二穴互治互相误列，应交换更正乃合）

12、肘髎：位置：在曲池上稍外斜一寸大骨外廉陷中。
解剖：在肱桡骨肌的起始部，三头膊肌外缘，循逆迴桡骨动脉及头静脉，分布膊皮下神经。
疗法：针三分至五分。灸三壮。
主治：肘节风痹。臂痛不举。麻木不仁。嗜卧。手臂痛麻木。
备考：本穴一名肘尖。在上肢皮外侧线。

13、五里：位置：在肘上三寸。行向里大脉中央。（即臂臑穴直下三寸）
解剖：在上膊骨的外侧，三头肌的外缘，深部为螺旋状道的下部，循桡骨侧动脉，分布於膊皮下神经及桡骨神经。
疗法：此穴禁针。灸三壮至十壮。
主治：风劳惊恐。吐血咳嗽。嗜卧。肘臂疼痛难动。胀满气逆。寒热。瘰疬。目视䀮䀮。痎疟。身黄时有微热。
备考：本穴在上肢皮外侧线。

14、臂臑：位置：肘上七寸，肩髃穴下三寸。臂外侧两筋两骨罅之中。
解剖：在上膊骨的外侧，三角肌的停止部，循後迴旋上膊动脉及头静脉，分布腋窝神经及皮膊皮下神经。
疗法：举手取之。针四分，灸五壮。
主治：臂痛无力。寒热。瘰疬。颈项拘急。
备考：本穴一名头冲、颈冲。在上肢皮外侧线。

六)

15、肩髃：位置：在肩尖下寸许之骨陷中。举臂有空陷处两骨缝间。

解剖：在肩峰突起之下际大结节间，三角肌的中央，循皮旋上膊动脉及腋窝动脉，分布腋窝神经，锁骨上神经及肩胛上神经。

疗法：针六分，留三呼。灸偏风不遂，自七壮至七七壮，不可过多，多则使臂细。

主治：中风偏风。半身不遂。肩臂筋骨疼痛。不能上头。伤寒作热不已。劳气泄精。憔悴。四肢热。诸瘿气。瘰疬。主泻四肢之热。

备考：1、唐鲁州刺史库狄钦，患风痹，手不能举动，甄权独针肩髃，出针即能举弓射箭，一时称为美谈。2、此穴宜针深，若者针此穴达一寸二分以外，方能收效，最低限度亦要达六至七分，且此穴最宜施行重刺激的手术。3、此穴不得懿过十四壮矣，多则使臂细。又本穴一名中肩井、偏肩、扁骨、肩尖、偏骨。在肩胛區。

16、巨骨：位置：在肩髃上肩胛关节前下陷中。

解剖：在肩胛棘与锁骨外端之间，上层是三角肌，下层是棘上肌之集合部，循肩胛动脉分枝及腋窝静脉，分布腋窝神经，肩胛上神经及前胸廓神经。

疗法：针四分，灸五壮。

主治：惊痫。吐血。胸中有瘀血。臂痛不能屈伸。

备考：本穴亦有肩髃穴的功效，详肩髃穴备考二。在肩胛區。

17、天鼎：位置：頸缺盆上，扶突穴之下，天窗外上方約三寸，與氣舍穴相隔一肌。（即頸筋下肩井內離甲狀軟骨（结喉）三寸五分再下一寸）

解剖：在胸鎖乳肌之後緣，闊頸肌中央，循橫頸動脈及外頸靜脈，分布下頸皮下神經，并鎖骨上神經、肌下有迷走神經幹，下行胸腔內。

療法：仰面取之，針三分，灸三壯。

主治：喉痹。咽腫。不得食。暴瘖。氣哽。

备考：本穴一名天頂。在頸後区。

18、扶突：位置：在天鼎穴上約一横指，喉头隆起两旁約三寸的陷中。即人迎後一寸五分。

解剖：在甲状軟骨之外後部，胸鎖乳嘴肌之中，循橫頸動脈，分布下頸皮下神經，大耳神經及迷走神經之經路。

療法：仰面取之，針三分，灸三壯。

主治：欬嗽多唾，上氣喘息。喉中如水鷄声。暴瘖氣哽。

备考：本穴一名水穴。在頸后区。

19、禾髎：位置：人中旁五分。直對鼻孔下。鼻翼與上唇之间。

解剖：上額骨犬齒窩部，鼻翼下掣肌起始部，方形上唇肌中，循下眼窩动脉及顏面靜脉，分布三叉神經的第二枝及下眼窩神經支。

療法：針三分。禁灸。

主治：尸厥。口不能开。鼻瘡瘜肉。鼻塞鼽衄。（七
备考：本穴一名长頻。在口鼻区。

20、迎香：位置：眼下一寸五分。禾髎斜上一寸。鼻窪外五分。
解剖：在上颚骨犬齿窝之上方、鼻翼举肌中，循眼窝下动脉，
分布颜面神经，三叉神经的别枝及下眼窝的神经。
疗法：针二分至三分。禁灸。
主治：鼻塞不闻香臭。瘜肉多涕。有疮。鼽衄。喘息不利。偏
风㖞斜。浮肿。风动面痒。状如虫行。
备考：本穴在口鼻区。

三、足阳明胃经（凡四十五穴左右共九十穴）

经穴歌：四十五穴足阳明，头维下关颊车停，承泣四白巨髎经，地仓大
迎对人迎，水突气舍连缺盆，气户库房屋翳屯，膺窗乳中延乳
根，不容承满梁门起，关门太乙滑肉门，天枢外陵大巨存，水
道归来气冲次，髀关伏兔走阴市，梁丘犊鼻足三里，上巨虚连
条口位，下巨虚跳上丰隆，解溪冲阳陷谷中，内庭厉兑经穴终。

分寸歌：胃之经兮起头维。神庭旁开四五寻。下关耳前动脉经。颊车耳
下曲颊陷。承泣目下七分中。四白目下一寸从。巨髎鼻孔旁八
分。地仓侠吻四分近。大迎颔前寸三分。人迎喉旁寸半真。水
突筋前迎左下。气舍突下穴相乘。缺盆舍外横骨内，相去中行
四寸明。气户璇玑旁四寸。至乳六寸又四分。库房屋翳膺窗近
，乳中正在乳头心。次有乳根出乳下。各一寸六不相侵。却去

中脘滑肉门四寸。以商穴通谷居陈。不容巨阙旁二寸。却近幽门寸五执。其下承满梁门。关门太乙滑肉门。上下一寸无多少。共去中行二寸寻。天枢脐旁二寸间。枢下一寸外陵安。枢下二寸大巨穴。枢下四寸水道全。水下二寸归来好。气冲归来下一寸。共去中行二寸边。髀关膝上有尺二。伏兔膝上六寸是。阴市膝上方三寸。梁丘膝上二寸记。膝膑陷中犊鼻存。膝下三寸足三里。膝下六寸上廉穴。膝下七寸条口位。膝下八寸下廉看。下廉之旁丰隆系。却是踝上八寸量。解溪跗上系鞋处。冲阳跗上五寸唤。陷谷庭后二寸间。内庭次指外间陷。厉兑大次趾外端。

1. 头维：

位置：额角入发际去神庭旁四寸五分骨缝陷中。即本神旁寸半

解剖：在前头骨与颞颥骨缝合处，有前头肌、颞颥动脉的前枝，分布颜面神经的颞颥枝。

疗法：沿皮下针三分，禁灸。

主治：头风疼痛如破。目痛如脱。泪出不明。

备考：本穴在颞颥区。

2. 下关：

位置：耳前颧骨下陷中。（即客主人之下，耳前动脉下）合口有空，张口则闭。

解剖：在下颚骨髁上突起的前方，颧骨弓下端，有颞颥肌，咀嚼肌，循颜面动脉，分布颜面神经的颧骨枝及三叉神经

疗法：针三分，不可久留针。亦不可灸。

主治：偏风。口眼㖞斜。耳鸣。耳聋。痛痒出脓。失欠。牙关脱臼。

备考：此穴本禁灸，但如患中风，或大人脑出血可灸。牙龈肿而出，在本穴以三棱针刺出脓血，或灸针水，即愈。
本穴在颊区。

3、颊车：位置：耳下八分，下颚骨曲颊端，近前陷中，侧卧开口有空取之。
解剖：在下颚骨的前上方，咬肌所在，输外颚动脉、咬肌动脉，分布颜面神经的分枝及下颚皮下神经、咬肌神经。
疗法：针四分，灸七壮。
主治：中风。牙关不开。失音不语。口眼歪斜。颊肿牙痛。不能嚼物。颈强不得回顾。
备考：本穴一名机关，曲牙，鬼床。在颊区。

4、承泣：位置：由眼的瞳子直线垂下八分。
解剖：在下眼窝的下缘，眼轮肌中，输下眼动脉、分布颜面神经及三叉神经的第二枝，即下眼窝神经。
疗法：针灸两忌。
主治：冷泪出。瞳子痒。昏夜无见。口眼㖞斜。
备考：此穴是危险穴，不宜针灸。又本穴在眼区。

5、四白：由眼的瞳子直线垂下一寸。即承泣下二分。
解剖：在下眼窝孔部，当上颚的上缘，方形上唇肌中，输下眼窝动脉、分布颜面神经，三叉神经，即下眼窝神经。
疗法：针二分，若深令人目乌色。禁灸。（一说可灸三壮）

6.巨髎：主治：头痛目眩。目赤生翳。眼睑𥆧。口眼喎斜。不能言。
备考：此穴针刺，要非老练，切勿冒险下针。本穴在眼区。
位置：直视时瞳孔正下方颧骨下，距鼻孔旁七八分。即由人中横量，在瞳孔直下线是穴。
解剖：在上颌骨与颧骨的中央，方形上唇肌中，当前一寸向内深部，循下眼窝动脉，分布颜面神经、三叉神经的枝别。
疗法：针三分，禁灸（一说可灸五壮）。
主治：瘈瘲。唇颊肿痛。口喎。青盲无见。面风鼻肿。

7.地仓：备考：本穴在口鼻区。
位置：口两外方四分。
解剖：在口轮匝肌部，循外颌动脉的枝别及上下唇动脉，分布颜面神经。
疗法：针三分，灸七壮。病左治右，病右治左。艾炷宜小，过大则口反喎，灸承浆即愈。
主治：偏风。口眼喎斜。牙关不开。齿痛颊肿。目不得闭。失音不语。饮食不收。水浆漏落。昏夜无见。

8.大迎：备考：本穴一名维会。在口鼻区。
位置：曲颔前一寸三分。居颊下。
解剖：在第二大白齿的下部，三角颐肌与咬肌存在处，当外颈动脉的鱼络，分布颜面神经的下行枝及下颌神经。
疗法：针三分，灸三壮。

主治：风痉口㖞。口噤不闭。唇吻动。颊肿牙痛。舌强不能言。目痛不能闭。口㖞数欠。风痉风肿。寒热。瘰疬。

（大

9、人迎：

名数：本穴一名髓孔。在颈区。

位置：颈大动脉，结喉两旁各离一寸五分。

解剖：在胸锁乳肌的前缘，深部有咽头及喉头，循外颈动脉，深部通内颈动脉，分布舌下神经下行枝及上颈皮下神经，接近迷走神经的经路。

療法：仰面取之，针二三分，过深则杀人，禁灸。

主治：吐逆霍乱。胸中满。喘呼不得息。咽喉痈肿。

名数：本穴一名五会。穴位危险，针灸俱宜小心。又此穴在颈区。

10、水突：位置：颈大筋前，人迎穴下，气舍穴上。

解剖：在甲状软骨下缘的外方，胸锁乳突肌的前缘，循外颈动脉，深部通内颈动脉，分布舌下神经下行枝及上颈皮下神经，接近迷走神经的经路。

療法：仰面取之，针三分，灸三壮。

主治：咳逆上气。咽喉痈肿。短气喘息不得卧。

名数：本穴一名水门。在颈区。

11、气舍：人迎穴直下，天突穴横开，各一寸五分，陷中。

解剖：喉头横状软骨正中的两旁，胸锁乳突肌的两头间，即锁骨与胸骨突起的两头间，循深部总颈动脉，分布下颈按下神经及副神经。
疗法：针三分，灸三壮。
主治：喉痹哽咽。食不下。手肿项间。不能回顾。
备考：本穴在颈以区。

(7)缺盆：位置：肩下横骨陷中。
解剖：大胸肌及阔颈肌、循锁骨下动静脉，分布下颈皮下神经及锁骨上神经。
疗法：针三分，过深则令人逆息，孕妇禁针。灸三壮。
主治：伤寒胸中热不已。喘急息奔。咳嗽胸膜水肿。瘰疬。缺盆中肿外溃。喉痹汗不出。主泻胸中之热。
备考：本穴一名天盖。又此穴在颈以区，正在肺尖部、不宜深刺，并注意避开动脉。

(8)气户：位置：锁骨下，俞府两旁各二寸陷中。即横离中行之璇玑穴各四寸。
解剖、第一肋软骨附着部、有大胸肌，小胸肌，内外肋间肌，循锁骨下动脉及第一肋间动脉，分布前胸廓神经，锁骨下神经，内容肺脏。
疗法：仰而取之，针三分，灸三壮。
主治：咳逆上气。胸背痛。支满。喘急不得息。不知味。
备考：本穴在胸部第二侧线。

(9)库房：位置：气户下一寸六分陷中，离中行各四寸。

十)

解剖：在第一、二肋骨之间，有大胸肌，小胸肌，内外肋间肌，循肋间动脉，分布前胸廓神经，肋间神经，内容肺脏

疗法：仰而取之，针三分，灸三壮。

主治：胸胁满。咳逆上气。呼吸不利。唾脓血浊沫。

备考：本穴一名仓府。在胸部第二侧线。

15、屋翳：

位置：气户穴之下第二肋间，离中行四寸。

解剖：第二、三肋骨之间，有大胸肌，小胸肌，内外肋间肌，循前肋间动脉，分布前胸廓神经，肋间神经，内容肺脏

疗法：仰而取之，针三分，灸五壮。

主治：唾脓血浊痰。身肿皮痛。不可近衣。

备考：本穴在胸部第二侧线。

16、膺窗：

位置：屋翳下一寸六分，横离中行四寸。

解剖：在第三肋间，有大胸肌，小胸肌，内外肋间肌，循前肋前动脉。分布前胸廓神经，内容肺脏。

疗法：仰而取之，针三分，灸五壮。

主治：胸短气不得卧。肠鸣下泄。乳痈寒热。

备考：本穴在胸部第二侧线。

17、乳中：

位置：乳之正中。

解剖：在第四肋间，有大胸肌，内外肋间肌，循前肋间动脉，分布前胸廓神经，肋间神经。

主治：不载。禁针灸。本穴在胸部第二侧线。

18.乳根：乳下一寸六分陷中，（即乳中直下一肋骨间）。
解剖：在第五、六肋骨之间，循前肋间动脉，分布前胸廓神经及肋间神经。
疗法：仰而取之，针三分，灸五壮。
主治：膈气食不下。噎病。胸痛。胸下闷。乳痛。乳痈。霍乱
备考：本穴在胸部第二侧线。

19.不容：位置：巨阙穴旁开二寸。
解剖：当第八肋软骨的下缘，有外斜腹肌，直腹肌，循上腹壁动脉，分布肋间神经前穿行枝。
疗法：针五分，灸五壮。
主治：胸背肩胁引痛。心痛唾血。喘咳呕吐。
备考：本穴在胸部第二侧线。

20.承满：位置：不容穴下一寸，（即上脘穴旁开二寸）。
解剖：当第八肋软骨附着部的下部，有内外斜腹肌，循上腹壁动脉，分布肋间神经前穿行枝。
疗法：针三分，灸五壮。
主治：腹胀肠鸣。胁下坚痛。上气喘急。食饮不下。膈气。唾血。
备考：本穴在胸部第二侧线。

21.梁门：位置：承满穴下一寸，（即中脘穴旁开二寸）。
解剖：在第八肋软骨下部，有外斜腹肌与直腹肌，循上腹壁动

脉，分布肋间神经侧穿行枝，内容胃底。
疗法：针三分，灸五壮。孕妇禁灸。治饮食不思。肠泄，气块疼痛

22.关门：
位置：梁门下一寸（即建里旁开二寸）。
解剖：在第八肋软骨下部，有外斜腹肌，循上腹壁动脉，分布肋间神经穿行枝，内容横结肠。
疗法：针五分，灸五壮。
主治：积气腹胀。泄痢不食。侠脐急痛。遗溺。
备考：本穴在腹部第二侧线。

23.太乙：
位置：关门下一寸（即下脘旁开二寸）。
解剖：在小肠上部，有外斜腹肌与直腹肌。循上腹壁动脉。分布肋间神经前穿行枝。
疗法：针五分，灸五壮。
主治：心烦癫狂。吐舌。
备考：本穴在胸部第二侧线。

24.滑肉门：
位置：太乙下一寸（即水分穴旁开二寸）。
主治：癫疾狂走。重舌舌强。
疗法：针五分，灸三壮。
备考：本穴在腹部第二侧线。

25.天枢：
位置：平脐横开二寸。
解剖：上层有外斜腹肌与直腹肌外缘，循下腹壁动脉，分布肋间神经前穿行枝及肠骨下腹神经。

療法：針五分，灸十至一百壯。孕婦不可針。
主治：奔豚上衝。赤白痢。下痢不止。食不化。小腹膨脹。腸鳴。上氣衝胸。不能久立。久積冷氣。繞臍切痛。時上衝心。煩悶嘔吐。霍亂。寒瘧不嗜食。身黃瘦。女人癥瘕。血結成塊。漏下。月水不調。淋濁帶下。
備考：本穴一名長谿，穀門，大腸募，長谷。在胸部第二側線

26. 外陵：
位置：天樞下一寸（即陰交旁開二寸）。
解剖：在小腸部，有內、外斜腹肌及直腹肌，循下腹壁動脈，分布肋間神經前皮行枝及腸骨下腹神經。
療法：針八分，灸十至一百壯。
主治：腹痛。心下如懸。下引腹痛。
備考：本穴在胸部第二側線。

27. 大巨：
位置：在大陵下一寸（即石門旁開二寸）。
解剖：上層有外斜腹肌，當直腹肌的外緣，循下腹壁動脈，分布腸骨下腹神經及腸骨鼠蹊神經。
療法：針三分，灸三壯。
主治：小腹脹滿。小便難。四肢不收。驚悸不眠。
備考：本穴一名腋門。在胸部第二側線。

28. 水道：
臍下三寸，橫開二寸。
解剖：在小腸部，有內外斜、直腹肌，循下腹壁動脈，分布肋間神經前皮行枝及腸骨下腹神經。

十二）

療法：針三分，灸五壯。
主治：大小便不利。疝氣偏墜。婦人小腹脹。痛引陰中。月經至則腰腹脹痛。子宮寒。

29、歸來：位置：臍下四寸，橫開二寸。
解剖：內部腸管膀胱接近。循下腹壁動脈，分布腸管下腹神經
療法：針五分。灸五壯。
主治：奔豚七疝。陰丸上縮入腹。痛引陰中。
備考：本穴一名谿穴。在胸部前二側線。

30、氣衝：位置：臍下五寸之即曲骨（穴旁開二寸）。
解剖：直腹肌停止部，循腹迴旋腸骨動脈與下腹壁動脈，分布腸骨下腹神經及腸骨鼠蹊神經。
療法：針三分，灸七壯。
主治：逆氣上衝。心腹脹滿。不得正臥。奔豚癀疝。大腸中熱。身熱腹痛。陰腫瘻痛。婦人月水不利。小腹痛無子。妊娠子上衝心。產難。胞衣不下。主瀉胃中之熱。
備考：本穴一名氣街。在胸部前二側線。又東垣曰：吐血多不愈，以三稜針刺氣衝，血出立愈。

31、髀關：位置：膝上一尺二寸，交文中。（即伏兔穴上斜下向裡些）
解剖：在腸骨前下棘的外下側，內有大腿骨，循大腿肌部的上臀動脈，分布外股皮下神經，閉塞神經，鼠蹊腰神經。
療法：針六分，灸三壯。

主治：股痛膝寒。足麻木不仁。黄疸。瘫痪。股内筋络急。少腹引喉痛。

32伏兔：
备考：本穴在下肢前正中线。
位置：膝上六寸，跪坐时以指着力按之有肉起者是穴。
解剖：在大腿骨的前外侧，直股肌的外端，循外回旋动脉分枝，分布外股皮下神经及股神经枝。
疗法：正跪坐而取之。针五分，禁灸。
主治：脚气。膝冷不得温。风痹。

33.阴市：
备考：本穴一名外勾，外丘。在下肢前正中线。
位置：膝上三寸，伏兔下陷中。
解剖：在腿骨的前外侧，有外大股肌，循外回旋动脉下行枝，分布外股皮下神经及股神经枝。
疗法：屈膝取之，针三分。一说不可灸。
主治：腰膝寒如注水，瘫痪不仁不得屈伸。寒疝。腹痛满。少坚。

34梁丘：
备考：本穴一名阴鼎。在下肢前正中线。
位置：膝上二寸两筋间（即阴市下一寸）。
解剖：在大腿骨的前外侧，有外大股肌，循外回旋动脉下行枝，分布外股皮下神经及股神经分枝。
疗法：针三分。灸三壮。
主治：膝脚痛。冷痹不仁。不可屈伸。足寒。大惊。乳肿痛。

十三

35. 犊鼻：

名称：本穴一名犊骨。在大腿前正中线。

位置：膝眼外侧之陷凹处。(即膝膑下胻骨上，将脚使劲伸直，膝下有肉突起若牛鼻者是穴)。

解剖：在胫骨上端的外侧，即膝盖韧带的外下侧，循关节动脉网，分布股神经及胫骨，膝骨神经的关节枝。

疗法：针三至六分，灸三壮。

主治：膝痛不仁。难跪起。脚气。若膝膑痈肿。溃者不可治。

36. 三里：

名称：本穴在下肢前正中线。

位置：膝眼下三寸。胻骨外廉。(即犊鼻下的骨节处，用手按之觉痠者是)。

解剖：在胫骨上端与腓骨小头关节部的下方，有前胫骨肌与长总指伸肌，循前胫骨动脉及返回神经，胫骨动脉分布深腓骨神经。

疗法：坐而垂膝取之，针五分至一寸，留七呼。灸三至百壮。未满七岁的小儿禁灸。

主治：胃中寒。心腹胀痛。逆气上攻。脏气虚惫。胃气不足。恶闻食臭。腹痛肠鸣。食不化。大便不通。腰痛膝弱。不得俯仰。小肠气。主治胃中之热。目不明。五劳七伤。

名称：本穴一名下陵，鬼邪。在下肢前正中线。秦承祖云：诸病皆治。华佗云：主五劳羸瘦，七伤虚乏，胸中瘀血。

著者按：此穴可治百病。

37、上廉：位置：三里穴下三寸两筋骨罅中，举足取之。

解剖：在胫骨及腓骨之间，即前胫骨肌与长总趾伸肌之间，循前胫骨动脉，分布深腓骨动脉神经。

摩法：以足跟着地足尖足背翘起取之。针五分，灸七壮。

主治：偏风脚气。腿膝手足不仁。足胫痿。骨髓冷痛。不能久立。侠脐腹痛。肠中切痛。飧泄食不化。喘息不能行。腹肠支满。主泻胃中之热。

38、条口：位置：在三里穴下五寸。上廉（即上巨虚下二寸）。

解剖：在胫骨与腓骨之间，即前胫骨肌与长总趾伸肌之间，循前胫骨动脉，分布腓骨神经。

摩法：举足取之。针三分，灸三壮。

主治：足膝麻木。寒痹胫肿。转筋湿痹。足下热。足缓不收。不能久立。

备考：本穴在下肢前面中线。

39、下巨虚：位置：在足三里下六寸。两筋骨罅中。蹲地取之。

解剖：在胫、腓骨之间，有长总趾伸肌，循前胫骨动脉，分布深腓骨神经。

摩法：蹲地举足取之。针三分，灸三壮。

主治：胃中热。毛焦肉脱。汗不出。少气不嗜食。暴惊狂言。喉痹。面无颜色。胸胁痛。飧泄脓血。小肠气。偏风腿痿。足不履地。热风风湿。冷痹胫肿。足跗不收。女子乱瘫。主泻胃中之热。

备考：本穴一名下巨虚。在下肢正中前缘。

40、丰隆：位置：外踝上八寸。离本经约五分。与下廉相齐。微下些。

解剖：在腓肠两骨之间，在长总趾伸肌中，循前胫骨动脉，分布深腓骨神经。

疗法：针三分，灸三壮。

主治：头痛面肿。喉痹不能言。风逆。癫狂见鬼好笑。厥逆。胸痛如刺。大小便难。怠惰。腿膝痠痛。屈伸不便。腹痛肢肿。足清寒逆。

备考：此穴为足阳明的络穴。专为足太阴经联络。又本穴在下肢前正中缘。

41、解溪：位置：外踝之前，足腕之上（系鞋带处，跗上陷者宛中）。

解剖：在前胫骨肌腱与长总趾伸肌腱之间，当十字韧带部，循前胫骨动脉，分布深腓骨神经。

疗法：针三分，灸五壮。

主治：风气面浮。头痛目眩。生翳。气上冲。咳逆。腹胀。癫疾烦心。悲泣。惊瘈。转筋霍乱。大便下重。股膝胫肿。又泻胃热。善饥不食。食即支满腹胀。及疟疾烦寒热。

备考：本穴在下肢前外侧缘。

42、衝阳：位置：足跗上五寸。足背最高之处动脉中。（即中趾与次趾交叉尽处直上五寸，骨间动脉应手）。

解剖：当足背最高处，第二三楔骨与第二、三跖骨的关节部，当长短伸趾肌腱两者之间，循背骨间动脉，分布浅腓骨神经。

疗法：针三分，留十呼。（出血不止者死）。灸三壮。

主治：偏风面肿。口眼喎斜。伤寒发狂。振寒汗不出。腹坚大不嗜食。发寒热。足痿附肿。胃痛。足寒皮热。善见日月光泽火乃快然者。于方热时，针之出血立寒。

备考：本穴一名会原，会涌，趺阳。在下肢前外侧。素问至真要大论：衝阳脉绝，死不治。著者按：本穴在大动脉上，本应禁针，如必需刺此穴者，以小针浅刺，不令出血，宜慎宜慎。

43、陷谷：位置：次趾外本节后。去内庭二寸。

解剖：在第二、三跖骨间的中央外端部，有短总趾伸肌腱，循前胫骨动脉的足枝，分布浅腓骨神经及深腓骨神经。

疗法：针三分。灸三壮。

主治：面目浮肿。及水病善噫。肠鸣腹痛。汗不出。振寒。疟气。小腹痛。

备考：本穴在下肢前外侧缘。

44、内庭：位置：次趾中趾之间。脚叉缝尽处之陷凹中。

解剖：在第二趾骨第一节的外部，长短总趾伸肌腱中，循前

（十五）

一.跖骨间进背动脉，分布深腓骨神经及浅腓骨神经。
疗法：针三分。灸三壮，留五呼。
主治：四肢厥逆。腹胀不得息。恶闻人声。振寒咽痛。齿龋、喎。鼻衄。瘾疹。赤白痢。噤不嗜食。久疟不食并腹胀。
备考：本穴在下肢前外侧缘。

45.厉兑：
位置：足次趾外侧，爪甲角。去爪甲如韭叶许。
解剖：在第二趾骨第三节的背面外侧，爪甲根部，当长总趾伸肌附着部，循前胫骨动脉的终枝，分布浅、深腓骨神经的末枝。
疗法：针一分。留一呼。灸一壮。
主治：尸厥。口噤气绝。状如中恶。心腹满。水肿。热病汗不出。寒热疟不食。面肿。喉痹。多惊好卧。足寒。膝膑肿痛。
备考：本穴在下肢前外侧缘。

四、足太阴脾经（凡二十一穴左右共四十二穴）
经穴歌：二十一穴脾中州，隐白在足大趾头，大都太白公孙盛，商丘三阴交可求，漏谷地机阴陵穴，血海箕门及冲门，府舍腹结大横排，腹哀食窦连天溪，胸乡周荣大包随。
分寸歌：大趾内侧端隐白。节前陷中求大都。太白核骨白肉际。节后一寸公孙呼。商丘踝前陷中逢。踝上三寸三阴交。踝上六寸漏谷是。膝下五寸地机朝，膝下内侧阴陵泉。血海膝膑上内廉。箕二寸。箕门穴在鱼腹际。冲门居箕门后。冲门在横骨两端后。去腹中行三寸半。冲上七分府舍穴。舍上三寸腹结穴。结上三寸是大横。却与脐平切莫乱。中脘之旁四寸取。便是腹哀分上段。中庭旁五食窦穴。膻中去六是天溪。再上寸六胸乡穴。周荣相去亦同然。大包腋下有六寸。渊腋之下三寸绊。

1.隐白：

位置：足大趾端内侧，去爪甲如韭叶。

解剖：在第一趾第二节的末端内缘，爪甲的根部，外射拇肌的腱膜中，循趾背动脉，分布浅腓骨神经，内足跖神经。

疗法：针一分，留三呼，孕妇及产后俟禁针。灸三壮。

主治：腹胀喘满不得卧。呕吐食不下。胸中痛烦热。暴泄衄血。尸厥。不识人。足寒不得温。妇人月事过时不止。小儿客忤惊风。

备考：本穴在下肢前内侧缘。

2.大都：

位置：大趾内侧本节前第二节后。骨缝白肉际陷中。

解剖：在拇趾第一节之前，外射拇肌停止部，分布腓骨神经的足跖枝。

疗法：针三分，留七呼。灸三壮，孕妇及新产未及一月不宜灸。

主治：热病汗不出。不得卧。身重骨痛。伤寒手足逆冷。腹满呕吐。闷乱。腰痛不可俯仰。四肢肿痛。大便难。灸此年壮。

备考：本穴在下肢前内侧缘。

十六

3.太白：位置：足大趾内侧，内踝前核骨下陷中。
解剖：在第一跖骨末端内侧，楔状骨结节的下陷中，有外转拇肌，循足背动脉，分布腓骨神经的足跖枝。
疗法：针二分。留七呼。灸三壮。
主治：身热烦满。腹胀。食不化。呕吐。泄痢脓血。腰痛大便难。气逆。霍乱腹中切痛。肠鸣。膝股胻痠。转筋。身重骨痛。
备考：本穴在下肢前内侧线。

4.公孙：位置：足大趾本节后一寸。
解剖：在第一跖骨基底一楔状骨的关节内侧，有外转及长伸两拇肌，循足背动脉，分布[illegible]神经。
疗法：针四分。灸三壮。
主治：寒疟不食。痛气好太息。多寒热。汗出善呕。面肿。心烦多饮。胆虚。腹虚。水肿。腹胀如鼓。脾冷。胃痛。
备考：本穴在下肢前内侧线。为足太阴之络穴，专负责与阳经经联系。

5.商丘：位置：内踝骨下微前陷凹中。
解剖：在内踝前下部的陷中，十字韧带的下侧，前胫骨肌与伸拇肌的腱间，循内踝骨动脉，分布腓骨神经。
疗法：针三分，留七呼。灸三壮。
主治：胃脘痛。腹胀肠鸣。不便。脾虚。令人不乐。身寒善太息。心悲氣逆。嘔噫。舌強。脾積痞氣。黃疸。寒瘧。体重節節痛。怠惰嗜臥。痔疾。陰股內痛。狐疝走引少腹痛不可俯仰。

6.三陰交：

备考：本穴在下肢前內側緣。

位置：內踝直上三寸，約四橫指，脛骨下陷中。

解剖：在脛骨後內側，後脛骨肌與長屈趾屈肌之間，循後脛骨動脈，分布薔薇神經及脛骨神經。

灸法：針三分，留七呼，妊婦不可針。灸三壯。

主治：脾胃虛弱。心腹脹滿。不思飲食。脾病身重。四肢不舉。飧泄血痢。痃癖。臍下痛不可忍。中風卒厥。不省人事。膝內廉痛。足痿不行。難產。月水不禁。赤白帶下。小腸疝氣。偏墜。木腎腫痛。小便不通。渾身浮腫。

备考：本穴一名承命，太陰。在下肢前內側緣。宋太子出遊，逢一妊婦，乃指請徐文伯曰：此婦身懷者女也。文伯笑曰：否！一男，一女耳。太子性急，不服文伯所斷，乃令近衛剖之以視究竟。文伯阻而勸曰：不須剖視，臣願一針，便可令其胎下，乃針合谷，三陰交，胎乃應針而下，果如文伯所言。後人乃以合谷，三陰交為妊婦禁穴，果其禁與否，著者當另文述之，此處不贅述。

7.漏谷：

位置：內踝上六寸（即三陰交上三寸），脛骨陷中。

解剖：在下腿中央的內側，比目魚肌部，循後脛骨動脈的分枝，分布蔷薇神经、腓骨神经。

疗法：针三分，禁灸。

主治：膝痹脚冷不仁。肠鸣腹胀。痃癖冷气。小腹痛。饮食不为肌肤。小便不利。失精。

备考：本穴一名太阴络。在下肢前内侧缘。为足太阴脾经之络，专为血海与足阳明胃经联系。铜人谓禁灸。

8、地机：位置：膝下五寸内侧，辅骨下陷中。(即内踝上八寸)。

解剖：在胫骨皮内缘，有比目鱼肌，循皮腓骨动脉的分枝，分布腓骨神经、蔷薇神经。

疗法：伸足取之，针三分，灸三壮。

主治：腰痛不可俯仰。溏泄腹胀水肿。不嗜食。精不足。小便不利。三脾痛。女子癥瘕。

备考：本穴一名脾舍。在下肢前内侧缘。

9、阴陵泉：位置：膝下内辅骨下陷中、左膝横纹头下寸许，与阳陵泉相对

解剖：在下腿内侧的上位，胫骨头关节窝，比目鱼肌与腓肠肌三角腔，缝匠肌的附着部，循皮胫动脉，分布蔷薇神经，腓骨神经。

疗法：伸足取之，针五分，留七呼。灸三壮。

主治：霍乱。寒热。胸中热。不嗜食。喘逆不得卧。疝瘕腰中寒，腹下满。水胀腹坚。腰痛不可俯仰。阴痛气淋。遗精。小便不利。遗尿。泄泻。足膝红肿。

10. 血海：位置：膝盖上二寸内侧白肉际。
解剖：在大腿骨前内下部，有内大股肌，循膝关节动脉，分布内股下皮神经及股神经。
疗法：针五分，灸五壮。
主治：女人崩中漏下。月事不调。带下。逆气腹胀。肾脏风。两腿疮痒湿不可当。
备考：本穴在下肢前内侧缘。又名百虫窠。

11. 箕门：位置：血海直上六寸，阴股内动脉应手处是穴。
解剖：在大腿骨的上部，有缝匠肌，薄股肌、内大股肌、分布皮下神经，闭锁神经，股神经。
疗法：针三分（一说禁针），灸三壮。
主治：五淋。小便不通。遗溺。鼠鼷肿痛。
备考：素问刺禁论，刺阴股中大脉，出血不止，死。著者按：即指本穴。在下肢前内侧缘。

12. 冲门：位置：曲骨旁横开四寸。
解剖：在肠骨前上棘内下方，即肠骨窝，当鼠蹊韧带的中外端相近之处，内、外斜腹肌的下部，有肠腰肌腱，循下腹壁动脉的分枝，分布肠骨鼠蹊神经。
疗法：针七分，灸五壮。
主治：中寒积聚。淫泺阴疝。妊娠冲心。难乳。
备考：本穴一名上慈宫。在腹部第三侧线。

六

13. 府舍：位置：衝门穴直上七分，横开中行四寸。

解剖：在耻骨软骨结合部与肠骨前上棘中间稍上方，在内外斜腹肌中，循浅腹壁动脉分枝，分布肠骨下腹神经，右当盲肠部的下部，左当结肠的下部。

疗法：针七分，灸五壮。

主治：疝瘕腹肠疼痛。上下抢心。积聚痺痛。厥气。霍乱。

备考：本穴在腹部第三侧线。

14. 腹结：位置：大横穴下一寸五分，横离中行各四寸半。

解剖：在内外斜腹肌部，循浅腹壁动脉分枝，分布肠骨下腹神经及肠骨下腹神经纤维的分枝，内容小肠。

疗法：针七分，灸五壮。

主治：咳逆。绕脐腹痛。中寒。泻痢。心痛。

备考：本穴在腹部第三侧线。又名腹屈，肠窟，肠结，腹屈。

15. 大横：位置：由脐横量四寸五分。

解剖：在内外斜腹肌部，循浅腹壁动脉的分枝，分布肠骨下腹神经。

疗法：针三分，灸三至二十壮。

主治：大风逆气。四肢不举。多寒善悲。

备考：本穴在腹部第三侧线。

16. 腹哀：位置：中脘旁四寸五分。

解剖：在内外斜腹肌部，循上腹壁动脉，分布肋间神经侧穿行枝、内部左实胃脏，右与肝脏接近。

疗法：针三分，灸五壮。

主治：寒中食不化。大便脓血。腹痛。

备考：本穴在腹部第三侧线。

17、食窦：位置：去中庭五寸。第五肋间部。

解剖：在第五六肋骨之间，有内外肋间肌，大胸肌，循长胸动脉分布侧胸廓神经，肋间神经的侧穿行枝。

疗法：举臂取之，针四分，灸五壮。

主治：胸胁支满。欬吐逆气。饮不下。膈有水声。

备考：本穴一名命关，在胸部第三侧线。右侧此穴专治肝脏痛的特效穴。

18、天溪：位置：胸第四肋间。去中行六寸。乳头旁二寸。

解剖：在第四、五肋之间，有前大锯肌，大胸肌，内外肋间肌，循长胸动脉，分布侧胸廓神经及肋间神经的侧穿行枝。

疗法：仰面取之，针四分，灸五壮。

主治：胸满喘逆。上气喉中作声。妇人乳肿。

备考：本穴在胸部第三侧线。

19、胸乡：位置：第三肋间。天溪上一寸六分。

解剖：在第三四肋骨间，有前大锯肌，大胸肌，内外肋间肌，循长胸动脉，分布前胸廓神经及肋间神经的侧穿行枝。

疗法：仰面取之，针四分，灸五壮。

主治：胸胁支满。引背痛不得卧转侧。

备考：本穴在胸部第三侧线。

20.周荣：位置：中府穴直下一寸六分。

解剖：第二、三肋骨之间，有大胸肌、前大锯肌、内、外肋间肌，循长胸动脉，分布前胸廓神经及肋间神经的侧穿行枝。

疗法：仰而取之，针四分，灸五壮。

主治：胸胁不得俯仰。咳逆食不下。

备考：本穴在胸部第三侧线。

21.大包：位置：腋窝下六寸。渊腋下三寸。第六、七肋间。

解剖：在侧胸部第六、七肋骨之间，前大胸肌中，循长胸动脉，分布肋间神经的侧穿行枝，内容肺脏、但右穴与肝藏接近。

疗法：针三分，灸三壮。

主治：胸中满痛。腹有大气不得息。实则身尽痛。虚则百节尽纵。

备考：此穴在腋侧线第八九肋间，左穴与脾脏接近，方为正确，合予更正。

五、手少阴心经（九穴左右共十八穴）。

经穴歌：九穴心经手少阴，极泉青灵少海深，灵道通里阴郄邃，神门少府少冲寻。

分寸歌：少阴心起极泉中。腋下筋间动引胸。青灵肘上三寸觅。少海肘后五分穴。灵道掌后一寸半。通里腕后一寸同。阴郄去腕五分的。神门掌后锐骨端。少府小指本节末。小指内侧是少冲。

1.极泉：位置：腋窝内，两肋中间。横直天府三寸。微高于天府八分。

解剖：在大胸肌停止部外侧当肩胛下肌之间，循腋窝动脉及肩胛动脉，分布内膊皮下神经。

疗法：针三分，灸七壮。

主治：心肠痛。肘臂厥寒。四肢不收。乾呕。烦渴。目黄。

备考：本穴在上肢前内侧。

2.青灵：

位置：在肘上三寸。

解剖：在上膊骨之前内端，上层为二头膊肌内缘，下层为内膊肌之接触部陷中，循上膊动脉、腋窝动脉之分枝及贵重静脉、分布内膊皮下神经。

疗法：伸肘举臂取之，禁针。灸三至七壮。

主治：头痛目黄。振寒胁痛。肩臂不举。

备考：本穴在上肢前内侧。

3.少海：

位置：肘内侧大骨外，由肘端量去五分陷中，屈肘向头取穴。

解剖：在二头膊肌之旁，内膊肌停止部之内缘，循尺骨动脉，分布尺骨神经的通路及正中神经、中膊皮下神经。

疗法：屈肘取之，针三分。禁灸。

主治：寒热齿痛。目眩发狂。痫痛羊鸣。呕吐涎沫。项不得回头风痉痛。气逆。瘰疬。肘臂腋胁痛挛不举。

备考：本穴一名曲节。在上肢前内侧缘。

4、灵道：位置：掌后一寸五分。

解剖：在尺骨下部之前内缘，内尺骨肌腱之桡骨侧，通过前方肌中，循尺骨动脉，分布尺骨神经的通路及前膊皮下神经。

疗法：针三分，灸五壮。

主治：心痛悲恐。乾呕瘈疭。肘挛。暴瘖不能言。

备考：本穴在上肢前内侧缘。

5、通里：位置：腕侧后一寸。灵道下半寸陷中。

解剖：在内尺骨肌腱与浅屈指肌间，循尺骨动脉，分布尺骨神经之通路及前膊皮下神经。

疗法：针三分，灸七壮。

主治：热病头痛。目眩面热。无汗懊憹。暴瘖心悸。悲恐畏人。喉痹。苦呕。虚损。少气。遗溺。肘臂肿痛。妇人经血过多。崩漏。

备考：本穴在上肢前内侧缘。

6、阴郄：位置：去腕五分，通里穴下五分，即掌后脉中。

解剖：在内尺骨肌腱与浅屈指肌之间，循尺骨动脉，分布尺骨神经的通路及中膊皮下神经。

疗法：针三分。灸三壮。

主治：鼻衄吐血。失音不能言。霍乱。胸中满。洒淅畏寒。厥逆。惊悸心痛。

备考：本穴在上肢前内侧缘。

（十）

7.神门：位置：在掌后锐骨（豌豆骨）之端陷中。（阴郄下五分）

解剖：在豆骨与尺骨的关节部上、即内尺骨肌的停止部，循尺掌侧动脉，分布尺骨神经。

疗法：针三分，灸三壮。

主治：疟疾心烦。欲得冷饮。恶寒则欲就温。咽干不嗜食。惊悸心痛。少气身热。面赤喜狂。喜笑上气。呕血吐血。遗溺。失音。健忘。心积伏梁。大人小儿五痫症。手臂挛掣。

备考：本穴一名锐中、中都、兑冲。在上肢前内侧缘。为治精神病和心脏病的要穴。故东垣有"同精导气，以复其位"之句，治烦神门穴的功效不已。

8.少府：位置：手小指本节后骨缝陷中，与劳宫穴平一直线。

解剖：在第四掌骨与第五掌骨之间，即小指屈肌的停止部，循指掌动脉，分布尺骨神经之指掌枝。

疗法：针二分，灸三壮。

主治：痎疟久不愈。振寒烦满。少气。胸中痛。悲恐畏人。臂痠肘腋挛急。阴挺出。阴痒。阴痛。遗尿。偏坠。小便不利。

备考：本穴在上肢前内侧缘。

9.少冲：位置：手小指内侧，去爪甲角如韭叶。

解剖：在小指第三节外侧，爪甲角之发生根部，循指掌动脉，分布尺骨神经之指掌枝。

疗法：针一分，灸一至三壮。

主治：热病烦闷。上气。心火炎上。眼赤出少。呕吐血。及心痛。冷疟。少气悲恐，善惊口热。咽酸胸背痛。乍寒乍热。臑臂内后廉痛。手挛不伸。凡初中风猝倒，暴昏沉痰涎壅盛，不省人事。牙关紧闭，水浆不下。亟以三棱针刺少商、商阳、中冲、关冲、少冲、少泽，以流通气血。乃起死回生之妙穴。

（廿一）

备考：本穴一名经始。在上肢前内侧缘。

六、手太阳小肠经，凡十九穴，左右共三十八穴。

经穴歌：手太阳穴一十九，少泽前谷后溪薮，腕骨阳谷养老绳，支正小海外辅肘，肩贞臑俞接天宗，髎外秉风曲垣首，肩外俞连肩中俞，天窗乃与天容偶，锐骨之端上颧髎，听宫耳前珠上走。

分寸歌：少指端外为少泽，前谷外侧节前觅，节后捏拳取后溪，腕骨腕前骨陷侧。锐骨下陷阳谷讨，腕上一寸名养老，支正腕后五寸量。小海肘端五分好，肩贞胛下两骨解，臑俞大骨下陷保，天宗秉风后骨中。秉风髎外举有空，曲垣肩中曲胛陷，外俞去脊三寸从。中俞二寸大椎旁，天窗扶突后陷详，天容耳下曲颊后。颧髎面鸠锐端量，听宫耳中大如菽。此为小肠手太阳。

1. 少泽：

位置：在少指端甲侧，去爪甲角如韭叶。

解剖：在第五指骨第三节内侧，爪甲之菱生根部，为指伸肌腱的停止部，有外转少指肌，循尺骨动脉之指背枝，分布尺骨神经的指背肌。

疗法：针一分，留三呼。灸一壮。
主治：痎疟。寒热。汗不出。喉痹舌强。心烦咳嗽。瘛疭。臂痛。项痛不可回顾。目生翳。妇人无乳。耳聋不得眠。凡初中风卒暴昏沉。痰涎壅盛。不省人事。急以三棱针刺少商、商阳、中冲、少冲、少泽出血。使气血流通。乃起死回生救急之妙穴。
备考：本穴一名少吉。在上肢皮外侧缘。

2、前谷：位置：在小指外侧本节前之陷凹处。
解剖：在第五指骨第一节基底、第五掌骨的关节部内侧，经小指屈肌之旁，有外转小指肌，循指背动脉，分布尺骨神经的分枝。
疗法：针一分，灸一壮至三壮。
主治：热病汗不出。痎疟。癫疾。耳鸣。喉痹。颈项颊肿引耳后。咳嗽。目翳。鼻塞。吐乳。臂痛不举。妇人乳痈。
备考：本穴在上肢皮外侧缘。

3、后溪：位置：小指外侧本节后陷中。第五掌骨之前外端。
解剖：在第五掌骨内一部的前下方，经小指屈肌之旁，有外转小指肌，循指背动脉，分布尺骨神经的分枝。
疗法：握拳取之，适当掌尖。针三分，留二呼。灸一壮。
主治：痎疟。寒热。目翳。鼻衄。耳聋。胸满。项强不得回顾。癫痫。臂肘挛急。五指尽痛。
备考：本穴在上肢皮外侧缘。

廿二)

4. 腕骨：位置：在手外侧腕豆骨的旁侧陷中。
解剖：于五掌骨腕骨之间，外尺骨肌的停止部，在外转小指伸肌中，有豆骨掌骨韧带，循腕骨背侧动脉，分布尺骨神经的分枝。
疗法：握掌向内取之，针二分，留三呼。灸三壮。
主治：热病汗不出。胁下痛不得息。颈项肿。寒热耳鸣。目出冷泪生翳。狂惕。偏枯。臂肘不得屈伸。疟疾烦闷。头痛。惊风瘛疭。五指掣痛。
备考：本穴在上肢皮外侧线。

5. 阳谷：位置：手外侧腕中锐骨下陷中，腕中锐骨即尺骨茎状突起部。
解剖：在尺骨茎状突起的下际，固有小指肌的内部，循腕骨背侧动脉，分布尺骨神经的手背枝。
疗法：针二分，留三呼。灸三壮。
主治：癫疾。发狂，妄言左右顾。热病汗不出。胁痛项肿。寒热。耳聋，耳鸣。齿痛，臂不举。小儿瘛疭。舌强
备考：本穴在上肢皮外侧线。

6. 养老：位置：手外踝骨上有空陷中，腕骨上一寸，骨间有孔。
解剖：在尺骨茎状突起的正中部，外尺骨肌腱侧，循腕骨背侧动脉，分布尺骨神经。
疗法：针二分至三分。灸三壮。
主治：肩臂疼痛。肩欲折，臂如拔。手不能自上下。目视不明
备考：本穴在上肢皮外侧线。

7、支正：位置：腕後五寸，即阳谷直上与小海成直線，当阳谷与肘尖的中间。

解剖：在尺骨後面的中央，外尺骨肌中，循骨间动脉，分布尺骨神经，前膊内侧皮下神经及後下膊皮下神经。

療法：针三分，灸三壮。

主治：五痨。癫狂。惊风寒热。頷腫項强。头痛目眩。风室惊恐悲愁。腰背痠。四肢乏力。肘臂不能屈伸。手指痛不能握。

备考：本穴在上肢後外侧線。

8、小海：位置：在尺骨鹰嘴突起上端，去肘尖五分陷中。附肘内侧大骨外，去肘端五分。

解剖：在上膊骨的内上髁及尺骨鹰嘴的中间，鹰咀突起的内侧，内尺骨肌起始部，循下尺骨副动脉，分布尺骨神經的主幹。

療法：屈肘向头取之，针三分，灸三壮。

主治：肘臂肩臑頸項痛。寒热。齿根腫痛。风眩。瘍腫。小腹痛。五痫。瘈瘲。

备考：本穴在上肢後外侧線。

9、肩貞：位置：肩峰突起後侧之下。去脊椎间八寸，下直腋缝。

解剖：在肩峰突起後下方一寸處，即肩峰突起与上膊骨的関節部，上层是三角肌後缘，下层有棘下肌，循後迴旋上膊动脉，分布肩胛上神经及腋下神经。

疗法：针五分，灸五壮。
主治：伤寒。寒热。颔肿。耳鸣。耳聋。缺盆肩中热痛。风痹手足不举。
备考：本穴在肩胛区。

治○疗○

10、臑俞：位置：肩贞上一寸，横开八分。即肩胛关节后面大骨下，正对腕缝。有三角肌、棘下肌，主肩胛下神经、肩胛下动脉。
疗法：举臂取之，针八分。灸三壮。
主治：肩痿无力。肩痛引胛。寒热气肿痿痛。
备考：本穴在肩胛区。

11、天宗：位置：在肩贞斜上一寸七分，横开一寸。即肩胛大骨下方当中，平第五椎间。
解剖：在肩胛背的棘下窝，浅层有僧帽肌、循肩胛横动脉，分布肩胛上神经及副神经。
疗法：举臂取之，针五分，灸七壮。
主治：肩背痿痛。肩外後廉痛。颊颔肿。
备考：本穴在肩胛区。

12、秉风：位置：在肩上小髃后，举臂有空。即天宗穴的斜上方。
解剖：在肩胛棘起始部上缘，即僧帽肌部，下层有棘上肌的集合部，循横肩胛动脉，分布肩胛上神经及副神经。
疗法：针五分，灸五壮。
主治：肩臂热痛，不可举。
备考：本穴在肩胛区。

13、曲垣：位置：在肩之中央，曲胛陷中，平第二椎间，按之应手痛。
解剖：在肩胛棘的上际，有僧帽肌及肩胛举肌，循肩胛横动脉，分布肩胛上神经及副神经。
疗法：针五分，灸三壮。
主治：肩臂热痛，拘急周痹。
备考：本穴在肩胛区。

14、肩外俞：位置：在肩胛上侧，去脊三寸（即陶道穴旁量三寸陷中）。
解剖：在第二肋骨后端上缘，有僧帽肌，项长肌，及上锯肌，菱形肌，循后横颈动脉，分布脊椎神经，副神经，后胸廓神经。
疗法：针五分，灸三壮。
主治：肩胛痛。寒热。引项挛急。周痹寒至肘。
备考：本穴在肩胛区。

15、肩中俞：位置：在肩胛内侧，由大椎穴横量二寸。
解剖：第一胸椎棘上突起的两侧，有僧帽肌，菱形肌，循上肋间动脉及肩胛动脉的分枝，分布肋间神经分枝，肩胛背神经，脊椎神经的后枝。
疗法：针三至六分，灸三至十壮。
主治：咳嗽上气。吐血寒热。目视不明。
备考、本穴在肩胛区。

16、天窗：位置：在耳下二寸大筋间。即曲颊下扶突后动脉中。
解剖：在胸锁乳突肌中央后缘，分布迷走神经及下颈皮下神经疗法：针三分，灸三壮。

主治：颈瘿肿痛。肩胛引项不得回顾。颊肿耳聋。喉痛暴瘖。

备考：本穴在颈侧区。又名窗笼。

17. 天容：

位置：在耳垂下约三五分。即颊车後上方二寸颈筋间陷中。

解剖：在胸锁乳咀肌停止部前缘，耳下腺所在地，循颈动脉，内颈静脉，分布大耳神经及副神经。

疗法：针五至八分。灸三壮。

主治：瘿气颈项不可回顾。不能言。齿噤。耳鸣。耳聋。喉痹。咽中如鲠。寒热胸满。呕逆吐沫。

备考：本穴在耳区。

18. 颧髎：

位置：目外眦直下，当颧骨下侧陷中。

解剖：在颧骨肌的起始部，有笑肌，循横面动脉，分布下眼窝神经，咬肌神经及颜面神经的颊枝。

疗法：针三分。禁灸。

主治：口喎。面赤。目黄。目瞤不止。

备考：本穴在颊区。又名兑骨。

19. 听宫：

位置：在耳前珠旁。

解剖：在咬肌附着部後缘，循耳前动脉，分布颜面神经及三叉神经分枝。

疗法：针三分，灸三壮。

主治：失音。癫疾。心腹满。耳内蝉鸣。耳聋。

备考：本穴在耳穴。又名多所闻。

七、足太阳膀胱经（凡六十七穴左右共一百卅四穴）

经穴歌：足太阳穴六十七，睛明目内红肉藏，攒竹眉冲与曲差，五处寸半是承光，通天络却玉枕昂，天柱后际大筋外，大杼背部第二行，风门肺俞厥阴四，心俞督俞膈俞强，肝胆脾胃俱挨次，三焦肾气海大肠，关元小肠到膀胱，中膂白环仔细量，自从大杼至白环，各各节外寸半长。上髎次髎中复下，一空二空腰髁当，会阳阴尾骨外取，附分侠脊第三行，魄户膏肓与神堂，譩譆膈关魂门九，阳纲意舍仍胃仓，肓门志室及胞肓，二十椎下秩边场，承扶臀横纹中，殷门浮郄到委阳，委中合阳承筋是，承山飞扬踝附阳，昆仑仆参连申脉，金门京骨束骨忙，通谷至阴小指旁。

分寸歌：足太阳是膀胱经。目内眦角始睛明。眉头头中攒竹取，眉冲直上旁神庭。曲差入发五分际。神庭旁开寸五分。五处旁开亦寸半。细算却与上星平。承光通天络却穴。相去寸五调匀看。玉枕夹脑一寸三。入发三寸枕骨取。天柱项后发际中。大筋外廉陷中献。自此夹脊开寸五。第一大杼二风门，三椎肺俞厥阴四。心五督六椎下论，膈七肝九十胆俞。十一脾俞十二胃。十三三焦十四肾。气海俞在十五椎。大肠十六椎之下。十七关元俞穴推。小肠十八胱十九。中膂内俞二十椎，白环廿一椎下当。以上诸穴可推之。更有上次中下髎，一二三四腰空好。会阳阴尾尻骨旁。背部第二诸穴了。又从脊上开三寸。第二椎下为附分。三椎魄户四膏肓。第五椎下神堂尊。第六譩譆膈关七。第九魂门阳纲十。十一意舍之穴存。十二胃仓穴已分。十三肓门端正在。十四志室不须论。十九胞肓二十秩。背部三行诸穴匀。又从臀下横纹取。承扶居下陷中央。殷门扶下方六寸。委阳腘外两筋乡。浮郄委阳上，相去只有一寸长。委中在腘约纹里。此下二寸寻合阳。承筋合阳之下直。穴在腨肠之中央。承山腨上分肉间。外踝七寸上飞扬。跗阳外踝上三寸。昆仑后跟陷中央。仆参亦在跟下脚边上。申脉踝下五分张。金门申前墩上取。京骨外侧骨际量。束骨本节后肉陷。通谷节前陷中强。至阴却在小趾侧。太阳之穴始周详。

1、睛明：位置：目内眦角外一分宛宛中。

解剖：在眼轮匝肌中，有内眼睑韧带，循内眦动脉，分布三叉神经第一枝的滑车神经。

疗法：针入半分，禁灸。

主治：目痛视不明。迎风流泪。胬肉攀睛，白翳。眦痒，疳眼。眼痛目眩。在目。

备考：本穴一名泪孔。在眼区。李梴曰：刺太阳、阳明出血，则目愈明。著者按：这是指结膜炎、网膜炎、眼球之血管充血而言，学者注意，勿误。

2、攒竹：位置：眉头陷中。

解剖：前头骨之下际，眉弓内端部，有皱皮肌，循额前头动脉，分布前头神经，上眼窝神经。

疗法：针二分，不得已时方灸，否则禁灸。
主治：泪出目眩。瞳子痒。眼中赤痛。颊热面痛。
备考：本穴一名始光，员柱，光明。在眼区。

3.眉冲：位置：攒竹直上，入发际五分，在神庭与曲差两穴的中间。
解剖：前头骨部，前头肌，循前头动脉，分布前头神经。
疗法：针二分，灸三壮。
主治：头痛目眩。鼻塞不闻香臭。
备考：本穴在眼区。

4.曲差：位置：直上入发际的五分。去神庭旁开一寸五分。
解剖：前头骨部的前头肌，循前头动脉，分布前头神经。
疗法：针二分，灸三壮。
主治：目不明。头痛鼻塞。鼻衄。顶巅痛。心烦身热。汗不出。
备考：本穴一名鼻冲。在头顶部第一侧线。

5.五处：位置：曲差后五分。上星旁一寸五分。
解剖：前头骨部，前头肌中，循前动脉，分布前头神经。
疗法：针三分，灸三至五壮。
主治：脊强反折。瘛疭癫疾。头痛戴眼。目眩。目视不明。
备考：本穴在头顶部第一侧线。

6.承光、位置：五处后一寸五分。
解剖：在前头骨与颅顶骨的缝合部，有帽状腱膜，循浅颞颥动脉，分布颜面神经的颞颥枝。

廿六

7.通天：

位置：承光后一寸五分。

解剖：在颅顶骨部，当颅顶结节的后内方，循颞颥动脉后枝，分布后头神经。

备考：本穴在头顶部第一侧线。即百会穴之侧。

主治：风眩呕吐。心烦。鼻塞不利。目眩口喎。

疗法：针三分，禁灸。

疗法：针三分。灸三壮。

主治：头旋项痛不能转侧。鼻塞偏风。口喎鼻血。头重耳鸣。狂走瘈疭恍惚。目青盲内障。

8.络却：

备考：本穴一名天白。在头顶部第一侧线。

位置：通天后一寸五分。由后发际量上三寸半。

解剖：在颅顶骨与后头骨接合处，即后头肌停止部，循后头动脉，分布大后头神经。

疗法：针三分，灸三壮。

主治：头旋口喎。鼻塞项肿。瘿瘤。内障耳鸣。

备考：本穴一名强阳，脑盖。在头顶部第一侧线。

9.玉枕：

位置：络却后一寸五分。去脑户旁一寸三分。

解剖：在后头骨部，有后头肌，循后头动脉，分布后头神经

疗法：针三分，灸三壮。

主治：目痛如脱不能远视。脑风头项痛。鼻窒不闻。

备考：本穴在头顶部第一侧线。

10.天柱：

位置：项后发际大筋外侧陷中。去中行风府七分。

解剖：在后头骨之上，项线之下，当僧帽肌停止部的外侧，循项后头动脉，分布大后头神经。
疗法：针二分，灸七壮。（最好不灸）。
主治：头旋脑痛。鼻塞涕出。项强肩背痛。足不任身。目眩不欲视。

11.大杼：
备考：本穴在头项部第一侧线。
位置：一椎下，横开中行一寸五分陷中。
解剖：在第一胸椎棘上突起的两旁，上层为僧帽肌，下层为菱形肌，及后上锯肌，循横颈动脉下行枝，分布胸椎神经的后枝及胸廓神经，肋间神经，僧帽肌神经。
疗法：针五分，不宜灸。
主治：伤寒汗不出。腰脊项背强痛不得卧。喉痹。烦满。痎疟。头痛。咳嗽身热。目眩瘛疭。筋挛。癫疾。膝痛不可屈伸。
备考：本穴在背部第一侧线。

12.风门：
位置：二椎下，横开一寸五分。
解剖：第三椎横突起向的外侧，有菱形肌与后上锯肌、循肩胛背动脉，分布胸椎神经的后枝。
疗法：针五分，灸五壮。
主治：能泻一身热气。伤寒头痛项强目瞑。胸中热。呕逆上气。喘卧不安。身热。黄疸。痈疽。发背。
备考：本穴一名热府。在背部第一侧线。

13. 肺俞：位置：三椎下，横量一寸五分。（千金方云：对乳）。（廿

解剖：在第三、四椎胸横突起的外侧，当僧帽肌、菱形肌及上锯肌之中，循上肋间、举横颈动脉下行枝，分布副神经，及胸廓神经，胸椎神经的后枝及肋间神经。

疗法：针三分，灸七至一百壮。

主治：主传五脏之热。五痨。传尸骨蒸。肺风肺痿。咳嗽。呕吐。上气喘满。虚烦口乾。目眩支满。汗不出。腰脊强痛。背偻如龟。黄疸。

备考：本穴在背部第一侧线。伤寒论云：太阳与少阳併病，头项强痛，或眩冒时，如结胸，心下痞坚者，当刺大椎、肺俞、肝俞。

14. 厥阴俞：位置：四椎下，横量寸五分。

解剖：在第四、五胸椎横突起的外向，有僧帽肌、菱形肌、上锯肌及荐脊骨脊柱肌，循肩胛背动脉，分布胸椎神经的后枝。

疗法：针三分，灸七壮。

主治：欬逆牙痛。心痛结胸。呕吐烦闷。胸中膈气。积聚好吐。

备考：本穴一名厥俞。在背部第一侧线。

15. 心俞：位置：在五椎下，横量一寸五分。

解剖：在五、六胸椎横突起的外侧，有僧帽肌、菱形肌、荐脊椎肌，循肋间动脉的背枝及横颈动脉的下行枝，分布胸椎神经后枝及肋间神经。

摩法：正坐取之，针三分，灸三壮。
主治：主伤五藏之热。偏风半身不遂。食噎积结。寒热心气闷乱。烦惚心惊。汗不出。中风偃卧不得。胸痛悲泣。呕吐欬血。发狂健忘。小儿气不足者数岁不语。可灸五壮。艾炷如麦粒。
备考：本穴一名背俞。千金方云：中风心急，灸心俞百壮，当权其缓急也。

16. 督俞：位置：六椎下，横量一寸五分。
解剖：第六七椎横突起向的外侧，分布胸椎神经的皮枝
摩法：正坐取之，针三分，禁灸。
主治：寒热心痛腹痛雷鸣气逆。
备考：本穴一名高盖。在背部第一侧线。

17. 膈俞：位置：七椎下，横量一寸五分。
解剖：在七、八胸椎下横突向的外侧，有僧帽肌及荐骨脊柱肌，循此肋间动脉，分布胸椎神经的皮枝。
摩法：针三分，灸三壮。
主治：心痛周痹。膈胃寒痰。暴痛心闷气急。吐食翻胃。痃癖。五积。气块。血块。欬逆。四肢肿痛。怠惰嗜卧。骨蒸。喉痹。热病汗不出。食不下。腹胁胀满。
备考：本穴在背部第一侧线。

18. 肝俞：位置：九椎下，横量一寸五分。

解剖：在第九、十椎横突起向的外侧，有僧帽肌、背长肌、阔背肌，肋骨举肌，背骨棘柱肌，绕后肋间动脉，分布胸椎神经后枝、右方深部若肝藏。

疗法：针三分，灸三壮。

主治：主泻五脏之热。气短咳血，多怒。胁肋背痛。咳引两胁。背脊急痛不得息。转侧难反侧。上视惊狂。黄疸，鼻衄。热病汗不出。眼目诸疾。热痛生疮。或热病后因食五辛患目眶血。或疝气筋挛相引转筋入腹。

19.胆俞：位置：十椎下，横量一寸五分。

取穴：本穴在背部第一侧线。

解剖：在第十、十一椎横突起向的外侧，上层有僧帽肌，下层有阔背肌，绕后肋间动脉的背枝，分布副神经、胸椎神经的后枝，肋间神经。

疗法：针三分，灸五壮。

主治：头痛振寒。汗不出。腋下肿。心腹胀满。口干苦。咽痛呕吐。翻胃食不下。骨蒸劳热。目黄胸胁不能转侧。

备考：本穴在背部第一侧线。崔知悌的四花穴之上二穴即是膈俞穴，下二穴即是胆俞穴。崔氏以此四穴疗治痨瘵病的特效穴，后世取四花穴为针取，实误。

20. 脾俞：位置：十一椎下，横量一寸五分。
解剖：在第十一、十二胸椎横突起的外侧，有僧帽肌及荐骨柱肌，循内肋间动脉，分布胸椎神经的后枝。
疗法：针三分，灸三壮。
主治：主浮肿膨胀，主热。痃癖积聚。胁下满。黄疸。腹胀痛。吐食。不食。饮食不化。或饮食倍多。烦热嗜卧。身体瘦瘦。泄病善欠。体重四肢不收。
备考：本穴在背部第一侧线。

21. 胃俞：位置：十二椎下，横量一寸五分。
解剖：第十二胸椎与第一腰椎横突起端的中间，上层有阔背肌，下层有荐骨脊柱肌，循后肋间动脉的背枝，分布胸椎神经的后枝及肋间神经，内容肾脏。
疗法：针三分，灸三至七壮。
主治：胃寒吐逆。翻胃。霍乱。腹胀支满。脾胃虚弱。肠鸣腹痛。不嗜食。背痛引胁。小儿羸瘦。食少不生肌肉。小儿疳痢。秋末脘肛肚痔不可忍。又经曰：大。
备考：本穴在背部第一侧线。东垣曰：中湿者，治在胃俞。

22. 三焦俞：位置：十三椎下，横量一寸五分。
解剖：第一、二腰椎横状突起间的外侧，上层是阔背肌，下层是荐骨脊柱肌及方形肌，循腰动脉的背枝，分布脊椎神经的后枝。
疗法：针三至五分。灸三至十壮。
主治：肾中腰伤寒身热头痛。吐逆。肩背急。腰脊强。不得俯

仰。癫痫积聚。腰背痛塞不通。饮食不化。疝瘕水先不

分。腰痛。下痢。肠鸣目眩。

廿九

23、肾俞：

命名：本穴在背部第一侧线。

位置：十四椎下，横量一寸五分。

解剖：在第二、三腰椎横突起间的外侧，上层有腰背肌膜，下层有荐骨脊柱肌及方形腰肌，循腰脉背枝，分布腰椎神经的后枝。

疗法：针三分，灸三至百壮。

主治：主治五脏之热。虚劳羸瘦。面目黄黑。耳聋肾虚。水脏久冷。腰痛梦遗。精滑精冷。膝脚拘急。身热头痛。振栗。塞心腹膜胀，两胁满。痛引少腹。小便浊血。便溺淋沥。赤白带下。月经不调。阴中痛。五劳七伤。虚惫无力。足冷如冰。洞泄食不化。身肿如水。男女久积气痛。变成劳疾。

24、气海俞：

命名：本穴一名高盖。在背部第一侧线。

位置：十五椎下，横量一寸五分。

解剖：第三、四腰椎横突起间的外侧，上层有腰背肌膜，下层有荐骨脊柱肌及方形腰肌，循腰动脉背枝，分布腰椎神经的后枝。

疗法：针三分，灸五壮。

主治：腰痛。痔漏。

25、大肠俞：

命名：本穴在背部第一侧线。

位置：十七椎下，横量一寸五分。

解剖：第五腰椎横突起向的外侧，有阔背肌、荐骨脊柱肌、大腰肌，循腰动脉背枝，分布腰椎神经的后枝。

疗法：针三分，灸三至十壮。

主治：脊强不得俯仰。腰痛腰胀。绕脐切痛。肠鸣泻痢。食不化。大小便不利。

26. 关元俞：

备考：本穴在背部第一侧线。

位置：十七椎下，横量一寸五分。

解剖：第五腰椎横突起向的外侧，上层有腰背肌膜，下层有荐骨脊柱肌及方形腰肌，循腰动脉的背枝，分布腰椎神经的后枝。

疗法：针三分，灸五壮。

主治：风劳腰痛。泄痢虚胀。小便难。妇人瘕瘕。

27. 小肠俞：

备考：本穴在背部第一侧线。

位置：十八椎下，横量一寸五分。

解剖：在第一荐骨假棘状突起向的外侧，第五腰椎横突起荐骨骨隆向，有腰背肌膜，荐骨脊柱肌及方形腰肌，循腰动脉的背枝，分布荐骨神经。

疗法：针三分，灸三壮。

主治：膀胱三焦津液少。小便赤不利。淋沥遗尿。小腹胀满。腰痛泄痢脓血。脚肿。心烦短气。五痔疼痛。妇人带下。

28. 膀胱俞：

备考：本穴在背部第一侧线。

位置：十九椎，横量一寸五分。

解剖：在第二三荐骨假棘状突起向的外侧，上层有腰背肌膜，下

层为脊骨脊柱肌的起始部，循动侧脊骨动脉，分布腰椎（三十
神经的后枝。
疗法：针三分，灸三壮。
主治：小便赤涩。遗尿泄痢。腰脊腰痛。阴疮。脚膝寒冷无力
。女子癥瘕。
备考：本穴在背部第一侧线。

29.中膂俞：位置：二十椎下，横量一寸五分。
解剖：在第三骶骨假棘状突起间的外侧，有腰背肌腱，中膂肌
，循上臀动脉，分布脊骨神经的后枝。
疗法：针三分，灸三壮。
主治：肾虚消渴。腰脊强痛。不得俯仰。肠泄。赤白痢。疝痛
。汗不出。腹胁胀满。
备考：本穴一名脊内俞、中膂内俞。在背部第一侧线。

30.白环俞：位置：二十一椎下，横量一寸五分。
解剖：在脊骨裂孔的两侧，有大臀肌，梨子状肌，循下臀动脉
，分布下臀神经并脊骨神经的后枝。
疗法：针三分。灸三壮。
主治：腰脊痛不得坐卧。疝痛手足不仁。二便不利。温疟。心助
挛痹缩。虚热闭塞。
备考：本穴一名玉环俞，玉房俞。在背部第一侧线。

31.上髎：位置：十八椎下，横量一寸。
解剖：在第一骶骨孔部，有腰肌膜，脊骨脊柱肌，循侧骶骨
动脉，分布脊骶骨神经的后枝。

疗法：针四分至一寸二分，灸七至一百壮。
主治：大小便不利。呕吐。腰膝冷痛。鼻衄。妇人绝阴。阴中痒痛。阴挺出。赤白带下。
备考：本穴在荐骨部第一侧孔。大理赵卿患偏风，不能起跪，甄权针上髎，环跳，阳陵泉，下巨虚穴，即能起跪。下髎会于八髎，不特能治腰痛有神效，且男女生殖系的疾患，也同样有效。

32、次髎：位置：十九椎下，横量一寸。
解剖：在第二段荐骨孔部，有腰背肌膜，荐骨脊柱肌，循侧荐骨动脉，分布荐骨神经的后枝。
疗法：针四分至一寸，灸七至一百壮。
主治：大小便淋赤不利。心下坚胀。腰痛足痿。疝气下坠。引阴痛不可忍。肠鸣泄泻。赤白带下。
备考：本穴在荐骨部第二侧孔。

33、中髎：位置：二十椎下，横量八分。
解剖：第三段荐骨孔部，有腰背肌膜，荐骨脊柱肌，循侧荐骨动脉，分布荐骨神经的后枝。
疗法：针四分至一寸。灸七至百壮。
主治：五劳七伤。二便不利。妇人无子。带下。月经不调。
备考：本穴一名中空。在荐骨部第三侧孔。

34、下髎：位置：廿一椎下，横量八分。
解剖：在第四段荐骨孔部，有腰背肌膜，荐骨脊柱肌，循侧荐骨动脉，分布荐骨神经的后枝。

生）

35 会阳：

灸法：针三至五分，灸三至二十壮。

主治：二便不利。下血。腰痛引少腹急痛。女子淋浊不禁。

部位：本穴在背部第一侧线。

位置：阴尾尾骨旁，離長強穴约五分。即尾闾骨下部之旁侧臀中

解剖：在尾闾骨下端的两侧，大臀肌的起始部，有肛门举肌，肛门括约肌，循下痔动脉，分布全阴神经。

灸法：针八分，灸五壮。

主治：腹中气胀。泄泻。肠澼便血。久痔。阴汗湿痒。

36、附分：

部位：本穴一名利机。在背部第二侧线。

位置：第二椎下，由中行横量三寸。

解剖：第二胸椎棘突起下方，两旁约三寸，第二肋骨的上缘，上層有僧帽肌，下層有菱形肌，循横颈及上肋间动脉，分布胸椎神经及肋神经，副神经支。

灸法：针三分，灸五壮。

主治：肘肩不仁。肩背拘急。风寒腠理。颈痛不得回顾。

37、魄户：

部位：本穴在背部第二侧线。

位置：附分下，三椎下横量三寸。

解剖：第三胸椎棘突起间的外方，有僧帽肌、菱形肌、循横颈动脉，分布胸椎神经的后枝。

灸法：针五分，灸七至一百壮。

主治：传尸五藏之热。虚劳肺痿。肩膊胸背痛。三尸走注。项强喘逆。烦满呕吐。

部位：本穴一名魂户。在背部第二侧线。

38.膏肓：位置：四椎下，由中行横量三寸，两手相揽，以手指按之觉痛者是穴。

解剖：在第四五胸椎横突起的外方，有僧帽肌、菱形肌，循横颈动脉下行枝，分布胸椎神经后枝。

疗法：针三分，灸七至一百壮或至百壮。

主治：百病劳伤。虚损劳嗽。五劳七伤。梦遗失精。上气欬逆。痰火劳瘵。健忘。

备考：本穴在背部有二侧俱全。1.此膏肓穴擅治肺结核，哮喘等病。2.灸此穴之后，必须继灸足三里，或针足三里，以诱导火气下行，否则吐血不已，或发生其他的变病。3.左传：成公十年，晋侯患病，求医于秦，秦使医缓治之，未至，晋成公梦见二竖子，其一曰：医缓良医也，惧伤我，焉逃之，另一竖子曰：居肓之上，膏之下，若我何？医缓至，诊曰：疾不可为也，在肓之上，膏之下，攻之不可，灸之不及，药不至焉，不可为也。晋侯曰：良医也。厚为之礼而归之。

39.神堂：位置：五椎下，由中行横量三寸。

解剖：在第五六胸椎横突起的外方，有僧帽肌、菱形肌，循横颈动脉下行枝，分布肩胛背神经及肋间神经。

疗法：针三分，灸五壮。

主治：腰背强急。喘息。肩膊疼痛。

备考：本穴在背部有二侧俱全。

40.譩譆：位置：六椎下，横量三寸。

解剖：第七胸椎横突起的外方，有僧帽肌、菱形肌，循横颈动脉下行枝，分布肩胛背神经及肋间神经。

疗法：针三分，灸十至一百壮。

主治：大风热病汗不出。劳损不得卧。温疟久不愈。肩背膊肋痛急。目痛。

备考：本穴在背部第二侧线。

41.膈关：位置：七椎下，横量三寸。

解剖：在七八胸椎横突起的外方，有僧帽肌及背肋诸肌，循横颈动脉，分布肩胛神经及肋间神经。

疗法：针五分，灸五壮。

主治：背痛恶寒脊强，呃吐饮食不下。胸中噎塞。大小便不利。

备考：本穴在背部第二侧线。

42.魂门：位置：九椎下，横量三寸。

解剖：在第九十胸椎横突起的外方，有阔背肌，循肋间动脉背枝，分布胸椎神经后枝及肋间神经。

疗法：针五分，灸三壮。

主治：尸厥。胸背连心痛。食不下。腹中雷鸣。大便不节。小便黄赤。主泻五脏之热。

43.阳纲：位置：十椎下，横开三寸。

解剖：第十十一胸椎横突起的外方，有阔背肌，循肋间动脉，分布肩胛下神经及肋间神经。

疗法：针五分，灸五壮。

主治：肠鸣腹痛。食不下。小便涩。身热[illegible]。

44.意舍：备考：本穴在背部第二侧線。

位置：十一椎下，横量三寸。

解剖：第十一椎及十二椎横突起的外方，有阔背肌，循行肋间动脉，分布肩胛下神经及肋间神经。

疗法：针五分，灸五至五十壮。

主治：背痛腹胀。大便泄。小便黄。呕吐。饮食不下。

备考：本穴在背部第二侧線。

45.胃仓：位置：十二椎下，横量三寸。

解剖：第十二椎及第一腰椎横突起的外方，循行肋间动脉，分布肩胛下神经及肋间神经。

疗法：针五分，灸五壮。

主治：腹内水肿。食不下。恶寒。背脊痛，不可俯仰。

备考：本穴在背部第二侧線。

46.肓门：位置：十三椎下，横量三寸。

解剖：第一二腰椎横突起的外侧，有方形肌，阔背肌，荐骨脊柱肌，循腰动脉的背枝，分布腰椎神经的皮枝。

疗法：针五分，灸三十壮。

主治：心下痛。大便坚。妇人乳痛。

备考：本穴在背部第二侧線。

47.志室：位置：十四椎下，横量三寸。

解剖：第二三腰椎横突起的外方，有方形腰肌，阔背肌，循腰动脉背枝，分布腰椎神经皮枝。

疗法：针三至九分，灸三至十灸。

主治：阴肿。阴痛。失精。小便淋沥。脊背强。腰胁痛。腹中坚满。霍乱吐逆。不食。大便难。

备考：本穴一名精宫。在背部第二侧线。

48、胞肓：

位置：十九椎下，横量三寸。

解剖：第二三荐骨椎假横突起的外方，有大小臀肌、梨子状肌、循上臀动脉，分布上下臀神经及坐骨神经的分枝。

疗法：针五分，灸三至四十壮。

主治：腰脊痛。恶寒。小腹坚。肠鸣。大小便不利。

备考：本穴在背部第二侧线。

49、秩边：

位置：廿椎下，横量三寸。

解剖：第三四荐骨椎假突起之外方，有小臀肌，梨子状肌，循上臀动脉，分布上下臀神经及荐骨神经。

疗法：伏而取之，针五分，灸三壮。

主治：腰痛。五痔。小便赤涩。

备考：本穴在背部第二侧线。

50、承扶：

位置：直立时在臀部隆肉下垂之横纹中，委中之直上。即尻骨下臀部横纹的中央。

解剖：在臀下皱壁横纹中央，即大臀肌的下际，有大内转股肌，循下臀动脉，分布下臀神经分枝及坐骨神经枝。

疗法：针五至七分，灸三壮。一说不宜灸。

主治：腰脊相引如解。久痔。臀肿。大便难。小便不利。

备考：本穴一名肉郄，阴关，皮部。在下肢后中外侧。

51、殷门：

位置：承扶穴直下六寸。

解剖：在大腿后面的中央部，即二头股肌与半腱半膜肌之间，循股动脉，分布坐骨神经。

疗法：针五分至一寸。不宜灸。

主治：腰脊不可俯仰。外股肿。

备考：本穴在下肢后面正中外侧缘。

52、浮郄。

位置：委阳穴上一寸，曲膝取之。

解剖、在大腿后下部外侧，二头股肌内侧，循膝腘动脉、分布膝腘神经、腓骨神经。

疗法：针五分，灸三壮。

主治：霍乱转筋。小便膀胱热。大肠结。髀枢不仁。

备考：本穴在下肢后面正中外侧缘。

53、委阳：

位置：膝腘窝外两筋之间，屈膝取之。即承扶下一尺二寸。

解剖：在二头股肌的内侧，循膝腘动脉，分布膝腘神经。

疗法：针七分，灸三壮。

主治：腰脊腋下肿痛不可俯仰。引阴中不得小便。胸满身热。瘛疭癫痫。小腹坚。痿痹不仁。

备考：本穴在下肢后面正中外侧缘。

54、委中：

位置：膝腘窝正中，横纹中的动脉侧。

解剖：在大腿骨与下腿骨的关节部，腓肠肌的二头间，循膝腘动脉，分布腓骨神经。

疗法：针五分至一寸半。禁灸。

主治：大风眉发脱落。太阳疟从背起。先寒后热。熇熇然汗出难已。头重转筋。腰脊背痛。半身不遂。遗溺。小腹坚备考：。髀枢风痛，脚痛足软无力。主治四肢之热。
⑴本穴一名血郄，郄中，腿凹。在下肢后面正中外侧纵。
⑵本穴位于委中穴，从用三棱针刺出血，往往病疾立愈。
又、刺津卿郎中患牙槽风，久之龈穿，脓血淋漓，医经旬学针委中及女膝穴，是夕脓血即止，旬日后龈骨脱去，别生新者，完美如昔。又张师道亦患此症，后用此法针之而愈。女膝穴在足后跟，考诸针经无此穴，惜乎未知其神验也。崇祯十四年大旱，十五、十六更是经年旱，通国奇荒，疫疠大作，有瘟疹羊毛瘟等病，手足即亡，不可先刻，八九两月，疫死数百万，十月间，闻人膝得病中，看膝湾后有筋突起，紫者无救，红者刺出血可活，至霜雪渐繁，势亦渐杀。其病若烧热，蕴酿成菌、深入血分，故刺筋出血。

55.合阳：位置：委中下二寸。
解剖：在腓肠肌部，循分腘骨动脉，分布股腘骨神经，膝腘神经。
疗法：针六分，灸五壮。
主治：腰脊强引腹痛。阴股热胻酸肿。寒疝偏坠。女子崩带不止。
备考：本穴在下肢后面正中外侧纵。

56.承筋：位置：腓肠肌的中央，即小腿肚，由脚跟直上七寸。或即在合阳与承山之中间。
解剖：在腓肠肌部，循分腘骨动脉，分布股腘骨神经。

禁法：禁针，灸三壮。
主治：寒痹。腰背拘急。腿腫便闭。五痔腨痠脚跟痛引少腹。
转筋霍乱。
备考：本穴一名腨肠，直肠。在下肢后边中外侧缘。

57.承山：位置：小腿肚下，分肉间。
解剖：在腓肠肌部，循后胫骨动脉，分布后胫骨神经。
禁法：针七分至一寸，灸五壮。
主治：头热鼻衄，寒热癫疾。霍乱腹痛。痔疾便血。腰背痛。膝
腫腿痠痛。霍乱转筋，战慄不能行立。
备考：本穴一名鱼腹，肉柱，肠山。在下肢后边正中外侧缘。

58.飞扬：位置：外踝骨上七寸，腓骨后侧。
解剖：在腓骨的外侧部，当腓骨肌的外缘，腓骨动脉，分布腓
骨神经。
禁法：针三分，灸三至五壮。
主治：痔痛不能起坐。脚痠肿。不能立。历节风不得屈伸。癫
疾。寒疟。头眩目眩。逆气。
备考：本穴一名厥阳。在下肢后边中外侧缘。为足太阳膀胱络
，专走足少阴肾经络穴。

59.跗阳：位置：外踝上三寸。
解剖：在腓骨的外侧部，有腓肠肌，循前胫骨动脉，分布浅腓
骨神经。
禁法：针五分，灸三壮。
主治：霍乱转筋，腰痛不能立。髀枢股胻痛。痿厥风痹不仁。

头重头痛。时有寒热。四肢不举。屈伸不能。(萱

60.昆仑:

备考:本穴在下肢后边正中外侧部。

位置:外踝后五分,跟骨上陷中。

解剖:在外踝后中央的陷凹部,循外后踝动脉,分布腓骨神经及腓肠神经。

疗法:针三分,灸三壮。妊妇禁针。

主治:腰尻。脚气。足踝肿痛。不能步立。头痛鼽衄。肩背拘急。咳喘目眩。阴肿痛。产难。胞衣不下。小儿发痫。瘛疭。

备考:本穴一名下昆仑。在下肢后边正中外侧部。以杖杨周卿治一人,背弯曲,杖而行,人以风治。公曰:非风也,血滞不行也。为针昆仑穴,顷之,投杖而去。

61.仆参:

位置:跟骨下陷中。

解剖:在跟骨结节后部的稍偏于外侧之所,循腓骨动脉的分枝,分布腓肠腓骨神经,及腓骨神经之分枝。

疗法:针三分,不宜灸。

主治:腰痛。足痿不收。足跟痛。霍乱转筋吐逆。膝痛。

62.申脉:

位置:外踝下五分陷中,白肉际,前后有筋,上有踝骨,下有软骨。本穴居中。

解剖:外踝微下,外转小指肌的上端,循腓骨动脉穿行枝,分布腓肠神经之分枝。

疗法:针三分,灸三壮。一说不宜灸。

主治:风眩癫疾。腰脚痛。膝胻寒痠。不能坐立。如在舟中。

。厥逆。腿足不能屈伸。妇人血气痛。腓部红肿。

63.金门：备考：本穴一名阳蹻。在足外侧缘。东垣曰：三痫病者，灸此。

位置：外踝下一寸，前五分陷中。

解剖：外踝之前下四分，跟骨与骰子骨的凹陷，经过趾伸肌中，循腓骨动脉穿行枝、分布腓骨神经之两枝。

疗法：针三分。灸三壮。

64.京骨：备考：本穴一名[illegible]。在足外侧缘。

位置：小趾外侧，赤白肉际陷中。

解剖：足背及足跟的分界线。骰子骨与第五跖骨关节部的陷中，有外转小趾肌，循足背动脉的分枝，分布外足跟神经的分枝。

疗法：针三分，灸七壮。

主治：腰脊痛如折。髀不可屈。项强不能回顾。[illegible]。痎疟寒热。目眩。内眦赤烂。癫疾狂走。

65.束骨：位置：小趾外侧，本节后陷中。

备考：本穴在足外侧缘。

解剖：第五跖骨的侧前部，长总伸趾肌腱中，循足背动脉的分枝，分布外踝动脉的分枝。

疗法：针三分，灸七壮。

主治：肠澼泄泻。疟疾癫痫。发背痈疔。头痛目眩。内眦赤痛。耳聋。腰膝痛。项强不可回顾。

66.通谷：备考：本穴在足外侧缘。

位置：在足小趾外侧，本节前陷中。

解剖：在五趾第一节前外侧，长总伸趾肌腱中，循趾背动脉，分布趾背神经。

摩法：针二分。灸三壮。

主治：头痛目眩。项痛颔肿。善啮。留饮。食不化。

67 足窍阴：

位置：足小趾次趾外侧，去爪甲如韭叶。

解剖：在五趾第三节外侧，爪甲的根部，长总趾伸肌腱附着的肉外缘，循趾背动脉，分布趾背神经。

摩法：针一分，灸三壮，孕妇禁针灸。

主治：风寒头重。鼻塞目痛生翳。胸胁痛。转筋吞难。汗不出。烦心。足下热，手臂不利。妇人横产手先出。符东不动。灸手足脚小趾尖三壮如小麦大，下火立产。

备注：本穴在足外侧缘。

经穴歌：八、足少阴肾经（凡廿七穴左右廿五十四穴）

足少阴穴二十七，涌泉然谷太溪溢，大钟水泉照海通，复溜交信筑宾实，阴谷膝内跗骨后，以上从足走至膝，横骨大赫联气穴，四满中注肓俞脐，商曲石关阴都密，通谷幽门寸半辟，折量腹上分十一，步廊神封之灵墟，神藏彧中俞府毕。

分寸歌：足掌心中是涌泉。然谷踝前大骨边。太溪踝后跟骨上。照海踝下四分安。水泉溪下一寸觅。大钟跟后踵中间。复溜踝上前二寸。交信踝上二寸连。二穴只隔筋前后。太阴之后少阴前。筑宾内踝上五寸。阴谷膝下内辅边。横骨大赫并气穴。四满中注亦相连。五穴上行皆一寸。中行旁开五分边。肓俞上行亦一寸

俱在脐旁半寸间。商曲石关阴都穴。通谷幽门五穴经。上下俱是一寸取
。各开中行半寸前。步廊神封灵墟穴。神藏彧中俞府安。上行寸六旁二
寸。俞府璇玑二寸现。

1、涌泉：位置：足心陷中，屈足卷趾宛之中。
解剖：在拇趾根膨隆部的外側，長屈趾肌的外側，短屈趾骨肌
的內側，循後脛骨動脈的末枝及內足蹠動脈，分布脛骨
神經的末枝及內足蹠神經。
療法：針三分（禁出血），灸三壯。
主治：尸厥面黑。欬喘出血。目無所見。善恐。心中結熱。風
疹風痫。心痛不嗜食。男子如蛊。女子如妊。咳嗽短气
。身热喉痹。目眩颈痛。胸胁满。小便痛。肠澼泄泻。
霍乱。转胞不得尿。腰痛大便难。转筋足胫寒痛。腎積
奔豚。热厥。五趾尽痛。足不践地。
备考：本穴一名地衝。在下肢後內側系。1、隋北齐王阿母，患
热疮，足热甚，淳于意刺足心，立愈。2、本穴乃急救的
良穴。

2、然谷：位置：内踝前高骨下，公孙後一寸，两大肉的中间陷中。
解剖：在舟状骨与楔状骨的关节部，外转及长屈两趾肌附着部
之间，循后胫骨动脉，分布胫骨神经及内足蹠神经。
疗法：针三分，灸三壮。
主治：喘呼烦满。欬血。喉痹。消渴。舌纵。心恐。少气涎出
。小腹胀。痿厥寒疝。足跗肿。胻痠。足一寒一热。不

能

能久立。男子遗精。妇人阴挺出。月经不调不孕。初生小儿脐风撮口。痿厥同此。主治肾脏之热。

备考：本穴一名龙渊，然骨，龙泉。在下肢后内侧部。1.此穴出血，使人立饥。2.初生小儿脐风撮口，灸然谷三壮，或针三分，不见血，立效。

3.太溪：位置：内踝后五分，跟骨上动脉陷中。

解剖：在内踝与跟骨之间陷中，循后胫骨动脉，分布胫骨神经的分枝。

疗法：针三分，灸三壮。

主治：热病汗不出，伤寒手足逆冷。嗜卧。咳嗽。咽肿。衄血唾血。溺赤。消瘅。大便难。久疟咳逆。烦心不眠。脉沉手足寒。呕吐不嗜食。善噫。腹痛。瘦瘠。寒疝痃癖。阴股内湿痒生疮。便毒。肾疟。呕吐多寒。腰脊痛。手足寒。

4.大钟：位置：在足跟后踵中，太溪穴下五分。

备考：本穴一名[illegible]细。在下肢后内侧部。

解剖：在腓肠肌及比目鱼肌的下端，有长腓骨肌，循后胫骨动脉，分布胫骨神经的分枝。

疗法：针二分，灸三壮。

主治：气逆烦闷。小便淋闭。洒洒腰脊强痛。大便秘涩。嗜卧。口中热。虚则呕逆多寒。欲闭户而处。少气不足。胸胀喘息。舌干食噎不得下。善惊恐不乐。喉中鸣。咳吐

5、照海：

命名：本穴在下肢後内側緣。皂。

位置：内踝下一寸陷中。

解剖：在跟骨與舟狀骨之間陷中，外轉拇肌中，循後脛骨動脈，分布脛骨神經。

療法：令人穩坐足底相對。在内踝骨下赤白肉際陷中。針三分。灸七壯。

主治：咽乾，口吐。四肢懈惰。嗜臥。善悲不樂。大風偏枯。半身不遂。久瘧卒疝。腹中氣痛。小腹淋痛。陰挺出。月水不調。

6、水泉：

命名、本穴一名陰蹻。在下肢後内側緣。

位置：在内踝後，太谿下一寸。

解剖：在跟骨結節内側上陷凹中，有長伸拇肌及外轉拇肌，循後脛骨動脈，分布脛骨神經。

療法：針四分，灸五壯。

主治：目不能遠視。女子月事不來。來即多。心下悶痛。小便淋。陰挺出。

7、復溜：

命名、本穴在下肢後内側緣。

位置：内踝上二寸。經穴，信後五分。

解剖：在脛骨後部，有後脛骨肌，長總趾伸肌，循後脛骨動脈，分布腓腸脛骨神經。

療法：針三分，灸七壯。

六

主治：腸澼痔疾。腰脊內引痛。不得俯仰。善怒。多言。舌乾。涎出。足痿。胕腫不得履。腸鳴腹痛。四肢腫。十種水病。五淋。盗汗。面色痿黄。

8、交信：

備考：本穴一名昌陽，伏白，外命。在下肢後內側緣。

位置：內踝上二寸。當復溜并立。在復溜之前。三陰交下一寸之微陷。

解剖：在脛骨後部，有後脛骨肌，長總趾伸肌，循後脛骨動脈，分布隱腱脛骨神經。

療法：針四分，灸五壯。

主治：五淋。癩疝。陰急。股腸內廉引痛。泄痢赤白。大小便難。女人漏血不止。陰挺。月事不調。小腹痛。盗汗。

9、築賓：

備考：本穴在下肢前內側緣。

位置：內踝上五寸。三陰交上三寸。後面一寸二分。

解剖：在比目魚肌及腓腸肌下垂部之境。循脛骨動脈。分布脛骨神經。

療法：針三分，灸五壯。

主治：小兒胎疝。癲疾。吐舌。發狂罵詈。腹痛。嘔吐涎沫。

10、陰谷：

備考：本穴在下肢後內側緣。

位置：膝內輔骨之後，大筋之下，小筋之上，即在曲膕之後橫直一寸微下些，大肌之間，按之應手。

解剖：在脛骨內關節髁的內緣後部。有半腱樣半膜樣肌，循膝膕動脈分枝，分布膝膕神經，股神經及脛骨神經。

療法：屈膝取之，針三分，灸四壯。

主治：舌縱涎下。腹脹煩滿。溺難，小腹急引陰。陰股內廉痛。治痿痺。膝痛不可屈伸。女人漏下不止如妊。

備考：本穴在下肢內側線。

11.橫骨：位置：曲骨穴旁開五分，恥骨的上方，彎曲如仰月。

解剖：在恥骨的上部，當直腹肌部，循下腹壁動脈，分布腸骨下腹神經。

療法：針三分，灸五壯。

主治：五淋。小便不通。陰器下縱引痛。小腹滿。目眥赤痛。五藏虛。

備考：本穴在腹部第一側線。一名下極、曲骨。

12.大赫：橫骨上一寸，由中行橫量一寸。

解剖：在恥骨上部，當直腹肌部，循下腹壁動脈，分布腸骨下腹神經。

療法：針三分，灸五壯。

主治：虛勞失精。陰莖下縮。莖中痛。目赤痛。女子赤帶。

備考：本穴一名陰維、陰關。

13.氣穴：位置：橫骨上三寸，橫量中行一寸。

解剖：在恥骨上方，直腹肌部，循下腹壁動脈，分布直腸鼠蹊神經。

療法：針三分，灸三壯。

主治：奔豚痛引腰脊。泄痢。經不調。

14．四满：

备考：本穴一名髓府，子户。在腹部第一侧线。

位置：在气穴直上一寸。

解剖：在耻骨上方，直腹肌部，循下腹壁动脉，分布肠骨鼠蹊神经。

疗法：针三分，灸三壮。

主治：积聚。疝瘕。肠癖切痛。奔豚。脐下痛。月经不调，恶血腹痛等。

廿九

15．中注：

备考：本穴一名髓府。在腹部第一侧线。

位置：气穴直上二寸。

解剖：在耻骨部上方，直腹肌部，循下腹壁动脉，分布肠骨鼠蹊神经。

疗法：针五分，灸五壮。

主治：小腹热。大便坚燥。腰脊痛。目眦痛。月事不调。

16．肓俞：

备考：本穴在腹部第一侧线。

位置：平脐，横量一寸。

解剖：脐的两旁，直腹肌部，循下腹壁动脉，分布肋间神经前穿行枝。

疗法：针五分至一寸。灸五壮。

主治：腹寒疝痛。大便燥。目赤痛从内眦始。

17．商曲：

备考：本穴在腹部第一侧线。

位置：肓俞直上二寸，由中行横量一寸。

解剖：在直腹肌部，有横腹肌，内，外，斜腹肌，循上腹壁动脉，分布肋間神經前穿行枝。

療法：針五分至一寸，灸五壮。

主治：腹中切痛。積聚不嗜食。

備攷：本穴一名高曲。在腹部第一側線。銅人云：自幽門至商曲去中行五分，多書向經為一寸，似以書向經為確。

18、石関：

位置：商曲直上一寸。

解剖：在直腹肌部，有横腹肌，内、外，斜腹肌，循上腹壁动脉，分布肋間神經前穿行枝。

療法：針七分至一寸，灸三壮。孕婦禁灸。

主治：嘔噫嘔逆。脊強腹痛。氣淋。小便不利。大便燥閉。目赤痛。婦人無子。或惡血上衝腹痛不可忍。

備攷：本穴一名石闕。在腹部第一側線。

19、陰都：

位置：中脘穴旁開一寸。

解剖：在上腹部，有直，横，内斜，外斜等腹肌，循上腹壁动脉，分布肋間神經前穿行枝。

療法：針三分，灸三壮。

主治：心煩恍惚。氣逆。腸鳴肺脹。氣搶噎塞。大便難。脇下熱痛。目痛寒熱。瘧疾。婦人無子。腹絞痛。

備攷：本穴一名食宮。在腹部第一側線。

20、通谷：

位置：上脘穴旁開一寸。

解剖：在上腹部直腹肌内缘，循上腹壁动脉，分布肋間神經前穿行枝。

疗法：针五分，灸五壮。

主治：口喎。暴痞。积聚。痃癖。胸满食不化。腑结呕吐。因
赤痛不吃。清涕。咳似核不可回顾。

备考：本穴在腹部第一侧线。

21、幽门：位置：巨阙穴横量一寸。

解剖：在上腹部直腹肌内缘，循上腹动脉，分布肋间神经前穿
分枝。

疗法：针五分，灸五壮。孕妇不可灸。

主治：胸中引痛。心下烦闷。逆气里急。支满。不嗜食。数欬
干呕。健忘。泄痢脓血。少腹胀满。女子心痛逆气。善
吐食不下。

备考：本穴一名上门。在腹部第一侧线。神农经云：孕妇不可
灸。

22、步廊：位置：在中庭穴（胸骨下端）横量二寸的肋骨间。

解剖：在第五、六肋骨之间，有大胸肌，循肋间动脉，内乳动
脉，分布肋间神经及前胸廓神经，内当肺脏。

疗法：仰面取之，针三分，灸五壮。

主治：胸胁满痛。鼻塞少气。咳逆不得息。呕吐不食。喘不得
举。

备考：本穴在胸部第一侧线。

23、神封：位置：膻中穴与乳的中间，第四肋间。

解剖：在第四、五肋骨间，有大胸肌，循肋动脉，内乳动脉。

分布肋间神经，前胸廓神经，内容肺藏。

24、灵墟：
疗法：仰取之，针三分，灸五壮。
主治：胸背满痛。咳逆不得息。呕吐不食。乳痈。
备考：本穴在胸部旁一侧线。
位置：乳上一肋间，玉堂穴之旁二寸。
解剖：在第三四肋骨间，有大胸肌，缩肋间动脉，内乳动脉，分布肋间神经，前胸廓神经，内容肺藏。

25、神藏：
疗法：仰取之，针三分，灸三壮。
主治：胸满不得息。咳逆。乳痈。呕吐。
备考：本穴在胸部第一侧线。
位置：彧中穴下第二肋间，紫宫穴之旁二寸。
解剖：在第二三肋骨之间，有大胸肌，缩肋间动脉，内乳动脉，分布肋间神经，胸廓神经，内容肺藏。

26、彧中：
疗法：仰取之，针三分，灸五壮。
主治：呕吐咳逆。喘不得息。胸满不嗜食。
备考：本穴在胸部第一侧线。
位置：第一二肋骨之间，华盖穴旁二寸。
解剖：在第一、二肋骨间，有大胸肌，缩肋间动脉，内乳动脉，分布肋间神经，胸廓神经，内容肺藏。

疗法：仰取之，针四分，灸三壮。
主治：咳逆。喘息。胸胁支满。呕吐不食。
备考：本穴在胸部第一侧线。

四十

27.俞府：位置：锁骨下，璇玑旁二寸。
解剖：大胸肌中，循锁骨下动脉，静脉及内乳动脉，分布前胸廓神经，锁骨神经及肋间神经。
摩法：仰取之，针三分，灸五壮。
主治：咳逆上气。呕吐不食。中满。
备考：本穴一名输府。在胸部前一侧体。久喘七壮有效。

手厥阴心包络经（凡九穴左右共十八穴）（九）

经穴歌：九穴心包手厥阴，天池天泉曲泽深，郄门间使内关对，大陵劳宫中冲侵。

分寸歌：心包穴起天池间，乳后旁一腋下三。天泉曲腋下二寸。曲泽肘内横纹端。郄门去腕方五寸。向使腕后三寸安。内关去腕之二寸。大陵掌后两筋间；劳宫曲中名指取。中冲中指之末端。

1.天池：位置：腋下三寸，乳后横量一寸。
解剖：在第四肋间，有大胸肌，及前大锯肌，循长胸动脉、分布侧胸廓神经，及肋间神经。
摩法：针三分，灸三壮。
主治：目不明。头痛胸膈烦满。咳逆。臂腋肿痛。四肢不举。上气。寒热疟。热病汗不出。
备考：本穴一名天会。在胸部旁三侧体。宜向外斜横刺之，刺深则内陷，令人咳。按即本穴。

2.天泉：位置：手之内侧，腋下二寸，天池穴量上一寸。
解剖：在上膊前内侧，二头膊肌部，循上膊动脉，分布内膊皮下神经枝。
疗法：痉厥取之，针六分，灸三壮。
主治：恶风寒。胸背痛，支满咳逆。背胛骨间痛。
备考：本穴一名天湿，天温。在上肢正中线。

3、曲泽：位置：肘内陷中，大筋内侧横纹陷中。居尺泽少海二穴的中间。
解剖：在肘窝正中，上膊骨及前膊骨的关节部，二头膊肌腱间，循上膊动脉及贵要静脉，分布中膊皮下神经及正中神经。
疗法：屈肘取之，针三分，灸三壮。
主治：心痛善惊。身热烦满。臂肘摇动。臂痛不可伸。伤寒。呕吐气逆。
备考：本穴在上肢正中线。

4.郄门：位置：掌后大陵直上，去腕五寸。
解剖：在桡骨与尺骨中间，长屈拇肌与浅屈拇肌之间，循尺骨动脉之枝别及前骨间动脉，分布正中神经。
疗法：针三分，灸五壮。
主治：呕吐衄血。心痛干呕。惊恐神气不足。久痔。
备考：本穴在上肢正中线。

5.间使：位置：掌后三寸，郄门穴下二寸，两筋之间。
解剖：在桡骨与尺骨中间，长屈拇肌与浅屈拇肌之间，循前骨间动脉，分布正中神经。
疗法：针三至六分，灸三至七壮。

（四三）

主治：伤寒结胸。心悬如饥。噫逆不气。中风舌塞。喑哑不语。卒狂。胸中澹澹。恶风寒。霍乱。干呕不止，所食即吐不停。腕痛肘中挛痛心痛。多惊。咽中如鲠。妇人月水不调。小儿客忤。久疟。四肢脉绝不至者。灸之使通。

备考：本穴一名鬼路。在上肢正中线。干呕不止，粥食汤药皆吐者，灸本穴三十壮，主脉厥欲绝不至者，灸之使通，此法神妙不可测。

6. 内关：位置：掌后二寸，间使穴量下一寸，两筋之间陷中。

解剖：在桡骨与尺骨之间，长屈拇肌与浅屈拇肌之间，循前臂动脉，分布正中神经。

疗法：针三至五分，灸三至六壮。

主治：中风失志。实则心暴痛。虚则心烦惕惕。面热目昏。支满肘挛。久疟不已。胸满肠痛。肠内诸疾。

备考：本穴在上肢正中线。1.杨氏医案：蔡都尉女患风痫甚危，为针内关乃苏。2.截疟方：用桃仁半个，放在内关穴上，再用独蒜捣烂，覆在桃仁上，以布缚之，男左女右，临发日先一二时行之，即止。

7. 大陵：位置：以中指为正线，在手腕横纹的陷中。

解剖：在腕关节之前面横纹之正中陷凹部，迴前方肌的下缘，有横腕韧带，循尺骨动脉，桡骨动脉，分布正中神经。

疗法：针三至五分，灸三壮。

主治：热病汗不出。舌本痛。喘咳呕血。心悬如饥。喜笑不休

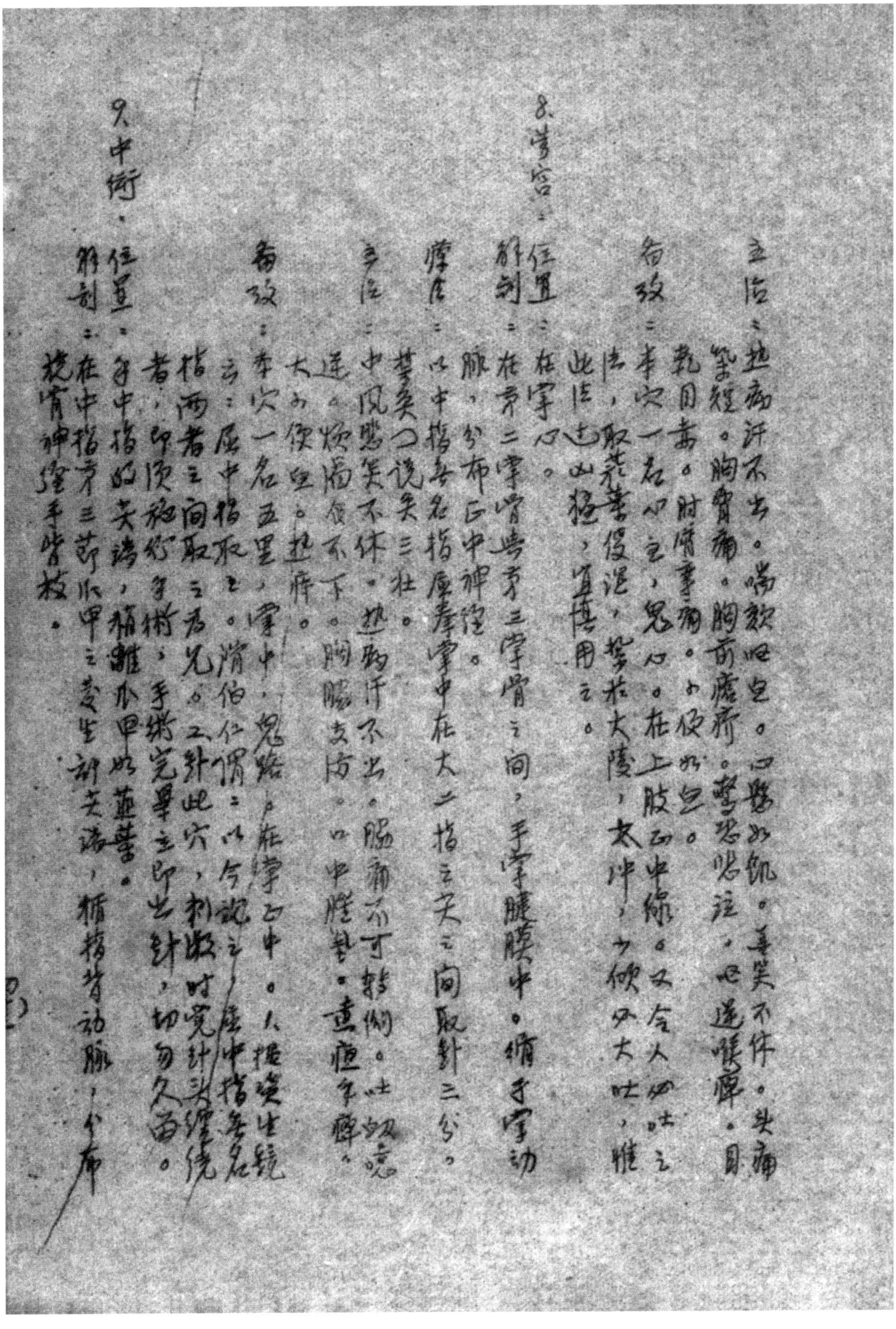
主治：热病汗不出。喘欬呕血。心悸如饥。善笑不休。头痛气短。胸胁痛。胸前疮疥。惊恐悲泣，心逆喉痹。目黄目赤。肘臂挛痛。小便如血。

备考：本穴一名心主，鬼心。在上肢正中线。又令人如吐之法，取[illegible]泥，敷于大陵，太冲，少顷必大吐，惟此法过于猛，宜慎用之。

8、劳宫：

位置：在掌心。

解剖：在第二掌骨与第三掌骨之间，手掌腱膜中。循手掌动脉，分布正中神经。

摩法：以中指无名指屈摩掌中在大二指之尖之间取针三分。

禁灸（一说灸三壮）。

主治：中风悲笑不休。热病汗不出。胁痛不可转侧。吐衄噫逆。烦渴食不下。胸胁支满。口中腥气。黄疸食癖。大小便血。热痔。

备考：本穴一名五里，掌中，鬼路。在掌正中。又提炼生镜云：屈中指取之。滑伯仁谓：以今观之，屈中指无名指两者之间取之为允。又针此穴，刺激时觉针头缠绕者，即须施行手术，手术完毕立即出针，切勿久留。

9、中冲：

位置：手中指的尖端，稍离爪甲如韭叶。

解剖：在中指第三节爪甲之发生部之端，循指背动脉，分布桡骨神经手背枝。

庵法：针一分，灸一壮。

主治：热病汗不出。头痛如破。身热如火。心痛烦闷。舌强痛。中风不省人事。治小儿夜啼多哭。凡中风神昏暴仆昏沉。痰涎壅盛。不省人事。牙关紧闭。药水不入。急以三棱针刺十井穴。使气血流通。乃起死回生。

备注：本穴在上肢后中内侧线。

手少阳三焦经（凡二十三穴左右共四十六穴）

经穴歌：（十）

二十三穴手少阳，关冲腋门中渚旁，阳池外关支沟正，会宗三阳四渎长，天井清冷渊消泺，臑会肩髎天髎堂，天牖翳风瘈脉青，颅息角孙丝竹空，禾髎耳门听有常。

分寸歌：

无名指外端关冲。腋门小次指陷中。中渚液上止一寸。阳池手表腕陷中。外关腕后方二寸。腕后三寸支沟着。支沟横外取会宗。空中一寸用心攻。腕后四寸三阳络。四渎肘前五寸着。天井肘外大骨后。骨罅中间一寸摩。肘后二寸清冷渊。消泺对腋臂外落。（臑会下二寸）臑会肩前三寸量。肩髎臑上陷中央。天髎缺盆骨陷内上。天牖天容之后旁。翳风耳后尖角陷。瘈脉耳后鸡足青。颅息亦在青络上。角孙耳廓上中央。耳门耳前起肉中。和髎耳前锐发乡。欲知丝竹空何在。眉后陷中仔细量。

1、关冲：

位置：在无名指外侧，近小指旁，去爪甲如韭叶。

解剖：在第四指骨第三节的外侧，爪甲的前生根部，有手背动脉，分布尺骨神经的手背枝。

疗法：针一分，留三呼，灸三壮。

主治：头痛。口乾。喉痹。寒热。胸中气噎不食。肘臂痛不能举。目昏昏。三焦邪热。口渴唇焦。泻此穴出血。凡中风卒仆昏沉。痰涎壅盛。不省人事。牙关紧闭。药水不下。急以三棱针刺各井穴出血。使气血流通。乃起死回生之救急妙法。

2、液门：

位置：小指与无名指本节前，歧骨间陷中，握拳取之。

备考：本穴在上肢后正中线。

解剖：在环指第一节与第三节中间，小指之侧，总指伸肌，通第四骨间指背动脉，分布尺骨神经。

疗法：针三分，灸三壮。

主治：惊悸妄言。寒厥臂痛。不得上下。痎疟寒热。头痛。目眩赤涩。泪出。耳暴聋。咽外肿。牙龈痛。

3、中渚：

位置：小指与无名指本节后，即液门穴下一寸陷中。

备考：本穴在上肢后正中线。

解剖：在第四掌骨的前下方，小指侧骨间隔中，通第四骨间指动脉，分布尺骨神经。

疗法：握拳取之，针三分，灸三壮。

主治：热病汗不出。臂指痛不得屈伸。头痛。目眩。生翳目不明。耳聋。咽肿。久疟。手臂红肿。腰痛。背痛。

备考、本穴一名下都。在上肢后面中线。

4.阳池：

位置：手背腕上横纹陷中，

解剖：在大骨与腕骨关节部，有总伸指肌，循腕背骨侧动脉，分布后下膊皮下神经，尺骨神经及挠骨神经后枝。

疗法：针二分，不宜灸。

主治：消渴口乾。烦闷寒热疟。或因折伤手腕，捉不得物。肩不能举。

备考、本穴一名别阳。在上肢后面中线。指微屈之，针透抵大陵穴，不可破皮，不可摇手，恐伤针转曲，主治口渴，烦闷，寒热，有神効。

5.外关：

位置：阳池后二寸两筋间。（与内关相对）

解剖：在总指伸肌与固有小指伸肌之间，循后骨间动脉，分布后下膊皮下神经及挠骨神经的后枝。

疗法：针三分，灸三壮。

主治：耳聋，浑浑焞焞。肘臂不得屈伸。五指痛不能握。

备考：本穴在上肢后面中线。为少阳之络穴，交与手少阴经，疗聋。

6.支沟：

位置：在阳池后三寸，两筋骨间陷中。

解剖：在桡骨与尺骨之间，总指伸肌与外尺骨之间，循骨间动脉，分布后下膊皮下神经及正中神经。

疗法：针三分，灸七壮。

主治：热病汗不出。肩臂痠重。四肢不举。霍乱呕吐。口噤。暴瘖。痉厥眩晕。不省人事。三焦相火炽盛。大便不通。胸胁疼痛诸证。

备考：本穴一名飞虎。在上肢后面中线。

7.会宗：

位置：支沟穴旁，偏小指一侧，腕后三寸。

解剖：在尺骨肌与固有小指伸肌之间，有总指伸肌，循骨间动脉，分布桡骨神经的分枝及皮下静脉皮下神经。

疗法：针二分，灸七壮。

主治：五痫。耳聋。肌肤痛。

备考：本穴在上肢后面中线。

8.三阳络：

位置：去支沟一寸。

解剖：在桡骨与尺骨的中间，总指伸肌与小指伸肌之隔中，下层有长屈拇肌，短屈拇肌，循骨间动脉，分布桡骨神经的皮枝及下静脉皮下神经。

疗法：禁针。灸五壮。

主治：暴瘖不能言。耳聋齿龋。嗜卧。身不欲动。

备考：本穴一名通门。在上肢后面中线。

9.四渎：

位置：肘前五寸，与三阳络，支沟等穴为一线。

解剖：在桡骨与尺骨之间，总指伸肌与外尺骨肌之间，循骨间动脉，分布桡骨神经的皮枝及下静脉皮下神经。

疗法：针五分。灸三壮。

主治：吊气耳聋。下齿龈痛。

备考：本穴在上肢后面中线。

10. 天井：

位置：肘尖上方，大骨凹，髆骨上，屈肘拱胸，骨罅中。

解剖：在上膊后面，鹰咀突起的上方，三头膊肌腱的内缘，循肘关节动静脉网，分布内膊皮下神经及尺骨神经。

疗法：针三分至五分。灸三至五壮。

主治：咳嗽上气。胸痛不得语。唾脓不嗜食。寒热凄凄不得卧。惊悸悲伤。瘈疭。癫疾。五痫。风痹。头颈肩背痛。耳聋。目锐眦颊肘臂痛。臂腕不能握物。及泻一切瘰疬疮肿疥。

11. 清冷渊：

备考：本穴在上肢后面中线。

位置：肘上二寸，天井穴上一寸，伸肘举臂取之。

解剖：在上膊后侧，鹰咀突起的尖端上方，三头膊肌的内缘，循下尺侧动静脉，分布内膊皮下神经及尺骨神经

疗法：针三分。灸三壮。

主治：诸痹痛，肩臂肘臑不能举。

12. 消泺：

备考：本穴一名清冷泉。清昊，在上肢后面中线。

位置：臑会下二寸。

解剖：在上膊骨结节的后下方，螺旋状沟部，有三头膊肌，循桡骨动静脉，中头静脉，分布后膊皮下神经及桡骨神经。

疗法：针一至三分，灸三壮。
主治：风痹。颈项强急肿痛。寒热头痛。肩背急。
备考：本穴在上肢外下中线。

15. 臑会：位置：肩头下三寸，垂直天井。
解剖：在上膊外面的上部，即三角肌停止部的外缘，下层有三头膊肌，循外回旋上膊动脉及中膊动脉，分布外膊皮下神经。
疗法：针五至七分。灸五至七壮。
主治：肘臂痠肿。瘦弱无力不能举。项瘿气瘤。寒热瘰疬。
备考：本穴一名臑髎。在肩胛区。

16. 肩髎：位置：肩髃穴后约一寸，微向下，举臂时更显凹陷。
解剖：在肩胛冈骨肩峰突起的下际，即上膊骨与锁骨的关节部，上层是三角肌，下层是棘下肌等合部，循前回旋上膊动脉及腋下静脉，分布腋窝神经及肩胛上神经。
疗法：针七分，灸三壮。
主治：肩重肩痛不能举。
备考：本穴在上肢肩胛区。

17. 天髎：位置：锁骨上窝上部，肩井下约一寸，皮间八分，上有肉突起处。
解剖：在肩胛上部，有僧帽肌与棘上肌，循横肩胛动脉，分布肩胛上神经及副神经。

疗法：针五分，灸三壮。

主治：肩背酸痛。缺盆痛。汗不出。胸中烦满。颈项急寒热。

备考：本穴在肩胛上。注意勿误针於陷处，误针令人卒死。

16. 天牖：位置：耳垂下后三四分，颊车穴后上方陷中稍后的发际处。即风池下一寸微外些之完骨下发际上天容后天柱前。

解剖：在胸锁乳突起的后下部，胸锁乳头肌停止部的后缘，循后头动脉，分布小后头神经及颈椎神经。

疗法：针五分至一寸，留七呼，不宜补，不宜灸。若灸之则面肿眼合，先取譩譆，后针天牖风池，其病即瘥。

主治：面肿头风。项强不能回顾。

备考：本穴在头项部京三倒俯。

17. 翳风：位置：耳后尖角陷中，按之引耳中痛。

解剖：在耳下腺部微上，乳突起与下颚枝的中间，咬肌部陷凹中，循颞颥动脉，分布大耳神经，浅颞颥神经的小枝，颜面神经的耳上腺丛。

疗法：针三至七分，灸三至七壮。

主治：耳聋。口眼喎斜。口噤不开。腮颔肿胀。牙车急痛。暴瘖不能言。

备考：本穴在耳后。

18. 瘈脉：位置：耳后翳风上一寸，稍近耳根处，鸡足青络脉中。

解剖：在颞颥骨部，有颞颥肌，耳后肌，循耳后动脉，分布浅颞颥神经、迷走神经、耳后神经。

疗法：用三棱针微刺出血，禁灸。

主治：头风耳鸣。小儿惊痫。瘈疭。呕吐泄痢无时。惊恐目涩多眵。

备考：本穴一名资脉。在耳后。

19. 颅息：

位置：角孙穴的皮下部，瘈脉上方一寸骨陷中，有青络者是。

解剖：颞颥骨部，有颞颥肌，耳后肌，循耳后动脉，分布浅颞颥神经及耳后神经。

疗法：灸三壮。此穴禁针，必要时祇针一分，多出血令人死亡。

主治：耳鸣喘息。小儿呕吐。瘈疭。惊恐。发痫。身热头痛不得卧。

备考：本穴一名颅颥。在耳后。

20. 角孙：

位置：当耳壳正上方后凹处。以口开闭有空，能以牙嚼得牵动者。

解剖：在耳尖上角上方，颞颥肌中，循颞颥动脉，耳前动脉，分布浅颞颥神经。

疗法：灸三壮，禁针。明堂云：针八分，似不可靠。

主治：目生翳。齿龈肿不能嚼。唇吻燥。颈项强。

备考：本穴在耳后。

21. 耳门：

位置：耳前肉峰下缺口外。

解剖：在颞颥肌部，循颞颥动脉，分布浅颞颥神经。

療法：針三分，禁灸。不得已時灸三壯，切勿超过。（四七）

主治：耳聾。聤耳生瘡。流膿。唇吻強。

備考：本穴在耳邊。

22、和髎：位置：耳前銳髮下，动脉應手陷中。

解剖：在顳顬骨下端與下顎的關節间，耳前肌起始部，循淺顳顬动脉，分布顏面神經的顳顬枝。

療法：針三至七分，灸三壯。

主治：头痛耳鳴。牙車引急。頸項腫。瘈瘲。

備考：本穴在耳邊。

23、丝竹空：位置：眉尾尽处陷中。

解剖：在前头骨眉弓突起部，前头肌起始部，循顳顬动脉，分布顏面神經的顳顬枝。

療法：針三分。禁灸。

主治：头痛。目眩。目赤。視物䀮䀮。拳毛倒睫。风痫戴眼。發狂吐涎沫。偏正头风。

備考：本穴一名目髎。在眼邊。1、此穴禁灸，灸之令人目小或眼盲。慎之。2、此穴施行针術时，宜雀啄刺止法。不適合普通手術，切記。

經穴歌：（十一）足少阳胆經（凡四十四穴左右共八十八穴）

少阳胆經瞳子髎，四十四穴行迢迢。聽會上關頷厭集，懸顱懸釐曲鬢翹。率谷天衝浮白次，竅陰完骨本神邀。陽白臨泣目窗开，正营承灵脑空摇，风池肩井渊液部，辄筋日月京门标，带脉五枢维道续，居髎环跳风市招，中渎阳关阳陵穴，阳交外丘光明宵，阳辅悬钟丘墟外，足临泣地五侠溪，第四趾端窍阴毕。

分寸歌：

外眦五分瞳子髎。耳前陷中听会绕。上关上行一寸是。内斜曲角颔厌也。后行悬颅中，悬厘下。曲鬓耳前髮际看。入髮寸半率谷穴。天冲耳后斜二採。浮白下行一寸间。窍阴穴在枕骨下。完骨耳后入髮际，量得四分须用记。本神神庭旁三寸，入髮五分耳上系。阳白眉上一寸许。上行五分是临泣。临泣寸半后目窗。正营承灵穴，各向后行寸半长。后行四五是脑空。风池空后寸半间。耳后髮际陷中取。肩井肩上陷解中。大骨之前寸半取。渊液腋下三寸逢。辄筋复前行一寸。日月乳下二肋缝。期门之下五分存。脐上五分旁九五。季肋夹脊是京门。季下寸八是带脉。带下三寸五枢真。维道章下五三定。章下八三居髎名。环跳髀枢宛中陷。风市垂手中指寻。膝上五寸是中渎。阳关阳陵上三寸。阳陵膝下一寸住。阳交外踝上七寸。外丘外踝七寸分。此系斜属三阳络。踝上五寸定光明。踝上四寸阳辅地。踝上三寸是悬钟。丘墟踝下陷中立。丘下三寸临泣存。临下五分地五会。会下一寸侠溪是。欲觅窍阴归何处。小趾次趾外侧寻。

1.瞳子髎：位置一：目外眦旁五分。

针刺：在额颞部眉头骨的额骨突起与颧骨的前头突起关节部的凹陷，眼轮肌中，循颧骨眼窝动脉，分布颧面神经的额骨枝及颧颞枝。

灸法：针三分，不宜灸。

主治：头痛目疼。外眦赤痛。翳目赤盲。泪出多眵。

备考：本穴一名太阳，前关，后曲。在眼区。

2. 听会：位置：耳珠前微陷中。

针刺：在下颚髁状突起与颞颥骨之间，循耳前动脉及内颚动脉，分布颜面神经。

灸法：针三分、灸三至七壮。

主治：耳聋。耳鸣。牙车脱臼。中风瘈疭。㖞僻。

备考：本穴在耳区。

3. 客主人：位置：耳前颧骨弓上侧，张口有空处。

针刺：在颞颥骨，颧骨，蝴蝶骨的三骨关节部，有颞颥肌，循内颚动脉，分布三叉神经、颜面神经的分枝。

灸法：禁针，灸七壮。

主治：偏头痛。眩晕。耳鸣。耳聋。口眼㖞僻。中风。青盲。齿痛。口眼诸肌痉挛。

备考：本穴一名上关，太阳。在颞颥区。本为禁穴，如必要时，宜少针浅刺。

4. 颔厌：位置：额角之下，颞颥上侧。

解剖：在前头骨，颞顶骨的缝合部，颞颥肌中，循浅颞颥动脉，分布颜面神经的颞颥枝。

疗法：针一、二分（不可深浅），深刺令人耳聋，灸三壮。

主治：头风。偏头颈项俱痛。目眩。耳鸣。多嚏。惊痫。历节风汗出。

备考：奇穴在颞颥区。

5.悬颅：

位置：额角下颞颥中，颔厌下一寸。

解剖：在前头骨与颞顶骨的缝合部，颞颥肌中，循浅颞颥动脉，分布颜面神经分枝。

疗法：针二三分，深刺令人耳聋，灸三壮。

主治：头痛。齿痛。偏头痛引目。热病汗不出。

备考：本穴在颞颥区。

6.悬厘：

位置：额角之下，颞颥下侧，距悬颅下一寸。

解剖：在前头顶骨与颞顶骨的缝合下部，颞颥肌中，循浅颞颥动脉，分布颜面神经的颞颥枝。

疗法：针三分，灸三壮。

主治：偏头痛。面痛。目锐眦痛。热病烦心。汗不出。

备考：本穴在颞颥区。

7.曲鬓：

位置：在耳上入发际一寸陷处，即颞骨上方凹陷中鼓颔有空。

解剖：在颞颥骨与顶骨的缝合部，颞颥肌中，循浅颞颥动脉，分布颜面神经的颞颥枝。

疗法：针三分，灸三壮。
主治：颔颊肿引牙车不得开。口噤不得言。项强不得顾。头角痛。
备考：本穴一名曲鬓。在颞颥区。

四十九

8.率谷：
位置：在耳上入发际一寸五分。
解剖：在颞颥骨下端，颞颥肌中，循耳后动脉，分布颞面神经颞颥支。
疗法：针三分，灸三壮。
主治：脑痛。两头角痛。胃膈寒痰。烦闷呕吐。酒后皮风肤肿。
备考：本穴在颞颥区。

9.天冲：
位置：耳后入发际二寸。
解剖：在上耳翼根后上部，颞颥肌上际，有耳上肌，循耳后动脉，分布颞面神经的颞颥支。
疗法：针三分，灸三至七壮。
主治：癫疾风痉。牙龈肿。惊恐头痛。
备考：本穴一名天衢。在头颞部第三个俞。

10.浮白：
位置：耳后入发际一寸。
解剖：在耳后乳突根之上一寸，颞颥肌中，有耳上肌，循耳后动脉，分布颞面神经的耳后支。
疗法：针三分，灸三壮。

主治：咳逆胸满。喉痹。耳聋齿痛。项瘿瘰疬。不得喘息。
肩臂不举。足不能行。

11.窍阴：
备考、本穴在头顶部第三侧线。
位置：完骨上，枕骨下，动脉有空。即浮白下一寸。
解剖：乳咽突起的后上部，即颞颥骨、颞顶骨，后头骨三缝合部，有耳后肌，循耳后动脉，分布耳后神经。
疗法：针三分，灸三至七壮。
主治：四肢转筋。目痛头项痛。耳鸣、痈疽发热。手足烦热。汗不出。咳逆喉痹。舌强。胁痛口苦。

12.完骨：
备考：本穴一名枕骨。在头顶部第三侧线。
位置：耳后入发际四分。即窍阴下七分。
解剖、在乳咽突起的后缘中央。胸锁乳咽肌附着部的上际，循耳后动脉，分布耳后神经。
疗法：针三分，灸三壮。
主治：头痛头风。耳鸣齿龋。牙车急。口眼㖞斜。喉痹颊肿。癫疾便赤。足痿不收。

13.本神：
备考：本穴在头顶部第二侧线。
位置：曲差旁一寸五分，目外眦直上入发际五分。
解剖：在前头部，有前头肌，循额颞动脉的前枝及上眼窝动脉、分布三叉神经的分枝。
疗法：针三分，灸七壮。

主治：惊痫吐沫。目眩。项强急痛。胸胁相引不得转侧。偏风癫疾。

备考：本穴在头顶部前方三侧线。

14.阳白：

经道：眉毛上一寸。当瞳子对正。

解剖：在前头角部，前额肌中，循上眼窝动脉，分布上眼窝神经。

疗法：针二分，灸三壮。

主治：头痛。目昏多眵。背寒慄。重衣不得温。

备考：本穴在眼区。

15.临泣：

经道：瞳上入发际五分。

解剖：在前头骨部，前头肌中，循上眼窝动脉，分布眼窝神经及颜面神经的颞颥枝。

疗法：针三分，禁灸。

主治：鼻塞目眩。生翳瞳疾。眼目诸疾。惊痫反视。卒暴中风不识人。胁下痛。疟疾日西发。

备考：在头顶部前方二侧线。

16.目窗：

经道：临泣后一寸。

解剖：在前头顶部帽状腱膜中，循颞颥动脉分枝，分布上眼窝神经。

疗法：针三分，灸五壮。

主治：头目眩。痛引外眦。远视不明。面肿寒热。汗不出。

（五十）

17、正营：备考：本穴一名正营。在头部前二侧缘。
位置：目窗后一寸五分。
解剖：在颅顶骨帽状腱膜中，循后头动脉分枝，分布上眼窝神经。
手法：针三分，灸五壮。
主治：头痛目眩。唇吻强急。
备考：本穴在颞顶部前二侧缘。

18、承灵：位置：正营后一寸五分。
解剖：在颅顶骨结节后方，有帽状腱膜，循浅颞颥动脉的分枝，分布大后头神经。
手法：禁针。灸五壮。
主治：脑风头痛。鼻塞不通。
备考：本穴在头顶部前二侧缘。

19、脑空：位置：承灵穴后一寸五分，玉枕骨下陷中。
解剖：在后头结节外侧，后头肌部，循后头动脉，分布大后头神经。
手法：针四分。灸五壮。
主治：劳瘵身热。羸瘦，脑风头痛不可忍。项强不得顾。惊悸癫风。引目鼻痛。
备考：本穴一名颞颥。在头顶部前二侧缘。

20、风池：位置：脑空穴直下，后头骨下发际陷中。

解剖：在后头骨下缘，当耳后突起尖端与项部正中，僧帽肌与胸锁乳突肌之间的夹棱肌中，循后头动静脉，分布大后头神经及颈椎神经的后枝。

疗法：针四分。灸三壮。

主治：中风。偏正头痛。伤寒热病汗不出。痉挛颈项以拔。痛不得回顾。目眩齿痛流出。耳聋腰痛背痛。伛偻引项。附力不收。脚弱无力。

备考：本穴一名热府。在头项部第二侧线。

21、肩井：位置：肩上陷的中央，缺盆穴之上，大骨前一寸半，以三指按取，当中指下陷中。

解剖：在肩胛举肌与棘上肌之间，有僧帽肌，循横肩胛动脉，分布肩胛上神经及副神经。

疗法：针四分。灸三壮。孕妇禁针。

主治：中风气塞，涎上不语气逆。五劳七伤，头项颈痛，臂不能举。或因仆伤腰痛。脚气上攻。若妇人难产堕胎后，手足厥冷。针之立愈。

备考：本穴一名膊井。在肩胛区。又此穴切勿深刺，免伤缺盆骨下动脉，刺此穴最宜浅针，若是深针，急刺足三里以迎夺之法进行之。

22、渊腋：位置：在腋下三寸。手孔。举臂取之。

解剖：在侧胸部第四肋间，前大锯肌与肋间肌中，循肋间动

脉，分布肋间神经侧穿行枝及侧胸廓神经，内容脾藏
疗法：针三分。禁灸。
主治：肋膜炎。肋间神经痛，胸肌痉挛，恶寒发热。
备考：本穴一名泉腋，腋内。在腋侧缘。

23、辄筋：位置：腋下三寸，复前向乳房一寸，三肋端横直蔽骨旁，量
开七寸五分，对正乳季穴。
解剖：在第四肋间；有前大锯肌与肋间肌，循肋间动脉，分
布肋间神经的侧穿行枝。
疗法：针六分，灸三壮。
主治：太息多唾，言语不正。四肢不收。呕吐宿汁。吞酸。
胸中暴满不得卧。
备考：本穴一名神光，胆募。在胸部第三侧线。

24、日月：位置：期门穴下五分，中脘横量四寸。
解剖：在上腹部外斜腹肌中，循上腹壁动脉及长胸动脉，分
布长胸神经的末梢。
疗法：针六分，灸七壮。
主治：小腹热。言语不正。四肢不收。
备考：本穴在胸部第三侧线。

25、京门：位置：由腋窝直下平脐，由脐后量上二寸，最下的短肋骨前
端。

穴法：侧卧屈上足伸下足，举臂取之。针三分，灸三壮。
主治：肠鸣洞泄。水道不利。小腹急痛。寒热腹胀。肩背腰髀引痛不得俯仰久立。

26、带脉：
备考：本穴一名气俞、气府。在腹侧缘。
位置：京门下一寸八分，去脐旁八寸半。
解剖：在第十一肋软骨的游离端下，内、外斜腹肌中，右有上行结肠部，左有下行结肠部，循上腹动脉之分布肋间神经侧穿行枝。
穴法：针六分，灸五壮。
主治：腰腹纵溶溶如坐水中状。妇人小腹痛急。瘛疭。月经不调。赤白带下，两胁气引背痛。

27、五枢：
备考：本穴在腹侧缘。
位置：带脉直下三寸。稍斜外出。
解剖：在肠骨前上棘的前上部，内、外斜腹肌的下缘，循肠骨回旋动脉，分布肠骨下腹神经。
穴法：针五分，灸五壮。
主治：痃癖。小肠膀胱气攻两胁。小腹痛。腰腿痛。阴疝睾丸上入腹。妇人赤白带下。

28、维道：
备考：本穴在腹侧缘。
位置：章门穴直下五寸三分。五枢斜下八分。
解剖：在肠骨前上棘的前上部，内、外斜腹肌中，循回旋腸骨动脈，分布長腸神经及肋间神经分枝。

療法：針八分，灸三壮。

主治：泄瀉不止。三焦不調。水腫。

29. 居髎：位置：五枢直下一寸五分，即維道穴下七分。

备考：本穴一名外枢。在腰側部。

解剖：在大臀肌停止部之前緣大腸部，有内、外、斜腹肌，旋廻旋腸骨动脈，分布長腸神经及肋间神经分枝。

療法：針三分，灸三壮。

主治：肩引胸痛，手臂不能舉，引小腹痛。

备考：本穴在腰側部。

30. 環跳：位置：在髀樞中，五宫穴之下，令病者立正，髀骨的大轉子窩凹陷中。

解剖：在大腿大轉子坐骨结节中间部，上層有大臀肌，下層有中臀肌，循上臀动脈，為坐骨神经穿坐骨大孔处，分布着骨神经的分枝。

療法：側卧伸下足屈上足在大臀有空处取之。針一至二寸。灸七至五十壮。

主治：冷风濕痹不仁。胸脅相引。半身不遂。腰膝痠痛。膝不得伸。遍身风疹。

备考：本穴一名髖骨，分中。仁寿宫患腳氣。甄权奉勅針環跳，阳陵泉，阳輔，下廉，即能起行。

31、风市：膝上大腿外侧两筋中，令病者立正，两手垂直，中指尽处是穴。

解剖：大腿外侧，股髂胫外大股肌之间，循外旋股动脉之分布外股皮下神经，上臀神经。

疗法：针五分，灸五壮。

主治：腿膝无力。脚气。浑身搔痒。麻痹。疠风疮。

备考：本穴在下肢前外侧线。

32、中渎：位置：大腿外侧，膝上五寸，两肌之间陷中。

解剖：大腿外侧，股髂胫外大股之间，循外回旋动脉，分布外股皮下神经、上臀神经。

疗法：针五分，灸五壮。

主治：寒气客于分肉间，攻痛上下。筋痹不仁。

备考：本穴在下肢前外侧线。

33、阳关：位置：阳陵泉上三寸，犊鼻外陷中。即膝盖旁两筋之间凹处。

解剖：大腿外侧上髁上方，四头股肌停止部的外侧，二头股肌腱的前方，循上外侧膝关节动脉，分布股神经分枝。

疗法：针五分，禁灸。

主治：风痹不仁。膝股疼痛。不可屈伸。

备考：本穴一名阳陵，关陵、关阳。在下肢前外侧线。

34、阳陵泉：位置：膝下一寸外尖骨前凹陷处。

解剖：在腓骨小头之前下部，长腓骨肌与长总趾伸肌之间，循前胫骨动脉分枝及胫返回胫骨动脉，分布腓骨神经。

刺法：针六分。灸十壮。

主治：偏风半身不遂。足膝冷痹不仁。无血色。脚气筋挛。

备考：本穴在下肢前外侧线。

35.阳交：

位置：外踝之上七寸，腓骨直上方分肉之间。

解剖：在腓骨部，有长总趾伸肌与长腓骨肌，循长腓动脉枝，分布浅腓骨神经分枝。

刺法：针六分。灸三壮。

主治：胸胁胀满。足不仁。膝痛寒厥。惊狂面肿。

备考：本穴一名别阳，足少阳郄。在下肢前外侧线。

36.外丘：

位置：外踝上七寸与阳交相并，但隔一肌，本穴稍前。

解剖：在腓骨与胫骨之间，长总趾伸肌与长腓骨肌之间，循前胫骨动脉，分布浅腓骨神经。

刺法：针三分，灸三壮。

主治：颈项痛。胸满痿痹。恶犬伤毒不出。

备考：本穴在下肢前外侧线。

37.光明：

位置：外踝上五寸。

解剖：在腓骨前缘，长总趾伸肌与长腓骨肌之间，深部有比目鱼肌及腓肠肌，循前胫骨动脉，分布浅腓骨神经。

刺法：针六分，灸五壮。

主治：热病汗不出。卒狂嗜颊。淫泺胫酸痛，不能久立。虚

胫痿痹偏细。坐不能起。实则足胻热膝痛。身体不仁
备考：本穴在下肢前外侧部。又此穴乃少阳的络脉，专与厥
阴经联系。

38. 阳辅：
位置：足外踝上四寸。
解剖：在腓骨与胫骨间，长总趾肌与长腓骨肌之间，后部有
比目鱼肌及腓肠肌，循前胫骨动脉，分布浅腓骨神经
疗法：针三分，灸三壮。
主治：腰溶溶如水浸。膝下浮肿。筋挛。百节痠痛痿痹。颈
项痛。喉痹汗不出。及汗出振寒。疟疾。腋肿痿痛。
不能行立。

39. 悬钟：
备考：本穴一名内肉(?)。在下肢前外侧缘。
位置：外踝上三寸。
解剖：在腓骨前缘，长总趾伸肌与长腓骨肌的中央，循前胫
骨体，分布浅腓骨神经。
疗法：针五分。灸三壮。
主治：心腹胀满。胃热不食。喉痹。咳逆。头痛中风。四肢
。颈项痛。手足不收。腰膝痛。脚气。髋骨挛。
备考：本穴一名绝骨。在下肢前外侧部。

40. 丘墟：
位置：外踝下微前陷中。由小趾次趾的缝中，直上去踝骨
五分骨缝中。
解剖：在胫腓骨关节下端与跗骨的关节部，长第三腓肌腱，

循前外踝动脉及腓骨动脉穿行枝，分布浅腓骨神经。
疗法：针五分。灸五壮。
主治：胸胁满痛不得息。寒热。目生翳膜。颈肿。久疟。振寒。痿痹。厥逆。腰腿疼痛。髀枢中痛。转筋足胫偏细。小腹坚。卒疝。

41、临泣：
部位：本穴在下肢前外侧缘。
位置：小次趾歧骨间，量上一寸五分。
解剖：当四跖骨之外侧当第五跖骨之内侧之间，长、短总伸肌腱中，循外跗骨动脉，分布腓骨神经交通枝。
疗法：针二分、灸三壮。
主治：胸中满。目眩心痛。缺盆中及腋下马刀疡。痹痛无常。厥逆。痎疟日西发者。胕痿洒淅振寒。妇人月经不调。季胁支满。乳痈。

42、地五会：
部位：本穴在下肢前外侧缘。
位置：小趾次趾歧骨间，直量上一寸。
解剖：当四五跖骨间的前端部，循外附足动脉，分布腓骨神经交通枝。
疗法：针一分。禁灸。
主治：腋痛内损吐血。足外无膏泽。乳痈。

43、侠溪：
部位：本穴在下肢前外侧缘。
位置：足小趾次趾歧骨间，本节前陷中。

五十五

解剖：第四趾骨第一节的内外侧，岐骨之间，长总趾伸肌腱的外侧，循趾背动脉，分布胫骨神经穿行枝及趾背神经。

疗法：针三分，灸五壮。

主治：胸胁支满。寒热病。汗不出。脑痛耳聋。

备考：本穴在下肢前外侧缘。

44、窍阴：

位置：足四趾外侧，去爪甲如韭叶。

解剖：第四趾骨第三节的外侧，爪甲根部，长总趾伸肌附着部的外侧，循足背动脉，分布胫骨神经穿行枝及趾背神经。

疗法：针一分，灸三壮。

主治：胁痛。咳逆不得息。手足烦热。汗不出。痈疽。口乾口痛。喉痹舌强，耳聋。转筋肘不可举。

备考：本穴在下肢前外侧缘。

经穴歌：（十二）足厥阴肝经（凡十四穴左右凡廿八穴）

一十三穴足厥阴，大敦行间太冲侵，中封蠡沟中都近，膝关曲泉阴包随，五里阴廉并急脉，章门常对期门深。

分寸歌：足大趾端名大敦。行间大趾缝中存，太冲本节后寸五，踝前一寸号中封。蠡沟踝上五寸是。中都踝上七寸中。膝关犊鼻下二寸。曲泉曲膝尽横纹。阴包膝上方四寸。气冲三寸下五里。阴廉冲下有二寸。急脉阴旁二寸半。章门脐旁季胁端。

肘尖后外侧卧取。期门乳下二肋端。旁趾不容寸五量，

1.大敦：

位置：足大趾外端近次趾侧之爪甲后表之中，按之有陷凹。

解剖：第一趾骨第二趾骨节部的外侧，爪甲根部，即经伸拇肌腱中，循趾背动脉，分布趾背神经的终枝。

疗法：针二分。灸三壮。

主治：卒心痛汗出。腹胀腹内中热。善寐。五淋七疝。小便频数不禁。阴痛引小腹。阴挺出。血崩。尸厥如死，

备考：本穴一名水泉，大顺。在下肢前正中线。1.肘后华佗疗卒中恶，短气欲绝方，灸大敦二七壮。2.妇人血崩不止，灯心一根蘸香油点燃，烧大敦穴一下即止，倘止续崩，即在原处烧之，或原处起泡，待泡挑破反之，无不止矣。此治崩神效也。

2.行间：

位置：大、次趾歧骨间的陷中。

解剖：第一、二跖骨间，内骨间肌的附着部，循趾背动脉，分布浅腓骨神经，内足底神经。

疗法：针三分。灸三壮。

主治：呕吐咳血。心胸痛。腹肠胀。色苍苍如死状。中风口喝。嗌干烦渴。瞑不欲视。目中泪出。太息。癫疾短气。肝积肥气。洞泄。遗尿。癃闭。崩漏。白浊。寒疝。腹胀。腰痛不可俯仰。惊风。

备考：本穴在下肢前正中线。

3.太冲：位置：足大趾本节后二寸，内间动脉应手陷中。
解剖：第一、二跖骨与第一楔状骨关节的前部，长、短伸趾肌之间，循趾背动脉，分布深腓骨神经、内足趾神经。
疗法：针三分，灸三壮。
主治：霍乱吐血。恐惧气不足。呕逆。发寒。肝疟令人腰痛。嗌干。胸胁支满。太息。浮肿。小腹满。腰引小腹痛。遗溺。或大小便难。阴痛遗溺。溏泄。小便淋癃。小腹疝气。溃疝腰痛。女子月水不通。或漏血不止。小儿卒疝。产后汗出不止。
备考：本穴在下肢前正中线。素问至真要大论：太冲脉绝、死不治。

4.中封：位置：内踝骨前一寸，微下些之筋裡宛宛中。在足内踝前一面有陷凹处是穴。
解剖：第一楔状骨内侧，舟状骨节的上部，前胫骨肌腱的侧，循前踝动脉，前胫骨动脉的枝别及内踝骨动脉分布大隐静脉神经，深腓骨神经。
疗法：针四分，灸三壮。
主治：痎疟。色苍苍如死状。善太息振寒。溲白。大便难小便难。腰痛。五淋。足厥痛。不嗜食。身体不仁。寒疝厥。筋挛。失精。阴缩入腹相引痛。或身微热。
备考：本穴一名悬泉。在下肢前正中线。

5、蠡沟：位置：内踝上五寸，胫骨内侧。

解剖：胫骨内面，有胫骨后肌与比目鱼肌，循小腿骨动脉，分布胫骨神经。

疗法：针二分，灸三壮。

主治：疝痛。小腹胀痛。癃闭。脐下积气如石。数噫恐悸。少气足胫寒酸。屈伸难。腰背拘急。不可俯仰。月经不调。洞下赤白。

备考：本穴一名交仪。在下肢前内侧线。此穴乃本经的络穴。主要厥阴经疾患。

6、中都：位置：内踝上七寸，胫骨内侧。

解剖：在胫骨部，有胫骨肌，循胫骨动脉分枝，分布胫骨神经。

疗法：针三分，灸五壮。

主治：肠澼㿗疝。小腹痛。遗精足胫寒。不能行立。妇人崩中。产后恶露不绝。

备考：本穴一名中郄，太阴。在下肢前内侧线。

7、膝关：位置：犊鼻下二寸，微前陷处。

解剖：胫骨内侧上部，有腓肠肌，循膝关节动脉与胫骨动脉，分布胫骨神经，薷缴神经。

疗法：针四分，灸五壮。

主治：风痹。膝内廉痛。引膑不可屈伸。及寒湿走注，白虎歷节风痛不能举动。咽喉中痛。

8、曲泉：

备考：李穴在下肢前内侧部。

位置：膝股内上侧，屈膝横纹头取之。

解剖：胫骨内关节踝下际，半腱半膜肌停止部，循膝关节动脉，分布胫骨神经，蔷薇神经。

疗法：针四分，灸三壮。

主治：癀疝。阴股痛。小便难。少气泄痢脓血。腹胁支满。膝痛筋挛。四肢不举。不可屈伸。风劳失精。身体极痛。膝胫冷。阴茎痛。实则身热目痛。汗不出。目䀮䀮。喘呼痛引咽喉。女子阴挺出。（附录一之三）

9、阴包：

备考：李穴在下肢股内侧部。

位置：膝上四寸股内侧两筋间。

解剖：大腿内侧上踝的上方，四头股肌的内缘，循股动脉其上外膝关节动脉，分布内股皮下神经。

疗法：针六分。灸三壮。

主治：腰痛引小腹痛。小便难。遗尿。月水不调。

10、五里：

备考：李穴在下肢股内侧部。

位置：阴廉下料二寸。去气衝二寸。

解剖：在耻骨结节下端，长内转股肌的内缘。循外阴部动脉分布股神经及闭锁神经。

疗法：针三分。灸三壮。

主治：肠风。热闭不得溺。风劳嗜卧。四肢不举。
备注：本穴在下肢股内侧缘。

11、阴廉：位置：阴部二旁皮肉之下有如核者名曰羊矢骨。穴在其下。亦即五里穴后量上一寸。
解剖：在耻骨结节的下端，内转肌的内缘，循外阴部的动脉，分布股神经，腰丛股神经。
疗法：针三分（亦有针七分的）。灸三壮。
主治：妇人不孕。月经不调未有孕者。灸三壮即有子。
备注：本穴在下肢股内侧缘。

12、急脉：位置：阴旁二寸半。
解剖：在气街穴，普派氏韧带下，即直腹肌停止部，循浅回旋肠骨动脉及下腹壁动脉，分布肠骨下腹神经及肠骨神经。
疗法：禁针。灸三壮。
主治：疝痛。小肠痛。
备注：本穴在腹部第二侧线。

13、章门：位置：由脐量上二寸，再横量六寸，在第十一肋骨前端。
解剖：侧腹部第十一肋前端，内、外、斜腹肌中，循横膈膜动脉，分布肋间神经侧穿行枝。
疗法：针六分，灸七至五百壮。
主治：两胁积气如卵石。腹胀肠鸣。食不化。胸胁痛。烦热

五十八

支满。心吐。欬喘不得卧。腰脊冷痛不得转侧。肩背不举。伤饱羸瘦。泄泻，胁痛。四肢懈惰。善恐少气厥逆。

备考：本穴一名长平，胁髎，肋髎。（1）昔救士妻病疾，自脐下上出心，皆能痛，气心逆，饮食不进食。滑伯仁谓为寒在下焦，宜灸章门，气海乃愈。（2）杨氏医案云：治李杨氏可适郎患痞疾，每日服药而人日瘦，予曰：此子形晚，虽是痞病，而腹内有积块，附于脾胃之旁，若徒治其痞而不治其块，是不求其本而治其末耳。先取章门针灸，消散积块，后次调理脾胃，形体渐盛，病疾俱瘳。

14. 期门：

位置：乳旁下一寸五分，再直下一寸五分。

解剖：当九肋附着部的尖端，当第八肋间乳腺部，循上腹壁动脉，分布肋间神经侧穿行枝。

疗法：针四分。灸五壮。

主治：伤寒。胸中烦热。奔豚上下。目青而呕。霍乱。泻痢。胸胁积痛。支满喘咳。善噫食不下。喝不得卧。

备考：本穴在腹部第三侧线。（1）昔有一病妇神昏谵语，扬衣睡地，不知人事，大热不已，许叔微诊之曰：此热入血室也，当刺期门，应手而愈。（2）伤寒论云：太阳与少阳併病，头项强痛，或眩冒，时如结胸，心下痞坚者，当刺大椎肺俞肝俞，慎勿发汗，发汗则谵语，五六日谵语不止者，当刺期门。

十三、任脉（凡二十四穴）

经穴歌：任脉三八起会阴，曲骨中极关元锐，石门气海阴交仍，神阙水分下脘配，建里中上脘相连，巨阙鸠尾蔽骨下，中庭膻中慕玉堂，紫宫华盖璇玑夜，天突结喉是廉泉，唇下宛宛承浆舍。

分寸歌：任脉会阴两阴间。曲骨毛际陷中安。中极脐下四寸取。关元脐下三寸连。脐下二寸石门是。脐下寸半气海宗。脐下一寸阴交穴。脐之中央即神阙。脐上一寸为水分。脐上二寸下脘列。脐上三寸名建里。脐上四寸中脘许。脐上五寸上脘在。巨阙脐上六寸当。鸠尾蔽骨下五分。中庭膻下寸六取。膻中却在两乳间。膻上寸六玉堂主。膻上紫宫三寸二。膻上四寸八华盖。膻上六寸四璇玑。璇上一寸天突取。天突结喉下二寸。廉泉颔下结上已。承浆颐前下唇中。龈交齿下龈缝里。

人会阴：位置：两阴之间。

解剖：在球海绵体肌中央，有会阴外动脉、会阴动脉，分布会阴神经。

灸法：禁针。灸三壮。

主治：阴汗阴中诸病。前后相引痛。不得大小便。若遭溺，久停相通。男子阴寒冲心。女子阴门痛。月经不通。

备考：中风，淹溺，可针此穴一寸，或五分。是救急奇穴。淹溺针有殊效。又本穴一名屏翳，金门，下极。

2、曲骨：位置：在腹部正中线。横骨上，阴毛际凹处。

解剖：耻骨软骨接合上际，左右直腹肌停止部中间，循下腹壁动脉，外阴部动脉，分布肠骨下腹神经，肠骨鼠蹊神经。

手法：针八分至寸二，灸五壮至五十壮。

主治：小便胀满。小便淋涩。血癃。癞疝小腹痛。失精虚冷。妇人赤白带下。

3、中极：备考：本穴一名气原，屈骨，屈骨端。在腹部正中线。

位置：脐下四寸。

解剖：在耻骨上际的白线组中，循下腹壁动脉，分布肠骨下腹神经。

手法：针八分，灸三至五百壮。

主治：阳气虚惫，疝气时下冲心。尸厥恍惚。失精无子。腹中脐下结块。水肿奔豚。疝瘕。五淋。小便赤涩不利。妇人下元虚冷。血崩白浊。因产恶露不行。胎衣不下。经闭不通。血结成块。子门肿痛。转脬不得小便。

4、关元：备考：本穴一名玉泉，气原。在腹部正中线。

位置：脐下三寸。

解剖：循下腹壁动脉，分布第十二肋间神经前皮枝，深部当小肠，在妇女则子宫底。

疗法：针八分至二寸。灸三至三百壮。
主治：积冷诸虚百损。脐下绞痛，渐入阴中。冷气入腹。小腹奔豚。遗溺。夜梦遗精。白浊五淋。七疝。溲血。小便赤涩。转胞不得溺。妇人带下瘕聚。经水不通。不妊。或妊娠下血。或产后恶露不止。或血冷月经断绝。
备考：本穴一名下纪，次门，丹田，大中极。在腹部正中线。绍兴刘武军中步卒王超者，本太原人，后入重湖为盗，曾遇异人授以黄白住世之法，年至九十，精彩腴润，皓白谈十七不衰。后被擒，临刑，监官问曰：汝有异术，信乎？曰：无也，惟火力耳！每夏秋之交，即灸关元千炷，久久不畏寒暑，累日不饥，至今脐下一块如火之暖。岂不闻土成砖，木成炭，皆火力也。死后，刑官令剖其腹之暖处，得一块，非肉非骨，凝然如石，即艾火之功耳。

5、石门：
位置：气海下一寸半，即脐下二寸。
解剖：在下腹部白线腹中，循下腹壁动脉，分布肋间神经前穿行支，深部当小肠。
疗法：针五至八分。灸三至一百壮。妇人不宜针灸，犯之绝嗣。
主治：腹胀坚硬。水肿支满。气淋。小便黄赤不利。小腹痛。泄泻不止。身寒热。咳逆上气。呕血。产后瘀痛。

妇人因产恶露不止，遂结成块、崩中漏下出血。

6.气海、脐下寸半。

备考：本穴一名利机、精露、丹田、命门。在腹部正中线。

解剖：下腹部白线之中，循下腹壁动脉，分布肋间神经前穿行枝，深部当小肠。

操作：针八分至一寸。灸七至百壮。

主治：下焦虚冷。上冲心腹。呕吐不止。或阳虚不足。惊恐不卧。奔豚七疝。小肠膀胱肾癥结块，状如覆杯。脐下冷气。阳脱欲死。阴证伤寒卵缩。四肢厥冷。便赤浊。遗精。白浊。妇人赤白带下。月事不调。产后恶露不止。绕脐腹痛。小儿遗尿。

备考：本穴一名脖胦，下肓。在腹部正中线。1.浦江郑义宗，患滞泄，昏仆，目上视，遗溺汗出，脉大，丹溪诊之，断为阴虚阳暴绝，得之病后酒色，灸气海渐苏，服人参膏数斤乃愈。2.枢密孙少林生数日，患脐风，已死不动，家人乃裹以席，将送诸江，道遇一妇曰：此儿可活，即与俱归，以艾灸脐下，遂活。

7.阴交：位置：脐下一寸。

解剖：下腹部白线中，循下腹壁动脉，分布肋间神经前穿行枝。

操作：针八分，灸五至百壮。

主治：衝脉生病，从少腹衝心而痛。不得小便。疝痛。阴汗遗溺。奔豚。腰膝拘挛。妇人月事不调。产后恶露不止。绕脐冷痛。

8、神阙：
备考：本穴一名横户，少関。在腹部正中线。
位置：脐中央。
解剖：上腹壁动脉，分布肋间神经前穿行枝，深部为小肠。
疗法：宜以朴填脐中，隔盐灸三至百壮。禁针。
主治：阴症伤寒。中风不省人事。腹中虚冷。阳脱。肠鸣泄泻不止。水肿鼓胀。小儿乳痢不止。腹大。风痫角弓反张。脱肛。妇人血冷不受胎者。灸此永不脱肛。
备考：本穴一名气舍，脐中。在腹部正中线。昔徐平仲中风，不省人事，桃源簿为灸百壮，不醒，再灸百壮乃甦。

9、水分：
位置：脐上一寸。
解剖：上腹部白线中，有下腹壁动脉，分布肋间神经前穿行枝，内当横行结肠。
疗法：针一寸（一说禁针），以不针为好。灸百壮。
主治：水病腹坚。肿胀如鼓。衝胸不得息。绕脐痛。肠鸣泄泻。小便不通。小儿囟陷。为水肿病的主穴。
备考：本穴一名分水，中守。在腹部正中线。

10、下脘：
位置：脐上二寸。
解剖：上腹部白线中。有上腹壁动脉，分布肋间神经前穿纤枝，内容胃藏。

疗法：针八分，灸二七至二百壮。孕妇忌灸。

主治：脐上腹急坚痛。腹胀满。寒食不化。虚胀癖块连脐。瘦弱少食。翻胃不伏者。

备考：本穴一名幽门。在腹部正中线。

11.建里：位置：脐上三寸。

解剖：腹部白线中，循上腹壁动脉，分布肋间神经前皮枝，内容胃藏。

疗法：针五分至一寸二分，灸五壮。孕妇忌灸。

主治：腹胀身肿。心痛上气。肠鸣呕逆不食。

备考：本穴在腹部正中线。

12.中脘：脐上四寸。

解剖：上腹部白线中，循上腹壁动脉，分布肋间神经前皮枝，内通腹膜，容胃藏。

疗法：针八分，灸八至四百壮。

主治：心下胀满。伤饱食不化。五膈五噎。翻胃不食。心脾烦热。疼痛，积聚。痰饮。面黄。伤寒饮水过多。腹胀气喘。温疟。霍乱吐泻。寒热不已。或因读书得奔豚气上攻。伏梁心下。寒癖结气。凡脾冷不可忍。心下胀满。饮食不进化。气结疼痛雷鸣者。皆宜灸之。

备考：本穴一名太仓、中管。在腹部正中线。

13、中脘：位置：脐上五寸。

解剖：上腹部白条线中，循上腹壁动脉，分布肋间神经前穿行枝，当胃的贲门。

疗法：针八分，灸五至百壮。

主治：心中烦热。痛不可忍。腹中雷鸣。饮食不化。霍乱翻胃。呕吐。三焦多胀。奔豚伏梁。气膨积聚。心风惊悸心痛。身热汗不出。

14、巨阙：备考：本穴一名胃脘，上纪，上管。

位置：鸠尾下一寸，即脐上六寸。

解剖：上腹部白条线中，循上腹壁动脉，分布肋间神经前穿行枝。

疗法：针六分，灸七至二十壮。

主治：上气咳逆。胸满气痛。九种心痛。冷痛。少腹胀痛。痰饮咳嗽。霍乱腹胀。恍惚发狂。黄疸。肠中不利。烦闷。卒心痛。尸厥蛊毒。恶心呕痛。吐痢不止。

15、鸠尾：备考：本穴在胸部正中线。

位置：胸骨下突出尖端，脐上七寸。

解剖：上腹部上方白条线起始部，循上腹壁静脉，分布肋间神经的前穿行枝。

疗法：不可轻针，必施针时须两手举高方可下针。针三分。灸三壮。（因本穴贴近横膈膜，针之则伤膈膜）。

16. 中庭：

主治：心惊悸。神气耗散。噎膈。狂病。

备考：本穴一名龙颔，髑骬，神府，骭骬。在腹部正中线。

位置：膻中下一寸六分。当左右第六肋间的中央。循内乳动脉分枝

解剖：胸骨体部，分布肋间神经。

疗法：针三分，灸三壮。

17. 膻中：

主治：胸肠支气管喘塞。吐逆。食入还出。小儿吐乳。催乳。

位置：两乳的中间中央线。

解剖：胸骨体部，循内乳动脉分枝，分布肋间神经前穿行枝。

疗法：禁针。灸七壮。

主治：一切上气短气。痰嗽哮喘。咳逆噎气。膈食反胃。喉鸣气喘。肺痈。咳吐脓血。妇人乳汁少。

备考：本穴一名元儿，上气海，元见，胸堂。在胸正中线。

18. 玉堂：

位置：紫宫穴下一寸，即第四肋骨端。

解剖：胸骨体部，循内乳动脉分枝，分布肋骨神经前穿行枝

疗法：针三分，灸五壮。

主治：胸膺疼痛。心烦咳逆。上气喘急不得息。喉痹咽塞。水浆不入。呕吐寒痰。

备考：本穴一名玉英。在胸部正中线。

19. 紫宫：

位置：华盖穴下一寸，当三肋端。

解剖：胸骨体部，循内乳动脉分枝，分布肋间神经前穿行枝

療法：针三分，灸五壮。

主治：胸脅支满痛，咽塞喉痹。水浆不入。欬逆上氣。吐血烦心。

备考：本穴在胸部正中線。

20.華蓋：位置：天突穴下二寸，第二肋骨间。

解剖：胸骨柄與骨體之界，循内乳动脉分枝、分布肋间神经前穿分枝。

療法：针三分，灸五壮。

主治：欬逆喘急上氣。哮咳喉痺。胸骨疼痛。水飲不下。

备考：本穴在胸部正中線。

21.璇璣：位置：天突下一寸。

解剖：胸骨柄部，第一肋左右的中央，循内乳动脉分枝，分布肋间神经，

療法：針仰头取之。针三分，灸三壮。

主治：胸脅满。欬逆上氣。喘不能言。喉痺咽腫，水飲不下

备考：本穴在胸部正中線。

22.天突：位置：結喉下一寸五分宛宛之陷中。即喉头甲状軟骨下二寸。

解剖：胸骨頸截痕上际的中央。當左右胸鎖乳肌的中间。有胸骨，舌骨肌，甲状舌骨肌，循上下甲状腺动脉，分布下颈皮下神经。深部有氣管。

療法：針刺直下不低手，针三分，灸五壮。

六十三

主治：上气哮喘，咳嗽喉痹，五噎，肺痈，咯吐脓血，咽肿暴瘖，身寒热，咽干舌下急，不得食。

备考：本穴一名天瞿，玉户。在前颈正。许氏曰：此穴一针有四动，凡下针候良久，脾胃似有磨食，觉针动，为一动。次针，破病根，腹中作声，为二动。既觉流入膀胱，为三动。然后觉气下行，流入腰后肾堂中，为四动。

23、廉泉：位置：在颔下，舌本之下，结喉之上。

解剖：喉头结节的上方，舌骨的上部，当左右胸骨舌骨肌停止部的中间，有上甲状腺动脉，分布颈皮神经的分枝，上颈皮下神经。

取法：仰面取之，针三分，灸三壮。

主治：咳逆上气吐沫，舌下肿，舌根急缩。

备考：本穴一名舌本，本池。在前颈正。

24、承浆：位置：在下唇下中央陷凹中。

解剖：下颚骨颐结节的上部左右，方形颐肌的中间，循下唇动脉，颐动脉，分布三叉神经的颐神经，下颚皮下神经。

取法：开口取之，针三分，灸七壮。

主治：偏风半身不遂，口眼㖞斜。口噤不开。暴瘖不能言。

备考：本穴一名悬浆。在口唇正。

经穴歌：（四）督脉经（凡二十七穴）

督脉中行二十七。长强腰俞阳关密。命门悬枢接脊中。筋缩至阳灵台逸。神道身柱陶道长。大椎平肩廿一。哑门风府脑户深。强间后顶百会率。前顶囟会上星圆。神庭素髎水沟窜。兑端开口唇中央。龈交唇内任督毕。

分寸歌：尾闾骨端是长强。二十一椎腰俞详。十六阳关十四命。十三悬枢脊中央。十一椎中筋缩九。七椎之下至阳乡。六灵台神三身柱。陶道一椎之下乡。一椎之上大椎穴。上至发际哑门行。风府一寸宛中取。脑户二五枕之方。再上四寸强间位。五寸五分后顶强。七寸百会顶中取。耳尖直上发中央。前顶前行八寸半。前行一寸囟会量。一尺一寸上星会。入发五分神庭当。鼻端准头素髎穴。水沟鼻下人中藏。兑端唇上端中取。龈交齿上龈缝乡。

长强：

位置：尾闾骨端五分之处，肛门之上。

解剖：尾闾骨下部，荐骨韧带的下端，即大臀肌外肛门括约肌中，循下臀动脉，内阴部动脉、下臀动脉之分布；尾闾神经及外痔神经。

灸法：针三分，灸三至二百壮。

主治：腰脊强急。不可俯仰。狂痫。大小便难。肠风下血。五痔五淋。下部疳蚀。洞泄失精。呕血。小儿惊痫。惊痫。瘈疭。脱肛。泻血。

备考：本穴一名气之阴郄，厥骨，骶骨，背骶，龟尾，穷骨穴，河车路，上天梯。在背部正中线。

二、腰俞：位置：尾闾骨之上部，二十一椎之下，挺身伏地宽之中。

解剖：在荐骨管裂孔，腰背肌膜中，循下臀动脉，分布荐骨神经的分枝。

疗法：针三至八分，灸三至五十壮。以坐卧。灸随年壮。

主治：腰脊重痛，不得俯仰。腰以下至足冷痹不仁。强急不

备考：本穴一名背解，髓孔，腰柱，腰户。在背部正中线。

3.阳关：位置：十六椎下。

解剖：腰椎的棘上突起间，有荐骨脊柱肌，循腰动脉，分布腰椎神经的后枝。

疗法：伏而取之，针五分，灸五壮。

主治：膝痛不可屈伸。风痹不仁。筋挛不行。

4.命门：位置：十四椎下。

解剖：第二、三腰椎棘上突起间，有荐骨脊柱肌，循后肋间动脉，分布腰椎神经的后枝。

疗法：伏而取之，针五分，灸三壮至数十壮。年当二十者灸之有绝子之忧。

主治：肾虚腰痛。赤白带下。男子泄精。耳鸣。手足冷痹挛急。惊恐。头眩。头痛如破。身热如火。骨蒸汗不出

痎疟。痿躄。里急后重。淋沥。白浊。失眠。缩阳。

丙、悬枢：

备考：本穴一名悬枢。行况：在背部正中线。

位置：第十三椎之下。

解剖：第一二腰椎棘突之间，分布腰动脉背枝部，循行肋间动脉，分布脊椎神经后枝。

摩法：伏而取之，针三分，灸三壮。

主治：腰脊强，不得屈伸。积气上下行。水谷不化。泄痢不止。

乙、脊中：

备考：本穴在背部正中线。

位置：十一椎之下。

解剖：第十一十二胸椎棘突之间，有第十一肋间动脉背枝部，循行肋间动脉，分布胸椎神经后枝。

摩法：伏而取之，针三分，灸三壮。

主治：风痫癫邪。腹满不食。五痔。积聚。下痢。小儿疳痢下赤白。秋末脱肛。每厕则肛痛不可忍。禁灸。

丁、筋缩：

备考：本穴一名神宗，脊俞。在背部正中线。

位置：第九椎下。

解剖：第九十胸椎之间，有肋间动脉背枝部，循行肋间动脉，分布胸椎神经后枝。

摩法：伏而取之，针五分，灸三壮。

主治：癫疾。惊狂。瘈疭。风痫。目上视。

六五

8、至阳：位置：第七椎下。

解剖：第七、八胸椎之间，有背脊椎肌，循后肋间动脉分枝，分布背椎神经后枝。

手法：针五分，灸三至七壮。俯而取之。

主治：腰脊强痛。胃中寒不食。少气难言。胸胁支满。喘促身黄。胫酸。四肢重痛。

备考：本穴在背部正中线。

9、灵台：位置：第六椎下。

解剖：第六、七胸椎之间，菱形肌起始部，循行肋间、分布背部神经后枝及肩胛下神经。

手法：俯而取之，针三分，灸三壮。

主治：今人以灸气喘不得卧。及风冷久嗽。火到便愈。若嗜为咳嗽要穴。

备考：本穴在背部正中线。

10、神道：位置：第五椎下。

解剖：第五、六椎之间，僧帽肌起始部，循颈横动脉分枝下行枝，及肋间动脉背枝，分布胸椎神经后枝。

手法：针五分（一说不宜针）灸五壮。

主治：伤寒头痛。寒热往来。痎疟悲愁。健忘。惊悸。牙车急。口张不合。小儿风痫。瘛疭。

备考：本穴在背部正中线。

11.身柱：位置：第三椎下陷中。
解剖：第三、四胸椎之间，僧帽肌起始部，循横颈动脉的下行枝及肋间动脉的背枝，分布胸椎神经的皮枝。
疗法：俯而取之，针五分，灸七至五十壮。
主治：腰背痛。癫痫狂走。怒欲杀人。瘛疭身热。妄见妄言。小儿惊痫。
备考：本穴在背部正中線。

12.陶道：位置：第一椎之下。
解剖：第一、二胸椎之间，僧帽肌的起始部，循横颈动脉之分枝，分布副神经及胸椎神经。
疗法：针五分，灸五壮。
主治：痎疟寒热。洒淅脊强。烦满汗不出。头重目眩。恍惚不乐。善退骨蒸之热。
备考：本穴在背部正中線。

13.大椎：位置：第一椎上之陷凹中。
解剖：第七颈椎与第一胸椎之间，棘间韧带及僧帽肌起始部，循横颈动脉的分枝，分布副神经，胸椎神经。
疗法：正坐肩平，低头取之，针五分，灸三壮。
主治：五劳七伤乏力。风劳食气。痎疟久不愈。肺胀胁满。呕吐上气。背膊拘急，项颈强不得回顾。
备考：本穴在背部正中線。伤寒论云：太阳与少阳并病，颈项强痛，或眩冒时，如结胸，心下痞坚者，当刺大椎第一间。

（六十六）

14、哑门：位置：项后入发际五分，即大椎上四横指，仰头取之。

解剖：第一、二颈椎之间，僧帽肌起始部，有后头动脉的分枝，分布颈椎神经的皮枝，深部有延髓。

摩法：针二分，不宜深。禁灸，灸之令人哑。

主治：颈项强急不语。诸阳热盛。衄血不止。脊强反折。瘛疭癫痫。头风疼痛。汗不出。寒热风痉。中风尸厥。暴死不省人事。

备考：本穴一名舌厌，舌横，瘖门。在头项正中线。

15、风府：位置：在项部入发际一寸，脑户下一寸五分，大筋中。

解剖：后头骨后部与第一颈椎之间的陷凹部，僧帽肌间，循后头动脉，分布大后头神经。深部有延髓。

摩法：针三分，禁灸。不可直针及过力刺太深，恐伤延髓。

主治：主伤胸中之热。中风舌缓暴瘖不语。振寒汗出。身重偏风半身不遂。伤风头痛。项急不得回顾。目眩反视。鼻衄咽痛。狂言恐怖惊悸。

备考：本穴一名舌根，曹溪。在头项正中线。昔魏武帝患头风，屡发，华陀针此穴，应手而动。

16、脑户：位置：枕骨枕上。

解剖：

主治：不载。

摩法：禁针灸，若针灸必伤后脑动脉。

17、强间：位置：后顶后一寸五分。
解剖：矢状缝合处，后头骨与颅顶骨之间，即角(人字)缝合部，帽状腱膜中，循后头动脉，分布大后头神经。
疗法：针二分，灸七壮。
主治：头痛项强，目眩脑旋，烦心呕吐涎沫，狂走。
备考：本穴一名大羽。在头顶正中线。

18、后顶：位置：百会穴后一寸五分。枕骨上。
解剖：颅顶骨矢状缝合的后端部，有帽状腱膜，循后头动脉，分布后头神经。
疗法：针二分，灸五壮。
主治：颈项强急。额颅上痛。偏头痛。目眩不明。
备考：本穴一名交冲。在头顶正中线。

19、百会：位两耳尖直线的中央。
解剖：在颅顶部帽状腱膜中，循浅颞动脉及后头动脉的吻合枝，分布大后头神经。
疗法：针二分，灸七壮
主治：头风头痛。耳聋鼻塞。鼻衄。中风言语蹇涩。口噤不开。或多悲哭。偏风半身不遂。风痫卒厥。角弓反张。吐沫。心神恍惚。惊悸健忘。痎疟。女人血风。胎前产后风疾。小儿痫风惊风。脱肛久不瘥。
备考：本穴一名三阳，五会，巅上，天满，泥丸宫。在头顶

（六十七）

正中线。1、魏太子尸厥，扁鹊取三阳五会，立时而甦。2、唐高宗苦风眩头重，目不能视，侍医秦鸣鹤曰：风毒上攻，宜刺头顶少出血，即愈矣。天后自帘中怒曰：此可斩也，天子头上岂是试出血处耶！上曰：医之议病，不加罪，且吾头重闷，实不能忍。出血未必不佳。命刺之，鸣鹤乃刺百会少出血，上曰：吾眼明矣。言未毕，后自帘中顶礼谢曰：此天赐我师也，躬负缯宝，以遗鸣鹤。

20、前顶：位置：囟会穴后一寸五分，而即百会穴前一寸五分。

解剖：头盖的正中线，左右顶骨的缝合部，帽状腱膜中，循浅颞颥动脉，分布前头神经。

针法：针一分。灸三至二七壮。

主治：头风眩晕。目赤肿。小儿惊痫瘈疭。鼻多清涕。颈项肿痛。

备考：本穴在头顶正中线。

21、囟会：位置：眉心直上五寸，即小儿头顶跳动者是。

解剖：前头骨上缘，顶骨缝合部，帽状腱膜中，循浅颞颥动脉，分布前头神经。

针法：针二分，灸五壮。未满八岁者，禁针灸。

主治：脑虚冷痛，头风肿痛。项痛目眩。鼻塞。惊痫戴目。

备考：本穴在头顶正中线。

22、上星：位置：鼻直上入发际一寸。

解剖：前头骨部，有前头肌，循前头动脉，分布前头神经。

疗法：针三分，灸五壮。本穴不宜多灸，多灸恐眼昏。

主治：头风头痛。头皮肿。面虚。鼻塞。痎疟寒热。汗不出。鼻衄。鼻涕。鼻塞不闻香臭。目眩睛痛。不能远视。以三棱针刺之出血。特效。

备考：本穴一名神堂。在头顶部正中線。

23、神庭：位置：鼻直上入发际五分。

解剖：前头骨部，有前头肌，循前头动脉，分布前头神经。

疗法：灸七壮。禁针。按古云：针之令人发狂，目失明。

主治：发狂。登高狂走。风痫癫疾。角弓反张。目上视不识人。头风鼻渊。流涕不止。头风痛。烦满喘咳。惊悸不得安寝。

备考：本穴在头顶正中線。張子和曰：目肿目翳，针上星、神庭、囟会、前顶，翳者可立退，肿者可立消。

24、素髎：位置：鼻端准头。

解剖：鼻软骨之端部，鼻压缩肌中，循外鼻动脉，分布外鼻神经及筛骨神经。

疗法：针一分，禁灸。

主治：鼻中瘜肉不消。喘息不利。多涕。衄血。霍乱宜刺之

备考：本穴一名面正，面王，鼻准。在口鼻边。

六十、

25、水沟：

位置：鼻下沟之正中。俗称人中。

解剖：鼻柱根与口唇的中央，口轮肌中，循上唇动脉及外颚动脉分枝，分布三叉神经及颜面神经的颊枝。

疗法：针二分，灸三壮（注不宜灸）。

主治：中风噤口，牙关不开。卒中恶邪。不省人事。癫痫卒倒，·消渴多饮水。口眼喎斜。俱宜针之。若面肿风水，针此穴，水出尽愈。

备考：本穴在口鼻边。

26、兑端：

位置：上唇边缘中央。

解剖：口轮肌部，上唇的粘膜、人中的外皮，循外颚动脉的分枝及上唇冠状动脉，分布颜面神经的颊枝及下眼窝神经。

疗法：针三分，灸三壮。

主治：癫痫吐沫。齿龈痛。消渴嗜饮。口噤口疮。

备考：本穴一名兑通锐。在口鼻边。

27、龈交：

位置：唇内齿上龈缝筋中。

解剖：上唇里面粘液膜部，口轮肌中，循内颚动脉分枝及口唇冠状动脉，分布三叉神经分枝，上齿槽神经。

疗法：逆针二分，灸三壮。

主治：面赤心烦痛。鼻生瘜肉不消。额颊中痛。头项强。目泪多眵赤痛。牙疳肿痛。小儿面疮。

备考：本穴一名断交。在口鼻边。

經外奇穴表

穴名	穴數	部位	主治	附記
1、内迎香	二	鼻孔中	目熱暴痛	用芦管子搐出血
2、鼻準	一	鼻柱尖上	鼻上生酢風	宜用三棱針
3、耳尖	二	耳尖上	眼生翳膜	捲耳取之灸五壮
4、机関	二	耳下	卒中风口噤不开	在耳下微前八分灸五壮
5、聚泉	一	舌中央	哮喘咳嗽舌胎舌强	吐舌取之[illegible]灸
6、金津玉液	二	舌下两傍	重舌肿痛喉痹	捲舌取之即舌紫脉宜用三棱針
7、海泉	一	舌下中央	消渴	同前
8、鱼腰	二	眉中	眼生垂帘翳膜	针一分沿皮向两傍
9、太阳	二	眉后陷中	眼红肿及头痛	宜用三棱针
10、印堂	一	两眉中陷中	小儿惊风	针一分灸五壮
11、中魁	二	手中指二節	五噎反胃吐食	屈指骨尖陷中灸七壮
12、大骨空	二	手大指中節	目久痛及翳膜内障	同前
13、小骨空	二	手小指二節	手痛目痛	同前
14、十宣	十	手十爪甲後	乳鹅	每指去爪甲一分宜三棱針
15、鬼眼	二	手大指甲後	五痫	去爪甲如韭葉許指灸之
16、五虎	四	手食指及無名指二節尖	五指拘挛	握拳取之灸五壮
17、四缝	四	手四指内中節	小儿猢狲痨症	宜用三棱针
18、二白	四	掌後横紋上四寸	痔疾脱肛	一手二穴[illegible]向即間使後一寸
19、肘尖	二	肘骨尖上	瘰疬	屈肘取之灸七壮
20、池泉	二	手背腕中	心腹诸氣痛不可忍	在阳谿阳池间陷中灸二七壮
21、肩柱骨	二	肩端	瘰疬及手臂不动	起骨尖上灸七壮

22.八风	八	足五指歧骨间	脚背红肿	针一分灸五壮
23.独阴	二	足二指横纹中	小肠疝气及死胎胞衣	灸五壮又治妇人干哕吐血月经不调
24.足小指尖	二	足小指尖端	难产	灸足小指尖
25.足太阴	二	足内踝後	难产	足内踝後白肉际骨陷宛宛中
26.足太阳	二	足外踝後	足[illegible]无子	足外踝後一寸宛宛中
27.百劳	二	大椎旁	瘰疬连[illegible]疮	在大椎各开一寸灸七壮
28.通关	二	中脘旁	五噎	在中脘旁各开五分，此穴左捻能进饮食右捻能和脾胃
29.直骨	二	乳下	远年咳嗽	乳下一指头低陷处男左女右灸三壮
30.精宫	二	背後	梦遗	在背十四椎下各开二寸灸七壮
31.子宫	二	中极旁	妇人久无子嗣	中极各开三寸针二分灸七壮
32.阑门	二	曲泉旁	膀胱七疝奔豚	即曲泉各开五寸
33.命关	二	胁下腋中	脾家一切病症	中脘向乳三角取之可灸百十壮
34.内太冲	二	足掌侧	疝气上冲气不通	足太冲对内旁隔大筋陷中举足取之针三分灸三壮
35.甲根	四	足大指甲角	七疝	足太指端爪甲角後皮际根左右廉内甲三隅针一分灸三壮
36.腰眼	二	腰两旁微陷	痨病	灸七壮
37.鹤顶	二	膝盖尖上	两足瘫痪无力	灸七壮
38.膝眼	二	膝	膝腿疼痛	膝盖骨下两旁陷中针五分
39.四关				即两合谷两太冲也
40.夹脊	〃	脊间	霍乱转筋	令病者仰卧伸两手着身以绳平两肘尖横拄脊间寸节灸百壮

禁针禁灸穴一览表

经名	禁针穴	禁灸穴	俱禁针灸穴
手太阴肺经	青灵	天府、尺泽、经渠、少商、	
手少阴心经		少海	
手厥阴心包络经			
手阳明大肠经	五里、臂臑、巨骨	禾髎、迎香、	合谷
手太阳小肠经		秉风、颧髎、	
手少阳三焦经	会宗、三阳络、角孙、	阳池、天牖、瘈脉、颅息、和髎、丝竹空	
足太阴脾经	箕门	隐白、漏谷	三交
足少阴肾经			
足厥阴肝经	急脉		
足阳明胃经	承泣、乳中、	头维、下关、承泣、四白、巨髎、人迎、乳中、伏兔、犊鼻	缺盆、气冲、天枢
足太阳膀胱经	承筋	睛明、攒竹、五处、承光、大杼、承扶、殷门、委中、仆参、白环俞、	[illegible]
足少阳胆经	客主人、承灵、渊液	瞳子髎、客主人、临泣、渊液、阳关、地五会、	肩井

督脉	任脉
神道、神庭、腦戶	會陰、膻中、鳩尾、水分
瘂門、風府、腦戶、強間、囟會、上星、素髎、水溝、兌端	會陰
	石門、下脘、道田

表二

十四經絡補瀉手法表

經穴 手法 經絡	行度		補法 左	補法 右	瀉法 左	瀉法 右	說明
手陽明大腸經	自手走頭	自下而上	大指向後食指向前 從左轉右	大指向前食指向後 從右轉左	大指向前食指向後 從右轉右	大指向後食指向前 從左轉右	凡屬補法當捻動時微按進少許，出針而疾閉其孔。凡屬瀉法當捻動時微向上提少許，出針而不閉其孔。
手少陽三焦經							
手太陽小腸經							
足太陰脾經	自足走腹						
足厥陰肝經							
足少陰腎經							
手太陰肺經	自胸走手	自上而下	大指向前食指向後從左轉左	大指向後食指向前從右轉右	大指向後食指向前從左轉右	大指向前食指向後從右轉左	
手少陰心經							
手厥陰心包							
足太陽膀胱	自頭走足						
足少陽膽經							
足陽明胃經							
任脈 督脈	前後正中		大指向前食指向後從左轉左		大指向後食指向前從左轉右		
備致							

广东中医药专门学校针灸科讲义（李法陀）

提　要

一、作者小传

李法陀，广东宝安人，生卒年月不详，著有《广东中医药专门学校针灸科讲义》。关于李法陀的生平事迹，曾天治《针灸治验百零八种》一书封面内页有介绍李法陀的少量文字，但因该页大部分内容被图书馆标签所覆盖，故未能从中获取更多信息。此外，民国时期另一位广东针灸名医连可觉曾跟随李法陀学习针灸，表明李法陀在当时是颇有名气的。

二、版本说明

《中国中医古籍总目》载该书是1934年广东光汉中医药专门学校铅印本。笔者团队于北京中医药大学图书馆查得此书仅存1册，双面线装铅印本，与广东中医药专门学校系列教材的版式一致，无成书和刊行时间，内页有少量眉批和读书笔记。封面题为“《针灸讲义》（上），欧阳九思堂所有”。

笔者团队另存2册，一册为装订本，一册为未装订散页，内容与北京中医药大学图书馆馆藏本一致。

该书首页题为“广东中医药专门学校针灸科讲义，粤省宝安县李法陀编辑”。值得注意的是，该书切口处出现了3种不同的称谓，分别为“广东中医药学校针灸科讲义”“广东中医药学社针灸科讲义”“广东中医药专门学校针灸科讲义”。故笔者认为该书应为广东中医药专门学校讲义而非广东光汉中医药专门学校讲义。其成书时间，有待进一步考证。

三、内容与特色

该书卷首为目录，分为经穴备纂、病穴要门2章。经穴备纂部分论述任、督二脉，足、手太阳经，足、手少阳经，足、手阳明经，足、手太阴经，足、手少阴经，足、手厥阴经和奇经八脉之经穴。病穴要门部分包括诸风门、伤寒门、痰喘咳嗽门、诸般积聚门、腹痛胀满门、心脾胃门、心邪癫狂门、霍乱门、疟疾门、肿胀门（附红疸、黄疸）、汗门、痹厥门、肠痔大便门、阴疝小便门、头面门、咽喉门、耳目门、鼻口门、胸背胁门、手足腰腋门、妇人门、小儿门、疮毒门共23门的针灸方及杂症治法秘要（附中风论）。现存此册内容至第12门痹厥门止。

现将该书特色介绍如下。

（一）重视腧穴应用，内容丰富

第一章经穴备纂主要介绍十四经所有经穴，次录该经经穴歌诀，以方便记诵，最后考证穴法。该章既对腧穴的定位和特性进行了详细描述，又对其刺灸法和治疗病证一一进行详述，临床较为实用。对于部分一穴多名者，该书亦有标注，可见作者之用心。作者在此部分没有提及经络循行的内容，只选择腧穴进行介绍。在介绍奇经八脉时，作者又列出奇经八脉与十二经脉交会穴的定位，可见作者在临床中十分重视对腧穴的应用。

（二）强调病症结合，实用性强

第二章是针灸治疗部分，该章共包括24门，虽现存此册内容至第12门痹厥门，但仍可见其分类精细，内容广泛。该部分每门之下详细分列典型症状、与对应的针灸处方，这与该书第一章中论述的各腧穴所治病证部分前后呼应，另有对刺灸法中针刺深度和艾灸壮数的描述。这些内容描述了一个完整的诊治过程，具有很强的实用性。

（三）摘录名家经典，宗古参今

第一章经穴备纂的编排体例和顺序与梁湘岩的《广东中医药专门学校针灸学讲义》相近，书中的经络顺序、十四经经穴歌诀等内容与梁湘岩之《广东中医药专门学校针灸学讲义》完全一致。书中的考证穴法内容出自《针灸大成》，但未采纳《针灸大成》中部分穴位的禁针禁灸之说。该书第二章病穴要门内容亦引自《针灸大成》卷八，而《针灸大成》中的此部分内容又转引自《神应经》。从文献结构分析来看，该书的主要内容引自《针灸大成》，说明作者对《针灸大成》的学术思想较为推崇，并能够结合自身的临床经验稍加调整，使该书自成体系。

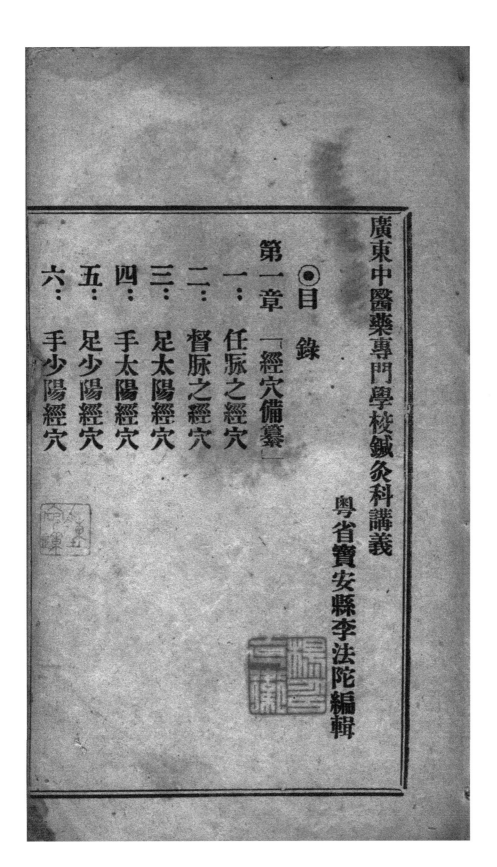

廣東中醫藥專門學校鍼灸科講義

粵省寶安縣李法陀編輯

◉目錄

本校印刷部印

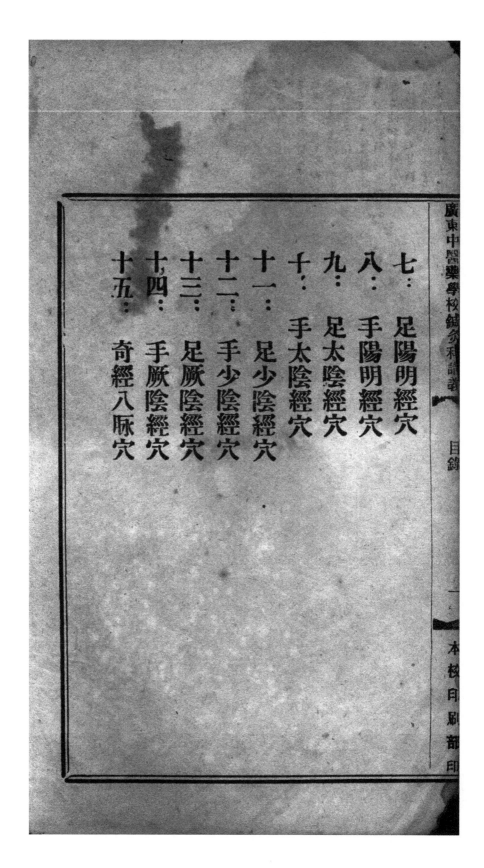

深針之法乃係謂其热處
先右手持針以大指公甲
出些力按摆其穴即令
病者大力连咳数声
即以針直入相当之处
或骨处又令病者大力
長呼气拔針随出随
动右便切勿停針而
後动之否則其針定
有捲肉而病较覺疲
痛也但拔針出後以

廣東中醫藥專門學校鍼灸科講義

粵東寶安縣李法陀編輯

（一）任脉之經穴

會陰　曲骨　中極　關元　石門　氣海　陰交　神闕　水分　下脘　建里　中脘

上脘　巨闕　鳩尾　中庭　膻中　玉堂　紫宮　華蓋　璇璣　天突　廉泉　承漿

◉任脉穴歌

任脉中行二十四。會陰潛伏兩陰間。曲骨之上游中極。關元石門氣海邊。

陰交神闕水分處。下脘建里中脘前。上脘巨闕連鳩尾。中庭膻中玉堂裏。

紫宮華蓋運璇璣。天突廉泉承漿上。

◉攷正穴法

會陰（一名屏翳）　兩陰間任、督、衝、三脉所起督、由會陰而行背任、由會陰而行

口念三曲一至十即以指
公封艾針口精右便

腹衛・由會陰而行足少陰灸三壯針三分主陰肝陰頸痛陰中諸病前後相引痛不得大小便男子陰端寒痛心鞕中熱皮疼痛穀道搔癢久痔相通女子經水不通陰門腫痛卒死者針一寸補之溺死者令人倒拖出水針補尿尿出則活餘不可針

曲骨

橫骨上中臍下五寸毛際陷中動脈應手足厥陰任脈之會灸七壯針二分主失精五臟虛弱乏冷極小腹脹滿小便淋澀不通㿉疝小腹痛婦人赤白帶下

中極（一名玉泉 一名氣原）

臍下四寸膀胱之募足三陰任脈之會針三分灸五壯主冷氣積聚時上衝心腹中熱臍下積塊賁豚搶心陰汗水腫陽氣虛憊小便頻數失精絕子痛瘕婦人產後惡露不行胎衣不下月事不調血結成塊子門腫痛不端小腹寒苦陰癢而熱陰痛恍惚尸厥飢不能食臨經行房羸瘦寒熱轉脬不得尿婦人斷緒四度針即有子（脬音拋）

關元

臍下三寸小腸之募足三陰任脈之會下紀者關元也灸七壯針三分娠婦若針而落胎胎多不出若針崑崙立出胎主積虛冷臟下絞痛流入陰中發作無時冷氣結塊

痛寒氣入腹痛失精白濁溺血七疝風眩頭痛轉脬閉塞小便不通黃赤勞熱石淋泄利奔豚搶心臍下結血狀如覆杯婦人帶下月經不通絕嗣不生胞門閉塞脉漏下血產露不止

石門（一名利機 一名丹田 一名精露 一名命門） 在臍下一寸五分焦募也針三分灸七壯婦人禁灸肉犯之絕子主傷寒小便不利泄利不禁小腹絞痛陰囊入小腹賁豚搶心腹痛堅硬卒疝繞臍氣淋血淋小腹黃嘔吐血不食穀穀不化水腫水氣行皮膚小腹皮敦敦然氣滿婦人因產惡露不止結成塊崩中漏

氣海（一名脖胦 一名下肓） 臍下一寸半宛宛中男子生氣之海針三分灸七壯主傷寒飲水過多腹脹氣喘心下痛冷病面赤臟虛氣憊眞氣不足一切氣疾久不瘥肌體羸瘦四肢厥冷大便不通小便赤卒心痛婦人臨經行房羸瘦崩中赤白帶下月事不調產後惡露不止繞臍疞痛閃着腰疼小兒遺尿浦江鄭義忠患滯下昏仆目上視溲注汗泄脉大此陰虛陽暴絕得之病後酒色丹溪爲灸氣海漸甦服人參膏數斤愈

陰交（一名橫戶） 在臍下一寸當膀胱上際三焦之募任脉少陰衝脉之會鍼三分灸三壯主氣痛如刀攪腹塡堅痛下引陰中不得小便兩丸騫疝痛陰汗濕癢腰膝拘攣臍下熱鬼擊鼻出血婦人血崩月事不絕帶下惡露不止繞臍冷痛絕子陰痒賁豚上腹小兒陷顖

神闕（一名氣舍） 當臍中禁鍼鍼之使人臍中惡瘍潰屎出者死灸三壯主中風不省人事腹中虛冷臟腑泄利不止水腫鼓脹腸鳴狀如流水聲腹痛繞臍小兒奶利不絕脫肛風癎角弓反張徐平仲中風不甦桃源簿爲灸臍中百壯始甦不起再灸百壯

水分（一名分水） 在臍上一寸穴當小腸下口至是而別泌淸濁水液入膀胱渣滓入大腸故曰水分鍼四分灸七壯水病灸大良又云主水病腹堅腫如鼓轉筋不嗜食腸胃虛脹繞臍痛冲心腰脊急强腸鳴狀如雷聲上冲心鬼擊鼻出血小兒陷顖

下脘 在臍上二寸穴當胃下口小腸上口水穀於是入焉足太陰任脉之會鍼四分灸五壯主臍下厥氣動腹堅硬胃脹羸瘦腹痛六腑氣寒穀不轉化不嗜大小便赤痞塊連

臍上厥氣動日漸瘦脉厥動翻胃

建里 在臍下三寸鍼四分灸五壯主腹脹身腫心痛上氣腸中疼嘔逆不嗜食

中脘（一名太倉） 在臍上四寸居心蔽骨與臍之中手太陽少陽足陽明任脈之會上紀者中脘也胃之募也難經曰腑會中脘疏曰腑病治鍼四分灸五壯主五隔喘息不止腹暴脹中惡脾疼飲食不進翻胃赤白痢寒癖氣心疼伏梁下心如覆杯心膨脹面色痿黃天行傷寒熱不已温瘧先腹痛先瀉霍亂瀉出不知飲食不化心痛身寒不可俯仰氣發噎東垣曰氣在于腸胃者取之足太陰陽明不下取三里章門中脘又曰胃虛而致太陰無所禀者于足陽明募穴中引導之

上脘（一名胃脘） 在臍上五寸上脘中脘屬胃絡脾足陽明手太陽任脈之會鍼四分灸五壯分先補後瀉風癇熱病先瀉後補立愈主腸中雷鳴相逐食不化腹疞刺痛霍亂吐利腹痛身熱汗不出翻胃嘔吐不食下腹脹氣滿心忪驚悸時嘔血痰多吐涎奔豚伏

巨闕穴由兩歧骨量下卄

梁二蟲卒心痛風癇熱病馬黃黃疸積聚堅大如盤虛勞吐血五毒痓不能食（松普忠）

巨闕

鳩尾下二寸心之募鍼三分灸五壯主上氣欬逆胸滿短氣背痛胸痛痞塞數種心痛冷痛蛔蟲痛蠱毒貓鬼胸中痰飲先心痛先吐霍亂不識人驚悸腹脹暴痛恍惚不止吐逆不食傷寒煩心喜嘔發狂少氣腹痛黃疸急疸急疫嗽咳狐疝小腹脹噫煩熱鬲中不利五臟氣相干厥心痛尸厥妊娠子衝心昏悶刺巨闕下鍼令人立甦不悶次補合谷瀉三陰交胎應鍼而落如子手掬心生下手有鍼痕頂毋心向前人中有鍼痕向後枕骨有鍼痕是其驗也

按十四經發揮云：凡人心下有膈膜前齊鳩尾後齊十一椎周圍着脊所以遮隔濁氣不使上薰心肺是心在膈上也雖產之婦若子上衝至膈則止況兒腹中又有衣胞裹之豈能破膈掬心哉心爲一身之主神明出焉不容小有所犯豈有被衝掬而不死哉蓋以其上衝近心故云猶如胃脘痛曰心痛之類是也學者不可以辭害

鳩尾（一名尾翳 一名髑骬）意 在兩歧骨之下一寸曰鳩尾者言其骨垂下如鳩尾形脉之別禁灸肉灸之令人少心力鍼二分灸三壯鍼二分主息賁熱病偏頭痛引目外背噫喘喉鳴胸滿欬嘔喉痺咽腫水漿不下癲癇狂走不擇言語心中氣悶不喜聞人語欬吐血心驚悸精神耗散少年房勞短氣少氣又靈樞經云膏之原出於鳩尾

中庭在天突下九寸陷中灸五壯鍼三分主胸脇支滿噎塞飲食不下嘔吐食出小兒吐奶

膻中（一名元見） 在天突下七寸五分横量兩乳間陷中仰而取之足太陰少陰手太陽少陽之會難經曰氣會膻中疏曰氣病治此灸五壯鍼二分灸五壯主上氣短氣欬逆噎氣鬲氣喉鳴喘欬不下食胸中如塞心胸痛風痛咳嗽肺癰嘔吐涎沫婦人乳汁少

玉堂（一名玉英） 在天突下六寸陷中灸五壯鍼三分主胸膺疼痛心煩欬氣上氣胸滿不得息喘急嘔吐寒

紫宮 在天突下四寸五分陷中仰面取之灸五壯鍼三分灸七壯主胸脇支滿胸膺骨痛飲食不下嘔逆上氣煩心欬逆吐血唾如白膠

華蓋 在天突下三寸陷中仰面取之鍼二分灸五壯主喘息上氣欬逆哮嗽喉痺咽腫水漿不下胸脇支滿痛

璇璣 天突下一寸五分陷中仰面取之灸五壯鍼三分主胸脇支滿痛欬逆上氣喉鳴喘不能言喉痺咽癰水漿不下胃中有積

天突（一名天瞿） 在頸結喉下一寸宛宛中陰維任脈之會灸五壯鍼三分要鍼直下主面皮熱上氣欬逆氣暴喘咽腫咽冷聲破咽中生瘡喉猜猜喀膿血瘖不能言身寒熱頸腫哮喘喉中翕翕如水雞聲胸中氣梗梗俠舌縫青脈舌下急心與背相控而痛五噎黄疸醋心多唾嘔吐癭瘤許氏此穴一鍼四效凡下鍼後良久先脾磨食覺鍼動爲一效次鍼破病根腹中作聲爲二效次覺流入膀胱爲三效然後覺氣流行入腰後腎堂

中爲四效矣

廉泉（一名石片）頸下結喉上中央仰面取之陰維任脉之會低鍼取之鍼三分灸五壯主咳嗽上氣喘急嘔沫舌下腫難言舌根縮急不食舌縱涎出口瘡

承漿（一名懸漿）唇稜下陷中開口取之大腸脈胃脈督脈任脈之會鍼二分灸三壯主偏風半身不遂口眼喎斜面腫消渴口齒疳蝕生瘡暴瘖不能言

（二）督脉之經穴

長强 腰腧 陽關 命門 懸樞 脊中 中樞 筋縮 至陽 靈台 神道 身柱
陶道 大椎 啞門 風府 腦戶 强間 後頂 百會 前頂 顖會 上星 神庭
素髎 水溝 兌端 齗交

◉督脉穴歌

督脈行背之中行。。二十八穴始長强。。腰俞陽關入命門。。懸樞脊中中樞長。。

筋縮至陽歸靈台○○　神道身柱陶道開○○　大椎啞門連風府○○　腦戶强間後頂排○○
百會前頂通顖會○○　上星神庭素髎對○○　水溝兌端正在唇上○○　齗交在齒縫之內○○

◉攷正穴法

長强（一名氣之陰郄　一名橛骨）　脊骶骨尾端鍼三分灸三壯伏地取之足少陰少陽之會督脉絡別走任脉此痔根本主腸風下血久痔瘻腰脊痛狂病大小便難頭重洞泄五淋痔蝕下部小兒顖陷驚癇瘈瘲嘔血驚恐失精瞻視不正慎冷食房勞

腰腧（一名背解　一名髓孔　一名腰柱　一名腰戶）　二十一椎下宛宛中以挺身伏地舒身兩手相重支額縱四體後乃取其穴鍼三分灸三壯慎房勞舉重强力主腰胯腰脊痛不得俯仰温瘧汗不出足痺不仁傷寒四肢熱不已婦人月水閉溺赤

陽關　十六椎下坐而取之鍼三分灸三壯主膝不可屈伸風痺不仁筋攣不行

命門（一名屬累）　十四椎下伏而取之鍼三分灸三壯主頭痛如破身熱如火汗不出寒熱

痎瘧腰腹相引骨蒸五臟熱小兒發癇張口搖頭身反折角弓

懸樞 十三椎下伏而取之鍼三分灸三壯主腰脊强不得屈伸積氣上下水穀不化下利腹中留疾

脊中（一名神宗 一名脊俞） 十一椎下俛而取之鍼三分灸三壯禁肉灸灸之令人腰傴僂主風癇癲邪黃疸腹滿不嗜食五痔便血温病積聚下利小兒脫肛

中樞 在第十椎節下間俛而取之此穴諸書皆失之惟氣府論督脉下王氏註中有此穴及考之氣穴論曰背與心相控而痛所治天突與十椎者其穴即此鍼四分灸三壯

筋縮 九椎下俛而取之鍼三分灸三壯主癲疾狂走脊急强目轉反戴上視目瞪癇病多言心痛

至陽 七椎下俛而取之鍼三分灸三壯主腰脊痛胃中寒氣不能食胸脇支滿身羸瘦背中氣上下行腹中鳴寒熱解㑊淫濼脛痠四肢腫痛少氣難言卒疰忤攻心胸（㑊音

亦）

靈台 六椎下俛而取之治氣喘不能臥火到便愈鍼三分灸五壯

神道 五椎下俛而取之灸三壯針三分主傷寒發熱頭痛進退往來痎瘧恍惚悲愁健忘驚悸失欠牙車蹉張口不合小兒風癇瘈瘲可灸七壯

身柱 三椎下俛而取之鍼三分灸五壯主腰脊痛癲病狂走瘈瘲亂欲殺人身熱妄言見鬼小兒驚癇難經曰治供長伏三脉風癇發狂惡人與火灸三椎九椎

陶道 一椎俛下而取之足太陽督脉之會灸五壯鍼三分主痎瘧寒熱洒淅脊强煩滿汗不出頭重目瞑瘈瘲恍惚不樂

大椎 一椎上陷者宛宛中手足三陽督脉之會針三分灸三壯主肺脹脇滿嘔吐上氣五勞七傷乏力溫瘧痎瘧氣注膊背拘急頸項不得回顧風勞食氣骨熱前板齒燥仲景曰太陽與少陽併病頸項强痛或眩冒時如結胸心下痞硬者當刺大椎間

瘂門（一名舌厭 一名舌橫 一名瘖門） 令病者仰高頸後便近頸上髮際處下第二條橫紋是眞穴項中間宛宛中仰頭取之督脉陽維之會入繫舌本鍼三分灸三壯禁灸肉灸之令人瘂主舌急不語重舌諸陽熱氣盛衄血不止寒熱風瘂脊强反折瘈瘲癲疾頭重風汗不出

風府（一名舌本） 令病者仰高頸後便近頸上髮際處第一條橫紋乃是眞穴也大筋內宛宛中疾言其肉立起言休立下足太陽督脉陽維之會針三分灸三壯禁灸肉灸之令人失音主中風舌緩不語振寒汗出身重惡寒頭痛項急不得回顧偏風半身不遂鼻衄咽喉腫痛傷寒狂走欲自殺目妄視頭中百病馬黃黃疸瘧論曰邪客於風府循膂而下衞氣一日夜又會於風府明日日下一節故其作宴每至於風府則腠理開腠理開則邪氣入邪氣入則病作以此日作稍益宴也其出於風府日下一節二十五日下至骶骨二十六日入於脊內故曰作益宴也昔魏武帝患風傷項急華陀治此穴得效

腦戶（一名合顱） 由眉心量上一尺三寸五分在枕骨上足太陽督脈之會禁灸肉灸之令人瘂針二分灸五壯主面赤目黃面痛頭重腫痛癭瘤此穴針灸俱不宜

强間（一名大羽） 由眉心量上一尺二寸針二分灸五壯主頭痛目眩腦旋煩心嘔吐涎沫項强左右不得回顧狂走不冋休

後頂（一名交衝） 由眉心量上一尺零五分灸五壯針二分主頭項强急惡風寒風眩目䀮䀮額顱上痛歷節汗出狂走癲疾不臥癇發瘈瘲頭偏痛

百會（一名三陽 一名五會 一名巔上 一名天滿） 用繩由兩耳上尖由左耳量過右耳尖將繩合作雙條由眉心量上分作三度平均匀中央乃是穴也三陽督脉之會針二分灸五壯凡灸頭頂不得過七壯主頭風中風言語謇澁口噤不開偏風半身不遂心煩悶驚悸健忘忘前失後心神恍惚無心力痎瘧脫肛風癇青風心風角弓反張羊鳴多哭語言不擇發時即死吐沫汗出而嘔飲酒面赤腦重鼻塞頭痛目眩食無味百病皆治虢太子尸厥扁鵲取三陽五會有間太子甦唐高宗頭痛秦鳴鶴曰宜刺百會出血武后曰豈有至尊頭上出血之理已而刺之微出血立愈

前頂

由眉心量上七寸五分骨間陷中針二分灸三壯主頭風目眩面赤腫目腫小兒驚癇瘈瘲發卽無時鼻多清涕頂腫痛

顖會

由眉心量上六寸灸三壯針二分十四歲以下不可針緣顖門未合刺之恐傷其骨令人夭主腦虛冷或飲酒過多腦疼如破衂血面赤暴腫生白屑風頭眩顏青目眩鼻塞不聞香頭皮腫驚悸目戴上不識人

上星（一名神堂）

由眉心量上四寸鍼二分灸五壯針能瀉諸陽熱氣無令上衝頭目主面赤腫頭風頭皮腫面虛鼻中息肉鼻塞頭痛痎瘧振寒熱病汗不出目眩目睛痛不能遠視口鼻出血不止

神庭

由眉心量上三寸五分足太陽督脉之會灸三壯針二分主治鼻塞登高而歌棄衣而走角弓反張吐舌癲疾風癇目上視不識人頭風目眩鼻出清涕不止目淚出驚悸不得安寢嘔吐煩滿寒熱頭痛喘渴歧伯曰凡欲療風勿令灸多緣風性輕多卽傷惟

宜灸三壯至五壯止張子和曰目腫翳鍼神庭上星顖會前頂翳者可使立退腫者可使立消

素髎（一名面正） 鼻柱上端準頭上此穴諸方闕治外臺不宜灸肉針一分灸三壯主鼻中息肉不消多涕生瘡鼻塞喘息不利鼻喎噼鼽衄

水溝（一名人中） 鼻柱下溝中央督脉手足陽明之會針二分灸三壯主消渴飲水無度水氣偏身腫失笑無時癲癇語不識尊卑乍哭乍喜中風口噤牙關不開面腫唇動狀虫行卒中惡鬼擊喘渴目不可視黃疸馬黃瘟疫通身黃口喎噼灸不及鍼艾炷小雀糞大水面腫鍼此一穴出水盡卽愈

兌端 皮唇上尖咀端鍼二分灸三壯主癲疾吐沫小便黃舌乾消渴衄血不止唇吻强齒齦痛鼻塞疾涎口噤鼓頷炷大如麥

齗交 唇內齒上齦縫中任督足陽明之會鍼一分灸三壯主鼻中息肉蝕瘡鼻塞不利額

頰中痛頸項强目淚眵汗牙疳腫痛內眥赤痒痛生白翳面赤心煩馬黃疸寒暑瘟疫小兒面瘡癬久不除點烙亦佳

（三）足太陽經穴

睛明　攢竹　眉冲　曲差　五處　承光　通天　絡郄　玉枕　天柱　大杼　風門
肺俞　厥陰俞　心俞　督俞　膈俞　肝俞　膽俞　脾俞　胃俞　三焦俞　腎俞
氣海俞　大腸俞　關元俞　小腸俞　膀胱俞　中膂俞　白環俞　上髎　次髎　中髎
下髎　會陽　附分　魄戶　膏肓　神堂　譩譆　膈關　魂門　陽綱　意舍　胃倉
肓門　志室　胞肓　秩邊　承扶　殷門　浮郄　委陽　委中　合陽　承筋　承山
飛陽　附陽　崑崙　僕參　申脈　金門　京骨　束骨　通谷　至陰

◉足太陽經穴歌

足太陽經六十七。。睛明目內紅肉藏。。攢竹眉冲與曲差。。五處上寸半承光。。
通天絡郄玉枕昂。。天柱後際大筋外。。大杼背部第二行。。風門肺俞厥陰四。。

心俞督俞膈俞强。。 肝膽脾胃俱挨次。。 三焦腎氣海大腸。。 關元小腸到膀胱。。
中膂白環仔細量。。 自從大杼至白環。。 各各節外寸半長。。 上髎次髎中腹下。。
一空二空腰踝當。。 會陽陰尾骨外取。。 附分俠脊第三行。。 魄戶膏肓與神堂。。
譩譆膈關魂門九。。 陽綱意舍仍胃倉。。 肓門志室胞肓續。。 二十椎下秩邊場。。
承扶臀橫紋中央。。 殷門浮郄到委陽。。 委中合陽承筋是。。 承山飛陽踝附陽。。
崑崙僕參連申脈。。 金門京骨束骨忙。。 通谷至陰小趾旁。。

◉攷正穴法

睛明（一名淚孔） 目內眥眼角內約一分鍼二分禁灸肉宛宛中手足太陽明陰蹻陽蹻五脉之會鍼三分主目遠視不明惡風淚出憎寒頭痛目眩內眥赤痛䀮䀮無見眥癢活膚白翳大眥攀睛努肉侵睛雀目瞳子生瘴小兒疳眼大人氣眼冷淚

按東垣曰刺太陽陽明出血則目愈明蓋此經多血少氣故目翳與赤痛從內眥起者刺睛明攢竹以宣泄太陽之熱然睛明刺一分半攢竹刺一寸三分爲適深淺之

宜今醫家刺攢竹卧自直抵睛明不補不瀉而又久留鍼非古人意也

攢竹（一名始光 一名員桂 一名光明） 兩眉頭陷中鍼一分禁灸肉宣泄熱氣三度刺目大明主目䀮䀮視物不明淚出目眩瞳子癢目瞢眼中赤痛及瞼瞤動不得卧頰痛面痛尸厥癲邪神狂鬼魅風眩嚏

眉冲 在眉頭直上一寸鍼二分禁灸肉主五癇頭痛鼻塞

曲差 在眉中間直上三寸五分橫過一寸五分針二分灸三壯主目不明鼽衄鼻塞鼻瘡心煩滿汗不出頭頂痛頂腫身體煩熱

五處 由眉中間直上五寸橫過一寸五分鍼二分灸三壯主脊强及折瘈瘲癲疾頭風熱目眩目不明目上戴不識人

承光 在眉中間直上六寸五分橫過五寸鍼二分灸三壯主風眩頭痛嘔吐心煩鼻塞不聞香臭口喎鼻多清涕目生白瞖

絡郄在眉中间直上一尺零五分(當督脈橫過一寸)

通天 在眉中間直上八寸橫過一寸五分鍼二分灸三壯主頸項轉側難癭氣鼻衄鼻窒鼻瘡鼻多清涕頭旋尸厥口喎喘息頭重暫起僵仆癭瘤

絡郄（一名強陽 一名腦蓋） 在眉中間直上一尺零五分鍼二分灸三壯主頭旋耳鳴狂走瘈瘲恍惚不樂腹脹靑盲內障目無所見

玉枕 在眉中間直上一尺二寸橫過一寸五分俠起肉枕骨上鍼二分灸三壯主目痛如脫不能遠視內連系急頭風痛不可忍鼻窒不聞

天柱 俠項後髮際大筋外廉陷中鍼三分灸三壯主足不任身體肩背痛欲折目瞑視頭旋腦痛頭風鼻塞不聞香臭腦重如脫項如拔項强不可回顧

大杼 項後第一椎下兩旁相去脊骨各開一寸五分陷中正坐取之督脈別絡手足太陰少陽之會進經曰骨會大杼疏曰骨病治此袁氏曰肩能負重以骨會大杼也鍼五分灸七壯主膝痛不可屈伸傷寒汗不出腰脊痛胸中鬱鬱熱甚不已頭風振寒項強不

可俛仰瘧痎頭旋咳嗽勞氣身熱目眩腹痛僵仆不能久立煩滿裏急身不安筋攣癲疾身踡急大東垣曰五臟氣亂在於頭取之天柱大杼不補不瀉以道氣而已

風門（一名熱府）

二椎下兩旁相去脊骨各開一寸五分正坐取之鍼四分灸五壯若瀉刺泄諸陽熱氣背永不發癰疽主發背癰疽身熱上氣喘氣欬逆胸背痛風勞嘔吐多嚏鼻鼽出清涕傷寒頭項强目眩胸中熱臥不安

肺兪

第三椎下兩旁相去脊骨各開一寸五分千金對乳引繩度之甄權鍼四分灸三壯刺中肺三日死其動爲欬主癭氣黃疸勞瘵口舌乾勞熱上氣腰脊强痛寒熱喘滿虛煩傳尸骨蒸肺痿咳嗽肉痛皮癢嘔吐支滿不嗜食狂走欲自殺背僂肺中風偃臥胸滿短氣瞀悶汗出百毒病食後吐水小兒龜背仲景曰太陽與少陽併病頭項强痛或眩冒時如結胸心下痞硬者當刺太陽肺俞肝俞

厥陰兪（一名厥兪）

四椎下兩旁相去脊骨各開一寸五分正坐取之鍼四分灸三壯主欬逆牙痛心痛胸滿嘔吐留結煩悶或曰臟腑皆有俞在背獨心包絡無俞何也曰厥

陰俞即心包絡俞也

心兪 五椎下兩旁相去脊骨各開一寸五分正坐取之鍼四分灸三壯資生云刺中心一日死其動爲噫豈可妄鍼千金言中風心急灸心兪百壯當權其緩急可也主偏風半身不遂心氣亂惚恍心中風偃臥不得傾側汗出唇赤狂走發癇語悲泣心胸悶亂欬吐血黃疸鼻衄目瞤目昏嘔吐不下食健忘小兒心氣不足數歲不語

督兪 六椎下去脊骨各開一寸五分正坐取之鍼三分灸三壯主寒熱心痛腹痛雷鳴氣逆

膈兪 七椎下兩旁相去脊骨各開一寸五分正坐取之鍼三分灸三壯難經曰血會膈會疏曰血病治此蓋上則心俞心生血下則肝兪肝藏血故病膈兪爲血會之足太陽多血血乃水之象也鍼四分灸三壯刺中鬲皆爲傷中其病難愈不過一歲必死主心痛周痺吐食翻胃骨蒸四足怠惰嗜臥痃癖欬逆嘔吐鬲胃寒痰食飲不下熱病汗不出身重常温不能食食則必痛身痛腫脹脇腹滿自汗盜汗

肝俞

九椎下兩旁相去脊骨各開一寸五分正坐取之經曰東風傷於春病在肝鍼四分灸三壯刺中肝五日死其動爲欠主多怒黃疸鼻痠熱病後目暗淚出目眩氣短欬血目上視逆咳口乾寒疝筋寒熱痙筋急相引轉筋入腹將死千金云欬引兩脇急痛不得息轉側難撅肋下與脊相引而反折目戴上目眩循眉頭驚狂衄起則目䀮䀮生白瞖欬引胸中痛寒疝小腹痛唾血短氣熱病差後食五辛目暗肝中風起坐不得低頭繞兩目連額上色微靑積聚痞痛

膽俞

十椎下兩旁相去脊骨各開一寸五分正坐取之鍼四分灸三壯刺中膽一日半死其動爲嘔主頭痛振寒汗不出腋下腫脹口苦舌乾咽痛乾嘔吐骨蒸勞熱食不下目黃

脾俞

十一椎下兩旁相去脊骨各開一寸五分正坐取之鍼四分灸三壯刺中脾十日死其動爲吞主腹脹引胸背痛多食身瘦痃癖積聚脇下滿泄利痰瘧寒熱水腫氣脹引脊痛黃疸善欠不嗜食

胃俞　十二椎下兩旁相去脊骨各開一寸五分正坐取之鍼三分灸三壯主霍亂胃寒腹脹而鳴翻胃嘔吐不嗜食多食羸瘦目不明腹痛胸脇支滿脊痛筋攣小兒羸瘦不生肌膚東垣曰中濕者治在胃俞

三焦俞　十三椎下兩旁相去脊各一寸五分正坐取之鍼四分灸三壯主臟腑積聚脹滿羸瘦不能飲食傷寒頭痛飲食吐逆肩背急腰脊强不得俛仰水穀不化泄注下利腹脹腸鳴目眩頭痛

腎俞　十四椎下兩旁相去脊骨各開一寸五分前與臍平正坐取之鍼四分灸三壯刺中腎六日死其動爲嚏主虚勞羸瘦耳聾腎虚水臟冷心腹䐜滿脹急兩脇滿脹引小腹急痛脹熱小便淋目視䀮䀮少氣溺血小便濁出精夢泄腎中風踞坐而腰痛消渴五勞七傷虚憊脚膝拘急腰寒如冰頭重身熱瓜果食多羸瘦面黃黑腸鳴膝中四肢淫濼洞泄食不化身腫如水女人積冷氣成勞乘經交接羸瘦寒熱往來

氣海俞　十五椎下兩旁相去脊骨各開一寸五分主腰痛痔漏針四分灸五壯

大腸俞　十六椎下兩傍相去脊各一寸五分伏而取之鍼四分灸三壯主脊强不得俛仰腰痛腹中氣脹繞臍切痛多食身瘦腸鳴大小便不利洞泄食不化小腹絞痛東垣云中燥治在大腸俞

關元俞　十七椎下兩旁相去脊骨各開一寸五分伏而取之主風勞腰痛泄痢虛脹小便難婦人瘕聚諸疾鍼四分灸三壯

小俞腸　十八椎下兩旁相去脊各開一寸五分伏而取之鍼四分灸三壯主膀胱三焦津液少大小腸寒熱小便赤不利淋瀝遺溺小腹脹㽲痛泄利膿血五色赤痢下重腫痛脚腫五痔頭痛虛乏消渴口乾不可忍婦人帶下（㽲音絞）

膀胱俞　十九椎下兩旁相去脊骨各開一寸五分伏而取之鍼四分灸三壯主風勞脊急强小便赤黃遺溺陰生瘡少氣脛寒拘急不得屈伸腹滿大便難泄利腹痛脚膝無力女子瘕聚

中膂俞（一名脊内俞）二十椎下兩旁相去脊骨各開一寸五分俠脊伸起肉伏而取之鍼四分灸三壯云腰痛俠脊裏痛上下按之應者從項至此穴痛皆宜灸主腎虛消渴腰脊强不得俛仰腸冷赤白痢腹痛汗不出腹脹脇痛

白環俞 二十一椎下兩旁相去脊骨各開一寸五分伏而取之一云挺伏地端身兩手相重支額縱息令皮膚俱緩乃取其穴針四分灸三壯主手足不仁腰脊痛疝痛大小便不利腰髖痛脚膝不遂温瘧腰脊冷疼不得久卧勞損虛風腰背不便筋攣臂縮虛熱閉塞

上髎 第一空各開五分在腰骨旁處使脊陷中足太陰少陽之絡針三分灸七壯主大小便不利嘔逆膝冷痛鼻衄寒熱瘧陰挺出婦人白瀝絶嗣大理趙卿患偏風不能起跪甄權針上髎環跳陽陵泉巨虛下廉即能起跪八髎總治腰痛

次髎 第二空各開針五分灸七壯主小便赤淋腰痛不得轉搖急引陰氣痛不可忍腰已

下至足不仁背腠寒小便赤心下堅脹疝氣下墜足軟氣痛腸鳴注瀉偏風婦人赤白帶下

中髎 三空俠脊陷中各開五分足厥陰少陽之會針三分灸三壯主大小便不利腹脹下利五勞七傷六極大便難小便淋瀝飧泄婦人絕子帶下月事不調

下髎 四空俠脊陷中各開五分鍼五分灸三壯主大小便不利腸鳴注瀉寒濕內傷大便下血腰不得轉痛引卵女子下蒼汁不禁中痛引小便急痛

會陽（一名利機） 陰骨尻骨兩旁鍼三分灸五壯主腹寒熱氣冷氣泄瀉腸澼下血陽氣虛乏陰汗濕久痔

附分 二椎下項附內廉兩旁相去脊骨各開三寸五分正坐取之手足太陽之會鍼四分灸五壯主肘不仁肩背拘急風冷客於腠理頸痛不得回顧

魄戶 直附分下三椎下兩旁相去脊骨各開三寸五分正坐取之針四分灸五壯主肩膊

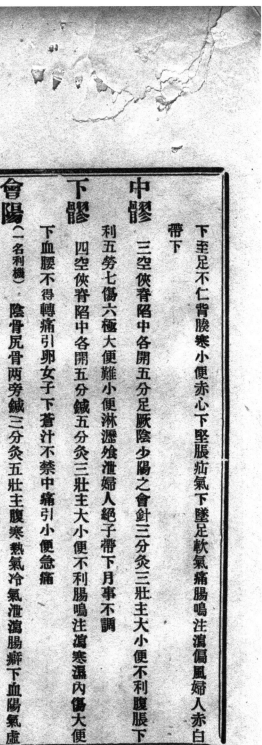

痛虛勞肺痿三尸走疰項强急不得回顧喘息欬逆嘔吐煩滿

膏肓

四椎下兩旁相去脊骨各開三寸五分鍼四分灸三壯正坐取之正坐取脊兩手以臂着膝前令端直手大指與膝頭齊以物支肘毋令搖動取之如病人已困不能正坐當令側臥挽上臂令取穴灸之又當灸臍下氣海丹田關元中極四穴中取一穴又灸足三里以引火氣實下主無所不療羸瘦虛損傳尸骨蒸夢中失精上氣欬逆發狂健忘痰病

神堂

五椎下兩旁相去脊骨各開三寸五分陷中正坐取之鍼四分灸五壯主腰背脊強急不可俛仰洒淅寒熱胸滿氣逆上攻時噎

譩譆

肩膊內廉俠六椎下兩旁相去脊骨各開三寸五分正坐取之以手重按病人言譩譆譩譆應手針四分灸七壯主大風汗不出勞損不得臥溫瘧寒瘧胸悶氣滿腹脹氣眩胸中痛引腰背腋拘脇痛目眩目痛鼻衄喘逆臂膊內廉痛不得俛仰小兒食時頭痛五心熱

鬲關 七椎下兩脊相去旁骨各開三寸五分陷中正坐闊肩取之鍼四分灸三壯主背痛惡寒脊强俛仰難食飲不下嘔噦多涎唾胸中噎悶大便不節小便黃

魂門 九椎下兩旁相去脊骨各開三寸五分陷中正坐取之鍼四分灸三壯主尸厥走疰胸背連心痛食飲不下腹中雷鳴大便不節小便黃

陽綱 十椎下兩旁相去脊骨各開三寸五分正坐闊肩取之針四分灸三壯主腸鳴腹痛飲食不下小便赤澁腹脹身熱大便不節泄痢赤黃不嗜食怠惰

意舍 十一椎下兩旁相去脊骨各開三寸五分正坐取之鍼四分灸五壯主腹滿虛脹大便滑泄小便赤黃背痛惡風寒食飲不下嘔吐消渴身熱目黃

胃倉 十二椎下兩旁相去脊骨各開三寸五分正坐取之鍼四分灸五壯主腹滿虛脹水腫食飲不下惡寒背脊痛不得俛仰

肓門 十三椎下兩旁相去脊骨各開三寸五分陷中正坐取之鍼四分灸五壯主心下痛

大便難婦人乳疾

志室 十四椎下兩旁相去脊骨各開三寸五分陷中正坐取之針四分灸三壯主陰腫陰痛背痛腰脊強直俛仰不得飲食不消腹強直夢遺失精淋瀝吐逆兩脇急痛霍亂

胞肓 十九椎下兩旁相去脊骨各開三寸五分陷中伏而取之針四分灸五壯主腰脊急痛食不消腹堅急腸鳴淋瀝不得大小便癃閉下腫

秩邊 二十椎下兩旁相去脊骨各開三寸五分陷中伏而取之針四分灸三壯主五痔發腫小便赤腰痛

承扶（一名由郄 一名陰關 一名皮部） 尻臀下陰股上紋中鍼四分灸三壯主腰脊相引如解久痔尻臀腫大便難陰胞有寒小便不利

殷門 在承扶下三寸鍼七分灸三壯主腰脊不可俛仰舉重惡血泄注外股腫

浮郄 在承扶下五分寸鍼五分灸三壯主霍亂轉筋小腸熱大腸結脛外筋急髀樞不仁小

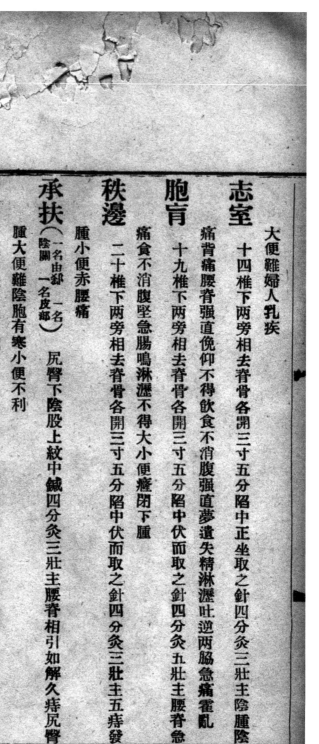

便熱大便堅

委陽　在承扶下六寸穴在足太陽之前少陽之後出於膕中外廉兩筋間三焦下輔俞足太陽之别絡針五分灸三壯主腋下腫痛胸滿膨膨筋急身熱飛尸循疰痿厥不仁小便淋瀝

委中（一名血郄）　膕中央約紋動脈陷中令人面挺伏地臥取之足太陽膀胱脉所入鍼五分風濕脚病灸三壯禁灸肉主膝痛及拇指腰俠脊沉沉然遺溺腰重不能舉小腹堅滿體風痺髀樞痛可出血痼瘮皆愈傷寒四肢熱熱病汗不出取其經血立愈委中者血郄也大風髮眉墮落刺之出血

合陽　横紋下三寸針六分灸五壯主腰脊强引腹痛陰股熱胻痠腫步履難寒疝陰偏痛女子崩中帶下

承筋（一名腨腸　一名直腸）　由脚脖量上一尺六寸鍼六分灸三壯主腰背拘急大便秘腋腫痔瘡

脛髀不仁腿痿脚急跟痛腰痛鼻衄衂霍亂轉筋

承山（一名魚腹 一名肉桂 一名腸山） 在脚肚尾尖處兩筋間陷中取穴須用兩手高托按壁上兩足靜離地用足指大尖竪起上看足銳腨腸下分肉間鍼六分灸五壯主大便不通轉筋痔腫戰慄不能立脚氣腫脚脛痿脚跟痛筋急痛霍亂急食不通傷寒水結

飛陽（一名厥陽） 外踝骨上七寸足太陽脉絡別走少陰鍼四分灸三壯主痔腫痛體重起坐不能步履不收脚腨痠腫戰慄不能久立久坐足指不能屈伸目眩痛歷節風逆氣癲疾寒瘧實則鼽窒頭背痛瀉之虛則鼽衂補之

附陽 外踝上三寸太陽前少陽後筋骨之間陽蹻脉郄針五分灸三壯主霍亂轉筋腰痛不能久立坐不能起髀樞股胻痛痿厥風痺不仁頭重頗痛時有寒熱四肢不舉

崑崙 足外踝後五分跟骨上陷中細脉動應手足太陽膀胱所行鍼二分灸三壯妊婦刺之落胎主腰尻脚氣足腨腫不能履地鼽衂膕如結踝如裂頭痛肩背拘急欬喘滿腰

脊內引痛傴僂陰腫痛目眩痛如脫瘧多汗心痛與背相接婦人孕難胞衣不出小兒發癇瘈瘲

僕參（一名安邪） 足跟骨下陷中拱足取之陽蹻之本鍼二分灸三壯主足痿失履不收足跟痛不得履地霍亂轉筋吐逆尸厥癲狂言見鬼脚氣膝腫

申脉（即陽蹻） 外踝五分陷中容爪甲白肉際前後有筋上有踝骨下有軟骨其穴居中陽蹻脉所生鍼二分灸三壯主風眩腰脚痛䯒痠不能久立如在舟中勞極冷氣逆腰髖冷痺脚膝屈伸難婦人血氣痛潔古曰癇病晝發灸陽蹻

金門（一名梁關） 外踝上少陽邱墟後申脈前足太陽郄陽維別屬鍼二分灸三壯主霍亂轉筋尸厥癲癇暴疝膝䯒痠身戰不能久立小兒張口搖頭身反折炷如小麥大

京骨 足外側大骨下赤白肉際陷中按而得之小指本節後大骨名京骨其穴在骨下足太陽脉所過爲原膀胱虛實皆拔之鍼二分灸五壯主頭痛如破腰痛不可屈伸身後

赤痛目内眥赤爛白翳使内眥反白目眩發瘧寒熱喜驚不飲食筋攣足胻髀樞痛頸項强腰背不可俛仰傴僂鼻衄不止心痛目眩

束骨

足小指外側本節後赤白肉際陷中足太陽脉所注爲俞木膀胱實瀉之灸三壯鍼二分主腰脊痛如折髀不可曲膕如結腨如裂耳聾惡風寒頭顖項痛目眩身熱目黃淚出肌肉動項强不可回顧内眥赤爛腸澼泄痔瘧癲狂發背癰疽背生疔瘡

通谷

足小指外側本節前陷中足太陽脉所溜爲滎水鍼二分灸三壯主頭重目眩善驚引鼽衄項痛目䀮䀮留飲胸滿食不化失矢東垣曰胃氣不留五腸氣亂在於頭取天柱大杼不足深取通谷束骨

至陰

足小指外側去爪甲角一分度足太陽脉所出膀胱虛補之鍼一分灸三壯主目生瞖鼻塞頭重風寒從足小指起脾脉上下帶胸脇痛無常處轉筋寒瘧汗不出煩心足下熱小便不利失精目痛大眥痛根結篇云太陽根於至陰結於命門命門者目也

底陷動脉 酸軟痺癩 此八字是針科的秘語

（四）手太陽小腸經穴

少澤 前谷 後谿 腕骨 陽谷 養老 支正 少海 肩貞 臑俞 天宗 秉風
曲垣 肩外俞 肩中俞 天窓 天容 顴髎 聽宮

◉手太陽經穴歌

手太陽經十九穴。。少澤先於小指設。。前谷後谿腕骨間。。陽谷順同養老列。。
支正少海上肩貞。。臑俞天宗秉風合。。曲垣肩外復肩中。。天窓循次上天容。。
此經全屬小腸主。。還有顴髎入聽宮。。

◉考正穴法

少澤（一名小吉） 手小指端外側去爪甲角下一分陷中手太陽小腸灸三壯鍼一分主瘧寒熱汗不出喉痺舌强口乾心煩臂痛瘈瘲欬嗽口中涎唾頸項急不得回顧目生膚翳覆瞳子頭痛

前谷 手小指外側本節前陷中手太陽小腸脈所溜針一分灸三壯主熱病汗不出痎瘧癲疾耳鳴頸項腫喉痺頰腫引耳後鼻塞不利欬咳嗽吐衄臂痛不得舉婦人產無乳

後谿 手小指外側本節後陷中握拳取之手太陽小腸脈所注小腸虛補之鍼一分灸一壯主瘧寒熱目赤生翳鼻衄耳聾胸滿頸項強不得回顧癲疾臂肘急攣痂疥

腕骨 手外側腕前起骨下陷中手太陽小腸脈所過爲原小腸虛骨皆拔之鍼三分灸三壯主熱病汗不出脇下痛不得息頸項腫寒熱耳鳴目冷淚生翳狂惕偏枯肘不得伸屈瘟瘧頭痛煩悶驚風瘈瘲五指掣頭痛

陽谷 手外側腕中銳骨下陷中手太陽小腸脈所行灸三壯鍼三分主癲疾狂走熱痛汗不出脇痛頸頷腫寒熱耳聾耳鳴齒齲痛臂外側痛不舉吐舌頸妄言左右顧目眩小兒瘈瘲舌强不嗍乳

養老 手踝骨腕骨後一寸陷中手太陽郄針三分灸三壯主肩臂痠疼肩欲折臂如拔手

不能至上下目視不明

支正 腕後五寸手太陽絡脉別走少陰鍼三分灸三壯主風虛驚恐悲愁癲狂五勞四肢虛弱肘臂攣難伸屈手不握十指盡痛熱病先要頸痠喜渴强項疣目實則節弛肘廢瀉之虛則生疣小如指痂疥補之

小海 肘外大骨外去肘端五分陷中屈手向頭取之手太陽小腸脉所入小腸實瀉之鍼二分灸三壯主頸頷肩臑肘臂外後廉痛寒熱齒齦痛風痓頸項痛瘍腫振寒肘腋痛腫小腹痛癇發羊鳴戾頸瘈瘲狂走頷腫不可回顧肩似拔臑似折耳聾目黃頰腫

肩貞 曲胛下兩骨解間肩髃後陷中針五分灸三壯主傷寒寒熱耳鳴耳聾缺盆肩中熱痛風痺手足麻木不舉

臑俞 俠肩髎（手陽明穴）後大骨下髀上廉陷中舉臂取之手太陽陽維陽蹻三脉之會鍼六分灸三壯主臂痠無力肩痛引胛寒熱氣腫頸痛

天宗 秉風後大骨下陷中灸三壯針五分主肩臂痠疼肘外後廉痛頰頷腫

秉風 天髎外肩上小髃後舉臂有空手太陽陽明手足少陽四脉之會灸五壯鍼五分主肩痛不能舉

曲垣 肩中央曲胛陷中按之應手痛灸三壯鍼五分主肩髀熱痛氣注肩胛拘急痛悶

肩外俞 肩胛上廉去脊三寸陷中鍼五分灸三壯主肩胛痛周痺寒至肘

肩中俞 肩胛內廉去脊二寸陷中鍼五分灸三壯主咳嗽上氣唾血寒熱目視不明

天窻（一名窻籠） 頸大筋間前曲頰下扶突後動脉應手陷中灸三壯針三分主痔瘻頸痛肩痛引項不得回顧耳聾頰腫喉中痛暴瘖不能言齒噤中風

天容 耳下曲頰後鍼一分灸三壯主喉痺寒熱咽中如梗癭項頸癰不可回顧不能言胸痛滿不能息嘔逆吐沫齒噤耳聾耳鳴

刀傷指口止血
降香一斤 艾皮一両
製象皮一両
先研降香後放艾
片象皮再研
刀傷腫用此方洗之
薄荷三錢
澤蘭三錢
防風三錢
蘇葉三錢
生葱三仙
煲水洗之

顴髎 面鳩骨下廉銳骨端陷中手少陽太陽之會鍼二分主口喎面赤目黃眼瞤動不止頔腫齒痛

聽宮 一名多所聞 耳中珠子大如赤小豆手足少陽手太陽三脉之會鍼一分灸三壯主失音癲疾心腹滿聤耳耳聾如物塡塞無聞耳中嘈嘈憹憹蟬鳴

（五）足少陽膽經穴

瞳子髎 聽會 客主人 頷厭 懸顱 懸釐 曲鬢 率谷 天衝 浮白 竅陰
完骨 本神 陽白 頭臨泣 目窗 正營 承靈 腦空 風池 肩井 淵液 輒筋
日月 京門 帶脉 五樞 維道 居髎 環跳 風市 中瀆 陽關 陽陵泉 陽交
外邱 光明 陽輔 懸鐘 邱墟 脚臨泣 地五會 俠谿 竅陰

◉足少陰膽經穴歌

足少陽經瞳子髎。。四十四穴行迢迢。。聽會主人頷厭雅。。懸顱懸釐曲鬢翹。。

牽谷天衝浮白欬○○　竅陰完骨本神昭○○　陽白臨泣目窗開○○　正營承靈腦空搖○○
風池肩井淵液部○○　輒筋日月京門標○○　帶脈五樞維道續○○　居髎環跳風市招○○
中瀆陽關陽陵穴○○　陽交外邱光明宵○○　直從陽輔懸鐘去○○　猶帶邱墟臨泣溯○○
透過此間地五會○○　俠谿行盡竅陰條○○

◉考正穴法

瞳子髎（一名太陽 一名前關）　目外去眥五分手太陽手足少陽三脈之會灸三壯鍼三分主目痒翳膜白靑盲無見遠視䀮䀮赤痛淚出多眵　䁾內眥痒頭痛喉閉（䁾音滅）

聽會　耳微前陷中上關下一寸動脈宛宛中張口得之鍼三分灸五壯主耳鳴耳聾牙車臼脫相離三寸牙車急不得嚼物齒痛惡寒物狂走瘈瘲恍惚不樂中風口喎斜手足不隨

客主人（一名上關）　耳前骨上開口有空張口取之手足少陽陽明之會灸五壯鍼二分禁深刺深則交脉破爲內漏耳聾欠而不得故主唇吻强上口眼偏邪靑盲　瞇目䀮䀮惡風寒牙齒齲口噤嚼物鳴痛耳鳴耳聾瘈瘲沫出寒經引骨痛

頷厭 曲角下手足少陽陽明之會灸三壯針二分深刺令人耳聾主偏風頭痛頭風目痛驚癇手倦手腕痛耳鳴目無見外眥急好嚏頸痛歷節風汗出

懸顱 曲角下中手足少陽陽明之會灸三壯鍼二分刺深令人耳無所聞主頭痛牙齒痛面膚赤腫熱病煩滿汗不出頭偏痛引目外眥赤身熱鼻洞濁下不止傳爲鼽瞢瞑目

懸釐 曲角下廉手足少陽陽明之會鍼二分灸三壯主面皮赤腫頭偏痛煩心不欲食中焦客熱熱病汗不出目銳眥赤痛

曲鬢（一名曲髮） 在耳上髮際曲處陷中鼓頷有空足少陽太陽之會鍼二分灸三壯主頷頰腫引牙車不得開急痛口噤不能言頸項不得回顧腦兩角痛爲巔風引目眇

率谷 耳上五分入髮際寸半陷者宛宛中嚼而取之足少陽太陽之會鍼二分灸三壯主痰氣高痛腦兩角强痛頭重醉後酒風皮膚腫胃寒飲食煩滿嘔吐不止

天衝 耳後髮際二寸耳上五分足少陽太陽之會針三分灸三壯主癲疾風痓牙齦腫善

驚恐頭痛

浮白 耳後入髮際一寸足太陽少陽之會針三分灸三壯主足不能行耳聾耳鳴齒痛胸滿不得息胸痛頸項癭癰腫不能言肩臂不舉發寒熱喉痺欬逆痰沫耳鳴嘈嘈無所聞

竅陰（一名枕骨） 完骨上枕骨下動搖有空足太陽手足少陽之會針三分灸五壯主四肢轉筋目痛頭頸頷痛引耳嘈嘈耳鳴無所聞舌本出血骨爲癰疽發厲手足煩熱汗不出舌強脅痛欬逆喉痺口中惡苦之

完骨 耳後入髮際四分足少陽之陽之會針三分灸三壯主足痿失履不收牙車急頰腫頭面腫頸項痛頭風耳後痛煩心小便赤黃喉痺齒齲口眼喎斜癲疾

本神 直耳上入髮際四分足少陽陽維之會針二分灸七壯主驚癇吐涎沫頸項强急痛目眩胸相引不得轉側癲疾嘔吐涎沫偏風

陽白 眉心中央直上一寸手足陽明少陽陽維五脈之會鍼二分灸三壯主瞳子癢痛目

上視遠視䀮䀮昏夜無見目痛目眵背膝寒慄重衣不得溫

臨泣 眉心中央直上三寸陷中令患人正睛取穴足少陽太陽陽維之會鍼二分主目眩目生白翳目淚枕骨合顱痛惡寒鼻塞驚癇反視大風外眥目痛卒中風不調人

目窗 在眉心中央直上三寸五分足少陽陽維之會鍼二分灸五壯刺之令人目大明主目赤痛忽頭旋目䀮䀮遠視不明頭面浮腫頭痛寒熱汗不出惡寒

正營 在眉心中央直上五寸足少陽陽維之會鍼三分灸五壯主目眩瞑頭項偏痛牙齒痛唇吻急强齒齲痛

承靈 在眉心中央直上六寸五分足少陽陽維之會主腦風頭痛惡風寒鼽衄鼻窒喘息不利灸三壯禁鍼

腦空（一名顳顬） 承靈後一寸五分俠玉枕骨下陷中足少陽陽維之會鍼三分得氣卽瀉灸三壯主勞疾羸瘦體熱頸項强不得回顧頭重痛不可忍目瞑心悸發卽爲癲風引目

瞑鼻痛魏武帝患頭風發即心亂目眩華陀鍼腦空立愈

風池 耳後髮際處陷中按之引於耳中手足少陽陽維之會鍼二分灸三壯患大風者先補後瀉少可患者以經取之主洒淅寒熱傷寒温病汗不出目眩若偏正頭痛痎瘧頸項如拔痛不得回顧目淚出欠氣多鼻鼽衄目中皆赤痛氣發耳塞目不明腰背俱疼腰傴僂引筋無力不收大風中風氣塞涎上不語昏危瘈

肩井（一名膊井） 肩上陷中缺盆上大骨前一寸半陷中手足少陽足陽明陽維之會五臟鍼三分灸五壯先補後瀉主中風氣塞涎上不語氣逆婦人難產墮胎後之足厥逆鍼肩井立愈頭項痛五勞七傷臂痛兩手不得向頭若鍼深悶倒急補足三里

淵液（一名泉液） 腋下三寸宛宛中舉臂得之禁灸鍼三分主寒熱馬刀瘍胸滿無力臂不舉不宜灸灸之令人生腫蝕馬瘍內潰者死寒熱者生

輒筋（一名神光 一名膽募） 在腋下四寸五分由乳旁橫外量開一寸五分屈上足取之膽之募足

太陽少陽之會灸三壯鍼三分主胸中暴滿不得臥太息善悲小腹熱欲走多唾言語不正四肢不收嘔吐宿汁吞酸

日月 在乳咀横外一寸五分量下一寸五分足太陰少陽陽維之會鍼三分灸五壯主太息善悲小腹熱欲走多唾言語不正四肢不收

京門（一名氣俞 一名氣府） 監骨下腰中季肋本俠脊腎之募灸三壯鍼三分主腸鳴小腸痛肩背寒痓肩痺內廉痛腰痛不得俛仰久立寒熱腹脹引背不得息水道不利溺黃小腹急腫腸鳴洞泄髀樞引痛

帶脉 季肋下一寸五分陷中臍上二分兩旁各七寸半足少陽帶脉二脉之會針三分灸五壯主腰腹縱溶溶如囊水之狀婦人小腹痛裏急後重瘈瘲月事不調赤白帶下

五樞 在監骨四寸五分足少陽帶脉之會鍼三分灸五壯主痃癖大腸膀胱腎餘男子寒疝陰卵上入小腹痛婦人赤白帶下裏急瘈瘲

維道 章門下五寸五分下側外足少陽帶脉之會鍼四分灸三壯主嘔逆不止水腫三焦

不調不嗜食

居髎 章門下八寸五分（章門穴在臍上二寸橫量過六寸此穴即在）坐而取之近髀骨陷紋中足少陽陽蹻之會針五分灸三壯主腰引小腹痛肩引胸臂攣急手臂不得舉以至肩

環跳 髀樞中側臥伸下足屈上足以右手摸穴左搖撼取之足少陽太陽之會灸五壯鍼六分指微云已刺不可搖恐傷針主冷風濕痛不仁風疹遍身半身不遂腰胯痛蹇膝不得轉側伸縮仁壽宮患脚氣偏風甄權奉勅鍼環跳陽陵泉陽輔巨虛下廉而能起行環跳穴痛恐生附骨疽

風市 膝上外廉兩筋中以手着腿中指盡處是鍼六分灸五壯主中風腿膝無力脚氣渾身搔痒痲痺厲風症

中瀆 髀外膝上五寸分肉間陷中足少陽絡別走二陰灸五壯鍼五分主風氣客於分肉間攻痛上下筋痹不仁

陽關（一名陽陵） 陽陵泉上三寸犢鼻外陷中鍼五分灸三壯禁灸肉主風痺不仁膝痛不可屈伸

陽陵泉 膝下一寸胻外廉陷中蹲坐取之足少陽所入爲合土難經曰筋會陽陵泉疏曰筋病治此鍼六分灸三壯主膝伸不得屈髀樞膝骨冷痺脚氣膝股內外廉不仁偏風半身不遂脚冷無血色苦嗌中介然頭面腫足筋攣

陽交（一名別陽 一名足髎） 足外踝上七寸斜屬三陽分肉之間陽維之郄鍼六分灸三壯主胸滿腫膝痛足不收寒厥驚狂喉痺面腫寒痺膝胻不收

外邱 外踝上七寸少陽所生針五分灸三壯主胸脹滿膚痛痿痺頸項痛惡風寒猘犬傷毒不出發寒熱速以三姓人可灸所嚙處及足少陽絡癲疾小兒龜胸

光明 外踝上五寸足少陽之絡別走厥陰鍼六分灸五壯主淫濼脛痠胻疼不能久立熱病汗不出卒狂與陽輔療法同虛則痿躄坐不能起補之實則足胻熱膝痛身體不仁善

嚙頰瀉之

陽輔（一名分肉）　足外踝上四寸輔骨前絕足少陽所行爲經火膽實瀉之鍼四分灸三壯主腰溶溶如坐水中膝下浮腫筋攣百節痠疼實無所知諸節盡痛痛無常處腋下腫痿喉痺馬刀挾癭膝胻痠風痺不仁厥逆口苦太息心脇痛面塵頭角頷痛目銳眥痛缺盆中腫痛汗出振寒瘧胸中脇肋髀膝外至絕骨外踝前痛善潔面靑

懸鐘（一名絕骨）　足外踝上三寸動脉中尋摸尖骨者是足三陽之大絡按之陽明脉絕乃取之難經曰髓會絕骨疏曰髓病治此袁氏曰足能挺步以髓會絕骨也針六分灸五壯指微云主腹脹滿胃中熱不嗜食脚氣膝胻痛筋骨攣痛足不收逆氣虛勞寒損憂恚心中欬痛泄注喉痺頸項强腸痔瘀血陰急鼻衄腦疽大小便澁鼻中乾煩滿狂易中風手足不隨

邱墟　足外踝下由外尾脚指罅量上五寸五分又俠谿穴中量上外踝骨前足少陽所過爲原膽虛實皆拔之灸三壯鍼三分主胸脇滿痛不得息久瘧振寒腋下腫痿厥坐不能

起髀樞中痛目生翳膜腿胻痠轉筋卒疝婦腹堅寒熱頸腫腰胯痛太息

脚臨泣　足小指次指由外尾脚指罅量上二寸五分陷中去俠谿一寸五分足少陽所注鍼二分灸三壯主胸中滿缺盆中及腋下馬刀瘍瘻善齒頰天牖中腫淫濼胻痠目眩枕骨合顱痛洒淅振寒心痛周髀痛無常處厥逆氣喘不能行痎瘧日發婦人月事不調季脇支滿乳癰

地五會　足小指次指本節後陷中去俠谿一寸針一分禁灸肉主腋痛內損唾血足外無膏澤乳癰

俠谿　足小指次指歧骨間本節前陷中足少陽所溜針二分灸三壯主胸脇支滿寒熱傷寒病汗不出外背赤目眩頰頷腫耳聾胸中痛不可轉側痛無常處

竅陰　足少指次指外側去爪甲角如韭葉足少陽所出針一分灸三壯主胸脇欬逆不得息手足煩熱汗不出轉筋癰疽頭痛心煩喉痺舌强口乾肘不可舉卒聾魘夢目痛小背痛

（六）手少陽三焦經穴

關衝　液門　中渚　陽池　外關　支溝　會宗　三陽絡　四瀆　天井　清冷淵　消濼　臑會　肩髎　天髎　天牖　翳風　瘈脉　顱息　角孫　絲竹空　和髎　耳門

◉手少陽經穴歌

手少陽三焦所從。三十三穴起關衝。液門中渚陽池認。外關支溝及會宗。三陽絡分通四瀆。天井到清冷淵中。消濼臑會肩髎共。天髎天牖經翳風。瘈脉顱息角孫入。絲竹空和髎耳門。

◉考正穴法

關衝　手小指次指外側去爪甲角如韭葉手少陽三焦脉所出爲井金鍼一分灸一壯主喉痺侯閉舌捲口乾頭痛霍亂胸中氣噎不嗜食臂肘痛不可舉目生翳膜視物不明

液門　小指次指歧骨間陷中握拳取之手少陽三焦脉針二分灸三壯主驚悸妄言咽外腫寒厥手臂痛不能自上下痎瘧寒熱目赤澁頭痛暴得耳聾齒齦痛

中渚 手小指次指本節後陷中 在液門下一寸手少陽三焦脉所注爲俞木三焦虛補之針二分灸三壯主熱病汗不出目眩頭痛耳聾目生翳膜久瘧咽腫肘臂痛手五指不能屈伸

陽池一名別陽 手背輭骨腕陷中從指本節直摸下至腕中心手太陽三焦脉所過爲原三焦虛實皆拔之針二分灸三壯禁灸肉指微賦云針透抵大陵穴可不破皮不可搖手恐傷鍼轉曲主消渴口乾煩悶寒熱瘧或因折傷手腕提物不得肩臂痛不得舉

外關 腕後二寸外兩骨間與內關相對手少陽脉別走手心主鍼三分灸三壯主耳聾渾渾焞焞無聞五指盡痛不能握物實則肘攣瀉之虛則不收補之又治手臂不得屈伸

支溝一名飛虎 腕後臂外三寸兩骨間陷中手少陽脉所行爲經火針三分灸五壯主熱病汗不出肩臂痠重脇腋痛四肢不舉霍亂嘔吐噤不開暴瘖不能言心悶不已卒心痛鬼擊傷寒結胸瘑瘡疥癬婦人妊脉不通產後血暈不省人事

會宗 腕後外三寸五分灸五壯鍼四分主五癎肌膚耳聾

三陽絡一名通門　腕後四寸灸五壯針五分禁灸肉主暴瘖瘂耳聾嗜臥四肢不欲搖動

四瀆　在肘前五寸外廉陷中灸三壯鍼六分主暴氣耳聾下齒齲痛

天井　肘外大骨後肘上一寸輔骨上兩筋叉骨罅中屈肘拱胸取之甄權云曲肘後一寸叉手按膝頭取之手少陽三焦脉所入三焦實瀉之灸三壯鍼三分主心胸痛欬嗽上氣短氣不得語唾膿不嗜食寒熱不得臥驚悸瘈瘲癲疾五癎風痺耳聾嗌腫喉痺汗出目銳眥痛頰腫痛耳後臑臂肘痛提物不得嗜臥撲傷腰髖痛振寒頸項痛大風默默不知所痛悲傷不樂脚氣上攻

清冷淵　肘上二寸伸肘舉臂取之鍼三分灸三壯主肩臂痛臂臑不能舉不能帶衣

消濼　肩下臂外間腋斜肘分下鍼三分灸三壯主風痺頸項强急腫痛寒熱頭痛癲疾

臑會一名臑交　肩前廉去肩頭三寸宛宛中手少陽維陽之會鍼五分灸五壯主臂痛痠無力痛不舉寒熱肩腫引胛中痛項癭氣瘤

肩髎 肩端臑上陷中斜舉臂取之鍼三分灸三壯主臂痛肩重不能舉

天髎 肩缺盆中上膊骨際陷中央須缺盆陷中處上有空起肉上是穴手足少陽陽維之會針三分灸三壯當缺盆陷上突起肉上針之若誤鍼陷處傷人五臟氣令人卒死主胸中煩悶肩臂痠疼缺盆中痛汗不出胸中煩滿頸項急寒熱

天牖 頸大筋缺外盆上天容後天柱前完骨下髮際上鍼三分不宜補不宜灸灸即令人面腫眼合先取譩譆後取天容地池即差若不鍼譩譆即難療鍼五分主暴聾氣目不明耳不聰夜夢顛倒面靑黃無顏色頭風面腫項强不得回顧目中痛

翳風 耳後肩用陷中按之引耳中痛針經令病者開口尋取穴中手足少陽之會針三分灸三壯主耳鳴耳聾口眼喎斜脫頷頰腫口噤不開不能言口吃牙車急小兒喜欠

瘈脉 一名資脉 耳本後雞足靑絡脉刺出血如豆汁不宜多出鍼一分灸三壯主頭風耳鳴小兒驚癇瘈瘲嘔吐泄利無時驚恐眵瞢目睛不明

顱息 耳後間青絡脉中鍼一分灸三壯不得多出血出多血殺人主耳鳴痛喘息小兒嘔吐涎沫瘈瘲發癇胸脇相引身熱頭痛不得臥耳腫及膿汁

角孫 耳廓中間開口有空手太陽手足少陽之會灸三壯鍼二分主目生翳膚齒齦腫唇吻强齒牙不能嚼物齲齒頭項强

絲竹空一名目髎 外眉尾動脉陷中手足少陽脉氣所發鍼三分禁灸灸之不幸使人目小及盲鍼三分宜瀉不宜補主目眩頭痛目赤視物䀮䀮不明惡風寒風癇目戴上不識人眼睫毛倒發狂吐涎沫發卽無時偏正頭痛

和髎 耳前後發下橫動脉中是穴手足少陽手太陽三脉之會鍼三分灸三壯主頭重痛牙車引急頸頷腫耳中嘈嘈鼻涕面風寒鼻準上腫癰痛招搖視瞻瘈瘲口噼

耳門 耳前起肉當耳缺者陷中鍼三分灸三壯禁灸肉病宜灸者不過三壯主耳鳴如蟬聲停耳濃汁出耳生瘡重聽無所聞齒齲唇吻强

（七）足陽明胃經穴

頭維　下關　頰車　頭承泣　四白　巨髎　地倉　大迎　人迎　水突　氣舍　缺盆
氣戶　庫房　屋翳　膺窗　乳中　乳根　不容　承滿　梁門　關門　太乙　滑肉門
天樞　外陵　大巨　水道　歸來　氣衝　髀關　伏兎　陰市　梁丘　犢鼻　三里
上廉虛　條口　下廉虛　豐隆　解谿　衝陽　陷谷　內庭　厲兌

◉足陽明胃經歌

四十五穴足陽明。。頭維下關頰車停。。承泣四白巨髎經。。地倉大迎對人迎。。水突氣舍連缺盆。。氣戶庫房屋翳屯。。膺窗乳中延乳根。。不容承滿梁門起。。關門太乙滑肉門。。天樞外陵大巨存。。水道歸來氣衝次。。髀關伏兎走陰市。。梁丘犢鼻足三里。。上廉虛連條口位。。下廉虛跳上豐隆。。解谿衝陽陷谷中。。內庭厲兌經穴終。。

◉考正穴法

頭維　在兩眉心直上三寸五分橫過四寸五分足陽明少陽二脉之會鍼二分灸三壯主

頭痛如破日痛如脱目瞤目風淚出偏風視物不明

下關 客主人下耳前動脉下廉合口有空開口則閉側卧閉口取之足陽明少陽之會鍼三分灸三壯禁灸肉主聤耳有膿汁出偏風口目喎牙車脱白牙齦腫處張口以三稜鍼出膿血多含鹽湯即不畏風

頰車（一名機關 一名曲牙） 耳下一寸曲頰端近前陷中側卧開口有空取之鍼三分灸三壯主中風牙關不開口噤不開失音牙車疼痛頷頰腫牙不可嚼物頸强不得回顧口眼喎

頭承泣 眼邊下五分足陽明陽蹻脉任脉之會灸三壯鍼三分不宜灸肉灸後令人目下大如拳息肉日加如桃至三十日定不見物

東垣曰：魏邦彥夫人目翳綠色從下侵上者自陽明來也主目冷淚出上觀瞳子癢遠視䀮䀮昏夜無聞目瞤動與項口相引口眼喎斜口不能言面葉葉牽動眼赤痛耳鳴耳聾

（瞤音純）

四白 目下一寸直瞳子令病人正視取之鍼二分灸三壯凡用鍼穩當方可下鍼刺太深

令人目烏色主頭痛目眩目赤痛僻淚不明目痒目膚翳口眼喎僻不能言

巨髎 俠鼻孔旁一寸平水溝手足陽明陽蹻脉之會鍼三分灸四壯主瘈瘲唇頰腫痛口喎噼目障無見青盲無見遠視䀮䀮淫膚白膜翳覆瞳子面風鼻䪼腫癰痛招搖視瞻脚氣膝腫（瘈音記）（䪼音拙）

地倉 俠口吻旁在口角五分外如近下右脉微動手足陽明陽蹻脉之會鍼三分灸七壯主偏風口喎目不得閉脚腫失音不語飲水不收水漿漏落瞤動不止瞳子痒遠視䀮䀮昏夜無見病左治右病右治左宜頻針灸以取盡風氣口眼喎斜者以正爲度

大迎 曲頷前一寸五分骨陷中動脉又以口下當兩肩是穴鍼三分灸三壯主風痙口噤不開唇吻瞤動頰腫牙疼寒熱頸痛瘰癧口喎齒齲痛數欠氣惡寒舌强不能言風壅面浮腫目痛不得閉

人迎 一名五會 頸大脉動應手俠結喉兩旁一寸五分仰而取之以候五臟氣足陽明少陽之會滑氏曰古以俠喉兩旁爲氣口人迎至晋王叔和直以左右手寸口爲人迎氣口針三分灸

治黃眼藥水川連一兩用氣水五十兩浸數日出味後加下藥再浸約十餘天代藥澈停清即可用眼科浸眼
硼酸粉三分膽凡一分冰片不其末同浸十餘天可用七月七水浸

三壯刺過深殺人主吐逆霍亂胸中滿喘呼不得息咽喉癰腫瘰癧

水突（一名水門） 頸大筋前直下傍人迎下氣舍上鍼三分灸三壯主欬逆上氣咽喉癰腫呼吸短氣喘息不得臥

氣舍 頸直人迎下俠天突傍陷中灸三壯鍼三分主欬逆上氣頸項强不得回顧喉痺哽咽噎腫不消癭瘤

缺盆（一名天蓋） 肩下橫骨陷中灸三壯針三分不宜太深深則使人逆息刺穴中內陷氣泄令人喘欬主息奔胸滿喘急水腫瘰癧喉痺汗出寒熱缺盆中腫外潰則生胸中熱滿傷寒胸熱不已

氣戶 在天突下一寸橫過四寸陷中仰而取之鍼三分灸五壯主欬逆上氣胸背痛欬不得息不知味胸脇支滿喘急

庫房 在天突下二寸去任脉四寸陷中灸五壯鍼三分主胸脇滿欬逆上氣呼吸不至息吐膿血濁沫

屋翳 在天突下三寸橫過四寸仰而取之灸五壯針三分主欬逆上氣唾血多濁沫膿血痰飲身體腫皮膚痛不可近衣淫濼瘈瘲不仁

膺窗 在天突下五寸五分陷中去任脉各開四寸鍼四分灸五壯主胸滿短氣唇腫腸鳴注泄乳癰寒熱臥不安

乳中 當乳中是微刺二分禁灸肉灸則生蝕瘡瘡中有膿血清汁可治瘡中有息肉若蝕瘡者死刺乳上中乳房爲腫根蝕丹溪曰乳房陽明胃所經乳頭厥陰肝所屬乳子之母不知調養忿怒所逆鬱悶所遏厚味所釀以致厥陰之氣不行竅不得通汁不得出陽明之血沸騰熱甚化膿亦有所乳之子膈有滯痰口氣焮熱含乳而睡熱氣所吹遂生結核初起時便須忍痛揉令稍軟吮令汁透自可消散失此不治必成癰癤若加以艾火灸針兩三壯其效尤捷粗工便用針刀卒惹拙病若不得夫與舅姑憂怒鬱悶脾氣消沮肝氣橫逆遂成結核如棊子不痛不痒十數年後爲瘡陷名曰奶若以瘡形如嵌凹似巖穴也不可治矣若於始生之際能消息病根使心清神安然後醫治庶有可安之理

乳根 乳咀中下一寸五分陷中去任脉各開四寸仰而取之灸五壯鍼三分主胸下滿悶胸痛膈氣不下食噎病臂痛腫乳癰悽慘寒痛不可按抑欬逆霍亂轉筋四厥

不容 在乳咀量下三寸去任脉二寸各開三寸灸三壯針三分主腹滿痃癖吐血肩脇痛口乾心痛胸背相引痛喘欬不嗜食腹虛鳴嘔吐痰癖疝瘕

承滿 在乳咀量下四寸去任脉各開二寸鍼三分灸五壯主腸鳴腹脹上氣喘逆食飲不下肩息唾血

梁門 由乳咀量下五寸去任脉各開二寸鍼三分灸五壯主脇下積氣食飲不思大腸滑泄完穀不化

關門 由乳咀量六寸去任脉各開二寸鍼三分灸五壯主善滿積氣腸鳴卒痛泄利不欲食腹中氣走俠臍急痛身腫痰瘧振寒遺溺

太乙 由乳咀吡下七寸去任脉各開二寸灸五壯鍼三分主癲疾狂走心煩吐舌

滑肉門　由乳咀量下八寸去任脉各開二寸灸五壯鍼四分主癲狂嘔逆吐舌舌强

天樞（一名長谿 一名穀門）　由乳咀量下九寸去盲俞一寸俠臍中兩旁各開二寸陷中乃大腸之募鍼四分灸五壯主奔豚泄瀉脹疝赤白痢水利不止食不下水腫脹腹鳴上氣冲胸不能久立久積冷氣繞臍切痛時上冲心煩滿嘔吐霍亂冬月感寒泄利瘧寒熱狂言傷寒飲水過多腹脹氣喘婦人女子癥瘕血積成塊漏下赤白月事不時

外陵　由乳咀量下一尺去任脉各開二寸灸五壯針三分主腹痛心下如懸下引臍痛

大巨　由乳嘴量下一尺一寸去任脉各開二寸鍼三分灸五壯主小腹脹滿煩渴小便難㿗疝偏枯四肢不收驚悸不眠

水道　由乳嘴量下一尺四寸去任脉各開二寸灸五壯鍼三分主腰背强急膀胱有寒三焦結熱婦人小腹脹滿痛引陰中胞中瘕子門寒大小便不通

歸來　由乳嘴量下一尺六寸去任脉各開二寸灸五壯鍼四分主小腹奔豚卵上入腹引

莖中痛七疝婦人血臟積冷

氣衝（一名氣街） 由乳嘴下一尺七寸去任脉各開二寸動脉應手宛宛中衝脉所起灸三壯鍼三分主腹滿不得正臥㿉疝大腸中熱身熱腹痛大氣石水陰痿莖痛兩丸騫痛小腹奔豚腹有逆氣上攻心腹脹滿上搶心痛不得息腰痛不得俛仰淫濼傷寒胃中熱婦人無子小腸痛月水不利妊娠子上衝心生難胞衣不出

東垣曰：脾胃虛弱感溼成痿汗大泄妨食三里氣街以三稜鍼出血又曰：吐血多不愈以三稜針於氣街出血立愈

髀關 坐下近髀較骨有橫紋尾盡處鍼六分灸三壯主腰痛足麻木膝寒不仁痿痺股內筋絡急不屈伸小腹引喉痛

伏兎 膝上六寸起肉正跪坐而取之以左右各三指按捺上有肉起如兎之狀因以此名此事難知定癰疽死地分有九伏兎居一劉宗厚曰脉絡所會也主膝冷不得溫風勞痺逆狂邪手攣縮身癮疹腹脹少氣頭重脚氣婦人八部諸疾鍼五分灸三壯

陰市（一名陰鼎） 立正兩手放下脚上髀外側中指盡處是穴也先令病者坐之兩足平曲取之鍼三分灸三壯主腰脚如冷水膝寒痿痺不仁不屈伸卒寒疝力痿少氣小腹痛脹滿脚氣脚以下伏兎上寒消渴

梁丘 膝上二寸兩筋間灸三壯針五分主膝脚腰痛冷痺不仁跪難屈伸足寒大驚乳腫痛

犢鼻 須使病者坐之兩足平曲膝眼臏下胻骨上俠解大筋陷中形如牛鼻故名針五分灸三壯主膝中痛不仁難跪起脚氣膝臏腫潰者不可治不潰者可治若犢鼻堅硬勿便攻先洗熨微刺之愈

三里 膝眼下三寸胻骨外廉大筋內宛宛中兩筋內分間坐而使兩足曲平取之極重按之則跗上動脉止矣足陽明胃脉所入爲合土灸五壯鍼五分主胃中寒心腹脹滿腸鳴臟氣虛備眞氣不足腹痛食不下大便不通心悶不已卒心痛腹有逆氣上攻腰痛不得俛仰小腸氣水氣蠱毒鬼擊痃癖四肢滿膝胻痠痛目不明產婦血暈秦承祖云諸病皆治華陀云主五痨羸瘦七傷虛乏胸中瘀血乳癰千金翼云主腹中寒脹滿腸中雷鳴氣

上冲胸喘不能久立腹痛胸腹中瘀血小腸脹皮腫陰氣不足小腹堅傷寒熱不已熱病汗不出喜嘔口苦壯熱身反折口噤皷含腫痛不可囘顧口噼乳腫喉痺不能言胃氣不足久泄利食不化脇下支滿不能久立膝痿寒熱中消穀苦飢腹熱身煩狂言乳癰善噫惡聞食臭狂歌妄笑恐怒大罵霍亂遺尿失氣陽厥悽悽惡寒頭痃小便不利喜噦脚氣外臺秘要云人年卅以上若不灸三里令人氣上冲目東垣曰飲食失節及勞役形質陰火乘於坤土之中致穀氣榮氣淸氣胃氣元氣不得上升滋於六腑之陽氣是五陽之氣先絕於外外者天地下流入於坤土陰火之中皆由喜怒悲憂恐爲五賊所傷而後胃不行勞役飲食不節繼之則元氣乃傷當於三里穴中推而揚之以伸元氣又曰氣在於腸胃者取之足太陰陽明不下者取之三里又曰氣逆霍亂者取三里氣乃下止不下復治又曰胃腕當心痛上支兩脇腸噎不通飲食不下取三里以補之又曰六淫客邪及上熱下寒筋骨皮肉血脉之病錯取於胃之谷(三里穴)大危又曰有人年少氣弱常於三里氣海灸之節次約五壯至年老熱厥頭痛雖大寒猶喜風寒痛愈惡煖處及烟火皆灸之爲過也氣膨可用瀉鍼此三里穴能通臟腑但刺鍼先令病者坐之使其兩足曲平取之爲

要

上廉（一名巨虛） 三里下三寸兩筋骨罅中舉足取之灸三壯針五分主臟氣不足偏風脚氣腰腿手足不仁脚脛痠痛屈伸難不久立風水膝腫骨髓冷疼大腸冷食不化飧泄勞瘵夾臍腹兩脇痛腸中切痛雷鳴氣上衝胸喘息不能行不能久立傷寒胃中熱東垣曰脾胃虛弱濕痿汗泄妨食三里氣街出血不愈於上廉出血

條口 在足三里下五寸鍼五分灸三壯主足麻木風氣足下熱不能久立足寒膝痛脛寒濕痺脚痛胻腫轉筋足緩不收

下廉（一名巨虛） 在足三里下六寸兩筋骨罅中蹲地舉足取之針五分灸三壯主小腸氣不足面無顏色偏風腿痿足不履地熱風冷痺不遂風濕痺喉痺脚氣不足沉重唇乾涎出不覺不得汗出毛髮焦肉脫傷寒胃中熱不嗜食泄膿血胸脇小腹控睪而痛時窘之後當耳前熱若寒甚若獨肩上熱甚及小指次指間熱痛暴驚狂言語非常女子乳癰足跗不收跟痛

豐隆 在脚眼上八寸下胻外廉陷中足陽明絡別走太陰鍼五分灸三壯主厥逆大小便難怠惰腿膝痠屈伸難胸痛如刺腹若刀切痛風痰頭痛風逆四肢腫足青身寒濕喉痺不能言登高而歌棄衣而走見鬼好笑氣逆則喉痺卒瘖實則顚狂瀉之虚則足不收脛枯補之

解谿 由足大指次指外間指縛量上七寸五分宛宛陷中足陽明胃脉所行爲經火胃虚補之灸三壯鍼三分主風面浮腫顔黑厥氣上衝腹脹大便下重瘈驚膝股胻腫轉筋目眩頭痛癲疾煩心悲泣霍亂頭風面赤目赤眉攢疼不可忍

衝陽 由足大指次指外間指縛量上六寸骨間動脉足陽明胃脉所過爲原胃虚實皆拔之鍼三分灸三壯主偏風口眼喎跗腫齒齲發寒熱腹堅大不嗜食傷寒病振寒而欠久狂登高而歌棄衣而走足緩履不收身前痛

陷谷 由足大指次指脚縛量上四寸間後陷中足陽明胃脉所注爲俞木鍼三分灸三壯主面目浮腫及水病善噫腸鳴腹痛熱病無度汗不出振寒瘧疾東垣曰氣在於足取之

先去血脉後深取足陽明之滎俞內庭陷谷

內庭　由足大指次指外指罅量上二寸間陷中足陽明胃脉所溜灸三壯鍼三分主四肢厥逆腹脹滿數欠惡聞人聲振寒咽中引痛口喎上齒齲瘧不味食腦皮膚痛鼻衄不止傷寒手足逆冷汗不出赤白痛

厲兌　足大指次指之外側端去爪甲角如韭葉足陽明胃脉所出胃實瀉之鍼一分灸一壯主尸厥口噤氣絕狀如中惡心腹脹滿水腫熱病汗不出寒瘧不嗜食面腫足胻寒喉痺上齒齲惡寒鼻不利多驚好臥狂欲登高而歌棄衣而走黃疸鼽血口喎唇裂頸腫膝臏腫痛循胸乳氣膺伏兎胻外廉足跗上皆痛消穀善肌溺黃

（八）手陽明大腸經穴

商陽　二間　三間　合谷　陽谿　偏歷　溫瘤　下廉　上廉　三里　曲池　肘髎
五里　臂臑　肩髃　巨骨　天鼎　扶突　禾髎　迎香

◉手陽明大腸經穴歌

手陽明穴起商陽。。二間三間合谷藏。。陽谿偏歷過温瘤。。下廉上廉三里長。。
曲池肘髎近五里。。臂臑肩髃巨骨起。。天鼎扶突接禾髎。。終以迎香二十止。。

◉攷正穴法

商陽（一名絕絡）手大指次指內側去爪甲角如韭葉手陽明大腸脉所出灸三壯鍼一分主胸中氣滿喘欬支腫熱病汗不出耳鳴耳聾寒熱痎瘧口乾頤頷腫齒痛惡寒肩背急相引缺盆中痛目青盲灸三壯左取右右取左如食頃之已

二間（一名間谷）食指本節前內側陷中手陽明大腸脉所溜大腸實瀉之針一分灸三壯主喉痺頷腫肩背痛振寒鼻鼽衄血多驚齒痛目黃口乾口喎急食不通傷寒水結

三間（一名少谷）食指本節後內側陷中手陽明大腸脉所注針一分灸三壯主喉痺咽中如梗下齒齲痛嗜臥胸腹滿腸鳴洞泄寒熱瘧唇焦口乾氣喘目眥急痛吐舌戾頸喜驚多唾急食不通傷寒氣熱身寒結水東垣曰氣在於臂取之先去血脉後深取手陽明之滎俞二間三間

合谷（一名虎口） 手大指次指歧間骨陷中手陽明大腸所過爲原虛實皆拔之鍼三分灸三壯主傷寒大渴脉浮在表發熱惡寒頭痛脊强無汗寒熱瘧鼻衄不止熱病汗不出目視不明生白翳頭痛下齒齲耳聾喉痺面腫唇吻不收瘖不能言口噤不開偏風風軫痂疥偏正頭痛腰脊內引痛小兒單乳鵝按合谷婦人妊娠可瀉不可補補即墮胎詳見足太陰脾經三陰交下

陽谿（一名中魁） 腕中上側兩筋間陷中手陽明大腸脉所行爲經火鍼三分灸三壯主狂言喜笑見鬼熱病煩心目風赤爛有翳厥逆頭痛胸滿不得息寒熱瘧疾寒嗽嘔沫喉痺耳鳴耳聾驚掣肘臂不舉痂疥

偏歷 腕中後三寸手陽明脉別走太陰鍼三分灸三壯主肩膊肘腕痠痛眯目䀮䀮齒痛鼻衄寒熱瘧癲疾多言咽喉乾喉痺耳鳴風汗不出利小便實則齲聾瀉之虛則齒寒痺膈補之

溫溜（一名逆注 一名池頭） 腕後五寸鍼三分灸三壯主腸鳴腹痛傷寒噦逆噫鬲中氣閉寒熱頭

痛喜笑狂言見鬼吐涎沫風逆四肢腫吐舌口痛喉痺

下廉 在曲池側下四寸輔筋內分外鍼五分灸三壯主飧泄勞瘵少腹滿小便黃便血狂言偏風熱風冷痺不遂風濕痺小腸氣不足面無顏色痃癖腹痛若刀刺不可忍腹脇痛滿狂走俠臍痛食不化喘息不能行唇乾涎出乳癰

上廉 三里下一寸其分獨抵陽明之會外斜鍼五分灸五壯主小便難赤黃腸鳴胸痛偏風半身不遂骨髓冷手足不仁喘息大腸氣腦風頭痛

三里（一名手三里） 曲池側下二寸按之肉起銳肉之端灸三壯鍼四分主霍亂遺矢失音氣齒痛頰腫瘰癧手臂不仁肘攣不伸中風口噼手足不遂

曲池 肘外輔骨屈肘橫紋頭陷中以手拱胸取之手陽明大腸脉所入爲合土鍼五分得氣先瀉後補灸三壯主繞踝風手臂紅腫肘中痛偏風半身不遂惡風邪氣泣出喜忘風癮瘮喉痺不能言胸中煩滿臂膊疼痛筋緩提物不得挽弓不開屈伸難風痺肘細無力傷寒餘熱不盡皮膚乾燥瘈瘲癲疾舉體痛痒如虫嚙皮脫作瘡皮膚痂疥婦人經脉不

通

肘髎 大骨外廉陷中灸三壯鍼三分主風勞嗜臥肘節風痺臂痛不舉屈伸攣急麻木不仁

五里 肘上三寸行向裏大脉中央灸七壯鍼五分主風勞驚恐吐血欬嗽肘臂痛嗜臥四肢不得動心下脹滿上氣身黃時有微熱瘈瘲目視䀮䀮痎瘧

臂臑 肘上七寸䐃肉端肩髃下一寸兩肋兩骨罅陷宛宛中舉臂取之手陽明絡手足太陽陽維之會灸三壯鍼三分主寒熱臂痛不得舉瘰癧頸項拘急

肩髃（一名中肩井 一名偏肩） 膊骨頭肩端上兩骨罅間陷者宛宛中舉臂取之有空手陽明陽蹻之會灸七壯針六分以差爲度若灸偏風不宜多恐手臂細若風病筋骨無力久不差不畏細刺卽泄肩臂熱氣鍼八分瀉五吸灸不及鍼以平手取其穴灸七壯增至二七壯針一分灸五壯又云鍼六分主中風手足不隨偏風風痪風痿風病半身不遂熱風肩中熱頭不可回顧肩臂疼痛臂無力手不能回顧攣急風熱癮瘮顏色枯焦勞氣泄精傷寒熱

不已四肢熱諸癭氣嶔風痺不能挽弓鍼肩髃針進即可射(髃音魚)(瘓音湍)

巨骨 肩尖端上行兩叉骨罅間陷中手陽明陽蹻之會灸五壯鍼六分主驚癇破心吐血臂膊痛胸中有瘀血肩臂不得屈伸

天鼎 在喉結相平各開一寸五分灸三壯針三分主暴瘖氣硬喉痺嗌腫不得息飲食不下喉中鳴

扶突(一名水穴) 在頸喉結相平各開二寸五分曲頰下仰而取之灸三壯鍼三分咳嗽多唾上氣咽引喘息喉中如水鷄聲暴瘖氣哽(此穴有動脈)

禾髎(一名長顪) 鼻孔下俠水溝旁五分手陽明脈氣所發針一分灸鍼頭三壯主尸厥及口不可開鼻瘡息肉鼻塞不聞香臭鼽衄不正(顪音誨)(鼽音求)

迎香 鼻下孔旁五分此穴有動脈手足陽明之會鍼一分灸針頭三壯主鼻塞不聞香臭偏風口喎面痒浮腫風動葉落狀如虫行唇腫痛喘息不利鼻唱多涕鼽衄骨瘡鼻有息肉

（九）足太陰脾經穴

隱白　大都　大白　公孫　商邱　三陰交　漏谷　地機　陰陵泉　血海　箕門

衝門　府舍　腹結　大橫　腹哀　食竇　天谿　胸鄉　周榮　大包

◉足太陰脾經穴歌

足太陰脾起足拇。隱白先從內側拘。大都大白繼公孫。商邱直上三陰搗。

漏谷地機陰陵泉。血海箕門衝門覵。府舍腹結大橫間。腹哀食竇天谿府。

胸鄉周榮大包中。二十一穴太陰土。

◉攷正穴法

隱白　足大指端內側去爪甲角如韭葉脾脉所出爲井木鍼一分灸三壯主腹脹喘滿不得安臥嘔吐食不下胸中熱暴泄衂血尸厥不識人足寒不能温婦人月事過時不止小兒客忤慢驚風

大都 足大指本節後內側陷中骨縫赤白際肉脾脉所留爲榮火脾虛補之鍼二分灸三壯主熱病汗不出不得臥身重骨疼傷寒手足逆冷腹滿喜嘔煩熱悶亂吐逆目眩腰痛不可俛仰繞踝風胃心痛腹脹胸滿心蚘痛小兒客忤

大白 足大指內側內踝前核骨下陷中脾脉所注爲俞土鍼三分灸三壯主身熱煩滿腹脹食不化嘔吐泄瀉膿血腰痛大便難氣逆霍亂腹中切痛腸鳴膝股胻痠轉筋身重骨痛胃心痛腹脹胸滿心痛脉緩

公孫 足大指本節後一寸內踝前足太陰脉絡別走陽明胃經針三分灸三壯主寒瘧不嗜食癇氣好太息多寒熱汗出病至則喜嘔嘔已乃衰頭面腫起煩心狂言多飲胆虛厥氣上逆則霍亂實則腸中切痛瀉之虛則鼓脹補之

商邱 足內踝骨下微前陷中前有中封後有照海其穴居中脾脉所行爲經金脾實瀉之灸三壯鍼三分主腹脹腸中鳴不便脾虛令人不樂身寒善太息心悲骨痺氣逆痔疾骨疽蝕魘夢癎瘈寒熱好嘔陰股內痛氣癰狐疝走上下引小腹痛不可俛仰脾積痞氣黃

疸舌本強痛腹脹寒瘧溏瘕瀉泄水面黃善思善味食不消體重節痛怠惰嗜臥婦人絕子小兒慢風

三陰交

內踝上三寸骨內邊陷中足太陰少陰厥陰之會鍼四分灸三壯主脾胃虛弱心腹脹滿不思飲食脾痛身重四肢不舉腹脹腸鳴溏泄食不化痃癖腹寒膝內廉痛小便不利陰莖痛足痿不能行疝氣小便遺胆虛食後吐水夢遺失精霍亂手足逆冷呵欠頰車蹉開張口不合男子陰莖痛元臟發痛臍下痛不可忍小兒客忤婦人臨經行房羸瘦癥瘕漏血不止水月不止妊娠胎動橫生產後惡露不行去血過多血崩暈不省人事如經脈閉塞不通瀉之立通經脈虛耗不行者補之經脈益盛則通按宋太子出苑逢妊婦診曰女徐文伯曰一男一女太子性急欲視文伯瀉三陰交補合谷胎應鍼而下果如文伯之診後世遂以三陰交合谷爲妊婦禁針然文伯瀉三陰交補合谷而墮胎今獨不可補三陰交瀉合谷而安胎乎蓋三陰交腎肝脾三脈之交會主陰血血當補不當瀉合谷爲大腸之原大腸爲肺之腑主氣當補文伯瀉三陰交以補合谷補合谷是血衰氣旺也

今補三陰交瀉合谷是血旺氣衰矣故劉元賓之曰血衰氣旺定無妊血旺氣衰應有體

漏谷（一名太陰絡） 內踝上六寸胻骨邊陷中針四分灸三壯禁灸肉主腸鳴強欠心悲逆氣腹脹滿急痃癖冷氣食飲不爲肌膚膝髀足不能行

地機（一名脾舍） 膝下五寸膝內側輔骨下陷中伸足取之足太陰郄別走上一寸有空灸三壯鍼三分主腰痛不可俛仰溏泄腹脇痛水腫腹痛不嗜食小便不利精不足女子癥瘕按之如湯沃股內至膝

陰陵泉 膝下內側輔骨下陷中伸足取之或屈膝取之在膝橫紋頭下與陽陵泉穴相對足太陰脾脉所入爲合水鍼五分主腹中寒不嗜食脇下滿水脹腹堅喘逆不得臥腰痛不可俯仰霍亂疝瘕遺精尿失精不自知小便不利氣淋寒熱不節陰痛胸中熱暴泄飧泄

血海 膝頭上內廉白肉際一寸針五分灸三壯主氣逆腹脹女子漏下惡血月事不調束

垣曰女子漏下惡血月事不調暴淋不止多下水漿之物皆由飲食不節或勞傷形體或素有氣不足灸太陰脾經七壯

箕門（在）魚腹上越筋間陰股內動脈應手一云股上起筋間灸三壯主淋小便不通遺溺鼠鼷腫痛

衝門（一名上慈宮）在乳直下一尺一寸五分去任脉各開四寸五分動脉處鍼四分灸五壯主腹寒氣滿腹中積聚疼癃淫濼陰疝婦人難乳妊娠子衝心不得息

府舍 在乳直下一尺零五分去任脉各開四寸五分足太陰厥陰陰維之會三脉上下一入腹絡脾肝結心肺從脇上至肩此太陰郄三陰陽明之別灸五壯鍼四分主疝瘕痺中急痛循脇上下搶心腹滿積聚厥氣霍亂

腹結（一名腸屈）在乳直下八寸五分去任脉各開四寸五分足太陰陰維之會針四分灸五壯主大風逆氣多寒善悲四肢不可舉動多汗洞痢

大橫 在乳直下七寸針三分灸三壯足太陰陰維之會針三分灸五壯主逆氣多寒善悲四肢不能舉動

腹哀 在乳正直下二寸去任脉各開三寸五分足太陰陰維之會鍼三分主寒中食不化大便膿血腹中痛

食竇 兩手垂下在肩骨下一尺零五分去胸中各開六寸舉臂取之鍼四分灸五壯主胸脇支滿脇間雷鳴常有水聲脇痛

天谿 兩手垂下在肩骨下九寸五分陷中胸中行各開六寸仰而取之鍼四分灸五壯主胸中滿痛貫膺欬逆上氣喉中作聲婦人乳腫潰癰

胸鄉 兩手垂下在肩下八寸去胸中各開六寸仰而取之鍼四分灸五壯主胸脇支滿引胸背痛不得臥轉側難

周榮 兩手垂下肩骨下在直紋量六寸五分去胸中各開六寸仰而取之鍼四分灸三壯

主胸脇滿不得俛仰食不下喜飲欬唾噦膿欬逆多涎

大包 在液下六寸兩手垂下而量脾之大絡總統陰陽諸絡由脾灌漑五臟灸三壯鍼四分主胸脇中痛喘氣實則身盡痛瀉之虛則百節盡皆縱補之

（十）手太陰肺經穴

中府　雲門　天府　俠白　尺澤　孔最　列缺　經渠　太淵　魚際　少商

◉手太陰肺經穴歌

手太陰經十一穴。。中府雲門天府列。。俠白尺澤孔最存。。列缺經渠淵太涉。。
魚際直出大指端。。內側少商如韮葉。。

◉攷正穴法

中府（一名膺俞） 雲門在巨骨下三寸孔上三筋間動脈應手陷中去胸中行各開六寸肺

之募手足太陰二脉之會針三分灸五壯主腹脹四肢腫食不下喘氣胸滿肩背痛嘔惋欬逆上氣肺系急肺寒熱胸悚悚胆熱嘔逆欬唾濁涕風汗出皮痛面腫少氣不得臥傷寒胸中熱飛尸遁注癭瘤

雲門 巨骨下俠旁二寸陷中動脈應手舉臂取之去胸中行各開六寸鍼三分灸五壯主傷寒四肢熱不已欬逆喘不得息胸脇短氣氣上冲心胸中煩滿脇徹背痛喉痺肩痛臂不舉癭氣

天府 腋下三寸肘腕上五寸動脈中用鼻尖點墨到處是穴禁灸肉鍼四分灸三壯主暴痺口鼻衄血中風邪泣出喜忘飛尸惡疰鬼語喘息寒熱瘧目眩遠視䀮䀮癭氣（䀮音䀮）

俠白 天府下去肘五寸動脉中針三分灸五壯主心痛短氣乾嘔逆煩滿

尺澤 肘中約紋上動脉中屈肘横紋筋骨罅陷中手太陰肺脉所入爲合水肺實爲之鍼

三分灸五壯主肩臂痛汗出中風小便數善噦悲哭寒熱風痺臑肘攣手臂不舉喉痺上氣嘔吐口乾咳嗽唾濁痎瘧四肢腹腫心疼臂痛短氣肺膨脹心煩悶少氣勞熱喘滿腰脊强痛小兒慢驚風

孔最 去腕上七寸側取之灸五壯針三分主熱病汗不出咳逆肘臂厥痛屈伸難手不及頭指不握吐血失音咽腫頭痛

列缺 手太陰絡別走陽明去腕內側上一寸五分以兩手交叉食指盡處兩筋骨罅中鍼二分灸七壯主偏風口面喎斜手腕無力半身不遂掌中熱口噤不開寒熱瘧嘔沫咳嗽善笑縱唇口健忘溺血精出陰莖痛小便熱癇驚妄見面目四肢癰腫肩膊胸背寒慄少氣不足以息尸厥寒熱交兩手而瞀實則胸背熱汗出四肢暴腫虛則胸背寒慄少氣不足以息實則手銳掌熱瀉之虛則欠㰦則便遺數補之直行者謂之經旁行者謂之絡手太陰之支從腕後直出次指內廉出其端是列缺爲太陰別走陽明之路人或有寸關尺三部脉不見自列缺至陽谿脉見者俗謂之反關脉此經脉虛而絡脉滿千金翼謂陽脉

逆反大於寸口三倍惜叔和尙未之及而况高陽生哉（欬音去）

經渠 寸口動脉陷中側肺脉所行爲經金鍼二分灸三壯禁灸肉灸則傷神明主瘧寒熱胸背俱急胸滿膨脹痺掌中熱欬逆上氣傷寒熱病汗不出暴痺喘促心痛嘔吐

大淵（一名大泉） 掌後內側橫紋頭動脉中肺脉所注爲俞土肺虛補之難經曰脉會大淵脉病治此平旦寅時氣血從此始故曰寸口者脉之大要會手太陰之動脉也灸三壯鍼二分主胸痺逆氣善噦嘔飲水咳嗽煩悶不得眠肺膨脹臂內廉痛目生白翳眼痛赤乍寒乍熱缺盆中引痛掌中熱數欠肩背寒喘不得息噫氣上逆心痛脉濇咳血嘔血振寒咽乾狂言口噼溺色變卒遺失無度

魚際 大指本節後內側白肉際陷中又云散脉中肺脉所留爲滎火鍼二分灸三壯禁灸肉主酒病惡風寒虛熱舌上黃身熱頭痛欬嗽噦傷寒汗不出痺走胸背痛不得息目眩心煩少氣腹痛不下食肘攣肢滿喉中乾燥寒慄鼓頷欬引尻痛溺出嘔血心痺悲恐乳

繼東垣曰胃氣下流五腸氣亂皆在於肺者取之手太陰魚際足少陰俞

少商 大指內側去爪甲角一分肺脉所出爲井木鍼之微出血泄諸臟熱湊不宜灸主頷腫喉閉煩心善噦心下滿汗出而寒欬逆痎瘧振寒腹滿唾沫唇乾引飲食不下膨脹手攣指痛掌熱寒慄皷頷喉中鳴小兒乳鵝 唐刺史成君綽忽頷腫大如升喉中閉塞水粒不下三日甄權以鍼刺之微出血立愈瀉臟也灸三壯針一分

（十一）足少陰腎經穴

湧泉 然谷 大谿 大鍾 水泉 照海 復溜 交信 築賓 陰谷 橫骨 大赫
氣穴 四滿 中注 肓俞 商曲 石關 陰都 通谷 幽門 步廊 神封 靈墟
神藏 彧中 俞府

◎足少陰腎經穴歌

足少陰穴二十七。。湧泉然谷大谿迄。。大鍾水泉通照海。。復溜交信築賓實。。
陰谷橫骨也牽連。。大赫同聯氣穴溢。。四滿中注肓俞臍。。商曲石關陰都密。。

通谷幽門寸半開。。拆量腹上分十一。。步廊神封膺靈墟。。神藏或中府兪畢。。

◉攷正穴法

湧泉（一名地衝）　足心陷中屈足捲指宛宛中白肉際跪取之足少陰腎脉所出爲井木實則瀉之鍼三分無令出血灸三壯主尸厥面黑如炭色欬吐有血渴而喘坐欲起目䀮䀮無所見善恐惕惕如人將捕之舌乾咽腫上氣嗌乾煩心心痛黃疸腸澼股內後廉痛痿厥嗜臥善悲欠小腹急痛泄而下重足脛寒而逆腰痛大便難心中結熱風疹風癇心病飢不嗜食咳嗽身熱喉閉舌失音卒心痛喉痺胸脇滿悶頸痛目眩五指端盡痛足不踐地足不熱男子如蠱女子如娠婦人無子轉胞不得尿千金翼云主喜喘脊脇相引忽忽喜忘陰痺腹脹腰痛不欲食喘逆足下冷至膝咽中痛不可納食瘖不能言小便不利小腹痛風入腸中癲病俠臍痛鼻衄不止五疝熱病先腰痠喜渴數引飲身項痛而寒且痠足熱不欲言頭痛癲癲然少氣寒厥霍亂轉筋腎積賁豚漢濟北王阿母病患熱厥足熱淳于意刺足心立愈

然谷（一名龍淵） 足內踝前起大骨下陷中 一云內踝前在下一寸別於足太陰之郄足少陰腎脉所溜爲滎火鍼三分灸三壯不宜見血令人立飢欲食刺足下布絡中脉血不出爲腫主咽內腫不能內唾時不能出唾心恐懼如人將捕涎出喘呼少氣足胕腫不得履地寒疝小腹脹上搶胸脇欬唾血喉痺淋瀝白濁胻痠不能久立足一寒一熱舌縱煩滿消渴自汗盜汗出痿厥洞泄心痛如錐刺墜墮惡血留內腹中男子精泄婦人無子陰挺出月事不調陰癢初生小兒臍風口噤

太谿（一名呂細） 足內踝上相平後五分跟骨上動脉陷中男子婦人病有此脉則生無則死足少陰腎脉所注爲俞土鍼三分灸三壯主久瘧欬逆心痛如錐刺心脉沈手足寒至節喘息者死嘔吐痰實口中如膠善噫寒疝熱病汗不出默默嗜臥溺黃消痺大便難咽腫唾血痃癖寒熱咳嗽不嗜食腹脇痛瘦瘠傷寒手足厥冷東垣曰成痿者以導濕熱引胃氣出行陽道不令濕土尅腎水其穴在太谿流注賦云牙齒痛堪治

大鍾 足跟後踵中大骨上兩筋間足少陰絡走大腸灸三壯鍼二分主嘔吐胸脹喘息腹

滿便難腰脊痛少氣淋瀝洒淅腹脊强嗜臥口中熱多寒欲閉戶而處少氣不足舌乾咽中食噎不得下善驚恐不樂喉中鳴欬唾氣逆煩悶實則閉癃瀉之虛則腰痛補之

水泉 內踝下一寸少陰郄灸五壯針三分主目䀮䀮不能遠視女子月事不來來即心下多悶痛陰挺出小便淋瀝腹中痛

照海 足內踝下五分前後有筋上有踝骨下有軟骨其穴居中陰蹻脉所生鍼四分灸三壯主咽乾心悲不樂四肢懈惰久瘧卒疝嘔吐嗜臥大風默默不知所痛視如見星小腹痛婦女經逆四肢淫濼陰暴跳起或癢漉清汁小腹偏痛淋陰挺出月水不調潔古曰癇病夜發灸陰蹻照海穴也

復溜（一名昌陽 一名伏白） 足內踝上三寸筋骨陷中前傍骨是復溜後傍筋是交信二穴只隔一條筋足少陰腎脉所行爲經金腎虛補之鍼三分灸五壯主腸澼腰脊內引痛不得俛仰起坐目視䀮䀮善怒多言舌乾胃熱虫動涎出足痿不收履胻寒不自溫腹雷鳴腹脹如鼓四肢腫五種水病青赤黃白黑青取井赤取榮黃取俞白取經黑取合血痔泄後腫五

淋血淋小便如散火骨寒熱盜汗汗注不止齒齲脉微細不見或時無脉

交信 足內踝骨上二寸少陰前太陰後廉筋骨間陰蹻脉之郄針四分灸三壯主氣淋㿗疝陰急陰汗瀉痢赤白氣熱癃股樞內痛大小便難淋女子漏血不止陰挺出月水不來小腹偏痛四肢淫濼盜汗出

築賓 內踝上與脚肚尾橫過相平陰維之郄鍼五分灸五壯主癲疝小兒胎疝痛不得乳癲疾狂易妄言怒罵吐舌嘔吐涎沫足腨痛

陰谷 膝內輔骨後大筋下小筋上按之應手屈膝乃得之足少陰腎脉所入爲合水鍼四分灸五壯主膝痛如錐不得屈伸舌縱涎下煩逆溺難小便急引陰痛陰痿股內廉痛婦人漏下不止腹脹滿不得息小便黃男子如蠱女子如娠

橫骨 在兩歧骨中央量下一尺二寸五分陰上橫骨中宛曲如仰月中央去任脉各開一

寸足少陰衝脉之會灸三壯禁灸肉鍼四分主五淋小便不通陰器下縱引痛小腹滿目赤痛從內眥始五臟虛竭失精（自肓俞至横骨六穴去任脉各開一寸五分錄之以備參考）

大赫（一名陰維 一名陰關） 在兩歧骨中央量下一尺一寸五分去任脉各開一寸足少陰衝脉之會灸五壯鍼三分主虛勞失精男子陰器結縮莖中痛目赤痛從內眥始婦人赤帶

氣穴（一名胞門 一名子戶） 在兩歧骨中央量下一尺零五分去任脉各開一寸足少陰衝脉之會灸五壯鍼三分主賁豚氣上下引腰脊痛泄利不止目赤痛從內眥始婦人月事不調

四海（一名髓府） 在兩歧骨中央量下九寸五分去任脉各開一寸足少陰衝脉之會鍼三分灸三壯主積聚疝瘕腸澼大腸有水臍下切痛振寒目內眥赤痛婦人月水不調惡血㽲痛奔豚上下無子（㽲音絞）

中注 在兩歧骨中央量下八寸五分去任脉各開一寸足少陰衝脉之會鍼三分灸五壯

主小腹有熱大便堅燥不利泄氣上下引腰脊痛目內眥赤痛女子月事不調

肓俞 在兩歧骨中央量下七寸五分去任脉各開一寸足少陰衝脉之會鍼三分灸五壯主腹切痛寒疝大便燥腹滿響響然不便心下有寒目赤痛從內眥始

「按諸家俱以疝主於腎故足少陰經穴灸兼治疝丹溪以疝本肝經與腎絕無相干足以正千古之訛也」

商曲 在兩歧骨中央量下六寸五分去任脉各開一寸五分足少陰衝脉之會針三分灸五壯主腹痛腹中積聚時切痛腸中痛不嗜食目赤痛從內眥始自幽門至商曲去腹中行五分

石關 在兩歧骨中央量下五寸五分去任脉各開一寸五分足少陰衝脉之會針三分灸三壯主噦噫嘔逆腹痛氣淋小便黃大便不通心下堅滿脊强不利多唾目赤痛從內眥始婦人無子臟有惡血血上衝腹痛不可忍

陰都（一名食宮）　在兩歧骨中央量下四寸五分去任脉各開一寸五分足少陰衝脉之會針三分灸三壯主身寒熱瘧病心下煩滿逆氣腸鳴肺脹氣搶脇下熱痛目赤痛從內眥始

通谷　在兩歧骨中央量下三寸五分去任脉各開一寸五分足少陰衝脉之會針三分灸五壯主失欠口喎食飲善嘔暴瘖不能言結積留飲痃癖胸滿食不化心恍惚喜嘔目赤痛從內眥始

幽門　在兩歧骨中央量下二寸五分去任脉各開一寸五分陷中足少陰衝脉之會針三分灸五壯主小腹脹滿嘔吐涎沫喜唾心下煩悶胸中引痛滿不嗜食裏急數欬健忘泄利膿血目赤痛從內眥始女子心痛逆氣善吐食不下

步廊　在天突下九寸去任脉各開二寸陷中仰而取之鍼三分灸五壯主胸脇支滿痛引胸鼻塞不通呼吸少氣欬逆嘔吐不嗜食喘息不得舉臂

神封 在天突下七寸五分去任脉各開二寸仰而取之鍼三分灸五壯主胸滿不得息咳逆乳癰嘔吐洒淅惡寒不嗜食

靈墟 在天突下六寸去任脉各開二寸陷中仰而取之鍼三分灸五壯主胸脇支滿痛引胸不得息欬逆嘔吐不嗜食

神藏 在天突下四寸五分去任脉各開二寸陷中仰而取之灸五壯針三分主嘔吐欬逆喘不得息胸滿不嗜食

彧中 在天突下三寸去任脉各開二寸仰而取之鍼三分灸五壯主欬逆喘息不能食胸脇支滿涎出多唾

俞府 在天突下一寸五分去任脉各開二寸陷中仰而取之鍼三分灸五壯主欬逆上氣嘔吐喘嗽腹脹不下食飲胸中痛久喘灸七壯效

(十二) 手少陰心經穴

極泉 青靈 少海 靈道 通里 陰郄 神門 少府 少衝

◎手少陰心經穴歌

九穴午時手少陰。。極泉青靈少海深。。靈道通里陰郄考。。神門少府少衝尋。。

◎攷正穴法

極泉 臂內腋下筋間動脉入胸鍼三分灸七壯主臂肘厥寒四肢不收心痛乾嘔煩渴目黃脇滿痛悲愁不樂

靑靈 肘上三寸伸肘舉臂取之灸五壯鍼三分主目黃頭痛振寒脇痛臂不舉不能帶衣

少海(一名曲節) 肘上廉節後大骨外去肘端五分屈肘向頭得之手少陰心脉所入爲合水鍼三分灸三壯主寒齒齲痛目眩發狂嘔吐涎沫項不得回顧肘攣腋脇下痛四肢不

得舉齒寒腦風頭痛氣逆噫噦瘈瘲心疼手顫健忘

靈道 掌後內側一寸五分手少陰心脉所行爲經金鍼三分灸三壯主心痛乾嘔悲恐相引瘈瘲肘攣暴瘖不能言

通里 掌後內側一寸陷中手少陰心脉之絡別走太陽小腸經針三分灸三壯主目眩頭痛熱病先不樂數日懊憹數欠頻呻悲面熱無汗頭風暴瘖不言目痛心悸肘臂臑痛苦嘔喉痺少氣遺溺婦人精血過多崩中實則支滿膈腫瀉之虛則不能言補之

陰郄 掌內後側中去腕五分鍼三分灸五壯主鼻衄吐血淅洒畏寒厥氣驚心痛霍亂胸中滿

神門（一名銳中 一名中都） 掌後銳骨端陷中手少陰心脉所注爲俞土心實瀉之鍼三分灸五壯主瘧心煩甚欲得次飲惡寒則欲處溫中咽乾不嗜食心痛數噫恐悸少氣不足手臂寒

面赤喜笑掌中熱而宛目黃脇痛喘逆身熱狂悲狂笑嘔血吐血振寒上氣遺溺失音心性癡呆健忘心積伏梁大少人五痌東垣曰：胃氣下溜五臟氣皆亂其爲病互相出見氣在於心者取之手少陰之俞神門同精導氣以復其本位靈樞經曰少陰無俞心不病乎其外經病而臟不病故獨取其經於掌後銳骨之端心者五臟六腑之大主精神之所舍其臟堅固邪不能容容邪則身死故諸邪皆在心之包絡者心主之脉也

少府　手小指本節後骨縫陷中直勞宮相平手少陰心脉所溜爲滎火鍼三分灸五壯主煩滿少氣悲恐畏人掌中熱臂痠肘腋攣急胸中痛手倦不伸病瘧久不愈振寒陰挺出陰癢陰痛遺尿偏墜小便不利太息

少衝（一名經始）　手小指內側去爪甲角如韭葉手少陰心脉所出爲井木心虛補之鍼一分灸三壯主熱病煩滿上氣嗌乾渴目黃臑臂內後廉痛胸心痛痰氣悲驚寒熱肘痛不

伸張潔古治前陰臊臭瀉汗行間後於此穴以治其標

（十三）足厥陰肝經穴

大敦　行間　太衝　中封　蠡溝　中都　膝關　曲泉　陰包　五里　陰廉　章門　期門

◎足厥陰肝經穴歌

足厥陰經一十三。。大敦行間太衝是。。中封蠡溝伴中都。。膝關曲泉陰包次。。五里陰廉上中尋。。章門纔過期門至。。

◎攷正穴法

大敦　足大指端去爪甲如韭葉及三毛中足厥陰肝脉所出爲井木針一分灸三壯主五淋卒疝七疝小便數遺不禁陰頭中痛汗出陰上入小腹陰偏大腹臍中痛悒悒不樂病左取右病右取左腹腫脹病小腹痛中熱喜寐尸厥狀如死人婦人血崩不止陰挺出陰

中痛

行間 足大指縫間動脉應手陷中足厥陰肝脉所溜爲滎火肝實則瀉之針二分灸三壯針三分主嘔逆洞泄遺溺癃閉消渴嗜飲善怒四肢滿轉筋胸脇痛小腹腫欬逆嘔血莖中腰痛疼不可俯仰腹中小腸氣肝心痛色蒼蒼如死狀終日不得息口㖞癲疾短氣四肢逆冷嗌乾煩渴瞑不欲視目中淚出太息便溺七疝寒疝中風肝積肥氣發痃瘧婦人小腹腫面塵脫色經血過多不止崩中小兒急驚風

太衝 足大指本節後二寸內間動脉應手陷中足厥陰肝肝所注爲俞土女子二七太衝脉盛月事以時下故能有子又診病人太衝脉有無可以决死生鍼三分灸三壯主心痛脉弦馬温疫肩衝吻傷虛勞浮腫腰引小腹痛兩丸騫縮溏泄遺溺陰痛面目蒼色胸脇支滿足寒肝心痛蒼然如死狀終日不休息大便難便血小便淋小腸疝氣痛㿉疝小便不利嘔血嘔逆發寒嗌乾善渴肘腫內踝前痛淫濼胻痠腋下馬刀瘍瘻唇腫女子漏下不止少兒卒疝

中封（一名懸泉） 足內踝骨前一寸筋裏宛宛中一寸仰足取陷中伸足乃得之足厥陰肝脉所行爲金鍼四分灸三壯主痎瘧色蒼蒼發振寒小腹腫痛食快快小臍痛五淋不得小便足厥冷身黃有微熱不嗜食身體不仁寒疝腰中痛或身微熱痿厥失精筋攣陰縮入腹相引痛

蠡溝（一名交儀） 內踝上五寸足厥陰絡別走少陽鍼三分灸三壯主疝痛小腹脹滿暴痛如癃閉數噫恐悸少氣不足悒悒不樂咽中悶如有息肉背拘急不可俯仰小便不利臍下積氣如右足脛寒痠屈伸難女子赤白帶下月水不調氣逆則睾丸卒痛實則挺身瀉之虛則暴癢補之

中都（一名中郄） 內踝上七寸胻骨中與少陰相直針五分灸五壯腸澼㿉疝小腸痛不能行立脛寒婦人崩中產露不絕

膝關 犢鼻內下二寸旁陷中鍼四分灸五壯主風痺膝內廉痛引膑不可屈伸咽喉中痛

曲泉 膝股上內側輔骨下大筋上小筋上陷中屈膝橫紋頭取之足厥陰肝脉所入爲合水肝虛則補之鍼五分灸三壯主㿉疝陰股痛小便難腹脇肢滿閉癃少氣泄利四肢不舉實則身目眩痛汗不出目䀮䀮膝關痛筋攣不可屈伸發狂衄血下血喘呼小腹痛引咽喉房勞失精身體極痛泄水下痢膿血陰腫陰莖痛胻腫膝脛冷疼女子血瘕按之如湯浸股內小腹腫陰挺出癢

陰包 膝上四寸股內廉兩筋間踡足取之看膝內側必有槽中鍼六分灸三壯主腰尻引小腹痛小便難遺溺婦人月水不調

五里 在臍傍各開二寸直量下一尺三寸陰股中動脉應手針六分灸五壯主腸中滿熱閉不得溺風勞嗜臥

陰廉 在臍傍各開二寸直量下一尺二寸動脉中鍼四分灸三壯主婦人絕產若未經生產者灸三壯卽有子

章門（一名長平 一名脇髎）

臍上二寸兩旁六寸側臥屈上足伸下足舉臂取之又曰手肘尖盡處是穴脾之募足少陽厥陰之會難經曰臟會章門疏曰臟病治此針四分灸五壯主腸鳴盈盈然食不化脇痛不得臥煩熱口乾不嗜食胸肋痛支滿喘息心痛而嘔吐逆飲食卻出腰痛不得轉側腰脊冷疼溺多白濁傷食身黃瘦賁豚積聚腹腫如鼓脊强四肢懈惰善恐少氣厥逆肩臂不舉東垣曰氣在於腸胃者取之太陰陽明不下取三里章門中脘魏士珪妻徐病疝自臍下上至於心皆脹滿嘔逆煩悶不進飲食滑伯仁曰此寒在下焦爲灸章門氣海

期門

由乳旁一寸半量直下足厥陰太陰陰維之會鍼三分灸五壯主胸中煩熱賁豚上下目青而嘔霍亂泄利腹堅硬大喘不得坐臥脇下積氣傷寒心切痛喜嘔酸飲食不下食後吐水胸脇痛支滿男子婦人血結胸滿赤面火燥口乾消渴胸中痛不可忍傷寒過經不解熱入血室男人則由陽明而傷下血譫痛婦人月水適來邪乘而入及產後餘疾一婦人患熱入血室許學士云小柴胡已遲當刺期門鍼之如言而愈太陽與少陽併病

頸項强痛或眩如結胸心下痞硬者當刺大椎第二行肝兪肺兪愼不可發汗發汗則譫語五六旬譫語不止當刺期門

（十四）手厥陰心包絡經穴

天池　天泉　曲澤　郄門　間使　内關　大陵　勞宮　中衝

◉手厥陰心包絡經穴歌

心包九穴天池近。。天泉曲澤郄門認。。間使内關踰大陵。。勞宮中衝中指盡。。

◉攷正穴法

天池（一名天會）　腋下三寸乳後一寸着脇直腋撅肋間手足厥陰少陽之會灸三壯鍼二分主胸中有聲胸膈煩滿熱病汗不出頭痛四肢不舉腋下腫上氣寒熱痎瘧臂痛目䀮䀮不明

天泉（一名天濕）　曲腋下二寸舉臂取之針三分灸三壯主目䀮䀮不明惡風寒心病胸脇

支滿欬逆膺背胛間臂內廉痛

曲澤 肘內廉陷中大筋內側橫紋中動脉是心包絡脉所入爲合水灸三壯鍼三分主心痛善驚身熱煩渴口乾逆氣嘔吐血心下澹澹身熱風 臂肘手腕不時動搖頭濆汗出不過肩傷寒逆氣嘔吐

郄門 掌後去腕五寸手厥陰心包絡脉郄鍼三分灸五壯主嘔血衄血心痛嘔噦驚恐畏人神氣不足

間使 掌後三寸兩筋間陷中心包絡脉所行爲金經鍼五分灸五壯主傷寒結胸心懸如飢卒狂胸中澹澹惡風寒嘔味怵惕寒中少氣掌中熱腋腫肘攣卒心痛多驚中風氣寒涎上昏危瘖不得語咽中如梗鬼邪霍亂乾嘔婦人月水不調血結成塊小兒客忤

內關 掌後去腕二寸兩筋間與外關相抵手心主之絡別走少陽針五分灸三壯主手中風熱失志心痛目赤支滿肘攣實則心暴痛瀉之虛則頭强補之

大陵 掌後骨下兩筋間陷中手厥陰心包絡脉所注爲俞土心包絡脉實瀉之針五分灸三壯主熱病汗不出手心熱肘臂攣痛腋腫喜笑不休煩心心懸若飢心痛掌熱喜悲泣驚恐目赤目黃小便如血嘔啘無度狂言不樂喉痺口乾身熱頭痛短胸脇痛瘑瘡疥癬

(啘音扶)(瘑音戈)

勞宮(一名五里 一名掌中) 掌中央動脉屈無名指取之屈中指盡處是穴取之心包絡脉所溜爲榮火鍼二分灸三壯主中風善怒悲笑不休手痺熱病數日汗不出怵惕脇痛不可轉側大小便血衄不止氣逆嘔噦煩渴飲食不下大小人口中腥臭口瘡胸脇支滿黃疸目黃小兒齦爛

中衝 手中指端外側去爪甲如韭葉陷中心包絡脉所出爲井水心包絡虛補之鍼一分灸三壯主熱痛煩悶汗不出掌中熱身如火心痛煩滿舌强

(十五) 奇經八脉歌

督脉起自下極腧並於脊裏上風府過腦額鼻入齗交爲陽脉海都綱要
任脉起於中極底上腹循喉承漿裏陰脉之海妊所會
衝脉出胞循脊中從腹會咽絡口脣女人成經爲血室脉並少陰之腎經與任督本於陰會三脉並起而異行
陽蹻起自足跟裏循外踝上入風池，
陰蹻內踝循喉嗌本足陰陽脉別支
諸陰交起陰維脉發足少陰築賓郄
帶脉周回季脇間會於維道足少陽所謂奇經之八脉維繫諸經乃順常

◉奇經八脉

督脈者起於少腹以下骨中央女子入繫廷孔其孔溺孔之端也其絡循陰器合篡間繞篡後別繞臀至少陰與巨陽中絡者合少陰上股內後廉貫脊屬腎與太陽起於目內眥上額交巔上入絡腦還出別下項循肩髆內俠脊抵腰中入循膂絡腎其男子循莖下至篡

與女子等其少腹直上者貫臍中央上貫心入喉上頤環唇上繫兩目之下中央督脉起於下極之腧並於脊裏上至風府入腦上巔循額至鼻柱屬陽脉之海其爲病也脊强而厥凡二十七穴（穴見前）

任脉與衝脉皆起於胞中循脊裏爲經絡之海其浮而外者循腹上行會於咽喉別而絡唇口血氣盛則肌肉熱血獨盛則滲灌皮膚生毫毛婦人有餘於氣不足於血以其月事數下任衝並傷故也任衝之交脉不營於唇口故髭鬚不生

任脉起於中極之下以上毛際循腹裏上關元至咽喉屬陰脈之海其爲病也苦內結男子爲七疝女子爲瘕聚凡二十四穴（穴見前）

衝脈者與任脉皆起於胞中上循脊裏爲經絡之海其浮於外者循腹上行會於咽喉別而絡唇口故曰衝脉者起於氣衝並足少陰之經俠臍上行至胸中而散其爲病也令人逆氣而裏急難經曰並足陽明之經以穴攷之足陽明俠臍左右各一寸而上行足少陰俠臍左右各一寸而上行針經所載衝任與督脉同起于會陰其右腹也行乎幽門通谷

陰都石關商曲肓俞中柱四滿氣穴大赫橫骨凡二十二穴皆足少陰之分也然則衝脈並足少陰之經明矣　○幽門（巨闕旁）　陰都（通谷下）　石關（陰都下）　商曲（石關下）　肓俞（商曲下）　中注（肓俞下）　通谷（上脘旁）　四滿（中注下）　氣穴（四海下）　大赫（氣穴下）　橫骨（大赫下）

帶脉者起於季脇迴身一周其爲病也腹滿腰溶溶如坐水中其脉氣所發正名帶脈以其迴身一周如帶也又與足少陽會于帶脉五樞維道此帶脉于發凡六穴○帶脉（季脇下一寸八分）　五樞（帶脉下三寸）　維道（章門下五寸三分）

陽蹻脉者起于跟中循外踝上行入風池其爲病也令人陰緩而陽急兩足蹻脉本太陽之別合于太陽其氣上行氣並相還則爲濡目氣不營則目不合男子數其陽女子數其陰當數者爲經不當數者爲絡也蹻脉長八尺所發之穴生于申脉本于僕參（郄）于附陽與足少陽會于居髎又于手陽明會于肩髃及巨骨又與手太陽陽維會于臑俞又與手足

陽明會于地倉及巨髎又與任脉足陽明會于承泣凡二十穴(髎音僚髃音魚)〇申脉(外踝下) 僕參(跟骨上) 附陽(外跟上) 居髎(章門下) 肩髃(肩端) 巨骨(肩端) 臑俞(肩髃後甲骨上廉) 地倉(口吻旁) 巨髎(鼻兩旁) 承泣(目下七分)

陰蹻脉者亦起于跟中循內踝上行至咽喉交貫衝脉其爲病也令人陰緩而陽急故曰蹻脉者少陰之別起於然谷之上上內踝之上直上陰循陰股入陰上循胸裏入缺盆上出入迎之前入鼻屬目內眥合於太陽女子以之爲經男子以之爲絡兩足蹻脉長八尺而陰蹻之郄在交信陰蹻病者取此凡四穴〇照海(足內踝下) 交信(內踝上)

陽維脉者維於陽其脉起於諸陽之會與陰維皆維絡於身若陽不能維於陽則溶溶不能自收持其脉氣所發別於金門郄於陽交與手太陽及陽蹻脉會於臑俞又與手少陽會於臑俞又與手足少陽會於天髎又與手足少陽足陽明會於肩井其在頭也與足少陽

會於陽白上於本神及臨泣目窗上至正營承靈循於腦空下至風池日月其與督脈會則在風府及啞門其爲病也苦寒熱凡三十二正　金門（足外踝下）陽交（外踝上）臑俞（肩前廉）天髎（缺盆上）肩井（肩頸上）陽白　臑俞（肩後廉肩上）本神（曲差旁）臨泣（目上）目窗（臨泣後）正營（目窗後）承靈（正營後）腦空（承靈後）風池（腦空下）日月（期門下）風府　啞門

陰維脈者維於陰其脈起於諸陰之交若陰不能維於陰則悵然失志其脈氣所發陰維之郄名曰築賓與足太陰會於腹哀大橫又與足太陰厥陰會於府舍期門與任脈會於天突廉泉其爲病也苦心痛凡二十一穴　築賓（內踝上）腹哀（日月上）大橫（腹哀下）府舍（腹結下）期門（乳下）天突（結喉下）廉泉（結廉下）

鍼灸學第一章完

目錄

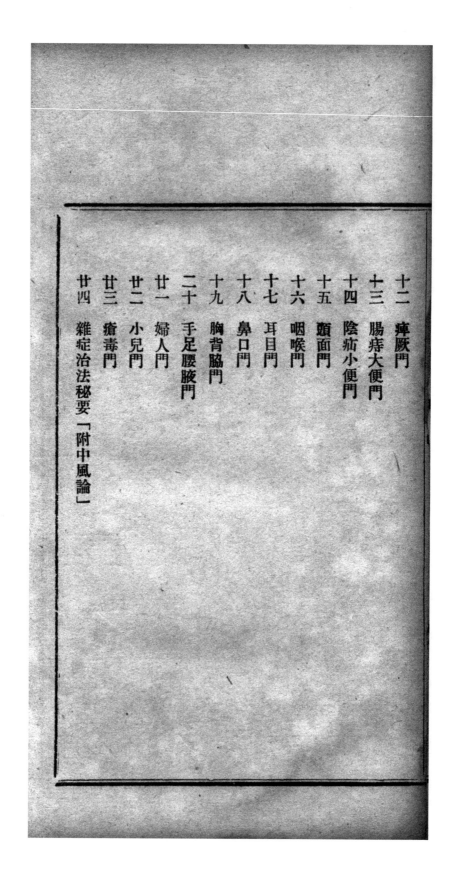

（一）◉諸風門

○左癱右瘓

曲池　陽谷　合谷　中渚　手三里　陽輔　崑崙

○諸風門

肘不能屈

○身體反折

膏肓尺澤　上廉風　列缺　腕骨　曲池

○中風肘攣

肝俞

○目戴上視

內關

○吐涎

絲竹空

絲竹空　百會

○不識人

水溝　臨泣　合谷

○脊反折

啞門　風府　風門

○風痺

尺澤　少海　委中　天井　陽輔

○驚風癇

神庭　尺澤　百會　少沖　前頂　前頂　湧泉　絲竹空　束骨　神闕一壯　鳩尾三壯

○風勞

曲泉　膀胱俞七壯

○風疰

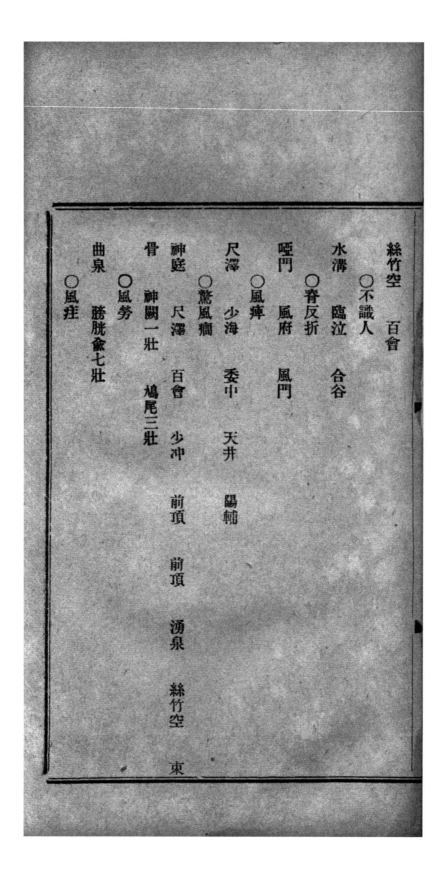

百會　肝俞　脾俞　腎俞　膀胱俞

○風眩

臨泣　陽谷　腕骨　中脉

○中風痛

臨泣　百會　肩井　肩髃　曲池　天井　間使　內關　合谷

風巾　手三里　解谿　崑崙　照海　人中

○瘖瘂

支溝　復溜　間使　合谷　魚際　靈道　陰谷　然谷　通谷

○口噤不開

頰車　承漿　合谷

凡患風癇疾發則躺仆在地。。灸在　風池百會人中三穴。。　黃帝灸法。。療中風眼戴上。。及不能語者。。灸第反椎并第五椎上各五壹同灸。。炷如半棗核大。。

(二) ◉傷寒門

○身熱頭痛

攢竹　大陵　神門　合谷　魚際　中渚　液門　少澤　委中

太白

○洒淅惡寒寒慄鼓頷

魚際　頭維

○身熱

陷谷　足三里　復溜　俠谿　公孫　太白　委中　湧泉　膏

肓　曲池　中衝

○寒熱

風池　少海　魚際　少冲　合谷　復溜　臨泣　太白　補骨

肓

○傷寒汗不出

風池　魚際　經渠　各瀉　二間

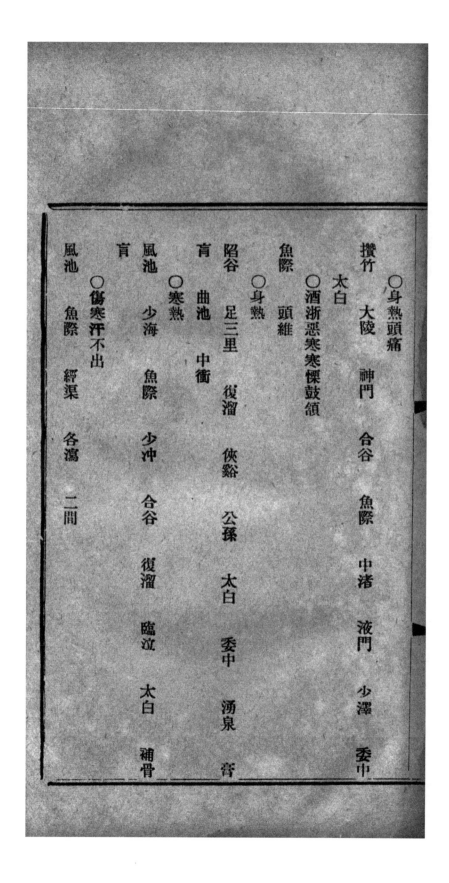

○過經不解
期門
○餘熱不盡
曲池　手三里　合谷　瀉膏肓
○腹漲
三里　內庭
○陰症傷寒
灸神闕
○大熱
曲池　手三里　復溜　瀉膏肓
○吐嘔
補足三里
○腹寒熱氣

少冲　商邱　太冲　行間　三陰交　隱白　陰陵泉

○發狂

勞宮　間使　合谷　復溜

○不省人事

中渚　足三里　大敦　照海　章門

○小便不通

陰谷　陰陵泉

（三）◉痰喘嗽咳門

○咳嗽

列缺　經渠　尺澤　魚際　少澤　前谷　手三里　解谿　崑

崙　肺俞七壯　亶中三壯

○咳嗽飲水

太淵

○兩脇痛

肝俞　魚際　列缺　手三里　肺兪　百會　勞宮　乳根　風門　肝俞

○唾血內損

魚際　尺澤補　間使　足三里　神門　太谿　太淵　勞宮

曲泉　然谷　太冲　肺俞三壯　脾俞三壯　肝兪三壯

○唾血振寒

太谿　手三里　列缺　太淵　膏肓

○嘔血

曲澤　神門　魚際

○嘔膿

亶中

○唾濁

尺澤　間使　列缺　少商

○嘔食不化

太白

○嘔吐

曲澤　通里　勞宮　陽陵　太谿　照海　太冲　大都　隱白

通谷　胃俞　肺俞　足三里

○嘔逆

大陵

○嘔噦

太淵

○上喘

曲澤　大陵　神門　魚際　三間　商陽　解谿　崑崙　亶中

肺俞

〇咳嗽食膈

膈俞　三間　商陽

〇肺脹蠱膨氣搶脇下熱滿痛

陰都灸　太淵　肝俞

〇喘息不能行

中脘　期門　上廉　喉結

〇諸虚百損五勞七傷失情勞症

肩井　大椎　膏肓　脾俞　胃俞　肺俞　下脘　足三里

〇傳尸骨蒸肺痿

膏肓　肺俞　肝俞　腎俞

〇乾嘔

間使　膽俞　通谷　隱白

〇噫氣

神門　太淵　少商　勞宮　太谿　陷谷　太白　大敦
○痰涎
陰谷　復溜　然谷
○結積留
膈俞五壯　通谷灸

(四)◉諸般積聚門

○氣塊冷氣一切氣疾
氣海
○心氣痛連脇
百會　上脘　支溝　大陵　足三里
○結氣上喘及伏梁氣
中脘　百會　上脘　支溝　大陵　足三里
○脇下積氣

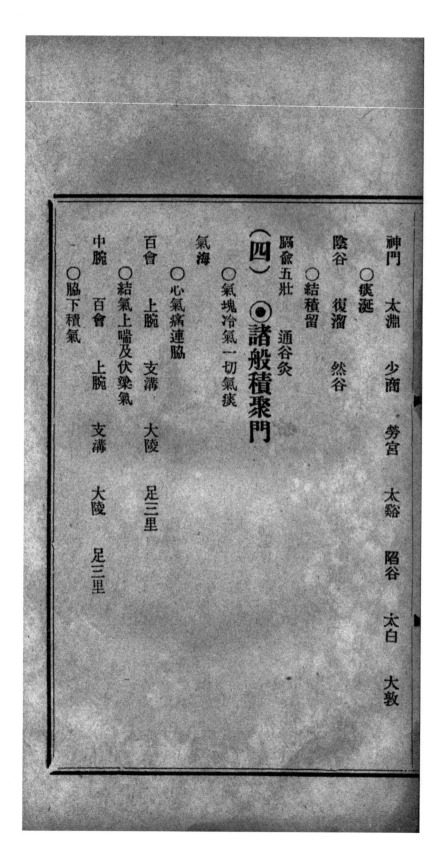

期門　○賁豚氣

章門　期門　中脘　巨闕　氣海七壯

○氣逆

尺澤　商邱　太白　三陰交　喉結

○喘逆

神門　陰陵　崑崙　足臨泣

○噫氣上逆

太淵　神門

○咳逆

支溝　前谷　大陵　曲泉　足三里　陷谷　然谷　行間　臨泣　肺俞

○咳逆痰不出者

先取足三里　後取太白　肝俞　太淵　魚際　太谿　竅陰

○咳逆振寒

少商　天突

○久病咳

少商　天柱灸三壯

○厥氣冲腹

解谿　天突

○短氣

大陵　尺澤

○欠氣

通里　內庭　通里　內庭

○諸積

足三里　陰谷　解谿　通谷　上脘　肺俞　膈俞　脾俞

焦兪

○胸腹滿脹氣喘

合谷　足三里　期門　乳根

○灸哮法

喉結　天突

（五）◉腹痛脹滿門

○腹痛脹滿

內關　足三里　陵谷　陰陵　復溜　太谿　崑崙　陷谷　行間　太白　中脘　氣海　膈俞　脾俞　腎俞

○食不下

內關　魚際　足三里　胃兪　中脘

○小腰急痛不可忍及小腸爲外腎弔疝氣諸氣痛心痛

灸足大指次指內外離甲角處一分度灸五壯。。男左女右極妙。。二足皆灸亦可。。

○小腹脹痛
氣海　臍痛　水分　神闕
○足痛
陰市　承山　下廉　復溜　中封　大敦　小海　關元　腎俞
○俠臟痛
上廉
○臍痛
曲泉　中封　水分
○引腰痛
太冲　太白
○腹滿
少商　陰市　足三里　曲泉　崑崙　商邱　通谷　太白　大都　隱白　陷谷　行間

○腹脇滿痛

陽陵　足三里　上廉

○心腹脹海

絕骨　內庭

○小腹脹滿痛

中封　然谷　內莛　大敦

○腹脹

尺澤　陰市　足三里　曲泉　陰谷　陰陵　商邱　公孫　內庭　太谿　太白　厲兌　隱白　脾俞　腎俞　中脘　大腸俞

○脹而胃痛

膈俞

○腹堅大

足三里　陰陵　邱墟　解谿　冲陽　期門　水分　神闕

膀胱俞

○寒堅大

冲陽

○鼓脹

復溜　中封　公孫　太白　水分　三陰交

○腹寒不食

陰陵泉灸

○痃癖腹痛

三陰交

○腹鳴寒熱

復溜

○胃腹膨脹氣鳴

合谷　足三里　期門

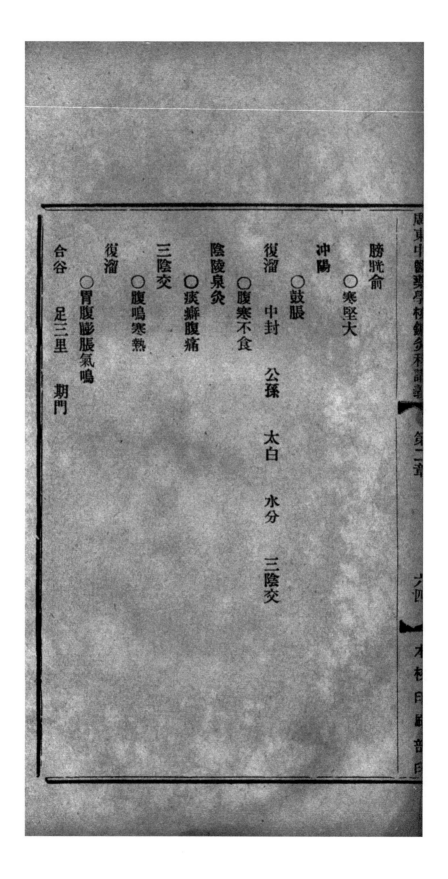

（六）◉心脾胃門

○心痛

曲澤　間使　內關　大陵　神門　太淵　太谿　通谷　心兪　巨闕

○心痛食不化

中脘

○胃脘痛

太淵　魚際　足三里　兩乳下各　膈俞　胃俞　腎兪

○心煩

神門　陽谿　魚際　腕骨　少商　解谿　公孫　大白　至陰

○煩渴心熱

曲澤

○心煩怔忠

魚際

○卒心痛不可忍吐冷酸水

○灸足大指次指内紋中各一壯。。炷如小麥大立愈。。

○思慮過多無心力忘前失後

灸百會　心風　心俞灸　中脘

○虛煩口乾

肺俞

○煩悶不臥

太淵　公孫　隱白　肺俞　陰陵泉　三陰交

○煩心喜噫

少商　太谿　陷谷

○心痺悲恐

神門　大陵　魚際

○懈惰

照海

○心驚恐

曲澤　天井　靈道　神門　大陵　魚際　二間　液門　少冲

百會　厲兌　通谷　巨闕　章門

○嗜臥

百會　天井　三間　二間　太谿　照海　厲兌　肝俞

○嗜飲不言

膈俞

○不得臥

太淵　公孫　隱白　肺俞　陰陵泉　三陰交

○支滿不食

肺俞

○振寒不食

冲陽　○胃熱不食
下廉　○胃脹不食
水分　○心恍惚
天井　巨闕　心俞　○心喜笑
陽谿　陽谷　神谷　大陵　列缺　魚際　勞宮　復溜　肺俞
胃俞　太淵　足三里　腎俞　兩乳下一寸各灸五壯　○翻胃
○先取下脘。後取手三里(瀉)。足三里
胃兪　隔兪五壯　中脘　脾俞

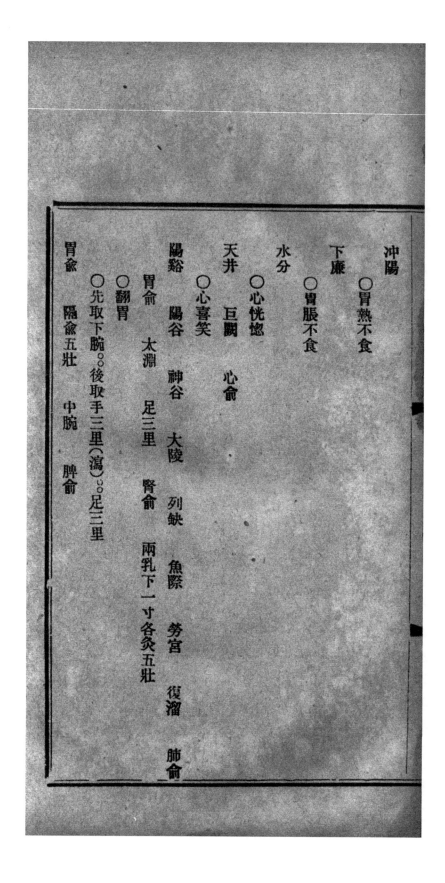

○噎食不下
勞宮　少商　太白　公孫　手三里　中魁在中指第二節尖
膈俞　心俞　胃俞　三焦俞　中脘　大腸俞
○不能食
少商　足三里　然谷　膈俞　胃俞　大腸俞
○不嗜食
中封　然谷　內庭　厲兌　隱白　陰陵泉　肺俞　脾俞
胃俞　小腸俞
○食氣飲食聞食臭
百會　少商　足三里　灸亶中
○食多身瘦
脾兪　胃俞
○脾寒

三間　中渚　液門　合谷　商邱　三陰交　中封　陷谷

太谿　至陰　腰兪

○胃熱

瀉懸鐘

○胃寒有痰

隔兪

○脾虛腹腸穀不消

手三里　足三里

○脾病溏泄

三陰交

○脾虛不便

商邱　三陰交五壯

○膽虛嘔逆熱上氣

氣海

（七）◉心邪癲狂門

○心邪癲狂

攢竹　尺澤　間使　陽谷

○癲狂

曲池五壯　小海　間使　陽谿　陽谷　大陵　合谷　魚際

腕骨　神門　液門　冲陽　行間　京骨以上俱灸　肺俞七壯

○癲癇

攢竹　天井　小海　神門　金門　商邱　行間　通谷　心俞

七壯　後谿　鬼眼穴

○鬼擊

間使　支溝

○癲疾

上星　百會　風池　曲池　尺澤　陽谿　腕骨　解谿　後谿

中脉　崑崙　商邱　然骨　通谷　承山鍼三分連山灸七壯

○狂言

太淵　陽谿　下廉　崑崙

○狂言不樂

大陵

○多言

百會

○癲狂言語不擇尊卑

○灸唇裏中央肉弦上一壯炷如小麥大又用銅刀割斷更佳

○狂言數回顧

陽谷　液門

○喜笑

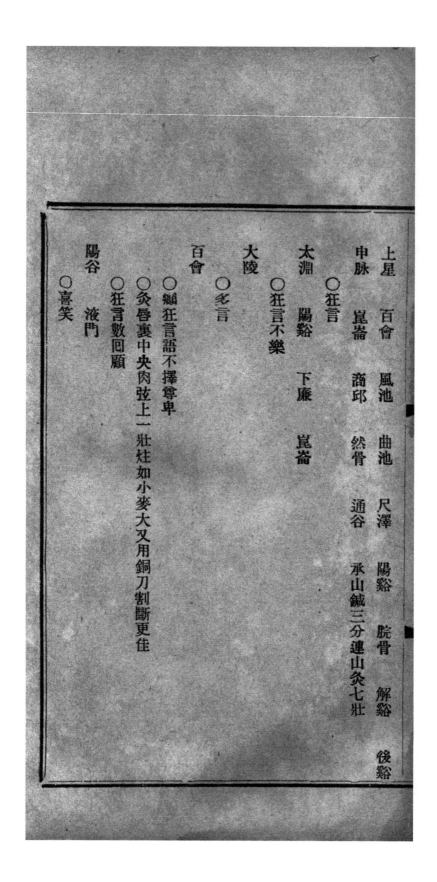

水溝　列缺　陽谷　大陵

○喜哭

百會　水溝

○目妄視

風府

○鬼邪

間使

○見鬼

陽谿

○魘夢

商邱

○中惡不省

水溝　中脘　氣海

〇不省人事

三里　大敦

〇發狂

少海　間使　神門　合谷　後谿　復溜　絲竹空

〇狂走

風府　陽谷

〇狐魅神邪迷附癲狂

〇以兩手兩足大拇指用繩縛定艾炷處盡灸四處盡灸一次灸不到其疾不愈灸三壯卽鬼眼穴（小兒胎癎奶癎驚癎）亦候此法灸一壯炷和小麥大

〇卒狂

間使　後谿　合谷

〇瘈瘲指掣

瘂門　陽谷　腕骨　帶脉　勞宮

○呆痴

神門　少商　湧泉　心俞

○發狂登高而歌棄衣而走

神門　後谿　冲陽

○爽驚

百會　解谿

○暴驚

下廉

○癲疾

前谷　後谿　水溝　解谿　金門　申脉

（八）◉霍亂門

○霍亂

陰陵　承山　解谿　太白

○霍亂吐瀉

關冲　支溝　尺澤　補三里　太白　先取太谿　後取太倉

○霍亂吐瀉轉筋

支溝　通數　關冲　陰陵　承山　陽輔　太白　大都　中封

解谿　邱墟　公孫

（九）◉瘧疾門

○瘧疾

百會　經渠　前谷

○溫瘧

中脘　大椎

○痎瘧

腰俞

○瘧疾發寒熱

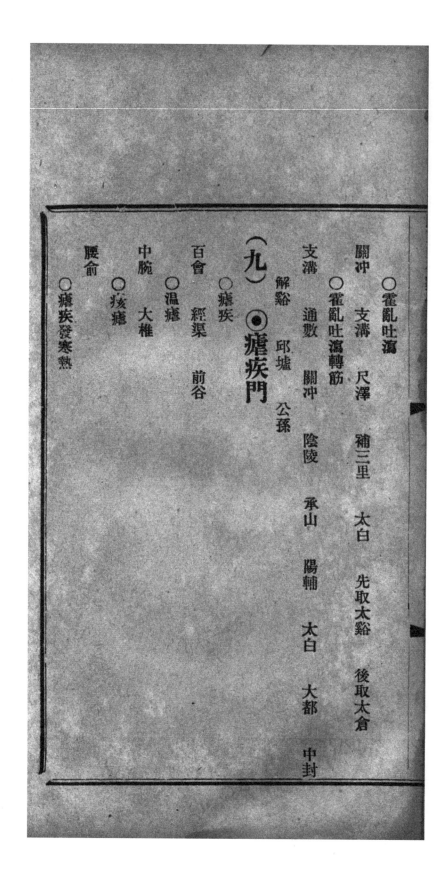

合谷　液門　商陽

○痎瘧寒熱

後谿　合谷

○瘧疾振寒

上星　邱墟　陷谷

○頭痛

腕骨

○寒瘧

三間

○心煩

神門

○久瘧不食

公孫　內庭　厲兌

○久瘧
中渚　商陽　邱墟
○熱多寒少
間使　三里
○脾寒發瘧
大椎　間使　乳根

（十）◉腫脹門　附紅疸　黄疸

○渾身浮腫
曲池　合谷　三里　內庭　行間　三陰交
○水腫
列缺　腕骨　合谷　間使　陽陵　陰谷　三里　曲泉　解谿
陷谷　復溜　公孫　厲兌　中陽　陰陵　胃俞　水分　神闕
○四肢浮腫

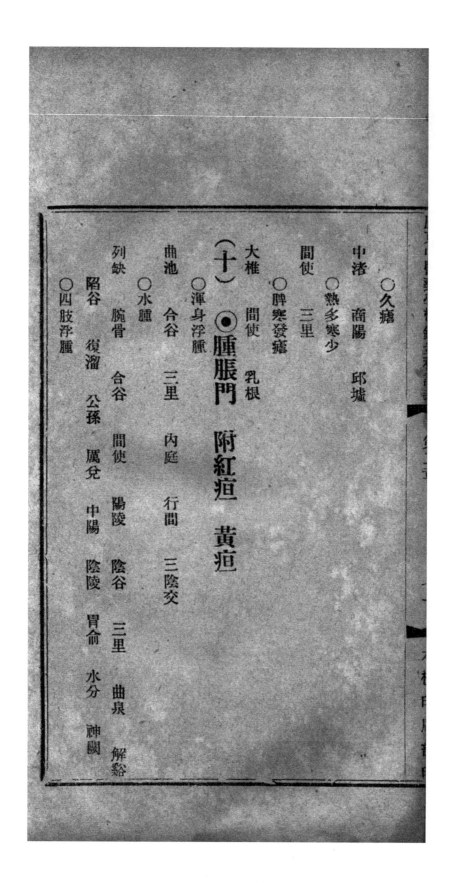

曲池　通里　合谷　中渚　液門　瀉三里　三陰交
○風浮身腫
解谿
○水腫氣脹滿
復溜　神闕
○腹脹脇滿
陰陵泉
○遍身腫食不化
腎俞七壯
○鼓脹
復溜　公孫　中封　太白　水分
○消痺
太谿

○傷飽身黄

章門

○紅疸

百會　曲池　合谷　三里　委中

○黄疸

百勞　腕骨　三里　湧泉　中腕　膏肓　大陵　勞宮　太谿

中封　然谷　太冲　復溜　脾俞

(十一)◉汗門

○多汗

先補　合谷　次瀉　復溜

○少汗

先瀉　合谷　次瀉　補復溜

○自汗

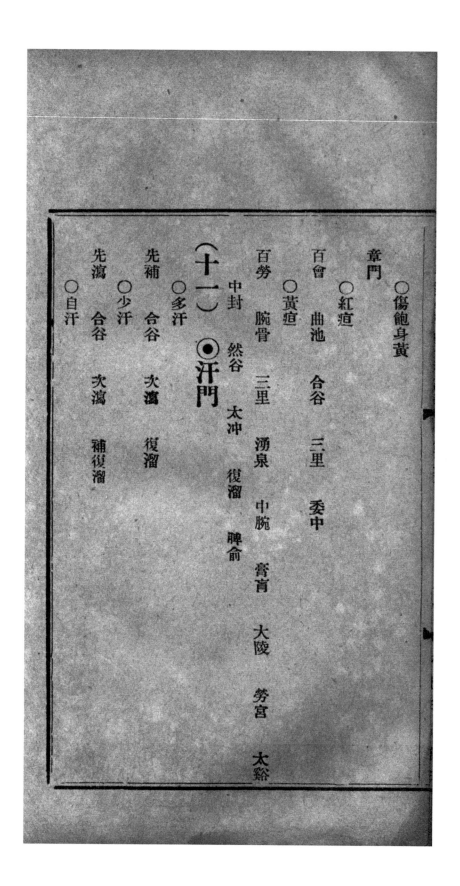

曲池　列缺　少商　崑崙　冲陽　然谷　大敦　湧泉

○無汗

星上　瘂門　風府　風池　支溝　經渠　大陵　陽谷　中渚

液門　魚際　合谷　中冲　少商　商陽　大都　委中

陷谷　厲兌　俠谿

○汗不出

曲澤　魚際　少澤　上星　曲泉　復溜　崑崙　竅陰　俠谿

（十二）◉痺厥門

○風痺

尺澤　陽輔

○積痺　痰痺

膈俞　寒厥　太淵　液門　痿厥　邱墟

〇尺厥如死及不知人事
厲兌　灸三壯　人中　百會
〇身寒痺
曲池　列缺　環跳　風市　委中　商邱　中封　臨泣
〇逆厥
陽輔　臨泣　章門
〇如脉絶
灸間使　或鍼復溜
〇尺厥
列缺　中冲　金門　大都　內庭　厲兌　隱白　大敦
〇四肢厥
尺澤　小海　支溝　前谷　三里　三陰交　曲泉　照海
太谿　內庭　行間　大都

〇腸鳴腸痔大便不出

足三里　陷谷　胃俞　三焦兪　公孫　大白　章門　三陰交

水分　神闕

〇腸鳴而泄

神闕　水分　三闕　三間

〇食泄

上廉　下廉

〇暴泄

隱白

〇洞泄

腎俞

〇溏泄

太冲　神闕　三陰交

〇泄不止

神闕

〇出泄不覺

中脘

〇痢疾

曲泉　大谿　太冲　太白　脾俞　小腸俞

〇脫肛

百會　臍中

〇血痔泄腹痛

承山　復溜

〇久痔

承山　長强
　○陰疝小便門
寒疝腹痛　陰市　大谿　肝俞　大敦　三陰交
　○卒疝
丘墟　大敦　陰市　照海　三陰交
　○癲疝
曲泉　中封　大冲　商丘　三陰交　大敦
　○腸癖癀疝小腹下痛
大谿　足三里　陰陵　曲泉　脾俞　三陰交　大谿　丘墟
照海
　○偏墜
歸來　大敦

○陰疝

太冲 大敦

○便血

承山 復溜 太冲 大白

○大便不禁

丹田 大腸俞

○大便不通

承山 大谿 照海 小腸兪 太白 章門 膀胱俞 瀉足三里

○大便下重

承山 解谿 太白 帶脉

○五痔

委中 承山 陽輔 復溜 太冲 俠谿 氣海 會陰

長强 飛揚

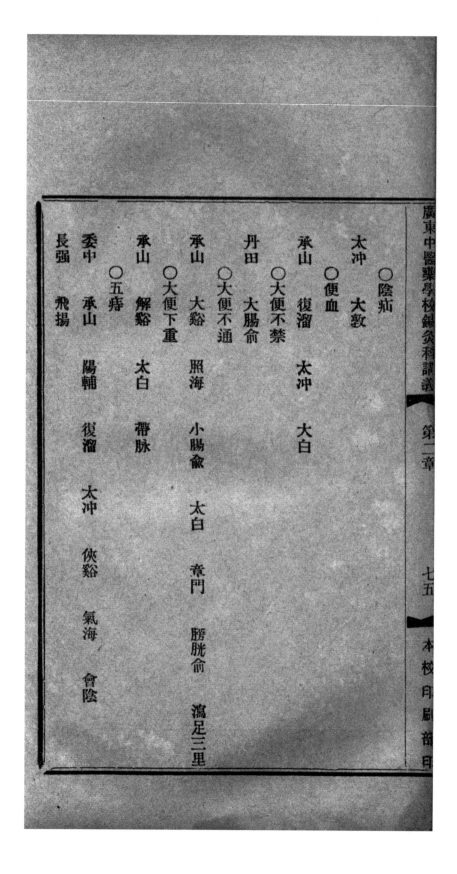

○腸風
長强灸三壯
○大小便不通
胃脘灸三壯
○腸癰痛
太白　陷谷　大腸兪
○腸癖癀疝小腸痛
通谷　束骨　大腸俞
○陰癖膀胱小腸
氣海　三里　三陰交　氣門
○陰腎偏大小便或入陰入腹或陰腫
大敦　曲泉　太谿　大敦　腎俞　三陰交　會陰

○陰經痛

曲泉　竹間　太冲　陰谷　三陰交　大敦　大谿　腎俞

中極

○陰經痛陰汗濕

太谿　魚際　中極　三陰交

○夢遺失精淋溺

關元

○腎臟虛冷日漸羸瘦勞傷陰疼凛凛少氣遺精

腎俞

○遺精腎濁

腎俞　三陰交

○寒熱淋

陰陵泉

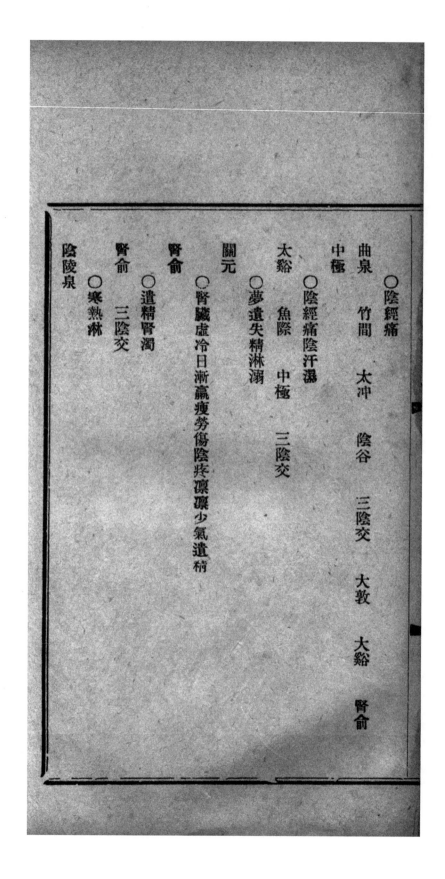